SPORTS ET SOCIÉTÉ
Approche socio-culturelle des pratiques

Christian Pociello

SPORTS ET SOCIÉTÉ
Approche socio-culturelle des pratiques

Avec la collaboration de :

W. Andreff/J.-P. Augustin/M. Berges/M. Bernard
J. Blouin/J.-P. Clément/N. Dechavanne
J. Defrance/F. Di Ruzza/J. Durry/P. Falt/Cl. Fleuridas/B. Gerbier
J. Guillerme/L. Herr/P. Irlinger
C. Louveau/M. Métoudi/G. Vigarello

Editions VIGOT
23, rue de l'école de médecine — 75006 Paris
1987

Photos de couverture : VANDYSTADT

© *Editions Vigot, 1981*
Dépôt légal – Février 1987 – ISBN 2-7114-0822-1
Imprimé en France

Table des matières

5. Autres approches pour construire une synthèse

Introduction

Nouvelles approches 1

Christian Pociello

Références légitimes et points de passage obligés pour ceux qui s'interrogent sur le sport, les productions de Michel Bouet et de Jean-Marie Brohm (1) qui ont marqué un moment nécessaire de la réflexion, sont aujourd'hui soumises à discussions et à critiques. Ces auteurs tiennent, sans l'avoir voulu ni prévu, les deux positions extrêmes qui bornent le champ des discours « sociologiques » sur le sport. Entre l'approche *psychosociologique* des motivations des sportifs et la radicale critique *sociopolitique* du sport, s'étend un domaine de connaissances désormais structuré comme un « champ ».

Quelques auteurs ont montré ce qu'avait d'instructif cette bipolarité théorique sur la signification du phénomène sportif lui-même. Les deux dimensions constitutives du sport, qui font à la fois son ambiguïté et sa richesse, représentent les axes fondamentaux que les deux courants d'analyse tentent de maîtriser contradictoirement. Les deux versants « *motivationnel* » et « *institutionnel* » du phénomène définissent bien, en effet, cette ligne de partage des eaux « théoriques » :

« *Poser uniquement l'utilité objective de l'exercice (...) du point de vue du système de production capitaliste, se fait au prix d'une réduction hyper-rationalisante (...) et cela ne suffit pas pour expliquer le processus d'adhésion volontaire au sport* » (2).

Par ailleurs, poser le processus d'adhésion volontaire au sport du seul point de vue d'un « *vécu* » psychologisé conduit à verser dans l'illusion d'un sujet souverain totalement libre de ses décisions et de ses choix, et à clore l'analyse en s'interdisant notamment d'appréhender les déterminants sociaux et culturels de ce processus.

On peut donc rester insatisfait face à cette alternative, au moment où, confrontées à de nouvelles « demandes » (c'est-à-dire à de nouvelles exigences), dans les cadres institutionnels et théoriques qui leur sont propres, des équipes de chercheurs ébauchent ici et là de nouvelles mises en perspective. Des *juristes* à Limoges (3), des *économistes* à Grenoble (4), des *géographes* à Bordeaux (5),

(1) Ces deux auteurs ont respectivement publié aux Editions Universitaires et aux éditions Jean-Pierre Delarge, une série importante d'ouvrages sur le sport.
(2) Defrance Jacques. La fortification des corps. Essai d'histoire sociale des pratiques d'exercice corporel. Thèse E.P.H.E., 1978, p. 9.
(3) Un Centre de Droit et d'Economie du Sport a été créé, en janvier 1978, au sein de la Faculté de Droit de Limoges.
(4) L'Institut de Recherches en Economie et en Planification, dirigé par Jan Dessau comprend un secteur « Sports » très actif.

des *historiens* et des *sociologues* à l'Ecole Pratique, des *urbanistes* aux Universités de Paris VII et de Paris VIII, des *psychologues* à l'Université de Tours, d'autres encore, ont constitué des foyers actifs de réflexion, et publié des travaux originaux.

D'une part, en effet, le sport est devenu, dans les années 75-78, un domaine fécond d'investissements divers pour de jeunes **universitaires** qui ont pu construire *leurs objets* en lui appliquant leurs concepts et leurs méthodes propres, créant ainsi une situation nouvelle par rapport à une sorte de « *monopole* » instauré, de fait, par les auteurs antérieurs.

D'autre part, quelques *praticiens* et enseignants bénéficiant de conditions institutionnelles favorables, ont pu se doter d'outils conceptuels et méthodologiques, c'est-à-dire des moyens de mieux comprendre et théoriser leurs pratiques, de formuler et d'organiser un savoir précieux dont ils étaient détenteurs.

Le projet, dont cet ouvrage collectif est une première concrétisation, consiste à rendre compte de ces travaux, tout en réintroduisant très délibérément les *praticiens* dans un débat que nous pourrions, ainsi, contribuer à susciter.

Ces deux faits nous semblent, en effet réaliser un **croisement de démarches** et de questionnements, porteur d'un renouvellement théorique de la réflexion sur le sport en général et sur les pratiques sportives en particulier.

Le principal changement de perspective que l'on peut aujourd'hui repérer, réside, précisément, dans la substitution d'une approche globale, unitaire et unificatrice *du Sport,* par une conception plus diversifiée *des pratiques sportives* et plus différenciée des *modèles d'analyse* qui leur sont appliqués. On peut considérer ces changements, que nous croyons positifs du point de vue de l'enrichissement scientifique d'un objet, comme la manifestation *d'intérêts nouveaux et divers* (et pouvant se révéler contradictoires) des agents qui ont intérêt à produire des discours sur les sports.

Quelques discours globalisants, pouvaient assurer la célébration des vertus unifiantes et intégratives d'un sport majoritaire et « consensuel ». Ceci nous apparaît aujourd'hui devoir être mis en cause, au moment où se dissipe l'illusion de la convergence des intérêts de ses différents promoteurs.

De la même façon, l'émergence de la problématique qui considère le sport comme un **produit** (économique, social et culturel) **soumis,** au même titre que les autres produits, **aux mécanismes d'ajustement d'une offre et d'une demande** c'est-à-dire aux lois complexes d'un « *marché* » (problématique qui semblait consacrer le triomphe des modèles économiques) répond, en réalité, à la « découverte » assez récente, de la *situation concurrentielle* dans laquelle se trouvent placées, les différentes pratiques sportives organisées en système. La rupture d'un « *consensus* » paraît donc devoir être rapportée à la « déstabilisation » récente de ce système. Ainsi, c'est au moment même où l'on ne dispose plus suffisamment de *nageurs* et, de nageurs de qualité, que l'on consent à adopter, vis-à-vis du produit sportif : « natation », l'œil froid du spécialiste du

---

(5)   L'Université de Bordeaux III dispose d'un axe d'études, sur « *le sport dans l'espace social* » (notamment au niveau local) qui éclaire de façon toute nouvelle le développement des sports et notamment du rugby dans le sud-ouest.

marketing. C'est parce que les *nouveaux* sports dits « *californiens* » ponctionnent leurs pratiquants au sein même des pratiques instaurées, que les responsables de ces dernières sont désormais conduits à se poser les problèmes préoccupants du recrutement de leurs jeunes et de la « *déperdition* » de leurs juniors. Enfin on a pu voir combien l'implantation, très culturellement enracinée, du Rugby dans le Sud-Ouest limite considérablement le développement des autres sports de haut niveau ; chaque fois notamment qu'ils requièrent force et capital morphologique avantageux.

Jusqu'ici, les producteurs de l'offre en matière de produits sportifs, c'est-à-dire ceux qui trouvaient *intérêt* à la promotion de ces *produits sociaux* se gardaient de les faire apparaître comme tels. Il est en effet dans la logique des « producteurs » de rendre le « produit » *indispensable* et « *vital* » en le faisant apparaître comme un « *besoin* » qui trouve sa source et ses ressorts dans la « *nature des choses* ». Le mouvement et la santé, l'air et l'oxygène, la nature et l'espace, composaient logiquement la thématique habituelle des discours de « *naturalisation* » du produit.

Or, l'attribution au sport de toutes les vertus compensatrices de la vie moderne pour le sédentaire moyen, doit être considérablement nuancée si l'on connaît les *analogies de structures* entre les pratiques sportives invariablement choisies par les agents, et celles, plus directement inspirées par leurs conditions sociales de vie. De même, les poncifs les mieux affirmés s'effondrent face à un décalage entre l'offre et la demande, sous l'effet corrélatif de « l'inadéquation » de certains produits et de l'expression inopinée de nouvelles « demandes ».

Or, c'est précisément parce que le sport est à la fois un « *besoin* » (6) et un « *produit* » qu'il peut entrer dans une dialectique complexe de l'offre et de la demande, c'est-à-dire se comprendre dans le cadre du rapport entre des « *demandes* » jamais complètement satisfaites et des « *monopoles* » jamais totalement instaurés.

Le « besoin »

La transformation des mentalités et des représentations à l'égard du sport et du corps, n'avait pu être, à l'évidence, ni prévue, ni préméditée. La valorisation du *vécu corporel* (comme vague sentiment anti-compétitif ou comme critique fondamentale de la société industrielle machinique), la mise en jeu *hédonique* et *mystique* du corps dans de nouvelles pratiques d'exercice, (exprimant une méfiance vis-à-vis de *la morale sportive de l'effort*, ou le refus de l'instrumentali-sation corporelle excessive que produisent les sports hyper-codifiés) (7), l'émergence enfin d'une « *aspiration informationnelle* » dans les sports, manifestent l'autonomie relative des « demandes ».

(6) Sous l'apparente « spontanéité » de ses manifestations, se cache toujours une recherche *quasi revendicative* de sa légitimation sociale.
(7) Jacqueline Blouin-Le-Baron : « *Expression corporelle ; le flou et la forme* ».

Parmi les « *besoins* » ainsi nouvellement exprimés, besoins tout à fait étonnants, tant dans leurs formulations que dans la recherche des pratiques variées susceptibles de les satisfaire, il y a notamment le « besoin » « *d'être bien dans sa peau* ». Le fait pourrait être sous-estimé ou négligé s'il ne se concrétisait par le développement particulièrement sensible des « *naturismes* » ou de ces officines spécialisées dans la *beauté corporelle,* le *bien-être* corporel, et la « *réappropriation corporelle* » ; c'est-à-dire dans l'ouverture de nouveaux marchés. Cette « demande », en décalage fondamental avec l'offre sportive traditionnelle, est rendu incompréhensible si l'on ignore les déterminants sociaux, (« exogènes »), qui la génèrent. Le caractère faussement dérisoire de la demande, qui exprime en particulier une « *souffrance* » réelle des femmes de la classe moyenne, renvoie au processus identifié d'un « *bluff social* » que l'on ne peut (totalement) assumer. Si l'on est « *mal dans sa peau* » c'est parce que l'on rêve d'être dans « la *peau d'une autre* » (classe) et que l'on se voit avec les « *yeux d'une autre* » (classe) ; c'est-à-dire, en bref, parce que « *l'on se sent mal* » à la place que l'on occupe dans l'espace social. Ce thème exprime donc cette forme de « *désespoir* » de ne pouvoir pleinement satisfaire aux exigences conjugalement, professionnellement ou socialement imposées des canons hygiéniques et esthétiques en vigueur dans la classe supérieure (8).
La demande, particulièrement forte, exprimée par les femmes issues des classes moyennes, (généralement sans profession) et dont le mari occupe une situation socioprofessionnelle (plus) élevée (cadres, professions libérales, etc.) peut ainsi rendre compte du développement de la « *gymnastique volontaire* » et de certaines formes de gymnastiques douces ou « *d'expression corporelle* ».
Ce phénomène est rendu d'autant plus net, qu'il entre en convergence avec la revalorisation sociale d'un produit : « *la valeur marchande de la beauté* » (9) de *la grâce et de la séduction féminines,* liée au développement de tout un ensemble de **professions de présentation et de représentation** (hôtesses, mannequins, secrétaires de direction, attachées de presse, relations publiques, etc.) qui implique la gestion d'un capital corporel supposant entretien et soins particulièrement exigeants et onéreux.
L'émergence et l'efflorescence de pratiques nouvelles *(sports californiens, wind-surf, vol libre, expression corporelle, gymnastiques* « *volontaire* », « *douce* » ou « *orientale* », *randonnées écologiques,* etc.) qui ont en commun de se constituer en opposition systématique avec les sports traditionnels (10) montrent, à l'évidence, que la demande reste « ouverte », mouvante, et en tous cas diversifiée, et qu'elle se construit dans la différence, c'est-à-dire, se nourrit de « *symbolique* » et de « *distinctif* ». On pense, en particulier à ce **réinvestissement ludique** (et onirique) identifiable des pratiques qui conduit à (re-)considérer cette

---

(8)   Catherine Louveau : « *La forme, pas les formes !* » Simulacres et équivoques dans les pratiques physiques féminines.
(9)   Voir Pierre Bourdieu, La Distinction ; Critique sociale du Jugement, Paris, éd. de Minuit, 1979, pp. 227 et 229.
(10) Voir : « *La force, l'énergie, la grâce et les réflexes* » ; le jeu complexe des dispositions culturelles et sportives.

capacité — très inégale — des sports à servir aujourd'hui de « *support de rêve* » et de « source fantasmatique ».

Ainsi « *besoins* » et « *plaisirs individuels* » prennent un sens que l'analyse économique n'est pas en mesure de saisir.

Pour tenter d'appréhender le fonctionnement complexe (et l'évolution) du système des pratiques d'exercice, nous pourrions donc proposer une modélisation centrée sur **l'interaction de deux sphères** ayant leur *autonomie relative* et leur *logique propre* :

• Celle de la **« demande »** de pratiques (socio-culturellement déterminée) qui « fonctionne » *essentiellement* sur du « *symbolique* », sur le besoin inextinguible d'originalité et de différences, sur des signes et des mythes, et comprend, comme dans tout « imaginaire », une part irréductible d'irrationnel. (La demande obéit à une logique de la **différenciation**).

• Celle de **« l'offre »**, structurellement organisée, qui « fonctionne » *essentiellement* sur du « matériel », sur de la « rationalisation », sur des intérêts « monopolistiques » et des profits financiers. (L'offre obéit à une logique de la **divulgation**).

La mise en relation de ces deux « sphères », qui assure l'ajustement permanent de la *structure de la demande* et de la *structure de l'offre,* semble obéir à un processus tout à fait paradoxal, puisque l'on pourrait dire, selon une formule consacrée, que le « *marchand se nourrit de symbolique mais qu'il l'épuise* » (au moins en partie).

En effet, ce ne sont pas les fabricants de matériels sportifs, (ni les journalistes spécialisés) qui inventent les pratiques mais ils peuvent subrepticement en imposer des usages. Si le *vol libre* et le *skate-board* ont été rendus « matériellement » possibles par le tube aluminium, la voile-nylon, ou les roues de polyurétane, l'invention des « machines écologiques » — donc des sports qui les utilisent — ne pouvaient résulter, en réalité, que des *dispositions* et du « *feeling* », très particuliers des « surfers » californiens en mal de vagues et de « *glisse* », dans un contexte culturel bien défini (11).

Une analyse des déterminants socio-culturels des sports tente de saisir cette « logique » sociale particulière des profits symboliques et des mécanismes « distinctifs » (qui invite à **situer les sports dans le système des pratiques constitutives des styles de vie**) et alimente, en permanence, une « dynamique » de la demande (12).

---

(11) Ce phénomène nouveau met en relief le fait que le sport, comme toute activité humaine se trouve placé sur une trajectoire *techno-historique* qui transforme les conditions d'existence et rend *aussi* raison de la transformation des pratiques sportives.
(12) Voir : « La force, l'énergie... » déjà cité.

« Le produit »

Les phénomènes marchands prennent alors en charge et exploitent cette « dynamique ». Un certain nombre d'agents — fabriquants et journalistes — (parfois en liaison avec des pratiquants-innovateurs) se saisissent, en effet, de la pratique, mais ils l'utilisent selon une *logique contradictoire.* En effet, insensibles aux prestiges sociaux attribués par les innovateurs sportifs, à l'originalité et à la rareté de leurs innovations, ils s'emploient, quant à eux, à **assurer la diffusion la plus large et la plus rapide possible de la pratique.** Ceci, dans la mesure où leur existence même est liée à une fabrication en série, à l'élargissement d'une clientèle ou d'un lectorat.

On comprend ainsi, que dans sa divulgation même, la pratique peut perdre du pouvoir distinctif associé à sa rareté, et tend, à plus ou moins long terme, à se *déprécier socialement* (et ceci d'autant plus rapidement que des pratiques nouvelles proposent une *alternative* aux pratiques traditionnelles).

La diversité des « producteurs »

Mais, à la différence d'un produit industriel fabriqué, qui a son unité de projet ou de fabrication, le sport ne renvoie pas à un seul type de « producteur ». Le produit sportif **est façonné par des « producteurs » différents** qui le modèlent, selon leur logique propre, c'est-à-dire en fonction de leurs intérêts particuliers (marchands et journalistes, moniteurs et enseignants, groupes et institutions).

1. Il en est ainsi du **sport comme spectacle,** mise en valeur d'un produit qui utilise la pratique, et la transforme profondément en retour, selon les *besoins et mécanismes propres à la spectacularisation ou aux média.*
Si la balle de tennis, a pris cette consistance « pelucheuse » qu'elle n'a pas toujours eue, c'est manifestement pour ralentir sa vitesse sur les trajectoires. Lorsque le tennis international, en raison de l'impact de ses succès dans les années 30 (dus, pour une bonne part, aux victoires françaises en coupe DAVIS) s'offre comme spectacle à des « masses » beaucoup plus larges de *profanes,* il s'est agit, notamment, de faciliter le *suivi visuel des échanges.* On comprend en conséquence, que la technique même des joueurs s'en soit trouvée bouleversée, au point de rendre incomparable le jeu d'un Lacoste et celui d'un Borg.
De même en supprimant les deux « *troisième-ligne* » du rugby à XV, le *jeu à XIII* se constitue comme sport différent, il oriente ses règlements afin de favoriser le *déploiement spectaculaire des mouvements* et rendre ainsi le jeu *accessible* à des spectateurs profanes, « non-connaisseurs » c'est-à-dire non dotés de la compétence spécifique permettant de *décoder* et *d'apprécier* les phases les plus obscures du combat collectif rapproché du rugby traditionnel (à XV joueurs).
Si la transformation des pratiques sous l'effet d'une spectacularisation (toujours institutionnellement souhaitée) ne fait guère de doute, on pourrait, en outre,

relever maintes modifications réglementaires qui trouvent leur origine dans la recherche d'une amélioration de leur potentiel de *télévisualisation* (13). L'examen des possibilités très inégales qu'ont les différents sports de se prêter à la spectacularisation de masse, renseignerait autant sur l'état actuel de « l'imaginaire social » attaché aux affrontements sportifs, que sur les « destins » différenciés des pratiques (14) qui paraissent notamment guidés par le **rapport quantitatif** entre publics de *pratiquants-connaisseurs*, et de *consommateurs-profanes*.

2. La sphère journalistique (spécialisée et non spécialisée) semble réaliser, à son profit, la mise en communication la plus immédiate entre la sphère du « *symbolique* » et celle du « *marchand* ».

L'existence d'un journal spécialisé et de journalistes sportifs, est liée à la production d'un *discours* sur la pratique et au développement d'une compétence culturelle spécifique mais d'abord à l'existence d'une **« matière »**, et au renouvellement *sensationnel* de cette matière.

La création et le **patronage** de grandes compétitions nationales par la presse spécialisée assurent la promotion et le monopole d'un type de « produit » qui ne manque pas **d'orienter l'intérêt** et de **modeler les goûts** du public consommateur vers des *formes spécifiques de compétitions*. Le journal « *L'Auto-vélo* » (organe de presse commandité par les industriels de l'automobile et du cycle, et « ancêtre » du quotidien « *L'Equipe* ») invente en 1903 le « Tour de France » qui assure, à travers l'épopée savamment dramatisée des « *Géants de la route* », à la fois la matière inépuisable des reportages et la promotion circum-nationale d'un produit. On « fonctionne » donc ici sur du « symbolique » (la *vogue* et le *chic* de la bicyclette encore auréolée des prestiges sélects de « la promenade au bois »), mais on en **transforme les usages** en dramatisant l'exploit endurant et la souffrance des hommes. On assure ainsi la diffusion marchande, la plus large d'un engin, tout en induisant (puis en imposant subrepticement) un usage sportif et social particulier de cet engin, *(« compétitif »*, en « *force* » et en *énergie »)* c'est-à-dire un usage populaire.

Mais, les journalistes comme « producteurs » n'obéissent pas exclusivement à la logique du profit (15). Ils produisent un discours, qui puise ses sources dans le « *langage indigène* » des pratiquants et parle à un « *imaginaire social* ».

---

(13) Le développement de certains « slaloms parallèles » et l'application du « système Argos » à la transatlantique en sont deux exemples parlants. Les institutions fédérales, qui ont pris en charge les pratiques, connaissent l'enjeu *essentiel* (qui n'est pas *exclusivement* lié au profit économique) que représente l'élargissement de la base des spectateurs, ainsi que l'accès de leur sport au statut de médium de masse.
(14) Voir Paul Irlinger : « *Le sport au pluriel, ou les singularités du rugby* ».
(15) La presse sportive a toujours partie liée avec les fabricants et constructeurs au moins par le biais de la publicité.

Ainsi on a pu mettre en lumière le mode très particulier *d'exploitation de la violence* (contenue et) accompagnant les affrontements sportifs. Celle-ci se trouve être rythmiquement stimulée, orchestrée, régulée, puis « moralisée » avant, pendant et après la rencontre (16).

On comprend, de ce fait, que le journalisme et les grands média s'intéressent très inégalement aux différentes pratiques et utilisent de préférence celles qui se prêtent le mieux à la **dramatisation** (sports d'affrontement direct « face à face » notamment) qu'ils contribuent ainsi à promouvoir électivement. Dans ces conditions, on s'explique le privilège particulier octroyé d'une part aux *sports collectifs « de combat »* dans lesquels une violence, peu euphémisée, se manifeste dans la *conquête d'un territoire ;* là, les discours journalistiques peuvent se charger de toutes *les métaphores guerrières,* dont on connaît les résonances dans l'imaginaire du grand public et dans la mentalité des joueurs (17). Ils ne négligent cependant pas aujourd'hui les sports de *risques, d'exploits* et de *records,* propices à l'entretien continu de l'intérêt ou à l'explosion du sensationnel.

Le journalisme spécialisé diffuse donc une image majoritaire du sport, privilégie nécessairement les sports les plus populaires, et tend à accroître, par l'exploitation du vedettariat sportif, la base des *publics de consommateurs.*

3. A l'opposé, les « moniteurs » et animateurs professionnels, exploitant des compétences techniques et culturelles spécifiques, se garantissent le *monopole de la production des pratiquants.* C'est dire leur importance dans la « production » de la pratique.

Contrairement à ce qui est affirmé avec quelque insistance, une part importante des préoccupations des moniteurs sportifs, consiste à faire en sorte que l'on ne puisse pas se passer d'eux. Il est tout à fait intéressant et paradoxal de constater que la première vague de moniteurs institués, généralement issue de la première vague des pratiquants (c'est-à-dire ceux qui, par définition, ne pouvaient être que leurs propres initiateurs) sont les plus prompts et les plus actifs à récuser les modes d'apprentissage par essais et erreurs, toujours considérés comme perte inutile de temps, facteur d'insécurité ou source de défauts techniques rédhibitoires.

Les couleurs graduées des ceintures et la grosseur calculée des médailles doivent attester que le « pratiquant initié » a bien respecté les différents degrés d'une progression pédagogique. On perçoit bien que la complexité et la longueur des apprentissages, véritables *« rituels »* d'accession à la pratique, ne sont pas *seulement* en rapport avec les strictes nécessités de la transmission des savoir-faire techniques et des compétences culturelles spécifiques. L'histoire de la natation, montre, à travers la profusion des appareillages et la succession des

---

(16) Michèle Bouquet et Madeleine Gartner. Sport et idéologie ; le journal « l'Equipe », thèse pour le doctorat de IIIe cycle, Université de Paris VII, 1976.
(17) La faveur particulière attribuée au *rugby* comme thème littéraire et comme médium de masse, s'explique par les caractéristiques même d'un jeu dans lequel deux « camps », ou mieux, deux « sociétés » socialement structurées, se font la guerre.

méthodes, combien, le *maître-nageur-sauveteur,* dans un « chantage psychologique » constant à la sécurité, avait su rendre indispensables sa présence, son savoir et son autorité (18).

Par ailleurs, si l'on a pu montrer expérimentalement que l'acquisition des techniques de base du ski pouvait être réalisée en huit jours par des enfants de cinq ans, force nous est de constater que les écoles les plus attachées aux orthodoxies didactiques ont « artificiellement » accru à leur profit, les temps « *d'initiation* ».

Ces phénomènes non machiavéliques sont intéressants, dans la mesure où ils ont eu généralement pour effet de produire un certain type de pratiquants et de champions, et donc de promouvoir un *certain type de pratique.* Ainsi, il est attesté que les tennismen français, excellents techniciens au demeurant, « *se regardent jouer* » et « *s'étudient trop* », dans une sorte de *narcissisme gestuel,* qui nuit au rendement compétitif. La remarque souligne déjà la possibilité d'un « clivage » entre *moniteurs* et *entraîneurs,* dont les objectifs ne sont pas rigoureusement superposables.

4. L'invention et le développement des « *machines écologiques* » (skate-boards, planches à voile, planeurs ultra-légers, etc.) ont, tout récemment, attiré l'attention sur l'importance de la *fabrication des appareillages sportifs spécifiques* (de plus en plus nombreux et sophistiqués) c'est-à-dire souligné le rôle inducteur des *constructeurs* dans la pratique des sports appareillés. Si l'on imagine aisément les implications économiques d'un tel phénomène, on ne mesure pas toujours les conséquences des conditions de production d'une *compétence techno-culturelle spécifique,* (concentrée dans la fabrication de ces appareillages) sur l'évolution même des pratiques, et sur les facteurs de la réussite en compétition. Dès qu'un sport est *instrumenté* ou *machinisé* (19), il emprunte une trajectoire techno-historique qui peut le transformer beaucoup plus vite et plus fondamentalement que les sports qui sont dépourvus de ces appareillages.

On cite avec quelque banalité, l'exemple du bond quantitatif spectaculaire des performances au saut à la perche, du fait de l'utilisation d'un engin en fibre de verre, mais, on a moins insisté sur les *transformations qualitatives* qui s'en sont suivies dans les caractéristiques des sauteurs et dans leurs manières de sauter (20).

(18) Yves Guyot. Les fondements historiques de la relation pédagogique en natation. E.N.S.E.P.S. Mémoire collectif, année 1975.
(19) Voir : « La force, l'énergie... », déjà cité.
(20) L'innovation gestuelle, (extraordinaire) qui consiste à utiliser un engin prévu pour la « *pêche au gros* » par les sauteurs américains, leur avait assuré une certaine suprématie internationale dans une spécialité qu'ils avaient rendue plus acrobatique. Mais il est tout à fait intéressant de constater que cette suprématie leur a été ravie par les athlètes européens, *(et particulièrement français)* dans les spécialités de la *perche,* du *trampoline,* de la *planche à voile* et du *vol libre,* dont ils étaient indiscutablement les « inventeurs ». Ceci démontre, s'il en était besoin, qu'Américains et Européens font, de ces pratiques, des *usages sportifs* (et sociaux) très différents. Prétextes à investissements ludiques variés outre-atlantique, ces activités subissent un processus rapide de « *sportivisation* » et de *rationalisation compétitive* sur le vieux continent.

L'évolution technologique des appareils de vol libre, en moins d'une décennie, en accroissant sécurité et performances a bouleversé cette pratique en France. La première place de notre équipe nationale au championnat du Monde de Grenoble, est à mettre notamment à l'actif des constructeurs français. Les fabricants d'appareillages sportifs s'affrontent pour imposer leurs normes de fabrication, et pour obtenir *l'homologation* de leurs produits. L'institutionnalisation de la planche à voile en Europe, comme sport de compétition, doit beaucoup à la définition d'une jauge « universelle » orientant fondamentalement la pratique, notamment en France, vers la modalité dite du *« triangle olympique »* (21).

A travers les exemples choisis, il apparaîtra, à l'évidence que les différents *« monopoles »* qui tendent à s'instaurer sous l'influence des divers « producteurs de l'offre », agissent *de manière spécifique* dans chacune des pratiques sportives selon leurs caractéristiques propres et en fonction *des rapports de forces* qui s'y sont historiquement imposés (priorités et prééminences) (22). Le « poids » des phénomènes marchands et des média, l'efficacité de l'impact journalistique sur l'opinion, par exemple, sont très inégaux selon les sports. En outre, comme nous l'avons suggéré, les divers « monopoles » peuvent se révéler exercer des actions objectivement contradictoires, au sein d'une même pratique (23). L'extinction subite d'un « marché » comme celui du skate-board ne s'explique pas uniquement par l'opposition organisée des adultes et des institutions municipales, à cette activité spécifiquement enfantine et éminemment turbulente.
On pressent, en outre, que les « sphères » attachées au développement *prioritaire* des publics de *consommateurs* (média) « s'affrontent » de manière assez claire avec celles des agents impliqués dans l'extension des publics *de pratiquants* (enseignants et moniteurs).
On voit donc toute l'importance épistémologique du constat de la spécificité des modes d'action de ces multiples **déterminants** dans les différents sports.
L'économiste, enclin à *« l'économisme »*, attachera, sans doute, une importance excessive aux facteurs économiques, tandis que le sociologue, guidé par ses propres présupposés, trouvera, dans ses modèles d'analyse, la panacée explicative. Le praticien, quant à lui, attaché à la normativité inéluctable de ses discours, et universalisant son expérience singulière de pratiquant, perdra de vue la diversité des *usages* et la complexité des déterminants de la pratique qu'il cherche à rationaliser et à démocratiser.

(21) Alain Cruzel. Pratique singulière et championnat mondial. L'institutionalisation de la planche à voile. Mémoire de l'I.N.S.E.P., année 1980.
(22) Une fédération sportive qui préside aux destinées d'une activité sportive, est l'institution pratiquement confrontée à cette « dialectique » complexe de l'unité et de la diversité.
(23) C'est ce que démontrent notamment Di Ruzza et Gerbier (Ski en crise). De même, on peut considérer ainsi, les récentes « difficultés » entre les *constructeurs* (Marques) et les *instances fédérales internationales* dans le Championnat du monde des conducteurs (sports automobiles).

Il y a donc lieu de tenter d'apprécier *ensemble,* le poids relatif des différents facteurs, dans chaque spécialité, à travers le **colloque** réel ou imaginaire des différents modèles théoriques.

Le projet apparaît ambitieux, sa mise en œuvre délicate et de longue haleine (24). Ce qui précède présente donc moins le caractère de cohérence d'une problématique, que celui d'un « exposé des motifs » et d'une vaste *programmatique,* dans laquelle de multiples compétences devraient pouvoir être utilement mobilisées.

Ce recueil de textes, qui veut se garder d'une certaine errance éclectique, s'efforce de montrer la variété et la fécondité de nouvelles approches du phénomène sportif dans notre société. Il ne prétend, d'aucune manière, en recouvrir toutes les facettes ni répondre à chaque question, ni éviter quelques recoupements ou contradictions. Mais, dans cette première esquisse, le lecteur devrait tirer profit d'un débat contradictoire entre « *historiens* » et « *géographes* », « *économistes* » et « *sociologues* » des sports, qui ont pu, au cours de rencontres amicales, mutuellement s'enrichir de la perception plus aiguë de leurs lacunes, et de la connaissance plus argumentée de certains « points forts », qui constituent autant de « *garde-fous* » à leur propres spéculations (25). Dans cette perspective et afin de conserver une unité de présentation nous avons fait appel à deux types de collaborateurs :

• d'une part, ceux qui, adoptant une approche ethnographique et **relationnelle** des pratiques — d'inspiration sociologique — s'efforcent de l'appliquer plus précisément à une pratique (ou un ensemble de pratiques proches) permettant ainsi, la constitution progressivement rectifiée du « *système socioculturel des sports* ».

• d'autre part, ceux qui ayant forgé indépendamment leurs concepts et éprouvé leurs méthodes, viennent compléter une vision nécessairement partielle du phénomène et élargir la réflexion.

Des antécédents historiques

L'Histoire des sports reste à faire. C'est la raison pour laquelle les « histoires » partielles recueillies ici, sont résolument *polémiques.* Les contributions de Jacques Guillerme, Jacques Defrance, Jean Durry et Christian Pociello, s'inscrivent en effet, en opposition avec certaines idées reçues sur l'origine et le développement des pratiques gymnastiques et sportives en France.

Il est question de la spécificité de ce fait social et culturel que les sports modernes ont diffusé, au XIXe siècle, à partir du foyer anglo-saxon. Le problème de

---

(24) Sa réalisation nécessitera, sans aucun doute, des prolongements à cet ouvrage collectif.
(25) Pour cette raison, on regrettera l'absence dans ce « débat » des urbanistes comme Antoine Haumont, François Ascher, Philippe Jarreau qui avaient pourtant très activement contribué à l'enrichir.

l'identification des facteurs déterminants d'apparition et d'évolution du phénomène y reste toujours sous-jacent. Contrairement aux *« fabuleuses histoires »*, la charge anecdotique ou la surenchère d'érudition, fait place à des tentatives de *mise en perspective historique de problèmes actuels* (controversés) sur les *« fonctions sociales du sport »*.

On s'attachera donc d'abord à analyser les déterminants socioculturels de l'émergence des sports modernes. L'accent étant placé sur les conditions sociales, culturelles et juridiques spécifiquement anglo-saxonnes, on s'efforcera de comprendre pourquoi les *jeux populaires* et les *loisirs aristocratiques* se sont « sportivisés » en Angleterre et non ailleurs. (Christian Pociello).

Il restait à approfondir, dans un contexte *techno-économique* commun à la Grande-Bretagne et à la France, les premiers avatars de la *quantification appliquée aux performances humaines.* Enrichi par Jacques Guillerme de l'histoire circonstanciée des techniques dynamométriques et chronométriques, notre objet se complexifie encore et s'éclaire en même temps, lorsque l'auteur dévoile, dans un texte dense, l'archéologie des différents *« sens de la mesure »*.

Aujourd'hui, dans l'opinion de maints intellectuels ; *« les exercices corporels systématiques passent volontiers pour des pratiques d'ordre, dépolitisantes ou bien liées à l'ordre social établi ».* Or, à travers l'analyse des usages sociaux de la gymnastique (entre 1780 et 1880) Jacques Defrance, montre le caractère *contingent* (c'est-à-dire historique) de cette assertion. Il est même démontré que la *soumission* n'est pas nécessairement inscrite dans le projet de *fortification* des corps. Les glissements de sens et de fonctions seraient à situer, selon l'auteur, au niveau des problèmes d'organisation (qui n'ont rien de spécifiquement sportifs) plutôt qu'au niveau des pratiques elles-mêmes.

Jean Durry veut faire du Musée du Sport, dont il assume la responsabilité, un instrument de recherche et de réflexion pour les spécialistes, les érudits et les curieux. Il assure, dans ce cadre, la prospection et la conservation des éléments documentaires et iconographiques indispensables à l'historiographie du sport français. Jean Durry est donc bien placé pour indiquer des sources et désigner des pistes sur les prémices du sport dans notre pays. Les indications qu'il nous fournit, particulièrement celles relatives aux origines des sports mécaniques (dont la France fut l'un des principaux lieux de développement), sont autant de matériaux et de repères pour une histoire qui reste à construire.

Des chiffres et des dates sur le sport moderne

Une analyse du phénomène sportif contemporain suppose d'abord la prise en compte et l'examen des données quantitatives, que le sport institutionnalisé livre sur l'ensemble de ses pratiquants. Si la pratique *« libre »* ou *« sauvage »* connaît aujourd'hui, dans certains sports, de spectaculaires et symptomatiques développements, les nombres de licenciés fournis par les statistiques fédérales ou officielles restent les indicateurs les plus précieux du degré relatif de diffusion des différentes pratiques, et permettent d'esquisser les principales lignes d'*évolution des loisirs sportifs* dans notre pays.

Lucien Herr a méticuleusement rassemblé et confronté des sources éparses qu'il livre aux commentaires immédiats et qu'il soumet à la critique.

Ses observations concernant notamment le processus *différentiel de féminisation* des pratiques sportives instituées, fournissent des repères chronologiques essentiels, et suggèrent de nombreuses questions que n'épuiseront pas les diverses interprétations proposées dans l'ouvrage.

En le lisant, on se souviendra cependant que seul le repérage du brusque accroissement des ventes de chaussures de marche, dans les dernières années, avait pu révéler l'existence d'un phénomène resté totalement inaperçu ; le développement « explosif » de la *randonnée pédestre* qui ne pouvait qu'échapper aux recensements habituels et aux observateurs les plus attentifs du sport institué (26). Ceci donne toute sa valeur à la diversité délibérément adoptée des angles d'attaque de notre objet (27). Les informations ainsi dûment resituées offrent toutefois les repères indispensables à tout effort d'approfondissement sur les *usages sportifs du temps libre* en France.

Le tableau historique de l'évolution des résultats des sportifs français dans les grandes compétitions internationales dressé avec méthode (et depuis l'origine) par Claude Fleuridas, ne constitue pas seulement une remarquable synthèse de compilation, il est aussi un instrument de rupture avec bien des « évidences » du sens commun. Il rappelle, s'il en était besoin, que la pratique sportive précédemment décrite dans ses effets globaux, *« de masse »,* se double d'un aspect important, (quoique quantitativement minoritaire), qui institue la *compétition sportive* dans ses dimensions socio-politiques. Forme la plus euphémisée de l'affrontement entre les nations (28), la compétition sportive internationale sert de référentiel obligé et de critérium pour les athlètes de *« haut niveau ».* Elle définit effectivement en même temps que le « niveau » de leurs performances individuelles, *la réussite sportive* globale de la Nation à travers

---

(26) Il en a été de même pour la *« course libre »* (style libre, course de côte, etc.) et pour la planche à voile notamment.

(27) Se reporter aux contributions des *économistes*, en particulier à celle de Wladimir Andreff.

(28) Le boycottage des Jeux de Moscou atteste, à l'évidence, de ce « degré » para-diplomatique où se situent les compétitions sportives dans les relations internationales.

laquelle l' « Opinion » et les gouvernants sont conduits, pour des raisons différentes, à « lire » et à apprécier périodiquement, l'efficacité d'un système. La mise en relation des contributions de ces deux auteurs par la simple superposition de leurs tableaux suscitera déjà de nombreuses questions. Celle qui consiste à rapporter le nombre total de licenciés au niveau de la réussite internationale d'une élite n'est sans doute pas la moins intéressante. On pourra mettre ainsi en cause, les poncifs les plus enracinés de l'opinion, mais voir, aussi, qu'un tableau devient d'autant plus « parlant » qu'il est plus intelligemment interrogé.

F. Di Ruzza et B. Gerbier proposent quelques hypothèses de travail sur les relations de « la masse » et de « l'élite », susceptibles d'éclairer un problème complexe et controversé.

L'argent

A la suite des travaux de ces deux derniers auteurs, nul ne pourra aujourd'hui contester l'influence croissante des déterminants économiques sur les sports ; influence que l'Institut de recherches en économie et en planification (I.R.E.P.) de Grenoble, auquel ils appartiennent, contribue à mettre savamment en lumière. Ces efforts d'analyse ne consistent évidemment pas à déplorer ou dénoncer (comme le font les éducateurs) l'action de ces facteurs (ni d'ailleurs à les célébrer). Ce qui fait l'originalité, en même temps que l'intérêt épistémologique de la démarche, c'est que l'on ne songe point ici à attribuer à ces facteurs le statut de *« causes »,* mais que l'on s'attache à analyser avec rigueur, les mécanismes toujours complexes de leur mise en jeu.

Wladimir Andreff montre que si de nombreux facteurs économiques interviennent dans le développement des pratiques sportives, les écarts de croissance entre disciplines (appréciés sur la base de l'évolution des nombres de licenciés) ne sont pas explicables par la seule référence aux moyens financiers dont elles bénéficient.

L'explication résiderait dans l'*action combinée* de différents facteurs susceptibles de transformer la demande potentielle adressée aux produits en *pratique effective.*

Au nombre de ces facteurs, on peut repérer, le *prix total d'accès* à la pratique, la couverture géographique des *lieux de pratique* et des *clubs,* l'impact du *mécénat industriel,* du *sponsoring* et de la *pénétration publicitaire,* le degré de *technicité gestuelle,* elle-même liée à *l'évolution technologique,* facteurs qui jouent, à l'évidence, différemment selon la nature des pratiques.

Le choix opéré par F. Di Ruzza et B. Gerbier du ski alpin français, dans ses récents avatars, se révèle particulièrement pertinent et prend ici valeur démonstrative. Mettant en rapport, la *« convergence »* puis *« l'éclatement »* d'intérêts économiques, avec l'évolution d'une pratique et des résultats sportifs d'une élite, ces auteurs apportent une contribution décisive à la compréhension du jeu des phénomènes marchands sur les développements et transformations d'un sport à tous ses niveaux de pratique. On rend ainsi un peu vains, certains débats de *techniciens sportifs* qui ne peuvent qu'attacher une importance excessive au poids — pourtant reconnu — de la « *technique* » ou d'un *mode d'entraînement,* sur la réussite sportive d'une équipe nationale par exemple. En outre, l'intérêt d'une telle démarche théorique se situe dans les limites même qu'elle s'est clairement définie. Sa valeur scientifique réside, en effet, dans la juste appréciation de la validité de son élargissement aux autres pratiques sportives (dont on a déjà suggéré qu'elles offrent, selon leurs logiques intrinsèques, une prise très inégale aux phénomènes marchands).

La « nature » des pratiques et la culture des pratiquants

Faute d'avoir été clairement posée, la question de la **distribution** des différents sports sur les différents groupes sociaux ne pouvait être évidemment résolue. il peut apparaître pourtant d'un grand intérêt de savoir comment s'organisent, dans une société comme la nôtre, les choix de pratiques sportives par des publics socialement et culturellement qualifiés. Mais, pour être reconnue recevable, il ne suffisait pas que la question soit formulée. Elle devait préalablement s'affronter à deux obstacles d'importance : celui opposé par les théories du « *loisir de masse* » et celui représenté par les *dénégations* des animateurs professionnels qui trouvent toujours dans « l'éventail » socio-professionnel de leurs pratiquants, le signe et la garantie que leur action de démocratisation a bien porté ses fruits.

A la suite de contributions diverses, (parmi lesquelles celle d'Yves Le Pogam apparaît comme une rupture exemplaire), s'est progressivement accréditée l'idée que les pratiques de loisirs sportifs subissaient, (comme les autres pratiques culturelles) un processus de différenciation *opérant* dans la constitution des *goûts sportifs.*

Un groupe d'enseignants-chercheurs, s'efforcent de mettre en évidence et d'expliquer cette relation de régularité statistique, (révélatrice d'un rapport « *d'affinité* ») entre certains groupes sociaux et certains types de sports. La mise en communication des caractéristiques motrices des pratiques sportives et des dispositions culturelles des pratiquants, permet de rendre les choix, et les usages socialement intelligibles. On peut ainsi constituer le *système socioculturel des sports,* qui se veut être une mise en forme utilisable, même s'il peut apparaître comme une « mise en ordre » discutable.

Dans ce contexte théorique, on se rend compte, très vite, que l'on n'a pas, jusqu'ici, suffisamment souligné l'importance de la différenciation des pratiques et de l'opposition des choix qui résultent de *la division sexuelle du travail et des rôles (sociaux)*(29). Nicole Dechavanne s'appuyant sur l'observation ethnogra-

---

(29) Cette différenciation ne concerne pas seulement la question des choix que les hommes et les femmes portent électivement sur des pratiques apparemment neutres. Elle

phique de séances de Gymnastique volontaire, montre comment l'un et l'autre sexe s'approprient différemment une pratique (originellement non spécifique) en fonction de *catégories mentales* et de « *schémas corporels* » masculins et féminins qui sont culturellement acquis.

La mise en lumière de ce type de « déterminations » est susceptible de servir de base d'explication à la **différenciation sexuelle des goûts** (et donc des choix) **sportifs.** (Pratiques « *corporelles* » ou *gymniques*/pratiques *sportives*, pratiques *esthétisantes*/pratiques *d'efficience*, pratiques *d'intérieur*/pratiques *d'extérieur*, sports *d'espaces réduits* (ou de salle)/sports de *grands espaces* (ou de grands terrains) sport non risqués/sport risqués, etc. Ces oppositions pourraient en effet rendre compte de l'investissement inégal dont les différentes pratiques sportives font l'objet de la part des femmes et des hommes dans notre société (30).

On pourrait voir par exemple dans la **féminisation** massive de la profession d'instituteur, un élément important d'explication à cette « résistance » culturelle vis-à-vis de l'éducation physique à l'école, par un refus « *quasi corporel* » des modèles sportifs (qui continuent de véhiculer des valeurs masculines et viriles accusées dans l'imagerie majoritaire) (31).

La féminisation très inégale des pratiques (que confirment clairement les statistiques), ainsi que le refus qu'une partie importante des femmes continue d'opposer à l'activité sportive, invitent à en rechercher les raisons. On s'intéressera donc, a contrario, aux *dispositions* et *idéologies* qui peuvent inciter les femmes à rechercher d'autres modèles de pratiques d'exercices.

Catherine Louveau et Jacqueline Blouin Le Baron s'attachent à saisir cette « *logique* » particulière qui pousse certaines femmes à préférer *expression corporelle, yoga* ou *gymnastiques* « *douces* » et les engage dans la voie d'une euphémisation des pratiques qui peut aller jusqu'au *simulacre*.

Adoptant le cadre théorique et conceptuel défini dans « le système des sports » et intégrant leurs connaissances de pratiquants et d'enseignants, Jean-Paul Clément et Pierre Falt proposent une vision nouvelle des *sports de combat* et de la *croisière* qui oblige à reconsidérer l'approche traditionnelle de ces pratiques et ouvre véritablement la voie à leur investigation ethnographique et sociologique.

---

continue d'opérer paradoxalement au sein même de la *distribution sociale des sports masculins*. On peut voir ainsi, à travers l'opposition des sports considérés comme « *virils* » (automobilisme, chasse et tir) et ceux que d'aucuns considèrent comme « *efféminés* » (patinage, danse, free-style) que les rapports et les hégémonies entre les groupes ne sont pas sans relations, avec une certaine domination entre les sexes. Cette remarque permet d'expliquer notamment pourquoi, dans les sports populaires, par exemple, on préfère « *le travail carré à la dentelle* ».

(30) Si la *sur-représentation* des femmes dans les activités « corporelles », esthétisantes et « agoraphobes » ne fait guère de doute, il convient toutefois de tenir compte de deux éléments porteurs de rectification : d'une part la *variation* de cette division sexuelle des rôles selon les groupes sociaux ; d'autre part l'apparition récente de pratiques qui, renversant normes et valeurs, (*football féminin* par exemple) et le développement de pratiques « paradoxales » (*parachutisme féminin*) viennent contredire la thèse avancée.

(31) J. Dehedin et R. Thomas, utilisant le différenciateur sémantique d'Osgood, proposent une méthode rigoureuse pour définir cette *image des sports*. Il paraît intéressant de comparer leurs résultats avec le *système des sports* obtenu avec une toute autre méthode, (voir Sports et Sciences, Paris, éd. Vigot, 1980, pp. 79-102).

La nature

L'histoire suggère que les sports, dès leurs origines, ont entretenu, avec le *Grand Air* et la *Nature,* des rapports privilégiés. Le développement actuel des sports en plein air (opposés aux gymnastiques et aux sports de salles), la thématique plus insistante de la nature dans les loisirs « actifs », pourraient donc laisser croire à un « éternel retour ».

Georges Vigarello s'attache, à travers l'analyse critique des textes et des discours, à dégager ce **rapport inédit à la nature** qu'introduit, en réalité, un univers de pratiques nouvelles dans les plus récentes *échappées* sportives. Les contenus et le sens même du « retour à la nature » des débuts du siècle, contrastent singulièrement par rapport aux significations des thèmes écologiques actuels. Ce ne sont plus, en effet *ascétisme* et *sévérité des initiations,* mais *hédonisme, aisance,* et *rythmes « cools »,* ce ne sont plus *efforts* et *fatigues salutaires* mais *sensations inédites,* ce ne sont plus *vigueurs musculaires* et *résistances respiratoires,* mais *maîtrises et contrôles gestuels.*

L'auteur met en garde contre ce vague sentiment, que ces oppositions pourraient susciter, à savoir qu'à une nature marquée idéologiquement « *à droite* » se serait substituée une écologie « *de gauche* ». La rupture politique ne paraît pas aussi nettement établie, en dépit de l'irrationalisme et des défiances que les sciences et les techniques avaient, en outre, inspirées aux naturismes de naguère. Certes, les sports écologiques, se sont au contraire, **armés des technologies les plus avancées** et des confiances que le progrès et les sciences inspirent à leurs adeptes, (32) mais l'auteur ne perçoit pas clairement de projet « politique » dans les « éco-sports ».

On peut toutefois considérer les nouveaux sports écologistes comme lieu d'expérimentation de l'hégémonie culturelle de *jeunes cadres* et d'intellectuels dans le système des pratiques sportives. Certains sports de nature peuvent apparaître aujourd'hui, comme le siège de pratiques d'innovation utilisant des *technologies non technocratiques.* En effet, on assiste là, à un phénomène tout à fait particulier qui réside dans la réhabilitation de la machine par le *jeu,* qui assure, en même temps que le renversement de ses fonctions, la transformation de son image. Dans ces nouveaux univers ludiques, on observe, en effet une rupture sensible ; il ne s'agit plus de l'utilisation *d'une machine qui asservit* mais de la « ludisation » *d'une machine qui « libère ».* Ce n'est plus *une machine qui domine* mais qui *est dominée,* qui se plie au désir, et qui de surcroît, devient source de plaisir.

Dans les *machines écologiques,* les corps et les machines peuvent, sans complexes, échanger leurs modèles, et les rêveries attachées à l'air et à la nature se télescopent aujourd'hui avec les rêveries machiniques.

---

(32) La nature de l'exploit récent d'Arnaud de Rosnay, autant que le sens des commentaires qu'il en fait constituent une illustration de ces thèses. On remarquera que la navigation à l'estime des Polynésiens s'y trouve combinée avec le dernier cri des technologies N.A.S.A.

Le spectacle

Le sport, comme « produit » économique et social s'offre à deux types de
« publics » : les **pratiquants** (c'est-à-dire ceux qui font un usage sportif plus ou
moins régulier, ou plus ou moins exclusif de leur temps libre) et les
consommateurs (qui en « consomment » le spectacle par la présence directe dans
les « tribunes », ou bien par média interposés).

La spectacularisation croissante du sport (dont Michel Bernard montre qu'elle
n'est qu'un cas particulier d'un processus plus général propre à nos systèmes
socio-politiques) soulève un certain nombre de problèmes intéressants (33).

Si l'on admet l'importance de cette spectacularisation sur les transformations et
le destin des pratiques (notamment sur leur « popularisation »), on peut
s'interroger avec quelque pertinence sur le **statut particulier du spectacle sportif**,
(par rapport aux autres types de spectacles) et l'on peut se demander, en outre,
pourquoi, dans un ensemble social comme le nôtre, les différentes pratiques se
prêtent-elles aussi inégalement à cette spectacularisation ? (34).

Michel Bernard s'appuyant sur ses compétences dans le domaine de *l'expressivité*
et sur sa connaissance du spectacle théâtral, s'attache à dégager l'originalité et les
paradoxes du spectacle sportif. Forme déplacée et comme « résiduelle » de la
représentation théâtrale, le spectacle sportif lui apparaît comme une réhabilitation de la *fonction festive et rituelle* que celle-ci avait depuis longtemps récusée.
En indiquant les ambiguïtés de la « *compétition théâtralisée* », l'auteur montre
que le sport manifeste une sorte de « renversement » du statut artistique et
théâtral du spectacle. Dans les spectacles sportifs les plus populaires, en effet, ce
n'est pas dans le *simulacre* ou dans le « *style* », mais au contraire à travers *la mise
en jeu pragmatique* des techniques et des énergies dans l'affrontement que le
spectateur puise son émoi. Ce n'est pas dans la « représentation » mais dans *la
réalité présente* que la foule se donne, particulièrement à travers ces « *fêtes de la
guerre civile domestiquée* », l'impression (pas totalement) illusoire, de pouvoir
anéantir cette frontière entre acteurs et spectateurs, c'est-à-dire le sentiment de
pouvoir franchir le pas de la violence collective.

Ainsi, l'on ne peut pas simultanément reconnaître, avec quelque nostalgie, dans
les spectacles sportifs les plus populaires (comme dans les formes « dégradées »
du carnaval) l'un des derniers « refuges » de la turbulence et de la violence

(33) La fonction « *d'incitation* » à la pratique que le spectacle sportif serait susceptible
d'assurer a été mise à l'épreuve d'une manière rigoureuse et originale par d'autres
auteurs : R. Thomas, D. Raimondi, J.-F. Rouby, Moyens de communication et promotion
du sport. Sports et Sciences 1979, Vigot, pp. 135-148.
(34) Tandis que les tribunes de nos stades *d'athlétisme* sont aujourd'hui désertées, et que
les spectacles de la *lutte* ou de l'*haltérophilie* ne semblent plus guère présenter d'intérêt
pour le « grand public » français, l'ensemble des commentateurs sportifs présents aux
Jeux de Moscou, soulignait avec étonnement combien, au contraire, « *toutes les épreuves
de force sont appréciées par le public soviétique* ».
Ces observations ne nous paraissent pas sans rapport avec une hypothétique *division
internationale du travail* (et des succès) *sportifs*, dans la mesure où elles rappellent que
l'effort sportif pour être assuré avec quelque persévérance, doit *aussi* avoir un **sens
symbolique** — dans et pour la société (ou la communauté) où il se développe ;
c'est-à-dire revêtir en particulier une *signification pour les spectateurs*.

festives, et en déplorer les « débordements » sans trahir une certaine attitude
« de classe ».

En tous cas, c'est dans cette turbulence que la foule « *se donne en spectacle à
elle-même* », tandis que la télévision atténue les effets de ces « désordres » par
cette distance qu'elle introduit dans un ultime dédoublement.

En neutralisant ainsi, dans ses dimensions essentielles, la visée représentative et
en assimilant les schémas de la fête et du rite, le spectacle sportif pourrait
globalement apparaître, en effet, comme **l'anti-théâtre**. C'est sans doute pour
cela que les quolibets du public pleuvent sur le sportif qui « *fait du cinéma* ».

Si l'on voit tout ce que cette analyse doit à la référence théorique aux spectacles
de la culture légitime et dominante (c'est-à-dire aux spectacles les plus
prestigieux) elle n'en reste pas moins globalement pertinente, en fondant le
spectacle sportif comme **spectacle** (le plus) **populaire.** Celui-ci ne s'oppose-t-il
pas, en effet, aux autres types de spectacles comme *l'action* s'oppose au *langage,*
comme la *fonction du geste* dans son efficacité même, s'oppose au *formalisme
gestuel* ?

Mais ici surgit une nouvelle et incontournable difficulté. Certains spectacles
sportifs s'attachent précisément à **l'appréciation qualitative des mouvements,**
appréciation dans laquelle sont susceptibles de s'investir toutes les dispositions
esthétiques, verbales, formelles, des publics cultivés. Il est donc nécessaire de
rappeler, comme le fait l'auteur, que la relation spectaculaire n'est pas la même
dans tous les sports. On peut admettre en effet que les spectacles aujourd'hui
particulièrement prisés, du *patinage artistique* ou de la *gymnastique féminine,*
n'ont pas les mêmes significations (et ne remplissent pas les mêmes fonctions)
que ceux d'un *match de football* ou d'un *combat de boxe.*

Il peut donc être stimulant de s'interroger sur le problème de l'inégalité des
pratiques sportives face à la spectacularisation « de masse » et notamment sur
l'usage différentiel qu'en font les grands média. Pourquoi cet engouement pour
le spectacle du *rugby*, de la *gymnastique féminine* et du *tennis* ? Pourquoi cette
désaffection pour le spectacle de *l'athlétisme,* de la *lutte* ou de *l'haltérophilie* ?
Sans doute le produit spectaculaire est-il globalement lié à la **position**
(socialement valorisée ou dépréciée) que la pratique elle-même occupe dans le
système socioculturel des sports. Mais on ne s'explique pas, dans ces conditions,
par exemple, le statut particulier du rugby (35). Sans doute l'impact du spectacle
sportif dépend-il des caractéristiques propres de l'activité : (structure d'affrontement face à face, déploiement visuel des échanges, univocité des résultats
partiels, unité de lieu, etc.). Mais on ne doit pas généraliser.

La capacité plus ou moins grande que tel sport offre, à tel groupe de s'identifier
aux « acteurs », renvoie à une forme d'adéquation entre ses caractéristiques
objectives, les caractéristiques « sociales » des pratiquants (synthétisant *l'usage
social* qui en est fait) et les **dispositions culturelles** du public de consommateurs
(ici ce sont généralement des « *connaisseurs* » c'est-à-dire des joueurs ou
d'anciens joueurs). Mais un statut particulier doit être accordé aux pratiques

---

(35) Il est habituel de voir interrompues les séances de la Chambre des Députés lors de la
retransmission télévisée du Tournoi des Cinq Nations.

dont le spectacle permet à différents groupes de s'y reconnaître et de s'y intégrer.
Celles-ci ont en commun une singulière aptitude à *socio-dramatiser* les
affrontements, à cause d'une division technique (et sociale) plus ou moins
accusée du travail et des rôles dans le jeu (on pense ici aux sports « collectifs »).
Paul Irlinger constate en effet que « *tous les sports ne possèdent pas les mêmes
potentialités d'activation des identités nationales et régionales* ». A travers
« l'affaire des Springboks » servant judicieusement d'analyseur, l'auteur appro-
fondit avec pertinence les dimensions constitutives des différents sports,
susceptibles d'expliquer le traitement discriminatoire qu'ils subissent en cette
occurrence. On éclaire ainsi cette *propriété,* inégalement répartie, qu'ont les
sports de se prêter à cette identification communautaire.
L'examen des dimensions *non olympique/olympique, collectif/individuel, popu-
laire/élitiste, au contact/à distance,* concentre les éléments convaincants d'explication sur cette capacité — que le rugby possède à un haut degré — de permettre
cette identification trans-groupale, (ou mieux inter-groupale).
Dans le spectacle des *sports collectifs de combat à territoires,* où l'on est toujours
plus ou moins enclin à lire, à travers la distribution des morphologies, des tâches
et des styles, l'image de la division sociale du travail (36), « l'esprit
communautaire » peut sans cesse se reconstituer dans les **nécéssités** mêmes de la
mise en actes d'une guerre euphémisée.
On s'expliquerait ainsi, notamment, la fonction intégrative et consensuelle que le
rugby peut jouer à l'échelon local (et municipal) ; en même temps que le rôle
essentiel qu'il assume dans la définition même d'une **culture régionale.**

La cité

Jean-Pierre Augustin et Michel Berges s'appliquent, en socio-géographes et en
politologues à comprendre l'implantation de ce sport dans **l'espace social** de
Bordeaux, foyer à partir duquel il avait diffusé dans tout le Sud-Ouest.
Remarquable synthèse d'histoire et de sociologie sportive, cette approche
originale attire l'attention sur des considérations trop souvent négligées par les
historiens et les sociologues enclins aux généralisations.
A la suite de ces deux auteurs, on ne peut plus *abstraire* la pratique sportive du
contexte politique (et électoral) local ni de la *structure socio-démographique* des
régions et des cités.
Rapportés à la **composition sociale des quartiers,** par exemple, la **nature** des
sports implantés et les **lieux** d'implantation des clubs sportifs, s'éclairent d'un

---

(36) De Jean Giraudoux à Antoine Blondin on a très fréquemment assimilé l'équipe de
rugby à un *« microcosme social »* (voir notamment : « Les Joies du Rugby », Hachette
réalités, 1976, pp. 15-19).

jour tout nouveau (37). En outre, on comprend mieux comment un **glissement géographique** d'un sport dans une ville, peut manifester une transformation sociologique profonde de son recrutement, et annoncer des modifications dans la manière même de jouer, et une évolution des fonctions et usages sociaux de la pratique.

Juin 1980

---

(37) Voir en particulier : Augustin Jean-Pierre, « *Les appareils locaux de socialisation et différenciation sociale* ». Les jeunes dans la communauté urbaine de Bordeaux (1954-1980). Thèse pour le doctorat d'Etat, Université de Bordeaux III, à soutenir en 1981.

1. Antécédents historiques

Cootes (R.), L'art de se défendre, traité des principes du pugilat anglais,
connu sous le nom de boxe, Paris, chez Kugelman, 1843.

Quelques indications sur les déterminants historiques de la naissance des sports en Angleterre (1780-1860)

1

Christian Pociello

L'attrait que, de tous temps, l'Antiquité grecque a exercé sur les humanistes et les éducateurs est sans doute pour beaucoup dans la recherche persévérante de l'origine de nos sports actuels dans l'éternelle Olympie. La rénovation des Jeux Olympiques en 1896 s'était opérée, selon les vœux du baron Pierre de Coubertin, à l'image de leurs illustres devanciers. Ainsi, l'illusion a pu s'installer que le sport a, de tous temps, existé. Ne trouvait-on pas des athlètes, coureurs, sauteurs et « boxeurs » à Athènes dès le IVe siècle ? Henri-Irénée Marrou, n'échappe d'ailleurs pas à cet anachronisme. Dans son *« Histoire de l'éducation dans l'Antiquité »* (1), il utilise le terme commode : *« sport »* pour décrire cet ensemble de pratiques qui concourent à l'éducation « physique » du jeune Grec. Plus près de nous, Bernard Jeu souligne la permanence des mythes et des symboles sous-jacents à tous les jeux d'exercice, qui perdurent jusqu'à nos sports actuels (2). L'auteur ne manque pas d'arguments pour montrer, en effet, que le sport, dans ses multiples composantes, s'enrichit, chez ses adeptes et ses consommateurs, de significations « émotionnelles » chargées de symboles dont les origines sont inscrites très profondément dans l'Homme, c'est-à-dire seraient à rechercher très loin dans son histoire.

Cependant, on s'accommode moins désormais de ces discours qui font du sport un phénomène coupé des sociétés et des cultures, c'est-à-dire, en définitive, coupé de l'Histoire. Ainsi, à l'opposé de ces thèses, d'autres auteurs ont vigoureusement affirmé que la naissance et l'évolution du sport étaient étroitement liées à l'ère de progrès industriel capitaliste qui forge ses structures et l'imprègne de ses normes. Il devient ainsi logique de considérer que les sports prennent naissance dans le pays d'Europe qui présente, au XIXe siècle, le degré le plus avancé de développement : l'Angleterre victorienne.

(1) Marrou H.-I. Histoire de l'éducation dans l'Antiquité. Paris, Seuil, 1948.
(2) Jeu B. Le sport, l'émotion, l'espace. Paris, Vigot, 1977. Dans ce livre, on peut retrouver quelques prolongements des ouvrages fondamentaux sur les rapports du jeu et de la culture ; notamment : Huizinga J., Homo Ludens. Essai sur la fonction sociale du Jeu. Gallimard, 8e édition 1951 ; Caillois (R.). Les jeux et les hommes. Le masque et le vertige. Paris, Gallimard, 1958.

Le sport, comme compétition réglée dans des conditions de stricte standardisation, permettrait, par la quantification métrique ou chronométrique de faire « produire » du rendement par la machine humaine (3).

Il deviendrait en quelque sorte une apologie fondatrice et une pédagogie serrée de la concurrence et de la sélection.

Mais cette conception du sport comme « technique de manipulation des masses » ou comme « pédagogie de la productivité » (qui ne pourrait résulter que d'un « machiavélisme » des pouvoirs), se heurte à une série de difficultés. Il faut constater en effet que les pédagogies du corps prennent, au XIXe siècle, des formes « nationales » tout à fait différentes, voire opposées, selon les pays industriels. On sait par exemple que se diffuse en France, tout au long du XIXe siècle, une gymnastique populaire « *en force* », aux agrès, progressivement confinée en gymnase, et une gymnastique de « mouvements d'ensemble » qui pourraient rappeler les « *technologies disciplinaires* » décrites par Michel Foucault. On comprend mieux ainsi, la résistance des jeunes bourgeois des lycées français, à la généralisation de cette « gymnastique ». Par contre, si l'on admet cette seconde thèse, on ne s'explique pas pour quelles raisons la bourgeoisie aurait cherché à appliquer cette pédagogie à ses propres rejetons, et pourquoi enfin la classe populaire aurait cherché à s'approprier ces modèles dans un sentiment aigu d'émancipation (4).

Le sport, lieu sacré et lieu profane, explosion consumatoire de l'énergie corporelle ou minutieuse gestion technique de la gestualité, exploit programmé ou spectacle dramatique, est en réalité composé de pratiques très diversifiées qui revêtent des significations très différentes selon les groupes sociaux.

Une approche historique des sports brossée à grands traits peut apporter quelques éclaircissements sur les conditions de leur émergence et de leur développement en Angleterre, c'est-à-dire sur les fonctions sociales et culturelles qu'elles ont pu jouer à l'origine.

Jeux antiques et sports modernes

Il convient tout d'abord de lever l'hypothèque de l'assimilation des sports modernes aux Jeux antiques. Il nous paraît vain, en effet, de chercher dans l'Antiquité l'origine de nos sports actuels ; et cela pour plusieurs raisons que nous nous bornerons à évoquer très brièvement.

Historiens, ethnologues et archéologues ont apporté, sur la nature des jeux « primitifs » et des jeux antiques, de remarquables précisions qui nous permettent d'instaurer la plus radicale distinction avec nos pratiques actuelles.

(3)   Voir l'article de Jacques Guillerme : *Le sens de la mesure* ; notes sur la protohistoire de l'évaluation athlétique, et se reporter aux thèses défendues par Jean-Marie Brohm dans « Sociologie politique du sport », Revue Partisans : Sport, Culture et répression, Paris, Maspero, 1976.

(4)   Lire les réflexions livrées par Jacques Defrance (« *Se fortifier pour se soumettre ?* »)

Ainsi, dans « *Recherches sur l'olympisme antique* » (5), Jean Amsler analyse les significations mythiques et rituelles que revêtent les jeux de l'Antiquité. L'invocation, par la tradition, d'un « Pelops » chamanique (6) pour « expliquer » *l'invention* et *la consécration* des Jeux, nous paraît déjà très édifiante. On peut rappeler en effet, que les rituels chamaniques des sociétés archaïques consistent dans une initiation, comportant une mort apparente et symbolique, suivie d'une renaissance, qui confère au chamane les pouvoirs exceptionnels de visiter les dieux, et lui permet ainsi d'assumer une fonction socio-théologique essentielle au service de sa communauté. J. Amsler a bien montré que Pelops, demi-dieu antique, rassemble tous les attributs conférés au chamane. En conséquence, les jeux antiques sembleraient résulter de l'articulation entre des rituels très archaïques et la mythologie grecque, en assurant une **représentation liturgique** à caractère héroïque et guerrier. Ainsi, on peut admettre avec cet auteur que les jeux antiques ont la nature d'un « *cérémonial religieux à rationalité non pas technologique, mais théologique, au cours duquel les athlètes, nus, oints d'huile puis frottés de poussière, étaient des morts symboliques subissant une épreuve d'initiation, comportant souffrances et risques et, aboutissant à une renaissance* » (7).
On comprend que la signification religieuse des jeux et des pratiques préparatoires, s'inscrit parfaitement dans le cadre de la théologie grecque, c'est-à-dire au sein d'un monde divin anthropomorphique auquel des mortels exceptionnels pouvaient rituellement accéder. Les jeux antiques apparaissent donc comme propédeutique et mise à l'épreuve de cet idéal d'exception, et se trouveront, par extension éthique et pédagogique ultérieurement offerts comme **modèle d'excellence.**
Ceci explique notamment que soit seulement prise en compte la *victoire* sur l'autre, victoire qui est signe **d'élection** puisque l'on ne peut l'obtenir qu'avec l'aide (ou la complicité) des dieux. La préparation à l'épreuve, devenant dans un contexte tardif, il faut le reconnaître, assez équivoque. En tous cas, exercées dans un temps immuable, cyclique ou indéfiniment renouvelé, les **épreuves** antiques s'opposent à la compétition moderne, à la performance quantifiée et aux « records » sportifs, puisque ceux-ci se fondent sur un temps devenu linéaire et progressif et sur une rationalité toute différente. Cette analyse permet de comprendre comment la Cité (et la société grecque dans son ensemble) avait pu, jusqu'après le IVe siècle, mettre au-dessus de tout les mérites de ses athlètes, et pourquoi les jeux athlétiques de l'Antiquité ont continué à représenter un idéal éducatif prestigieux, alors même qu'ils se sont vidés de leur signification religieuse et cérémonielle.

(5) Amsler Jean. Recherches sur l'olympisme antique. Revue Education Physique et Sports, n°s 38 et 39.
(6) Les Jeux Olympiques antiques sont placés, par la tradition, sous le double patronage de Pelops et d'Héraclès.
(7) Amsler J., *ibid cit.*, p. 13.
(8) Elias Norbert. La civilisation des mœurs, Paris, Calmann-Lévy, 1973 et La société de cour, Paris, Calmann-Lévy, 1974.

Jeux de civilité et pratiques gymnastiques

L'historien J.-J. Jusserand publie en 1901 *« Les sports et les jeux d'exercice dans l'ancienne France »* qui reste un remarquable document historique sur les jeux populaires et les loisirs aristocratiques dans notre pays. L'ouvrage est empreint de l'attitude des érudits français de cette époque, qui revendiquent **« la priorité »** et pour tout dire la paternité des sports, au moment où ces nouvelles pratiques nous viennent très manifestement d'Angleterre. Il est vrai que l'étymologie prêche en leur faveur. Le terme *« sport »* n'est-il pas une anglicisation du vieux mot français *« desport »* (qui signifie amusement) ? Le *tennis* ne tire-t-il pas son origine d'une déformation de l'interjection : *« tenez ! »* conservée de l'engagement courtois du jeu français de courte paume, lorsque celui-ci, importé en Angleterre, s'y transforme radicalement ?

Il est clair cependant, que l'indéniable variété et fécondité des jeux populaires français n'a pas abouti, pour des raisons qui tiennent à notre culture et à notre organisation sociopolitique, à l'émergence de ce fait culturel foncièrement nouveau que les sports anglais nous ont apporté.

Bien décrites par Norbert Elias, les mœurs de la Société française au XVIIᵉ siècle dominées par la Société de Cour (8) ont progressivement entraîné un dédain et un mépris généralisé pour toutes les activités de la campagne. Les jeux de la tradition populaire n'échappent évidemment pas à ces anathèmes culturels : *« Jeux de mains, jeux de vilains ! »* proclame-t-on chez les gens de qualité. La figure exemplaire de *« l'honnête homme »* reste le parisien, et le « civilisé » s'attache, par ses pratiques, à marquer très ostensiblement son appartenance à la ville. On ne peut donc être surpris par la transformation des jeux populaires campagnards, en jeux *« de ville »* sous l'influence directe ou indirecte, mais en tous cas déterminante, de la **société curiale.** Ainsi, le *« mail »* populaire deviendra *« croquet »* de jardin (évidemment « à la française ») avant

Enfants jouant à la crosse (gravure française du XVIIIᵉ siècle).

Partie de cricket, Angleterre, XVIIIe siècle
D'après une peinture de Hayman, appartenant au Marylebon Cricket Club
(Provient de l'ancien Vauxhall).
Gravure extraite de Jusserand : « Sports et jeux d'exercices dans l'ancienne France ».

de se métamorphoser en « *billard* » de salon, plus propice à la conversation mondaine (9).

Tous les faits et gestes des XVIIe et XVIIIe siècles français, élaborés et diffusés par la société de cour, sont empreints de ce contrôle social permanent qui s'exerce sur la vie du noble et l'incite à « *urbaniser* » et à « *mondaniser* » l'ensemble de ses activités de **« loisir »**. Toute spontanéité se trouve ainsi bannie, toute activité est soumise à la règle et à la rigueur de l'étiquette. *La danse de cour*, et plus encore *l'Equitation* (10) (qui trouve son apothéose dans le spectacle du *Carrousel),* sont les paradigmes de ces pratiques ludiques bridées par la logique « obsessionnelle » de la tenue et du prestige. Condamnée à indiquer et à confirmer en permanence son rang, la noblesse de cour modèle ses activités dans le sens de l'accroissement de la **distance culturelle** qui la sépare de ses

(9) Par ailleurs quelques historiens ont pu constater avec curiosité le processus paradoxal et assez général « *d'enfermement* » ou de « *confinement* » des activités physiques chez les peuples latins. Tandis que le *gymnase* de Jahn édifié à Berlin en 1811 reste en plein air, ceux construits au XIXe siècle, à Paris par Amoros, Triat, Paz, Laisne etc., seront clos et couverts. On ne peut évidemment invoquer ici des raisons climatiques.
(10) Le traité de Pluvinel (« Le Manège royal », 1623, déposé à la bibliothèque Nationale) définit, avec minutie cet académisme. Cité par G. Vigarello, Le corps redressé, Paris, éd. Delarge, 1978.

M. d'Armagnac

Monsieur Le duc de Le comte de Chamillart   Le Roi   Le duc de
          Vendôme   Toulouse   Chartres

Louis XIV jouant au billard, 1694
Gravure de A. Trouvain, extraite de Jusserand.

« inférieurs », tendant ainsi à renforcer son hégémonie culturelle vis-à-vis du
peuple laborieux aussi bien que de la noblesse campagnarde. Il n'est pas sans
intérêt de remarquer ici que les seuls jeux pratiqués en France, par une petite
noblesse, sont ceux qui se sont adaptés aux conditions urbaines d'exercice. Ainsi,
la courte-paume, un des jeux populaires les plus répandus en France (que les
moralistes depuis le Moyen Age toléraient avec le moins de répugnance), s'était
« confinée » dans les tripots, et s'était vu désertée, dès le XVIIᵉ siècle, par les
« gens de qualité » (11).
Si la bourgeoisie n'est pas totalement soustraite à ces contrôles pointilleux qui
engoncent toute activité et marque la distance du noble vis-à-vis du travail (et de
la nécessité), elle y est nécessairement moins soumise. Sous l'influence de
l'enrichissement économique, s'établit le partage progressif entre la sphère
professionnelle et la sphère privée. Lorsque la bonne société relâchera ses
contraintes dans l'affaiblissement du pouvoir royal, on distinguera mieux les

(11) D'après Jusserand (déjà cité), on compte à Paris 114 tripots en 1657. En 1700, leur
nombre est tombé à dix, malgré l'accroissement de la population. Il n'en reste plus que
deux au XIXᵉ siècle.

« rentiers » et les « industrieux », les « oisifs » et les « actifs », distinction que recouvrait partiellement l'opposition entre les *gens de cour* et les *bourgeois*. La réussite dans le monde ne peut plus alors tenir lieu (comme dans l'Ancien Régime) de réussite « professionnelle ». Des modes de vie *« actifs »* et *« productifs »* évidemment liés à l'activité économique, mais transférés dans la vie privée tendent de plus en plus à s'imposer dans les fractions dominées de la classe dominante. On ne s'étonnera donc point de voir la famille du duc d'Orléans, riche et enrichie, mais écartée du pouvoir, rechercher et préconiser pour ses enfants, d'autres modèles culturels et éducatifs (12). La découverte des effets surprenants de « l'entraînement » débridé (et, plus généralement de *« l'endurcissement »* sur les « performances » à la course des enfants d'Orléans), ne sera pas immédiatement exploitée (13), mais suscitera la curiosité et, permettra en tout cas, de rompre avec la sacro-sainte règle médicale de *« l'exercice mesuré »* et plus encore avec les modes de vie traditionnels et compassés.

Vers 1780, Jean Verdier, médecin et pédagogue à Paris, systématisera cette gymnastique démocratique et *« scandaleuse »* de Madame de Genlis, (gouvernante des enfants d'Orléans) en prenant soin de l'insérer entre les quatre murs d'une « institution ».

Ainsi se développera en France, au cours du XIX\ :sup:`e` siècle une *gymnastique* qui s'orientera bientôt vers le travail plus spécifique aux agrès. Pratiquée en force, elle se verra progressivement appropriée par la classe populaire. Une certaine conception « soupçonneuse » et « militaire » de l'éducation en France, dont on dit *« qu'elle prive les enfants de liberté en les enfermant dans des lycées-casernes »* contribuera à généraliser cette gymnastique à l'école, puisque les maîtres pourront assurer, grâce à elle, un contrôle rigoureux des élèves par la permanence des regards sur les activités du gymnase (14).

Les apparences d'une petite « révolution »

Lorsque quelques élèves du lycée Saint-Louis à Paris qui fréquentaient en 1882 un gymnase du quartier *« firent suivre leur séance traditionnelle de parties de*

(12) On se reportera avec profit au remarquable travail de Jacques Defrance. « Esquisse d'une histoire sociale de la gymnastique », Revue Actes de la Recherche en Sciences Sociales, n° 6, décembre 1976.
(13) Cette découverte sera largement exploitée vers 1820 par le colonel Amoros. Dans son gymnase civil et militaire, assimilé à une école des Arts et Métiers, il tentera, en effet, de perfectionner, grâce à l'*entraînement*, « *l'action journalière* » de ses élèves.
(14) Cf. Pociello Ch., Physiologie et éducation physique au XIX\ :sup:`e` siècle, thèse pour le doctorat III\ :sup:`e` cycle. Université Paris VII, 1974.

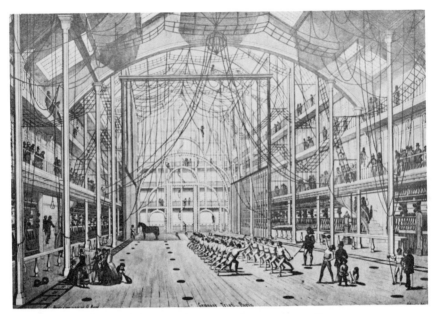

Le grand gymnase Triat à Paris vers 1870
lieu de conservation : Institut national de la recherche pédagogique.

« Pedestrians » disputant une course de « steeple-chase »,
en Europe, vers 1890.

" *barres* " *et de courses à pied disputées dans le jardin du Luxembourg* » (15), ce fut une manière de scandale.

Un « manifeste » sportif est déjà contenu dans ce que l'on appelle, à la mode anglaise « l'outdoor ». Les pelouses du bois de Boulogne et le jardin des Tuileries pourront ainsi servir de lieux d'évolutions à ces premiers « pedestrians » dont les *cavalcades* en plein air sont visiblement inspirées des courses hippiques. La tenue voyante des coureurs est celle des jockeys. On s'organise en « *écuries* » et en *paris mutuels*. L'*entraîneur* prodigue quelques encouragements à son « *poulain* » et l'auto-stimulation de la cravache ajoute enfin cette pointe de snobisme qui va épater le bourgeois. On peut difficilement mesurer alors l'impact de l'étonnante révolution qui vient de s'accomplir dans les activités physiques de ces quelques adolescents (et jeunes adultes), en cette fin de XIXe siècle. Ce qu'il convient de souligner dans l'irruption inopinée de ces nouvelles pratiques importées d'Angleterre, ce n'est pas seulement cette recherche de la distinction dans un subtil dosage d'anglomanie et de dandysme. C'est d'abord, pour les jeunes collégiens qui s'y adonnent, le sentiment aigu d'une triple libération. Les nouveaux jeux et sports *au grand air* recouvrent en effet un nouveau mode d'organisation, une nouvelle gestualité et un nouveau cadre d'exercice.

Par ces jeux d'extérieur, les élèves internes parviennent d'abord à lever une part du contrôle tâtillon et permanent des maîtres. On s'organise en *Clubs* démocratiques afin de reprendre en main la gestion de ses propres activités. On fonde des Clubs (« Racing-Club », « Stade Français », « Francs-coureurs... ») On forge des règlements qui régiront les rencontres amicales, les « *challenges* » devenant bientôt les prétextes réitérés à des « déplacements » festifs.

En outre, il ne s'agit plus de se soumettre à la norme rationalisée des montages segmentaires du corps dans la gymnastique, ou de sacrifier à l'esthétique conventionnelle des réceptions « *à la suédoise* » sur le plancher poussiéreux des gymnases.

Il s'agit aujourd'hui de donner libre cours à sa turbulence de collégiens, turbulence qui trouvera le meilleur moyen d'expression dans ces folles empoignades du *Football-Rugby* (qui réservent de surcroît les délices défendus du « *mauling* ») et qui s'achèvent immanquablement dans le contact salissant avec la gadoue des terrains.

Si l'on peut apprécier, avec l'œil du témoin éclairé des conséquences le caractère faussement dérisoire des ébats au *grand air* de ces quelques jeunes privilégiés, il nous reste à expliquer les raisons socioculturelles de ce phénomène nouveau. Pourquoi cette sorte « *d'animalisme sportif* », si visiblement inspirée des pratiques aristocratiques du « *turf* » est-elle devenu le comble du « dernier chic » ? Pourquoi un plaisir nouveau prend-il ainsi sa source dans le débordement spontané des qualités « naturelles » du coureur. Pourquoi est-on désormais porté par cette conviction que le travail persévérant ne fait rien face à ces « lois » darwiniennes qui assurent inéluctablement la victoire (comme la

(15) Bernard Gillet. Histoire du sport. Que sais-je ? Paris, P.U.F., 2e éd., 1949.

survivance) du plus apte ? Pourquoi enfin cet engouement subit pour le *football*
de Rugby qui conserve le caractère populaire et désordonné des affrontements
collectifs de balles, dans lesquels le contact retrouvé à la glèbe, est vécu avec tant
de complaisance ?

On peut chercher quelques réponses dans les écrits de Taine ou de Leplay, dans
les récits d'Esquiros ou de T. Hugues qui ont fait connaître en France
l'étonnante singularité de l'éducation anglaise (à laquelle on est enclin à attribuer
toutes les vertus) ; essais et récits qui ont contribué indéniablement à diffuser
une idéologie.

On peut aussi trouver des « raisons » dans l'importation déjà ancienne, au retour
des émigrés français, des mœurs et des pratiques anglo-saxonnes cultivées avec
un soin jaloux dans le conservatoire du Jockey-Club (6).

Dans tous les cas, un tournant vient ici de s'opérer dans les comportements.
Avant que les éducateurs ne s'avisent, du parti qu'ils pourront tirer de ces
nouveaux modèles de pratiques, l'initiative en revient, il faut le souligner, aux
adolescents eux-mêmes, et plus particulièrement aux élèves internes, pour leur
usage propre. Ce fait nouveau, apparemment anodin, s'inscrit dans un cadre
culturel préparé, que nous devons élargir.

La puissance économique de l'Angleterre victorienne au XIXe siècle fonde aussi
sa puissance culturelle, c'est-à-dire l'attrait irrésistible que ses modèles culturels
et éducatifs revêtent aux yeux de la bourgeoisie libérale française. Ainsi,
s'impose à nous, la référence aux origines du processus, qui est susceptible
d'éclairer les fonctions sociales que les sports — dans leur diversité — seront
susceptibles d'assurer. Mais ceci, à condition que l'on entreprenne la recherche
des liaisons systématiques entre une « *éducation physique* » à un moment donné
et une certaine « *demande* » sociale.

Ceci nous conduit à approfondir la question de la « sportivisation » des jeux
populaires en Angleterre. Pourquoi les sports modernes y naissent-ils entre 1780
et 1860 ? Par quel enchaînement de phases aboutit-on à cette autonomisation
relative de l'histoire du sport, qui a d'abord été un *travail*, puis un *divertissement
festif*, un *jeu occasionnel* puis, une *occasion de jeu*, un *moyen pédagogique* puis,
une *institution* ?

Des pratiques ludiques aux pratiques sportives (Angleterre 1760-1860)

Si l'on avance que le sport résulte de l'extension à l'homme d'un type singulier
de rapport d'exploitation productive à l'animal domestique et à la terre,
(rapports typiquement anglo-saxons puisqu'ils sont constitutifs de la « culture »

(16) Voir l'article de Jacques Thibault. « *Du dandysme au Sport* », Revue Education
physique et sports, n° 134, juillet-août 1975, et celui de René Meunier, « *Les origines du
sport aristocratique* » dans le Bulletin de Liaison de l'I.N.S.E.P. Histoire du Sport, n° 2,
sept. 1980.

spécifique du « *gentleman-farmer* »), on frise le raccourci. Si l'on affirme que le sport trouve son origine dans un idéal particulier de vie active à la campagne (qui n'est que la transposition, dans un cadre micro-social défini, d'une participation plus générale de la noblesse terrienne et de la « gentry », à l'agriculture et à l'activité économique, on risque de se perdre dans les détours. Et, cependant, il semble bien que les SPORTS, « *par procuration* » (ou par délégation), « *patronnés* », « *athlétiques* » et « *collectifs* », soient, dans les premières phases de leur développement pragmatique, le résultat de la combinaison tout à fait surprenante, (assurée par une bourgeoisie montante) de traits de culture urbaine et de traits de culture rurale.

On sait que les investissements dans le commerce maritime (ou dans l'exploitation des mines), n'ont jamais rebuté la noblesse terrienne anglaise qui accepte volontiers de se risquer dans des affaires aléatoires mais payantes. Ainsi, « l'enjeu » que représente l'armement d'un navire, et l'émoi particulier qui vous envahit dans le « *suspense* » de son retour (c'est-à-dire pendant toute la durée de sa course), n'est peut-être pas totalement étranger à la fois à cet « éthos » d'entreprise et à ce goût pour les paris qui pourra trouver un objet ludique de prédilection dans l'organisation de courses de chevaux et de chiens ou de combats d'animaux par une classe dominante « entreprenante ».

Enfin, le type particulier d'hégémonie culturelle d'une nouvelle gentry agrarienne, dans ce contexte du retour des fortunes à la terre, de mobilité sociale, et d'effondrement culturel précoce de la société de cour, achève de mettre en place les éléments constitutifs favorables à l'émergence des sports, comme valorisation de nouveaux modes de vie actifs de la campagne.

Il n'est pas possible de situer, avec précision la naissance *du sport* en Angleterre, car le phénomène subit une évolution structurelle importante depuis la fin du XVIIIe jusqu'à la fin du XIXe siècle.

1 — A la suite d'une période de développement des jeux traditionnels, liée aux transformations structurelles profondes que subit, au XVIIIe siècle, la *fête populaire,* on peut distinguer quatre phases successives quoique logiquement articulées.

2 — Une phase **d'encouragement** de ces pratiques populaires par le *patronage* et *l'organisation* de courses ou de combats assurés par les nobles et les gentlemen (à partir de 1760).

3 — Une phase « *d'appropriation* » des pratiques par les élèves internes, c'est-à-dire « l'invention » des sports individuels et collectifs spécifiques aux différents collèges. *(Public-schools)* (de 1820 à 1860).

4 — Une période de **réglementation** des sports et de *formation* des **« clubs »,** exigées par le développement des *rencontres entre établissements* (dont la fonction essentielle semble être la préservation des « débordements festifs » que le puritanisme victorien tendait à faire disparaître) rencontres rendues possibles par une extension du réseau ferré qui instaure de nouvelles proximités géographiques (1850-1870).

5 — Enfin, une première période de *divulgation* limitée des sports collectifs à la classe populaire (Nord industriel et Pays de Galles — 1880-1890) (17).

Nous nous proposons de revivre les *premières phases* de ce processus historique en les rapportant aux conditions sociopolitiques et socioculturelles qui en constituent à nos yeux les fondements (18).

Le processus de sportivisation de certaines pratiques festives aboutit à l'émergence d'une réalité toute nouvelle qui ne saurait être assimilée aux jeux dont elle procède ou dont elle s'inspire pourtant. En effet, contrairement à ce qui est ordinairement avancé, le football-Rugby, « *c'est bien l'anti-soule !* » (19).

Suivre ce processus, c'est revivre les étapes d'une appropriation des pratiques populaires, c'est-à-dire, identifier, en définitive, les différents « *usages sociaux* » de ces pratiques qui en assurent à la fois « *l'expropriation* » et les transformations radicales.

(17) Cette phase a été particulièrement bien décrite et analysée par E. Dunning et R. Sheard. Nous renvoyons le lecteur à leurs contributions notamment : « *The bifurcation between Rugby-union and Rugby-league* ». Revue Internationale de Sociologie du sport, int. 2, (11) 1976, pp. 31-72.

(18) Sans vouloir en nier l'importance, dans une phase ultérieure, il nous est apparu que les facteurs déterminants du déclenchement de ce processus de « sportivisation » des pratiques de jeux et de loisirs populaires ne sont pas à rechercher dans la sphère « techno-économique », c'est-à-dire ne sont pas fondamentalement guidés par une recherche de la quantification (métrique ou chronométrique) des performances des « amateurs ». En effet, si l'on sait que c'est l'anglais G. Graham qui en perfectionnant le chronomètre vers 1730, a permis de mesurer les performances chevalines, (bien avant les performances humaines) on reconnaîtra sans peine avec Jacques Guillerme *(« Sur quelques antécédents de la machinerie athlétique »)* Revue Recherches. « Aimez-vous les stades ? », n° 43, avril 1980, p. 95) que les Français bénéficiant ipso facto des mêmes avantages, n'en ont pas fait du tout le même usage. Nous rejoignons là l'opinion de Norbert Elias qui critique les thèses faisant la part trop belle à une conception hiérarchique des rapports entre travail et loisirs, et selon laquelle : « *on est facilement conduit à supposer que toute transformation des activités de loisir et des jeux de compétition survenue dans les deux cents dernières années a été l'effet dont la cause fut l'industrialisation (...). On pourrait envisager l'hypothèse que l'industrialisation et la transformation en sports de certaines activités de loisir, sont des évolutions partielles interdépendantes, à l'intérieur d'une transformation d'ensemble et récente des sociétés étatiques. C'est seulement en cessant d'assigner le statut de « cause » aux changements survenus dans des domaines d'activité qui occupent une position dominante dans l'échelle des valeurs de la société contemporaine, que l'on peut espérer clarifier le problème* ». *(Revue Actes de la Recherche en Sciences Sociales, n° 6, décembre 1976, p. 4).*

(19) Contrairement à Jean Lacouture qui « croit » à la continuité culturelle « du combat celte au jeu occitan » (l'Histoire, n° 8, janvier 1979), Daniel Denis instaure entr'eux la plus radicale rupture ; *Revue Après-demain*, n° 191, février 1977.

Le développement et la transformation des jeux festifs populaires

La destruction du charisme et le tassement de l'hégémonie spirituelle et culturelle de l'Eglise anglaise par la révolution puritaine ont permis la constitution d'une **culture populaire plébéienne et paganisée** que E.P. Thompson a particulièrement bien décrite (20).

L'affaiblissement du contrôle de l'appareil religieux traditionnel a entraîné l'autonomisation de cette culture propre à une couche populaire dont on sait qu'elle est extrêmement sourcilleuse sur la question de ses *droits coutumiers.* Cette « émancipation » a eu pour effet de libérer les relations sociales, les rites de passage, les distractions diverses et les relations de loisir, du contrôle crispé que l'Eglise traditionnelle continue de faire peser sur le comportement socio-ludique et plus généralement sur les cultures populaires du continent (21). Ce phénomène a eu pour conséquence une renaissance extraordinaire des fêtes locales et régionales (et un accroissement considérable de leur nombre et de leur durée) mais aussi et surtout leur *déplacement saisonnier* vers les beaux jours : *« En Angleterre, le " calendrier rituel " (avait) concentré les fêtes commémoratives des Saints Patrons en hiver, période où le travail est moins abondant. (Or), au cours du XVIIIᵉ siècle, les fêtes sont déplacées à la période située entre les foins et la fin des moissons, de sorte qu'elles concordent avec le calendrier agricole »* (22).

Ainsi, le calendrier agricole (c'est-à-dire païen), se substituant au calendrier religieux, les fêtes, devenues pour la plupart estivales, sont alors le prétexte périodique et ritualisé à l'expression d'une forme singulière de turbulence et de débordements populaires. Ces fêtes, (comme les **foires),** ont pu ainsi servir de cadre propice au développement socialisé d'activités ludiques en plein air. Ce « déverrouillage » a entraîné un accroissement important du nombre de jours fériés, mais surtout donné aux pratiques festives traditionnelles une vigueur particulière et des caractéristiques accusées ; *« consommation ritualisée de boissons, ébats sexuels, exercices d'affrontement violents et brutaux ».* Norbert Elias a montré que cette **violence** qui remonte au Moyen Age n'avait alors rien de spécifiquement britannique. En effet, dans l'ensemble de l'Europe : *« On joue selon des conventions locales non écrites, en observant relativement peu de contraintes* (et) *en donnant librement cours à la violence physique (...) perpétuant ainsi, sous forme d'amusements violents, les haines entre les groupes ethniques, animosité entre localités, tensions entre générations, ou, à l'intérieur d'une même communauté, entre groupes de statuts différents »* (les hommes mariés contre les célibataires par exemple) (23). Ces jeux qui renforcent les tensions sociales déjà

(20) Thompson (E.P.S.) Modes de domination et Révolutions en Angleterre, *Revue Actes de la Recherche en Sciences Sociales,* nᵒˢ 2-3, juin 1976, p. 133.
(21) On peut se convaincre du contraste avec la situation que connaît encore la France, à la fin du XIXᵉ siècle, à la lecture de P. Jakez-Helias : *« Le cheval d'Orgueil »,* Paris, Plon, Terre humaine, 1975.
(22) Thompson, *ibid. cit.,* p. 140.
(23) Elias, *ibid.,* p. 17.

existantes (et sont renforcées par elles), ne se distinguent en Angleterre de ceux du Continent, que par la multiplication des fêtes qui leur donne l'occasion de s'exprimer rituellement, et par la suppression du contrôle de l'Eglise.

Le sport « par procuration »

Les chroniqueurs indiquent qu'au début du règne de Victoria (vers 1840), les britanniques « *plus encore que l'amour du théâtre (...) ont celui des exercices violents, soit qu'ils les pratiquent eux-mêmes, soit qu'ils se contentent d'en être spectateurs. La possibilité de parier ajoute à l'excitation* » (24).

Aujourd'hui, l'existence clandestine aux Etats-Unis, de combats de chiens *(dog-fights)* que vient de révéler la revue Geo (25) témoigne de la lointaine survivance de ces pratiques violentes importées, au XVIIIe siècle, par les colons britanniques. Le reportage de Bruno Kroll, qui rend fidèlement compte de ces usages devenus « barbares » et « populaires », permet de décrire la structure des premières pratiques de « *sport par procuration* » (c'est-à-dire ici, par animaux interposés) et de se faire une idée de *l'éthos* dominant qui les accompagnaient originellement. On y découvre les pratiques des « *éleveurs* » qui contrôlent avec un soin rigoureux la sélection biologique de leurs chiens « *pitt bulls* » (reproduction, pedigree, etc.) ainsi que celles des « *managers* » qui assurent l'intendance de leurs comportements (entraînement, « fanatisation », alimentation appropriée, etc.), pratiques dans lesquelles est susceptible de s'investir toute une « expérience » pragmatique ou même une compétence « culturelle » de nature zootechnique. Ces *dog-fighters* » règlent également la structure spatiale et temporelle du combat (« ring », « rounds ») qui permet non seulement aux spectateurs d'être mieux absorbés par le spectacle violent qu'ils sont plus impliqués par l'importance de leurs enjeux, mais qui permet aussi aux maîtres « *à l'heure de vérité, de faire corps avec leur chien* » (...) (et) « *de se battre et de souffrir par animal interposé* ».

Il n'est pas sans intérêt de remarquer que ces pratiques, dont on voit, à l'évidence qu'elles ont servi de modèle aux premières « pratiques sportives » de l'homme, (le « *sportif* » étant ici d'abord l'amateur « *sportman* »), ont été tolérées dans les Etats confédérés du Sud, avant d'être interdites vers 1860, après l'organisation — devenue extrêmement populaire — des rencontres de boxe.

Les premiers combats de boxe ont été suscités et organisés en Angleterre sous la forme de « *challenges* » (défis) par les aristocrates (« landlords »), mettant en lice leurs plus robustes domestiques (puis, plus tard, des professionnels recrutés

(24) Chastenet Jacques. La vie quotidienne en Angleterre (1837-1851), Paris, Hachette, 1961, p. 178.
(25) Revue Géo, A la découverte d'un nouveau monde : la Terre, n° 9, novembre 1979.

Un combat de boxe, en Angleterre, au début du XIXe siècle.

Laquais-coureur (running-footman)
Angleterre, fin du XVIIIe siècle.

dans le peuple) sur le modèle préexistant des combats d'animaux (26). Il n'en a d'ailleurs pas été autrement de la course à pied puisqu'on a pu montrer que les premiers défis, organisés sur le modèle des courses hippiques, opposent des « *running-footmen* », (laquais-coureurs et domestiques), ayant acquis, du fait de l'exercice d'une profession (annonceurs de carosses ou messagers) une compétence particulière à la course de distance, (coureurs basques).

« *Le goût des exercices violents* » relevé « *chez les britanniques* » par Chastenet, n'est autre que ce goût réputé immodéré manifesté par *certains* aristocrates et gentlemen anglais pour les **exercices violents, populaires et festifs de la campagne,** que le contexte culturel de la « *old merry England* » avait extraordinairement développé. Les *landlords* conservent, en effet, leurs résidences principales à la campagne et y organisent leurs loisirs dans un type particulier de rapports avec les paysans. La boxe, sport par procuration, leur offre, en tous cas, l'occasion d'affirmer une domination symbolique (« promotion » du combat) et une hégémonie culturelle, (entraînement, managerat), tout en mettant en faveur les modes **traditionnels d'affrontements populaires à mains nues.** Mais, l'organisation de ces « challenges » introduit, *ipso facto,* une rupture fondamentale dans la nature des jeux populaires qui, dans leur spontanéité, ne « survivaient » pas à la scansion et à la périodicité festives. En effet, *l'entraînement* et, plus généralement, la préparation des boxeurs et des coureurs débordent largement le temps de la rencontre et l'occasion du divertissement. Ceci a eu pour conséquence une autonomisation de ces activités par rapport aux cadres temporels et culturels qui leur avait donné naissance, ainsi que la constitution d'une catégorie particulière de boxeurs et de coureurs professionnels. Nous avons décrit ailleurs ce mode particulier de relations qu'entretiennent « *l'entraîneur* » et son « *poulain* » sur la base de l'imposition de pratiques d'une extrême sévérité, inspirées de l'entraînement des chevaux (sweating, training, etc.) et évidemment fondé sur la base du partage équitable des bénéfices (27).

On comprend ainsi comment a pu se relancer, par son extension à l'homme, l'engouement déjà inouï que suscitaient les affrontements d'animaux (28). Ici, ce ne sont plus seulement les éleveurs et les propriétaires qui, essentiellement, se prennent au jeu des enjeux, mais, grâce à une plus grande possibilité d'identification des spectateurs à l'un des protagonistes, (ou des groupes de protagonistes) on assiste à un élargissement considérable, à la classe populaire, de la base des amateurs, qui sont toujours des parieurs. C'est ainsi que la

(26) On pourra donc avantageusement compléter l'analyse pertinente que Bernard Jeu propose des significations *mythiques* de ces combats, par les considérations de Norbert Elias sur les rapports du sport et de la violence. (Actes de la Recherche, *ibid. cit.*, p. 13).
(27) C. Pociello, « Physiologie et éducation physique », déjà cité.
(28) Les courses de chevaux pourraient être considérées, dans ce contexte, comme la mise à l'épreuve ostensible et loyale de *la qualité des élevages.* Il n'est pas sans intérêt de remarquer en outre, que les combats de chiens, de taureaux, d'ours, complètent la gamme des qualités que les éleveurs anglais s'emploient à sélectionner avec rigueur (force, combativité, vitesse et endurance) et qu'à leur suite, maints « hygiénistes-éducateurs » ont dit vouloir étendre et développer chez l'homme (cf. Par exemple Buchan traduit en français en 1804).

rencontre sportive revêt une signification nouvelle, le groupe social peut alors s'y impliquer plus intensément et fusionner. Il convient de souligner l'importance de ce rapport de réciprocité qui lie cette habitude des paris, et les pratiques sportives à leur origine. En « s'institutionnalisant » ces sports « par procuration » ont pu servir de support privilégié à cette manie des paris qui gagne, toutes classes confondues, leurs spectateurs enthousiastes. Mais, ce faisant, le plaisir de parier, et la nécessité d'un contrôle rigoureux de la régularité des courses et des combats ont accéléré le processus de transformation en sports de ces pratiques « de loisir ». L'édiction de règles écrites, l'invention des « *handicaps* », l'usage du chronomètre (« juge incorruptible ») et l'enregistrement des « records » n'en sont pas les seules conséquences. On y trouve également selon Elias, l'origine *de l'éthos de loyauté :* « *Il faut rapprocher l'histoire de l'éthos anglais de la loyauté (...) de la transformation spécifique survenue dans la nature des plaisirs et des sensations procurées par les jeux de compétition : le plaisir trop bref qu'offrent le résultat et le dénouement du combat sportif, fut prolongé et étendu aux sensations qu'on peut retirer de ce qu'était à l'origine un prélude* » (29). Outre le fait que ces phénomènes contribuent activement à l'autonomisation déjà invoquée de ces pratiques, ils fondent l'importance essentielle des « clubs fermés » mais aussi des tavernes populaires (30), lieux de rencontres nécessaires où s'opèrent les paris, s'expriment longuement les commentaires, monte l'émotion avant match, et où, dans la consommation invariable de boissons, s'accroît encore l'excitation des gagnants et s'épuise la déception des perdants, prolongeant ainsi largement le cadre temporel, mais délimitant strictement le cadre social de la rencontre « sportive ».

Il semble en effet que l'on n'a pas suffisamment souligné l'importance historique de l'articulation entre la rencontre sportive et la **« fête »** et la **« foire »** qui l'encadrent ou qui la suivent inéluctablement, c'est-à-dire le lien fondateur, entre le sport et les réjouissances qui l'accompagnent.

Mais, la popularisation de ce nouveau fait culturel et social reste encore empreinte de ce *rapport de distance* qu'une certaine aristocratie maintien face à la « *plèbe* » et n'a pas pour autant créé les conditions de participation *pratique* de la noblesse terrienne aux activités. En effet, si tel aristocrate acceptait parfois de se commettre, en se colletant avec l'un de ses domestiques (31), il n'est pas de règle de participer effectivement à ces activités *mais de les promouvoir.*

---

(29) Elias, *ibid.*, p. 9.
(30) Aujourd'hui encore, bien des cafés servent en France de « *sièges sociaux* » aux clubs sportifs (football, rugby, pétanque et jeux de quilles).
(31) Dans les conditions coutumières, c'est-à-dire selon les conventions les plus « frustes » et les moins euphémisées sur lesquelles se fondent alors les combats, leur issue n'aurait jamais été à leur avantage.

Du « sport patroné » au sport bourgeois

Pour Fielding « *tandis que les gens policés réservaient divers emplacements pour leur usage propre, (cours, assemblées, opéras, bals), les gens du commun, faisant cercle autour d'une place royale appelée l'Enclos des combats d'ours de sa Majesté, ont toujours eu pour lot les bals populaires, les foires et les orgies* » (32). Il est intéressant de noter qu'en opposant ainsi les combats d'animaux et les plaisirs « raffinés », c'est-à-dire les espaces « *ouverts* » des activités vulgaires et les espaces « *réservés* » des loisirs les plus chics, on oppose, en réalité, une bourgeoisie montante à la noblesse la plus traditionnelle. La question se pose alors de savoir comment et pourquoi, la gentry agrarienne (fraction dominée de la classe dominante) et la bourgeoisie en sont venues à s'approprier les jeux du « commun », et après leur avoir imposé un usage social particulier, les ont pratiqués en les constituant comme marqueurs distinctifs de classe...

Dans le double contexte, bien décrit par Thompson, de la faiblesse relative de l'Etat monarchique et de l'extraordinaire vigueur d'une agitation populaire, se sont noués des rapports sociopolitiques particuliers entre la gentry agrarienne et la « *plebs* » turbulente :

L'hégémonie culturelle de la gentry.

(32) Cité par Thompson et commenté par Chamborédon, *ibid. cit.*, p. 195.

« Le prix que l'aristocratie et la gentry ont du payer en contrepartie de la faiblesse de l'Etat (...) a été la licence de la foule » (...) « Dans ces conditions, la domination de la gentry reposait en partie sur la mise en scène de (son) hégémonie culturelle » (33). Contrainte de composer avec cette turbulence populaire et, ne pouvant généralement pas recourir à la force, la gentry *tory* devient « naturellement » permissive vis-à-vis de ces « débordements ». Nouant des alliances actives avec la foule, accordant son patronage aux réjouissances populaires, dotant quelques exercices sportifs d'un bœuf à rôtir, la gentry agrarienne invente un paternalisme convaincant qui va jusqu'à la participation de certains de ses membres à l'équipe de cricket du village. On perçoit dans ces conditions, les fonctions sociales et politiques que revêt ce phénomène, en apparence anodin, *de participation pratique aux jeux collectifs de la fête et de la foire.* Ces usages jouent leur fonction évidente « d'intégration » à la vie villageoise, mais, plus subtilement assure une fonction sociojuridique de pacification qui consiste à se placer ostensiblement au sein d'un microcosme ludique dans lequel gentry et plebe seront également soumises aux mêmes règles de droit (34).

On comprend en outre que, dans le contexte de l'effondrement culturel de la société de cour et, au sein de cette forme très particulière de dynamique sociale, les anglais ont pu être, parmi les noblesses européennes, les plus prompts à abandonner le port de l'épée, élément primordial de l'arsenal traditionnel des signes de domination. Ainsi, le *« noble art »,* prototype et paradigme des pratiques sportives, correspond à **« l'adoption »** — en fait socialement imposée à la « gentry » — **des modes de combats populaires.** Par rapport aux usages préexistants décrits sous le nom de « sport par procuration » et dont la pratique est assurée par des boxeurs professionnels entraînés, la boxe n'a pu devenir un sport « aristocratique » (et un sport bourgeois) qu'au prix de la plus radicale transformation. Ce nouvel « usage social » peut se résumer en un processus « d'euphémisation » du combat populaire. Afin de se prémunir contre le risque d'un affrontement toujours désavantageux avec des professionnels, les gentlemen ont pu constituer une activité qui s'est *d'abord* trouvée strictement **réservée** en se pratiquant dans des « clubs » et « cercles » fermés au tout venant (35).

---

(33) Nous devons l'essentiel de cette analyse de l'histoire anglaise à E.P. Thompson dont le propos est sans rapport direct avec l'origine du sport.

(34) Thompson souligne de son côté l'importance sociopolitique que revêt à cette époque la médiatisation des nouvelles structures juridiques : « *On déployait d'immenses efforts pour offrir l'image d'une classe dominante soumise elle-même au droit et dont la légitimité reposait sur l'équité et l'universalité des formes juridiques* » (p. 139). Il est frappant de constater que l'appropriation des pratiques sportives (que l'on peut considérer comme des « expropriations ») coïncide historiquement avec la substitution d'un nouveau droit de propriété, aux droits agraires coutumiers (cf. enclosures).

(35) Si la boxe se confine en espaces fermés c'est aussi sous l'effet de sa semi-clandestinité lorsque les puritains chercheront à s'opposer à son développement. Les premières définitions, de « l'amateurisme » seront donc naturellement édictées pour les courses à pied qui, elles, échappent à cet « enfermement ».

Lith. d'Auguste Bry   *Lith. d'Auguste Bry*   *Lith. d'Auguste Bry*

Cootes (R.), L'art de se défendre, traité des principes du pugilat anglais,
connu sous le nom de boxe, Paris, chez Kugelman, 1843.

L'adoption des gants représente l'une des plus évidentes manifestations de cette euphémisation. Mais c'est surtout dans l'introduction de la plus subtile des médiations ; **la médiation de maîtrise technique** que la boxe se transforme, en se constituant en académisme. Par la codification des postures de garde, des coups, des déplacements, des parades et des ripostes (à l'instar de la formalisation poussée que les Maîtres d'armes français — très prisés à Londres — avaient imposée à l'escrime), le **« noble art »** peut désormais privilégier une pratique *« de style »*, de *« finesse »* et de *feintes,* par rapport à une pratique de *« force brutale »,* puis fonder l'idéologie selon laquelle la première peut pratiquement prévaloir sur la seconde (36). Ainsi, une boxe appropriée se constitue en *« escrime des poings »* (37) dans laquelle se préserve une certaine distance spatiale et sociale, tout en mettant en faveur un style combatif, « réaliste » et « risqué » que les gentlemen et les bourgeois ont emprunté aux affrontements populaires.

On voit ainsi s'amorcer par étapes, l'appropriation de certaines pratiques populaires. On peut apprécier l'importance du rôle joué dans ce processus par les fractions montantes qui tentent d'accéder au privilège du pouvoir et qui sont corrélativement à la recherche de nouveaux modèles culturels et éducatifs. Une nouvelle gentry enrichie, d'origine urbaine, dans l'impossibilité d'adopter les modes traditionnels de domination, a été mise en demeure d'en inventer de nouveaux, pour les adapter à leurs nouvelles conditions de vie sociale à la campagne. Ces modes d'hégémonie, intégrés dans un style de vie, deviendront

(36) Le fameux film : *« Gentleman-Jim »* donne de cette idéologie la représentation la plus évidente.
(37) Dans ses formes les plus « euphémisées », on convient qu'il s'agit essentiellement de *« toucher »* l'adversaire du bout du gant, sans être soi-même touché, grâce aux savantes esquives servies par un jeu de jambes quasiment dansé.

bientôt hautement distinctifs. On perçoit ainsi l'importance politique et sociale de la fête campagnarde puisque, perdant son caractère commémoratif et religieux, elle donne l'occasion aux gentlemen, dans la plupart des pratiques festives, de donner libre cours à ce *néo-paganisme paillard* (38) tout en constituant le lieu solennel et le cadre privilégié, de l'expression de la plus subtile des hégémonies culturelles.

Le développement des sports dans les collèges (1820-1860)

Le développement considérable du sport dans les collèges est précisément contemporain de cette période au cours de laquelle, après l'âpre confrontation de 1832, le système politique anglais fait la meilleure preuve de sa capacité d'adaptation sans violence. La loi électorale se fait au profit de la bourgeoisie campagnarde (ce qui n'est évidemment pas sans relation avec notre propos) ; c'est le moment en effet, où la bourgeoisie commerciale et industrielle en expansion pourra participer plus étroitement au pouvoir, à côté des landlords et de la gentry traditionnelle. C'est ce qui fait dire à Peter Mac Intosh : (39) « *D'un point de vue sociologique, la faveur pour les sports fut corrélative de l'accession de la nouvelle classe moyenne au privilège de l'éducation et du pouvoir politique.* »

Son analyse se révèle particulièrement pertinente notamment sur les points suivants :

1 — Elle rappelle l'existence de la pratique des jeux et des « sports » dans les collèges depuis la fin du XVIIIe siècle (Gibbon, Smith, Wordswoth) surtout sous la forme de *cricket* (jeu de distinction), de *courses,* puis de *football-rugby,* (toujours sévèrement désapprouvés pendant la première moitié du XIXe siècle) essentiellement dans les établissements les mieux lotis en espaces libres. Ces pratiques, relevant exclusivement de l'initiative **des élèves internes,** sont constituées sur la base d'une imitation, adaptées aux conditions propres à chaque collège, des pratiques précédemment décrites.

2 — Elle insiste sur le fait que ces pratiques qui sont, au mieux, tolérées par les directeurs, restent toujours suspectes aux yeux des éducateurs traditionalistes. Le « football » est alors considéré comme indigne d'un gentleman (« *a game for butcher boy* »).

3 — Les jeux **individuels** restent la caractéristique des pratiques à Eton, Winchester et Harrow, qui sont les écoles les plus distinguées, et les plus

---

(38) On peut aisément trouver des traces littéraires et filmiques de ces modes de vie des gentlemen de la « Old Merry England » dans le « Tom Jones » de Tony Richardson par exemple.
(39) Mac Intosh Peter, Physical Education in England since 1800 ; London, G. Bell, 1952.

anciennement soumises à l'influence des ecclésiastiques donc, les plus conservatrices. En revanche, les jeux **collectifs** se répandent rapidement dans les autres collèges, à partir de l'exemple de Rugby, lorsque les réformes du système éducatif engagées sous Thomas Arnold tendront à se diffuser et à se généraliser.

Cette opposition entre les activités des « *Barbarians* » (élèves des collèges huppés à régime traditionnel) et les activités des « *Philistins* » (élèves des collèges les moins distingués) semblent recouvrir, en fait, des oppositions politiques (whigs et tories). On peut donc les rapporter aux attitudes différentes vis-à-vis des jeux populaires que nous avons tenté d'analyser plus haut. Les « *étonians* » choisissent essentiellement les pratiques **individuelles** (courses, cross-country) inspirées des sports « par procuration » sur le modèle aristocratique des chasses à courre au renard, tandis que les « *rugbyans* » préféreraient les pratiques de participation **collectives** de leurs ascendants.

On est conduit à considérer trois phases dans l'attitude des éducateurs et des responsables, à l'égard des jeux sportifs des élèves ; attitude se focalisant tout d'abord sur l'opposition entre le *cricket* et le *football-rugby* :

- L'attitude la plus courante des responsables pédagogiques, envers les jeux et les sports (en dépit de cas d'approbation ou de tolérance exceptionnels), est d'abord la plus radicale hostilité. La distinction entre les sports pour gentlemen (le cricket) et les autres sports, restant, d'après Mac Intosh, une caractéristique de la culture britannique dès la fin du XVIIIe siècle.

- Les critiques contre la pratique du football-rugby émanent plus spécialement de responsables de collèges qui n'ont pas le renom des publics-schools les plus distinguées, et qui tentent d'acquérir le statut d'école réservée aux classes supérieures.

- Alors que la pratique des jeux reste « propriété » caractéristique de chaque école (comme le « *wall-game* » d'Eton) les responsables demeurent farouchement opposés aux rencontres entre établissements.

A la suite des remarques que M. Bodis nous a suggérées, on saisit mieux les raisons de ce développement et de cette diffusion « spontanée », malgré les obstacles que les masters opposent à ces pratiques. Lorsque le contexte culturel de la « *old merry England* », c'est-à-dire de l'Angleterre verte, campagnarde et « débridée », fait place à une Angleterre victorienne, puritaine, « sérieuse » et engoncée, les rencontres sportives pourront constituer les rares prétextes renouvelés aux réjouissances et aux écarts rituels de conduite qui les accompagnaient inéluctablement, assurant ainsi la pérennisation des nouveaux modes et styles de vie que nous avons évoqués.

On assiste à un revirement des attitudes des pédagogues dans les années 1860. A l'attitude d'hostilité (ou de tolérance) des « *masters* » fait progressivement place, une politique active d'encouragement des jeux et des sports qu'il nous faut tenter d'expliquer. Ce changement d'attitude est particulièrement patent chez Moberly (1866) et Ridding (1884) à Winchester, en ce qui concerne la pratique du cricket. L'encouragement des « *headmasters* » prenant d'abord la forme de prêt aux

Le football à Rugby vers 1870.

élèves d'espaces libres pour leurs activités. Il n'est pas sans intérêt de remarquer que la responsabilité de ces changements procède en réalité d'un mouvement de réforme plus complexe et plus vaste que ne le laisserait supposer l'idée de l'innovation d'un promoteur génial. Il est en effet attesté qu'Arnold, à l'instar de ses précédentes tentatives pédagogiques voulait introduire au collège de Rugby une gymnastique traditionnelle (avec portique et agrès) inspirée de Gutsmuth, alors que les jeux de cricket et de football y sont évidemment pratiqués bien antérieurement à son arrivée. Les anglais restent étonnés du rôle attribué par les auteurs français, à la suite de De Coubertin, à Thomas Arnold en ce qui concerne « l'introduction des sports dans les collèges ». Il faut admettre que c'est bien *contre son gré* et en tous cas indépendamment de son action pédagogique que le phénomène sportif s'est développé, puis diffusé à partir de Rugby (40).

(40) Thomas Arnold, ecclésiastique, promoteur d'une importante réforme du système éducatif est directeur (headmaster) du Collège de Rugby de 1828 à 1842.

Le mouvement de réforme du système éducatif

Le problème fondamental devant lequel Thomas Arnold se trouve placé est celui du rétablissement de l'autorité et de l'influence morale du « *headmaster* », dans un établissement qui recrute parmi les membres de la nouvelle gentry et qui n'appartient pas à la liste des publics-schools les plus « distinguées ». Il est donc confronté à un problème de *pouvoir* et de rétablissement du contrôle des maîtres sur les élèves. En effet, l'organisation très particulière d'un système de « gouvernement » par les collégiens eux-mêmes, qui exprime l'existence d'un pouvoir parallèle et concurrent, n'a jamais été admis par les *masters*. Cela d'autant, que ce pouvoir est le prétexte à l'exercice d'une grande turbulence des élèves. On assiste en effet, à de fréquentes résistances et même à des rébellions ouvertes (donnant parfois lieu à l'intervention de la troupe), particulièrement causées par des tentatives de remise en cause des privilèges attachés au statut des surveillants (« préfets »). Face à ce contre-pouvoir et afin de rétablir son autorité au sein d'une « société » relativement indépendante, Arnold semble avoir réussi à rétablir la confiance entre lui et les « préfets » en institutionnalisant le **« self-government »**. Ainsi, nous pouvons considérer le développement du sport à Rugby, « *comme le prix qu'Arnold a dû payer, à son corps défendant, pour s'assurer la coopération des élèves dans l'établissement et le maintien de la discipline* ». L'utilisation du « self-government » eut pour conséquence seconde la **légalisation** des jeux qui en constituait la plus spectaculaire expression. Le développement des sports ne peut, en fin de compte, être considéré comme le résultat de l'encouragement actif des éducateurs. Il est, avant tout, la conséquence de l'action des élèves internes pour la reconnaissance de leur auto-administration.

On comprend que la diffusion du mouvement de réforme aux autres « *publics-schools* » a pu servir de vecteur à l'expansion des sports à partir de Rugby et des collèges assimilables, d'autant plus aisément qu'ils apparaissent sur le mode **distinctif** de pratiques propres aux catégories sociales montantes les plus « actives » et les plus « combatives ». Ce n'est que dans une troisième phase, plus tardive, que les sports ont été investis d'une *valeur « éducative »*, et, à ce titre, ont pu faire l'objet d'une politique plus concertée de développement ; lorsque les discours des réformateurs, préconisant la constitution de **républiques d'enfants,** sur le modèle démocratique parlementaire, percevront tout le parti qu'ils pourront tirer des pratiques où l'auto-administration des élèves est la plus vive : *les jeux sportifs*.

Le sens de la mesure :　　　　　　　　　　2
Notes sur la protohistoire de l'évaluation athlétique

Jacques Guillerme

Jadis, d'un trait rapide, Joseph de Maistre indiqua une « belle loi de la providence » qui eut soin de ne « donner la physique expérimentale qu'aux chrétiens » (1). La remarque peut paraître naïve ; elle est incontestable et l'on n'a jamais produit de théorie satisfaisante de cette donne de l'Histoire. La plupart des essais d'explication dérivent vers la question de l'origine et de l'essence du capitalisme ; quant à ceux qui feignent d'ignorer le poids des causalités économiques, ils apparaissent inexplicablement frivoles et séjournent au purgatoire des épistémologies dissidentes (2). Mais dans la tradition de la science « classique », économie et providence sont inséparables ; dans ses manifestations, elle révèle un tempérament fondamentalement économiste. Qu'on relise Linné ; il rappelle que la « contemplation pieuse des merveilles naturelles » ne peut manquer d'« enrichir notre propre économie » tout en convainquant que « l'Economie de la Nature est d'une excellence incomparable » (3), par la disposition qui balance globalement les forces de conservation et les puissances de destruction. Ainsi le Régulateur suprême subordonne-t-il les diverses violences dont le pathos trop visible se résout en représentation d'effets de masse et en lois de nature. La physique expérimentale n'est que l'un des moyens de cette conception. Lorsqu'elle revendique pour son domaine particulier l'économie organique, elle semble, au premier abord, devoir choisir entre deux registres : l'un qui dessine le type moyen des structures, l'autre qui se plaît aux singularités des circonstances extrêmes. Distinction simpliste, sans doute, mais qui se justifie de ce que les deux modes de questionnement supposent pareillement qu'ici et là, les aspects, les actions, le sentiment même des efforts soient de quelque manière commensurables, en dernier ressort, étalonnables.
Le répétitif est à la racine de l'objectivation qui exige méthode et règlement. Mais le répétitif, tout enraciné qu'il est dans le normatif, s'ouvre sur l'inachevé, il forme dans l'inachèvement un vaste continent dont la matière banale a dû être longtemps labourée, et de nos jours encore remuée pour que soient

---

(1) Dans le 5ᵉ entretien des *Soirées de Saint-Pétersbourg* (Paris, 1822) t. I, p. 383.
(2) Par exemple, celle d'A. Kojeve, dans son bref et incisif essai « L'origine chrétienne de la science moderne », in *Mélanges A. Koyré* (Paris, 1964), t. II, pp. 295 ss.
(3) In *Specimen Academicum de Oeconomia Naturae...* (Upsal, 1749), trad. B. Jasmin (Paris, 1976), p. 101.

repérables les anomalies, classables les événements singuliers, chiffrables les puissances extraordinaires. Le geste a pour condition première une communauté de structure organique. Selon son mode d'expression et sa finalité pratique, il se parachève, répétitif, dans la compétition ou dans la régulation méthodiques. L'histoire, dans son recul, fournit ici quelques repères simples. Brièvement dit, l'Antiquité a inventé l'athlète. La science baroque a décrit les modèles propres à évaluer les efforts des moteurs animés et à en régler l'efficience. Seules, les sociétés industrielles « avancées » ont su ressusciter l'athlète ; seules, elles se sont adonnées à recueillir, tard et par tâtons, les records ; sur un mode tatillon avec le concours nécessaire du « don de la Providence » qu'est la « physique expérimentale ». Cette discipline, par engins et méthodes, règne discrètement sur les stades qui ne doivent, cependant, leur public qu'aux émotions du spectacle et de l'identification. Or, la philodoxie athlétique, la connaissance qu'en ont les masses admiratives, est une image composite de l'histoire des épreuves dans le rituel exact de leurs avènements successifs. Image d'une histoire, simplificatrice et apologétique, tout à la fois, toujours décalée par rapport au travail que jaugera une pratique spectaculaire dans le moment de la décision. Travail étant ici entendu dans le temps biographique de la préparation individuelle ; dans la suite, également, des formes institutionnelles qui déterminent le projet athlétique. Autrement dit, le champ symbolique de la « culture » de l'amateur excède les limites de l'expérience concrète, il en transfigure le domaine ; tout en l'exaltant, il le méconnaît. Isoler quelques-uns des ingrédients de cette culture, les composer dans une ébauche de système plausible, savant et populaire, tout ensemble, tel est le propos de ces pages.

Il est clair que dans le codage des épreuves athlétiques, les raffinements de la mesure constituent désormais le flux des indices publiés en autant d'obstacles générateurs de l'« insociable sociabilité » où la société trouve son principe fondateur (4). Institutrice de rivalités, la pratique du sport s'arme de moyens de contrôle qui visent à exciter et à repérer un progrès indéfini des habiletés. L'organisme athlétique — corps et code d'exercice réunis — se subordonne ainsi à cet esprit « technicien » qui, selon Alain, « prend pour régime de ne penser que son action et de ne recevoir pour preuve que les résultats ». Et même, dira-t-on, cet « esprit » se redouble en ce qu'un sujet peut être, simultanément ou successivement, acteur et voyeur de l'extorsion programmée des puissances organiques en quoi consiste toute compétition. Une matière légendaire en résulte qui se nourrit aujourd'hui de figures numériques. Saisie après coup, hors de toute passion identificatrice, son énonciation ne manque pas d'apparaître abstraite et contingente. L'historien distant produit, (ne peut produire) habituellement qu'une description étiolée du genre suivant : à tel moment, une nuée d'amateurs se sont passionnés pour une représentation sommaire de la rivalité des champions, mais leur curiosité a largement méconnu, cependant, ce

(4) Cf. l'« Idée d'une histoire universelle au point de vue cosmopolitique » de Kant, publiée dans le *Berlinisch Monasschrift* de novembre 1784 ; in trad. fr. par Piobetta dans le recueil intitulé *La Philosophie de l'Histoire* (Paris, 1947), p. 31.

qui sollicite l'expert ou le praticien en fait de préparatifs, de ruses et d'efforts. Pour simplifier, deux régimes de représentation déterminent l'importance du critère numérique. L'un est spectaculaire, phénoménal, l'autre relève des discipline méthodiques d'une ingénierie des corps. L'un se justifiant, désormais, par l'autre, il est vrai. Avec bureaucratie à l'appui, garante des contrôles, de l'esprit de contrôle. En l'occurrence, la norme a précédé la mesure. Le succès de la « physique expérimentale » y est sans doute pour quelque chose. Il n'explique pas tout. Entre les deux olympismes, celui des Anciens et celui de notre siècle, l'écart n'est pas seulement chronologique, ni technique : les Grecs n'avaient pas les moyens, mais encore moins le désir d'établir une chronique des records au sens actuel. Seul, à leurs yeux, comptait l'ordre dans le classement ; l'ordinal et non point le cardinal ; si bien que le retour des fastes olympiques renouvelait la fraîcheur des chances et restaurait la matière mythique des jeux. Toutefois, si traversée qu'elle fût de religion et de magie, leur ordonnance n'en rendit pas moins possible l'objectivation de l'effort athlétique. Elle en préparait la future captation par les artifices de la physique, a raison de l'ajustement des normes aux lieux et aux corps. L'archéologie qui n'a sans doute pas dit son dernier mot sur l'institution olympique, nous rappelle qu'en plusieurs occasions, ce fut, comme il arrive souvent, l'infraction même qui engagea à préciser la norme. On peut invoquer des exemples. On connaît, de longue date, l'arbitrage fameux que le savant Burette a extrait de la *Thébaïde* :

> « *Bien loin d'adjuger le prix de la course à l'athlète Idas qui avoit remporté la victoire sur son concurrent Parthénopée, en le prenant par les cheveux (...) les Agonothètes obligent l'un et l'autre à fournir une seconde carrière, laissant entre eux une distance qui ne leur permette pas de retomber dans le même inconvénient* » (5).

L'écart raisonné des pistes rectifia, dans cette circonstance, l'écart des conduites. Incident moins futile qu'il n'y paraît : pour approprier le contrôle des rivalités, les juges séparent les adversaires ; ils dissocient le mixte pathétique des efforts conjugués : voilà qui préfigure l'objectivation de la machinerie athlétique dans un programme qui compose un ordre des tracés avec celui des vélocités. Préfiguration, toutefois, n'est pas prélude. De la seule raison des Agonothètes, on ne peut déduire l'univers des codes qui investiront, bien plus tard, le corps du sportif, un corps producteur d'indices de performances dans et par le « milieu » technologique concomitant de l'essor de la « physique expérimentale ». Sans doute, aux yeux du public, le champion ne cesse d'incarner une figure de la chance et il attire sur son nom les rhétoriques de la célébration ; sous condition de critères numériques. Mais le sens de cette détermination, répétons-le, n'est ni unique, ni uniforme, entre la bigarrure des éloges verbeux et l'apparente neutralité des nombres. Une histoire philosophique de la métrologie des puissances corporelles ne saurait être une simple historiographie ; elle appelle et

---

(5) Cf. le « Second Mémoire pour servir à l'histoire des athlètes », in *Mémoires* (...) *tirez des registres de l'Académie royale des Inscriptions*, t. I, (1717), p. 253. La citation paraphrase la *Thébaïde* au vers 627 du Livre VI.

met à l'épreuve tout un complexe mobile d'hypothèses sur les types de représentation qui légitiment la distinction temporaire du singulier dans une mémoire collective. D'aucuns admettront, par exemple, que l'économie sportive, dans sa généralité sociale, tend incessamment à repérer parmi une population extensive, l'individu habile à exhiber quelque maximum, dans un genre phénoménal déterminé que l'on suppose homogène quant à ses modalités d'expression pratiques. Or, cette dernière supposition est si discutable que l'on consentira que l'attachement dogmatique aux indices numériques en marque le caractère obsessionnel et fétichiste. D'où l'on peut légitimement stigmatiser dans la notation systématique des exploits musculaires une de ces tâches irrésistibles au moyen desquelles l'archive, sans cesse accrue, renforce son pouvoir de perturber l'histoire et d'en altérer les représentations ; entendons par là que le programme de registration des records construit une histoire qui s'abîme dans son recul perpétuel, en ramenant et réduisant la diversité des conditions productrices à la seule inscription de l'événementiel pur. Que la notation de l'épisode voile ce qui l'a rendu possible ou le déforme, c'est le propre de toute construction anthropologique et, par métaphore, l'équivalent du principe d'indétermination de la physique fine.

Ce faisant, il n'est pas tout à fait déraisonnable d'envisager les rapports qu'entretiennent nécessairement l'application à chiffrer les actions du corps et les modèles de l'organisme, dans une société dont la technologie est armée d'instruments de mesure. La puissance organique n'y échappe pas. Observée plus ou moins minutieusement, suivant les vœux du pouvoir et parfois selon le consentement individuel, sans rapport avec leur emploi qui n'a cessé de décroître, en valeur relative, dans les dépenses énergétiques de l'industrie. A tout réduire en calories, la proposition est incontestable. A prendre les choses dans leurs ultimes subtilités toute représentation est inconcevable. Reste que l'animation corporelle, les gestes de travail ou de jeu, de plaisir ou d'ennui, vus de loin obéissent à des règles, à du normatif qui sont toujours, de quelque manière, en rapport avec les états successifs d'information attachés aux vicissitudes de la production industrielle (6). L'interelation ne fait pas de doute ; ses effets ne sont guère prévisibles, sinon dans le champ de scénarios prospectifs dont la validité est essentiellement questionable (7). L'économie naturelle n'a plus guère de titre à comparaître : on sait combien notre état social entrecroise paisiblement d'immenses gaspillages et des scrupules comptables... En vain, invoquera-t-on la rationalité technique ; toujours son empire se voit borné à d'étroits cantons de l'action ; la règle, en matière d'application, c'est en définitive la distorsion, si par là on entend que l'ajustement des savoirs apparaît occasionnel, d'où surgissent d'imprévus bénéfices et de contestables avantages. Ce qu'on vérifie dans le champ de la technologie médicale ; on y décide, par

(6)   Cf. « Sur quelques antécédents de la machinerie athlétique », in *Recherches, 43*, avril 1980, pp. 95 ss.
(7)   Faut-il rappeler qu'André Leroi-Gourhan lui-même que nous n'assimilons aucunement à la tribu délirante des futurologues n'a pas hésité, naguère à définir en termes plausibles, l'éventualité d'une « régression de la main », in *Le Geste et la parole* (Paris, 1965), t. II, pp. 61-62.

paramètres, au prix de simplifications parfois hasardeuses, du normal et du morbide, en couplant le sujet, tissus et humeurs à des appareillages sophistiqués, comme l'on dit. Mais le laboratoire, désormais, est en possession de sélectionner, d'affiner, d'élaborer le corps athlétique dont il perfectionne la combinaison des moteurs, le tout par voie d'une cybernétique qui se nourrit de signes et produit le signe de la performance qu'aspire aussitôt un mémorial de chiffres. Cependant, ce commerce abstrait de notations règle et contient sur un registre symbolique une volonté de puissance, un tourbillon instinctif de décharge polémique. Par là, entendons la fabrique de cette scène imaginaire où la loi du censeur s'expose à être déjouée par des hardiesses qui tendent à dénier la mort, du moins en simulent le déni ; la monstration de la prouesse a pour récompense le simulacre instantané de l'éternité. Mais la supposition de ces causes sourdes n'entre pas de droit dans notre propos qui vise seulement à classer la suite des premiers essais de chiffrage des actions athlétiques, tout en pointant les plus apparentes des conditions théoriques qui ont pu en rendre concevable la pratique.

Le genre statistique a plu au siècle des Lumières durant lequel se perfectionnent l'art des recensements et le goût des tabulations (8). Mais les passions les plus rationnelles n'en demeurent pas moins des passions qui comportent l'inclinaison à déviance. Il arrive à l'ardeur comptable de subordonner dans une cogérence factice la diversité de ses objets d'application. Le schématisme numérique que recommande une apparence de neutralité se donne invariablement comme le moyen idoine de l'adaptation individuelle à la règle sociale ; il est l'index de suites d'opérations par lesquelles le sujet se trouve situé dans un milieu, en tant qu'organisme soumis à un ensemble variable de facteurs externes. Le bon usage veut que l'organisme pensant accorde un minimum de consentement à cette dépendance ; d'où l'insistance qui sera mise dans les affaires d'entraînement physique sur l'exigence de précision. D'impérieuses directives l'ont parfois rappelée aux éducateurs (9) ; obligation leur est faite de se rendre inspecteurs scrupuleux, scrupuleux au point d'enregistrer les performances médiocres avec le même soin et les mêmes attentions voués au repérage des meilleures prestations. On convie, on voudrait du moins convier les systèmes et les appareillages de la métrologie moderne à valoriser la pratique des classements en affinant l'échelle qui en supporte l'expression. Tel est le terme pédagogique et disciplinaire d'un thème composite, celui de la mesure des performances, dont on verra bien qu'il illustre le caractère éphémère et contingent des tentatives de reconstruction historique, soucieuses de se charpenter d'économie causale. On ne cache pas, en

---

(8) Voir, entre autres indications récentes, W. Coleman, « L'Hygiène et l'Etat selon Montyone », in *Dix-huitième siècle, 9,* (1977), pp. 101-109.
(9) En 1959, dans « Pentathlon athlétique et appréciation de la valeur physique », J. Letessier assurait qu'« il est indispensable que les résultats numériques ou chronométriques soient appréciés avec la plus grande rigueur et dans le respect des règlements. Ceci est la condition absolument nécessaire pour que les candidats accordent une valeur réelle à leurs performances et à leurs progrès et, par conséquent, pour que (l') épreuve acquière et conserve un grand prestige auprès de la jeunesse », in *E.P.S., 44,* p. 20.

effet, que les commencements du chiffrage des performances soient aisés à repérer ; ce qui ne saurait surprendre outre mesure, vue l'imprécision méthodologique qui a marqué les premières tentatives d'évaluation.

Le problème de l'objectivation des énergies musculaires est à quelques égards solidaire des aventures de la quantification en médecine. Les essais de restitution numérique des forces corporelles se rejoignent dans les programmes d'une physiologie qui décrit et interprète les latitudes fonctionnelles de l'organisme en diverses situations. Ils se recroisent dans le réseau des investigations de laboratoire qui prennent pour objet la production de la performance et qui sont tributaires, tout comme la mise en spectacle, de la codification technique des épreuves. A cet égard, les premiers usages archivés et diversement raisonnés d'instruments de mesure appliqués à des performances athlétiques méritent d'être rappelés. Deux mécanismes surtout, le **dynamomètre** et le **chronomètre.** Le premier a été dessiné expressément en vue de graduer les forces musculaires, d'en repérer l'intensité maximale ; mais, il n'a pas donné lieu, dans la suite, à des épreuves instituées. Quant à la mécanique de l'autre, plus composée, plus savante, elle a été primitivement conçue à de tout autres fins que l'évaluation des athlètes ; mais si cet engin est devenu, par la suite, un moyen obligé du classement des vélocités, il est notable que cette application au sport a débuté par des essais futiles.

La compilation des traits de la « culture matérielle » à la fin du XVIIIᵉ siècle, plus précisément, de divers épisodes survenus en 1798 dessine des figures qui n'ont rien de fortuit. Ces traits, ces épisodes illustrent la faculté productive du génie national, ils célèbrent même le productif entendu dans sa généralité. L'ouverture de la première « exposition publique des produits de l'industrie française » (10), la naturalisation linguistique du terme « technologie » (11), l'institution de courses chronométrées lors des fêtes de Vendémiaire (12) ainsi que l'apologie du dynamomètre de Régnier dans l'organe de l'Ecole polytechnique (13), voilà qui compose une série aux affinités évidentes, un moment de cohérence technologique qui contient en germe le développement de pratiques réglées d'évaluation et de compétition. Mais une question s'insinue : Comment relier ce moment inaugural qui demeure sans lendemain et l'évaluation régulière des performances athlétiques qui ne surviendra que bien plus tard ? Comment interpréter l'écart chronologique entre les premiers essais

---

(10) Dans une circulaire du 9 fructidor an VI — reproduite dans le *Moniteur* du 11 — François de Neufchateau proclamait que « le gouvernement doit (...) couvrir les arts utiles d'une protection particulière, et c'est dans ces vues qu'il a cru devoir lier à la fête du 1ᵉʳ vendémiaire, un spectacle d'un genre nouveau, l'exposition des produits de l'industrie française ».
(11) Attestée, notamment par l'apparition d'une rubrique « Technologie » dans le *Magazine encyclopédique*, dédiée à l'explication des « ouvrages des artistes exposés au Champ de Mars », 4ᵉ année, t. III, an VII, p. 420.
(12) Cf. le « Programme de la fête de la fédération de la République », *Ibid.*, p. 463.
(13) « Description et usage du dynamomètre... », in *Journal de l'Ecole polytechnique* (5ᵉ cahier, t. II, Prairial an VI), pp. 160 ss.

d'évaluation « scientifiques » (14) et leur généralisation ultérieure ? Autrement dit, quels sont les facteurs à évoquer lorsque l'on se propose de rendre compte de l'avènement d'une rigueur méthodique dans l'observation des athlètes ? Classer « scientifiquement » des performances suppose un programme, notamment un consensus d'experts sur la définition d'épreuves et d'étalons, autrement dit un contrat relatif à la création de milieux artificiels homogènes, propres à exciter des états critiques de dépassement tout en garantissant la justesse des repérages et l'archivage des essais dans une communauté idoine. Rien de plus simple, apparemment que la définition de certaines épreuves — et plus elle est simple, meilleures en sont les réalisations ; mais cette simplicité mit un long temps à s'affirmer en tant que protocole, ou plutôt principe des protocoles et l'on devine, à cet égard, tous les tâtonnements qui durent précéder la soumission des rivalités athlétiques à une bureaucratie supranationale, tout ce que ce programme put engager de débats, de correspondances et de traités ? En cette matière, le repérage archivistique est souvent décevant, des pans entiers de documentation sont lacunaires, faute d'enregistrements, faute de conservation aussi. Aussi, peut-on tenir au moins provisoirement pour inaugurales les improvisations de la fin du XVIIIe siècle où paraissent clairement les conditions de l'étalonnage des performances et une extension des curiosités propres à universaliser la valeur des comparaisons.

Deux thèmes méritent d'être distingués qui répondent à l'usage des instruments de mesure évoqués précédemment : l'évaluation des animaux de course et la compilation ethnologique des habiletés corporelles, deux domaines d'expérience qui ne mettent pas directement en scène l'athlète, mais où se sont ingéniées deux visées heuristiques qui contribueront à légitimer l'institution des performances. Questionner les aptitudes des animaux et des sauvages, les soumettre à la mesure, c'était disposer les esprits à renverser le questionnement qui depuis le début du siècle tendait à privilégier dans l'observation du moteur animé autochtone ce qui permettait d'en espérer le meilleur « *effet utile* » dans le régime du travail régulier. Autrement dit, il a fallu que s'insinue parmi de savants observateurs de la nature l'idée que la normalité physiologique renferme la tendance à excéder les limites de l'habitude organique. L'usage de mesurer des puissances corporelles a aidé à ce renversement ; tout appareillage suppose des limites, qui suggèrent le projet d'étendre la portée du système et la signification, quand bien même les expérimentateurs doutent de l'exactitude de leurs mesures. Les épreuves de course illustrent favorablement cette thèse, en ce qu'elles contiennent et exhibent dans leurs commencements les erreurs et les contradictions de maintes percées techniques. Le tableau 1 composé par Cl. Fleuridas rappelle quelques époques mémorables du progrès de la vitesse des coureurs que ponctue le perfectionnement des moyens de mesure et de contrôle. Ce n'est là qu'un sommaire : il n'y paraît point des exploits notoires que le

---

(14) « Scientifique » au sens où l'observation est médiatisée par le truchement d'un appareillage raisonné ; ce qui ne signifie nullement que la méthode eut été idoine à la théorie implicite de l'usage des artifices de mesure ; cf., à cet égard, « L'autonomie du moteur animé et les hésitations de la mesure » in *Travaux et recherches en E.P.S.*, I.N.S.E.P., *6* (1980), pp. 57 ss.

	CHRONOMÉTRAGE	100 y (91.44)	100 m	200 m	400 m	CONDITIONS MATÉRIELLES ET TECHNIQUES
1731	Utilisation du chronographe en Angleterre				1799 : 56 s	
1800	Chronométrage de BOUVARD					
1840	WEBER (1843) Usage du chronomètre vers 1845					
1860		1864 : 10 s 1/2 1868 : 10 s	1866 : 22 s 4/5		1865 : 50 s 1/2	1868 : — Départs donnés aux cymbales — Première utilisation de chaussures à pointes (CURTIS, U.S.A.)
1870					1879 : 49 s 1/5	
1880	1885 : chronophotographie de MAREY			1881 : 22 s 1/2 1887 : 21 s 4/5		1888 : Invention du « CROUCH-START » (départ accroupi) aux U.S.
1890	1895 : chronométrage à main au 1/5 est adopté comme seul légal	1890 : 9 s 4/5	11 s 1/5	1897 : 21 s 2/5	1892 : 47 s 3/5	
1900	Premier enregistrement électrique au 1/100 en 1902	1908 : 9 s 2/5	1900 : 10 s 4/5 1908 : 10 s 2/5		1900 : 46 s 7/10	1900 : « Cassé » du corps sur le fil d'arrivée
1910	1912 : chronométrage au 1/10 est utilisé (manuel)					1912 : Prise en considération de la vitesse du vent (2 m au maximum, pour homologation des records)
1920	1924 : le chronométrage électrique au 1/100 fonctionne, mais les temps sont donnés au 1/5	1924 : 9 s 5/10		1928 : 20 s 8/10		
1930	I.A.A.F. reconnaît les records au 1/10 Caméra filme les arrivées et enregistre au 1/100 (KIRBY) I.A.A.F. = International amateur athlétic fédération		1930 : 10 s 3/10 1936 : 10 s 2/10	20 s 7/10	1932 : 46 s 2/10	1930 : Apparition des « STARTING-BLOCKS » ou « cales de départ » qui remplacent les trous creusés dans la piste (I.A.A.F. en admet l'usage en 1934)
1940		1947 : 9 s 3/10			1948 : 45 s 9/10	
1950			1956 : 10 s 1/10	1951 : 20 s 6/10	1955 : 45 s 4/10	
1960	Le chronométrage *électrique* supplante. le chronométrage *manuel*	1962 : 9 s 2/10 1964 : 9 s 1/10	1964 : 10 s 1968 : 9 s 95/100 électrique	1960 : 20 s 5/10 1964 : 20 s 2/10 1966 : 19 s 9/10 1968 : 19 s 83	44 s 9/10 1967 : 44 s 5/10 1968 : 43 s 8/10	1964 : Apparition des pistes synthétiques de type « TARTAN » 1968 : Compétitions en altitude (Jeux Olympiques de Mexico à 2 300 m)
1970	Chronométrage électrique au 1/100 est utilisé officiellement en 1972 1976 : seuls sont homologués les records au 1/100			1979 : 19 s 72		
1980						

MÉTHODES D'ENTRAINEMENT	800 m	1 500 m	MILE (1 609.36)	5 000 m	10 000 m	
						1731
						1800
						1840
	1867 : 2 mn 2 s 2/5		1860 : 4 mn 22 s 1/4 1865 : 4 mn 17 s 1/4	1863 : 14 mn 55 s (3 miles) 4 828 m	1863 : 30 mn 25 s (6 miles) 9 656 m	1860
	1873 : 1 mn 59 s 4/5					1870
	1881 : 1 mn 55 s 3/5 1895 : 1 mn 53 s 2/5		1881 : 4 mn 16 s 1/5 1886 : 4 mn 12 s 3/4	1884 : 14 mn 36 s (3 miles)	1884 : 29 mn 50 s (6 miles)	1880
						1890
	1909 : 1 mn 52 s 4/5	1900 : 4 mn 6 s 1/5 1908 : 3 mn 59 s 4/5		1904 : 14 mn 17 s 1/5 (3 miles)		1900
	1912 : 1 mn 51 s 9/10	1912 : 3 mn 55 s 4/5	1912 :	1912 : 14 mn 36 s 3/5	1911 : 30 mn 58 s 4/5	1910
0 à 1932 : P. NURMI (Finlande) ntraîne quotidiennement en parcourant km par fractions de 80 m à 600 m qui représente 2 à 3 fois le travail s coureurs de l'époque)	1928 : 1 mn 50 s 3/5	1923 : 3 mn 53 s 1926 : 3 mn 51 s	1923 : 4 mn 10 s 2/5	1924 : 14 mn 28 s 1/5	1921 : 30 mn 40 s 2/5 1924 : 30 mn 6 s 1/5	1920
37 : W. GERSCHLER invente, avec cardiologue allemand REINDELL, 'INTERVAL-TRAINING » ou raînement fractionné qui consiste l'alternance de courses (100 à 200 m) c des périodes brèves de repos	1932 : 1 mn 49 s 8/10 1938 : 1 mn 48 s 4/10 1939 : 1 mn 46 s 6/10	1930 : 3 mn 49 s 1/5 1936 : 3 mn 47 s 8/10	1933 : 4 mn 7 s 6/10	1932 : 14 mn 17 s 1939 : 14 mn 8 s 8/10	1938 : 30 mn 2 s 1939 : 29 mn 52 s 6/10	1930
40 : G. OLANDER (Suède) met au nt l'entraînement naturel (10 à 20 km) le sable, dans la neige, en côte, travail est très varié		1944 : 3 mn 43 s	1942 : 4 mn 4 s 6/10 1944 : 4 mn 1 s 4/10	1942 : 13 mn 58 s 2/10	1944 : 29 mn 35 s 4/10	1940
2 : P. CERRUTY (Australie) spire des méthodes d'OLANDER, éveloppe force et puissance de hlète	1955 : 1 mn 45 s 7/10	1954 : 3 mn 41 s 8/10 1957 : 3 mn 38 s 1/10 1958 : 3 mn 36 s	1954 : 3 mn 59 s 4/10 1957 : 3 mn 58 s 1958 : 3 mn 54 s 5/10	1955 : 13 mn 40 s 6/10 1957 : 13 mn 35 s	1954 : 28 mn 54 s 2/10 1956 : 28 mn 30 s 4/10	1950
	1962 : 1 mn 44 s 3/10	1967 : 3 mn 33 s 1/10	1967 : 3 mn 51 s 1/10	1965 : 13 mn 25 s 8/10 1966 : 13 mn 16 s 6/10	1962 : 28 mn 18 s 2/10 1965 : 27 mn 39 s 4/10	1960
70 : A. LYDIARD s'inspire à la s de GERSCHLER et d'OLANDER. partir de cette époque l'entraînement de plus en plus scientifique ce qui ène des « abus » (transfusion guine par exemple)	1973 : 1 mn 43 s 7/10 1977 : 1 mn 43 s 4/10 1979 : 1 mn 42 s 3/10	1974 : 3 mn 32 s 2/10 1979 : 3 mn 32 s 1/10	1975 : 3 mn 49 s 4/10 1979 : 3 mn 49 s	1972 : 13 mn 13 s 1978 : 13 mn 8 s 4/10	1977 : 27 mn 30 s 6/10 1978 : 27 mn 22 s 5/10	1970
						1980

Document établi par Cl. Fleuridas

nombre n'a pas saisis, ni *a fortiori* le légendaire d'une littérature de voyage qui célèbre communément la célérité des sauvages. Le tableau n'indique pas, non plus, les **chronométrages** de courses d'animaux qui précédèrent les observations analogues faites sur l'homme. Or ces courses doivent être rappelées, car elles ont donné un modèle à ce que l'on pourrait nommer une pratique en attente. Repère utile : un amateur de chevaux publie en 1791 un *Mémoire sur les courses* qu'il a écrit « sous le point de vue » si souvent invoqué alors, de « l'utilité publique » ; on y lit les avantages qu'il y aurait à multiplier les spectacles de courses de chevaux tant montés qu'attelés. Dans son apologie des courses, l'auteur mentionne la rapidité des Barbes romains qui prenaient le corso pour carrière, y courant à la vitesse de 37 pieds par seconde (15) ; mais en Angleterre, les meilleurs chevaux montés étaient beaucoup plus vite aux courses de Newmarket, avec un record de 42 pieds 2/3 sur l'étendue totale du parcours, avec des pointes de vitesse approchant 90 pieds par seconde (16). Vue l'importance des sommes engagées dans les paris, on conçoit l'intérêt que propriétaires et entraîneurs pouvaient prendre à ce genre d'observations ; et comme l'usage vaut à raison de la qualité de l'outil, cette finalité économique était d'autant mieux servie que l'horlogerie britannique était alors en mesure de fournir à la navigation d'excellents garde-temps pour le calcul des longitudes. La justesse donnée à l'aiguille des secondes fut simplement tournée à l'évaluation des vitesses dans une population d'éleveurs travaillée par le goût de la zootechnie. En France, les premiers essais de chronométrage ne semblent pas avoir été antérieurs aux dernières années du siècle ; les sources concordent pour rappeler des courses d'hommes, de chevaux et de chars dont les mesures furent confiées à des astronomes, sous la direction de Bouvard qui en tira, d'une année à l'autre, des conclusions saugrenues (17). Les résultats furent reproduits dans de doctes ouvrages pour l'expression d'une vérité incontestable.

A la même époque, l'application du **dynamomètre** suivit une toute autre allure. Dans la notice de son invention, Régnier assigne une valeur au « terme moyen du *maximum* de la force des hommes ordinaires (18) ; il la fixe à 265 livres, d'après un échantillon dont il ne précise pas l'étendue ; cependant, il rappelle que « les hommes diffèrent bien plus en force qu'en taille » (19), ce qu'il marque en comparant « deux états opposés, comme le forgeron et le perruquier » (20). D'une masse de « différentes observations » il en vient à conclure que :

> « *Nos exercices, notre manière de vivre et nos mœurs autant que la nature, influent singulièrement sur nos forces (...) La facilité que cet instrument — le dynamomètre — procure pour en mesurer tous les degrés dans les différens âges et les différens états de la vie, peut nous conduire à des connaissances utiles pour les conserver, ou du moins pour ne pas les*

(15) Esprit-Paul de Lafont Poulots, *Mémoire sur les courses de chevaux et de chars en France...* (Paris, 1791), pp. 23-24.
(16) *Ibid.*, p. 30.
(17) Cf. « Des raisons machinales du corps », in *Traverses, 14-15* (1979), pp. 105 ss., *passim.*
(18) In *Journal de l'Ecole...*, *op. cit.*, p. 168.
(19) *Ibid.*, p. 168.
(20) *Ibid.*, p. 166.

prodiguer aux passions de notre printemps qui doivent plutôt nous fortifier que nous affaiblir » (21).

On ne sait au juste quel accueil reçut cette honnête suggestion parmi les compatriotes de Régnier exposés à l'aiguillon des passions vernales ; en revanche, le dispositif ne tardera pas à être adopté par l'explorateur Péron au cours d'un « Voyage de découvertes aux Terres australes ». Il consacre un chapitre de sa relation aux *« Expériences sur les Forces physiques des Peuples sauvages »* (22). Il y expose avec l'emphase des consciences inaugurales le fruit d'observations qui perfectionnent les méthodes qu'avait préconisées Gérando, en l'an 8, pour conduire une étude des primitifs (23). Le dynamomètre procure à Péron des « résultats (...) positifs sur les forces physiques de l'individu sauvage » (24), résultats qu'absorbe l'ambitieux programme de « composer une échelle exacte des divers degrés de civilisation » (25). Les naturels les mieux constitués des mers du Sud ont paru à l'enquêteur moins forts que les marins de l'expédition ; les mesures l'en convainquent qu'il tourne à dénoncer les préjugés du temps en faveur de l'« état de nature » (26) ; le dynamomètre, sans conteste, aux yeux de Péron, rebute la prétendue « dégradation physique de l'homme par le perfectionnement de la civilisation » (27). A plusieurs reprises, il brode sur le

(21) *Ibid.*, pp. 168-169.
(22) Cf. le chap. XX, du tome I du *Voyage de découvertes aux terres australes...* (Paris, 1807) pp. 446 ss. Péron se démarque expressément de Coulomb qui s'était proposé, dans un *Mémoire* de l'an VI de « déterminer les quantités d'action journalière que les hommes (Français) peuvent fournir par leur travail particulier, suivant les différentes manières dont ils emploient leurs forces », *Ibid.*, p. 447. Par sa fabrique même, le dynamomètre, cela est clair, invite à la mesure d'un effort instantané. Quant au propos de Coulomb, il est dans le droit fil des préoccupations économistes des mécaniciens du siècle des Lumières.
(23) Dans ses *Considérations sur les diverses méthodes à suivre dans l'observation des peuples sauvages* (s.l. [Paris], an VIII), *passim*.
(24) *Ibid.*, p. 29.
(25) *Ibid.*, p. 3.
(26) « Pour la première fois, écrivait Péron, on vit des hommes sensés gémir sur les progrès de la civilisation, et soupirer après cet état misérable, illustré de nos jours sous le nom séducteur d'*état de nature* », in *Voyage ...*, *op. cit.*, t. I, p. 446. Ce qu'il vise, ce sont les opinions du genre de celles que l'on trouve formulées dans l'*Essai physiologique sur le corps humain* (Amsterdam, 1774) ; on y loue le « spectacle (qu'offre) la vigueur d'un homme qui n'a reçu que l'éducation de la Nature, dont les organes ont acquis tout leur développement » et qui ne connaît, au demeurant, que des « plaisirs légitimes » ; il est soutenu, encore, que « les Grecs, les Romains et les Caraïbes ont été physiquement plus vigoureux que tous les peuples modernes », ce qui résulte, tout au moins « dans les indigènes du Nouveau monde (de) leur constance à suivre l'instinct de la Nature », *loc. cit.*, t. IV, pp. 259-260. On pouvait encore lire dans la 3e éd. de la *Philosophie de la Nature* (Londres, 1777) que les « prodiges dans l'exercice de la course » se rencontrent dans « l'histoire des peuples (...) qui ont été élevés par la nature », *loc. cit.*, t. V, p. 80. Assurément, Péron sait que « de tous les biens dont les apologistes de l'homme sauvage se complurent à le gratifier, la force physique est celui sur lequel ils insistèrent plus particulièrement et plus constamment. Produit et compagnon de la santé vigoureuse, la force physique seroit, en effet, l'un des premiers titres à leur supériorité ; et si véritablement elle devait être l'apanage exclusif ou même plus particulier de l'état sauvage, la civilisation (...) nous auroit ravi l'un des gages les plus certains du bonheur », *op. cit.*, p. 446. Mais, le dynamomètre, sous son contrôle, liquide tous ces « vains sophismes »...
(27) *Ibid.*, p. 451.

thème avec une évidente satisfaction. Un autre trait de son enquête que l'on ne saurait biffer, c'est le souci de relier genre de vie et force moyenne des peuplades. Mais, sur place, les populations à sonder sont peu nombreuses, difficiles à gouverner de surcroît ; aussi se résout-il, de parti pris, à composer un type factice d'homme moyen. Cette résolution, il la légitime sur le postulat que l'uniformité des conditions physiques et l'indifférenciation sociale tendent nécessairement à produire des individus très semblables entre eux (28). *A contrario*, sous nos latitudes, la variété des aspects sociaux lui semble faire obstacle à toute tentative d'assigner une moyenne typique de la nation entière :

> « *Notre nombreuse population, la diversité de nos professions, de nos exercices, de nos travaux habituels en excluent toute comparaison exacte ; et pour trouver le terme moyen de la force d'un peuple puissant et civilisé comme le François, par exemple, il faudroit les répéter sur tant de classes de la société, qu'on peut regarder un semblable résultat comme effectivement impossible. Il n'en est pas ainsi de la horde sauvage* » (29).

Nul doute que le pittoresque vernaculaire n'ait obnubilé chez Péron l'étonnement des premiers regards ; d'où la vision simplificatrice de la horde. Le dynamomètre, cependant, exportait le programme d'une évaluation ; sa mise en mains, sa mise en œuvre, ce fut le moment initiateur, voire initiatique, d'un choc de cultures. D'un mode de rencontre, à vrai dire assez confus, l'archive retient principalement des graduations, retranscrites avec gravité, auxquelles l'hypothèse de l'homogénéité de l'échantillon apportait la promesse d'une validité. Les moyennes, alors peuvent être prises pour image numérique de types humains localisés. Du coup, les indices recueillis au hasard des escales se réunissent dans l'esquisse d'un tableau de la nature humaine d'un genre inédit : une suite hiérarchisée de variations d'un artifice exotique ; ce faisant, à prendre le dynamomètre pour jauge de distinction ethnique, Péron insinuait une idée neuve, celle d'un classement des nations par figure de nombres. On pourrait y voir comme le dessein anticipateur des compétitions internationales, soit l'une des formes perfectionnées de la rivalité intraspécifique.
Kant assurait « qu'il est de la plus haute importance d'être satisfait de la Providence ». Si, comme le prétend Maistre, elle a effectivement donné au monde chrétien la physique expérimentale, elle a, du même pas, procuré au bourdon de l'insatisfaction humaine, tout ensemble, des moyens de jugement et des occasions de jeux. Il semble, néanmoins, que la physique, en ces matières d'évaluation, ait servi des intentions très différentes, souvent même contradictoires. Sans doute, le projet scientifique de décrire des types humains se compose-t-il assez bien avec la maîtrise tempérée et l'optimisation de l'usage du moteur animé. Mais son rôle cesse d'être normatif, ou du moins régulateur, lorsqu'elle se conjugue avec les essais de l'exacerbation des pouvoirs organiques.

---

(28) *Ibid.*, p. 453.
(29) *Ibid.*, p. 454.

Qu'il y ait un abîme entre la jubilation dans le déploiement d'une puissance salubre et l'effort méthodique asservi à un système techno-scientifique d'entraînement, on peut le supposer, sans plus. Du moins l'évidente ardeur mise par les aspirants aux titres de « recordmen » apparaît pathétique si l'on se représente — mais de quel lieu ? — l'immensité des efforts requis pour déplacer d'une fraction infime les limites des pouvoirs organiques (30). L'obstination dans ces affaires atteste de la fascination **qui s'attache au franchissement des seuils,** dans une inquiète connivence entre acteurs et voyeurs. Il se peut que le goût des performances ait une histoire repérable, qu'il stigmatise un état de société, qu'il témoigne même de quelque dynamisme collectif. On ne peut, certes, s'arrêter à ce genre de suppositions, pour maintes raisons, faute, notamment, d'une théorie assurée de la valeur des signes figuratifs de l'effort dans le jeu des instances sociales. Le spectacle des corps est rarement ressenti comme l'intégrale des travaux élémentaires préparatoires ; ce qui l'emporte, c'est l'image d'un déploiement instantané, si bien que les jugements sur la tension vers la performance sont trop subjectifs à leur racine, quoique universalisants dans leur visée. Un publiciste, récemment, prétendait que la vogue dont jouissent les performances dans le peuple tient à une bizarre « recherche de bonheur par comparaison exagérée avec celui des autres ». C'était moins dire que Porak lorsqu'il définissait l'homme sous les espèces d'« un être insatiable, c'est-à-dire qui dépasse toujours ses besoins » (31) ; ce qui somme toute n'est qu'un perfectionnement de la doctrine de Nietzsche à propos du « vivant (qui) veut avant tout dépenser sa force » (32). Partageant ces vues, on admettra que le chiffrage de quelques actions, simples en apparence, procure à cet appétit de dépense des moyens de satisfaction, symboliques et économiques, économiques parce que symboliques. Il se trouve, de surcroît, que de telles dispositions soutiennent fort bien des morales à usage des producteurs. Loisel, voici quelque cinquante ans en donnait une expression exemplaire :

> « *L'homme de notre temps se trouve entraîné dans un courant d'action où son devoir est tout tracé : développer le plus possible la part d'énergie vitale qui se trouve individuée en sa personne ; puis mettre ce moi étendu et tendu au maximum à la disposition de la Société pour en accroître le rendement* » (33).

L'assimilation de l'organisme aux moteurs est consommée dans cette référence au rendement donné, par ailleurs, comme la vertu sociale par excellence. Il n'est pas sûr que cet impératif du surpassement ait suscité des adhésions massives ni qu'on puisse la créditer, toujours et en tout lieu, de bons effets. Il en reste,

---

(30) En 60 ans, le progrès relatif du record de course sur une longueur de 100 mètres a été de 4/100. L'avantage est plus net dans les épreuves de fond, avoisinant 10 % ; ce qui, aux yeux du profane, en définitive, peut apparaître mince si l'on tient compte de la multitude des tentatives et de l'acharnement des préparatifs d'entraînement (cf. diagramme 1).
(31) In *Introduction à l'étude du début des maladies*, (Paris, 1935), p. 89 — cité par G. Canguilhem, dans *le Normal et le pathologique*, (Paris, 1966), p. 109.
(32) In *la Volonté de puissance*, (1888), trad. fr. de G. Bianquis, t. I, p. 221.
(33) In *Bases psychologiques de l'éducation physique*, (Paris, 1934).

toutefois, comme un relent tenace dans la mesure où, de nos jours encore, la performance conserve un prestige assuré dans l'opinion publique, par machine interposée ou par identification spectaculaire. Dans un texte quasi contemporain de celui de Loisel, Paul Valéry retenait d'entre les « faits essentiels » de l'histoire des temps modernes, « l'accroissement de puissance ». Le propos dépasse ses circonstances ; Valéry tient ces faits pour essentiels, en ce qu'« ils tendent à modifier l'homme même, et que la modification de la vie dans ses modes de conservation, de diffusion et de relation », lui est « le critérium de l'importance des faits à retenir et à méditer » (34). Depuis, netteté et puissance n'ont cessé de croître dans la plupart des opérations de l'industrie ; seules des raisons d'optimisation économique peuvent en tempérer le développement. Quant à la suite des records athlétiques, ce qui la caractérise c'est une remarquable convergence de gains — en valeurs relatives — dans des épreuves qui diffèrent par le régime physiologique du déploiement de l'effort (35). Si la netteté s'accroît dans la préparation comme dans l'observation, la puissance semble atteindre des limites qu'on dira fallacieusement « naturelles » dans l'attente de quelque mutation radicale du complexe organisme-milieu. Aux futurologues revient d'en concocter la projection. On se satisfera, pour l'heure, d'admirer que la conspiration actuelle des moyens techniques et des corps ait eu pour prémisses, voici deux siècles environ, des essais informes et tâtonnants. Constater que l'homme est la seule espèce animale capable d'influencer son évolution n'implique ni netteté, ni décision dans les programmes initiaux de cette influence.

(34) In *Regards sur le monde actuel* (Paris, 1931) repr. in *Œuvres* (Bibliothèque de la Pléiade), t. II, p. 922.
(35) En vingt ans, de 1950 à 1970, les gains relatifs de performances dans les courses de 200 m et de 10 000 m ont été respectivement d'environ 4 et 5,5 % ; ce sont des valeurs bien voisines dans des épreuves qui mettent en jeu des ressorts physiologiques très différents ; la proximité de ces indices peut donner à penser que la progression des records dépendrait, au premier chef, de la simple extension continue de l'échantillon observé.

Deux dessins lavés, provenant des papiers de Prony, à l'école nationale des Ponts et Chaussées ; ces images didactiques répondent au vœu, un rien naïf, d'expliquer et de perfectionner « *l'effet utile* » du moteur humain en diverses circonstances de son emploi. Il est à peine besoin de souligner le caractère fantastique de la figure du bas où l'on voit un tâcheron, vêtu à l'antique, attelé à un affût de canon.

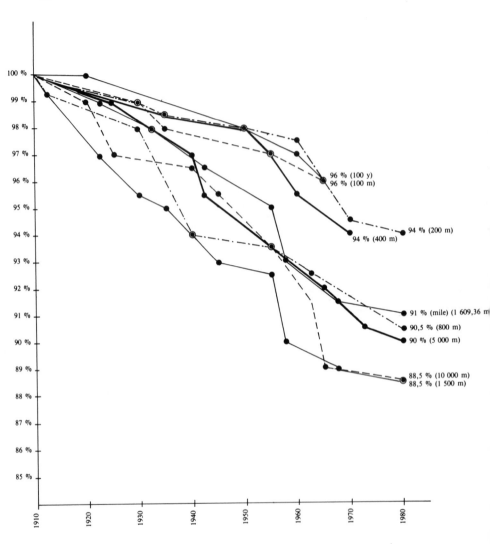

Diagramme 1
établi par Cl. Fleuridas

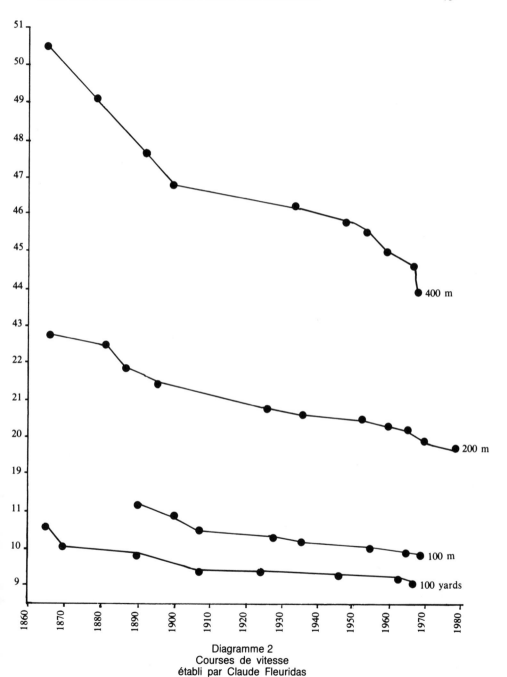

Diagramme 2
Courses de vitesse
établi par Claude Fleuridas

Jacques Defrance

Les exercices corporels systématiques passent volontiers pour des pratiques d'ordre, dépolitisantes ou liées à l'ordre politique établi. Les analyses en termes d'embrigadement des masses (J.-M. Brohm), tout comme celles qui parlent de techniques disciplinaires (inspirées de la microphysique du pouvoir, projetée par M. Foucault) viennent renforcer cette idée. Est-ce une propriété indissociable des exercices corporels ?
Cette perception semble justifiée, si l'on admet que les exercices sont fortement liés aux hommes d'ordre depuis cent ans environ (1880-1980) ; mais nous allons montrer le caractère contingent (historique) de cette relation, en examinant les cent années précédentes (1780-1880), durant lesquelles elle ne s'établit pas aussi nettement. Les pratiques d'exercice sont alors faiblement développées, presque « expérimentales », et des liaisons tout à fait originales, aujourd'hui totalement oubliées, sont envisagées et esquissées, entre ces pratiques et la mobilisation politique, l'instruction civique ou l'entraînement à la violence.

Jeunesse et vieillissement de la gymnastique

Nous sommes en 1864 en Alsace. Les sports sont en cours de codification, là-bas en Angleterre, mais personne encore ne les pratique sur le continent. Et pourtant, une « renaissance » des exercices physiques s'accomplit dans les bourgades et les villes de la région, à l'exemple de l'Allemagne et de la Suisse, et sous l'influence de quelques promoteurs français. C'est avec une gymnastique que l'on se propose de s'exercer, jeunes et adultes ensemble, et de mettre sur pied des fêtes locales.
Au cours de ces fêtes, où se succèdent réception, vin d'honneur, cortège, banquet, bal, s'inscrivent les exercices de gymnatisque : des **exercices préliminaires,** tels qu'on les pratique (parfois) dans les écoles primaires, puis des **exercices d'ensemble** aux engins, où plusieurs gymnastes, côte à côte, exécutent simultanément les mêmes mouvements à la barre fixe, ou aux parallèles (une rangée d'engins ou d'agrès est installée pour permettre l'exhibition d'ensemble de six, dix ou douze gymnastes).

A quelques variantes près, une telle fête est appelée à se reproduire souvent dans les villes, les bourgs et les villages jusqu'au milieu du XX⁰ siècle. Mais en 1864, la production gymnique représente encore une « nouveauté » qui vient enrichir le programme des réjouissances. Les bruits de la fête, l'excitation collective, *« la cordialité enthousiaste de toute la population »*, créent une ambiance avant même que l'exercice ne débute, et le concours de gymnastique donne « des émotions plus nouvelles et plus fortes encore » que les cérémonies qui ont précédé. A un jeune gymnaste témoin d'une de ces fêtes, les concurrents parurent « transfigurés sous leur nouveau costume, qui faisait ressortir la vigueur et le jeu de tous leurs muscles » : et il ajoute ; **« la fête finie, je me suis senti meilleur et retrempé de corps et d'âme »** (1).

Les fêtes gymnastiques vont se ritualiser, « vieillir » petit à petit, se charger d'une signification patriotique de plus en plus lourde, et en définitive, prendre une allure contrainte, artificielle, ennuyeuse, désuète : mais on peut voir ici qu'il n'en a pas été toujours de même. Il y a une époque où la gymnastique soulève l'enthousiasme (notons les idées de transfiguration et de revivification) où elle rallie des supporters fervents, des pratiquants prêts à prêcher l'exemple pour que la pratique de l'exercice corporel se répande dans toute la population. C'est une époque de spontanéité (relative), tout comme il y en aura une pour les associations et clubs sportifs débutants, vers 1880-1910, lorsque les premiers pratiquants s'organiseront eux-mêmes et éliront leurs capitaines et leurs dirigeants. Et ce qui paraît remarquable, dans un cas comme dans l'autre, c'est l'évolution progressive de l'institution vers une structure nettement hiérarchisée, centralisée et soumise à un contrôle disciplinaire allant de haut en bas.

Cette structuration aboutit à transformer les sociétés de gymnastique et les groupes sportifs en organisations de jeunesse encadrées par des (plus) vieux : or, ce n'est pas une propriété intrinsèque des groupes s'adonnant aux exercices physiques que d'être des groupements réservés aux jeunes. Il faut voir quelles sont les forces qui s'appliquent à ce qu'une telle évolution, logiquement contingente, devienne historiquement nécessaire (évolution qui mènera la gymnastique dans les patronages catholiques au début du XX⁰ siècle et qui la fera servir la politique pédagogique du régime de Vichy, par exemple).

Un compromis parmi d'autres possibles

Nous pouvons observer que d'autres usages des exercices, virtuellement possibles, à peine esquissés à la marge du système des pratiques, vont être inlassablement combattus et refoulés. Et il nous semble possible de mettre en évidence le travail incessant qui vise simultanément à éliminer toute pratique d'exercice non orthodoxe et à s'assurer que les individus qui se cultivent vont faire un usage « correct » du résultat acquis.

En somme, on pourrait analyser ce qui se passe dans le monde des exercices

(1) In *Journal de Guebwiller*, 15 mai 1864, n° 3.

corporels en termes de compromis formé entre les pratiquants ayant des intérêts spécifiques (divers) et le monde social, représenté par diverses institutions ou instances de pouvoir visant à contrôler la production et l'usage des compétences physiques, et secondairement à contrôler la manière de s'exercer. Ainsi, les uns s'exercent pour se fortifier (entre autres objectifs) : les autres veillent à ce que les forces ainsi décuplées soient mises au service d'objectifs respectueux de l'ordre établi. Pour qu'une manière de s'exercer soit acceptée et autorisée, qu'un compromis s'établisse, des questions de discipline, de relations hiérarchiques, de régulation des conduites sont posées, autrement dit des **questions d'organisation** qui ne sont pas foncièrement spécifiques au domaine de l'exercice et qu'on retrouve dans l'entreprise, le bataillon ou le patronage. Il y a un processus incessant (parce que jamais acquis, toujours contesté, toujours à recommencer) de mise en ordre et de régulation, dont le principe réside dans la structure des rapports sociaux (rapports eux aussi jamais acquis, toujours contestés) : pour comprendre que des individus peuvent se fortifier et se soumettre (alors qu'en général, d'un accroissement de force résulte un accroissement de pouvoir, soit l'inverse d'une soumission), il faut montrer qu'ils n'ont pas l'intention de le faire et que s'ils finissent parfois (mais pas toujours !) par se soumettre, c'est qu'un mécanisme politique qui les dépasse et dépasse le cadre de la pratique d'exercice finit par les contrôler.

C'est de ce point de vue qu'il paraît intéressant d'étudier les pratiques d'exercice quand elles ne sont qu'une ébauche de mouvement collectif ; pour prendre l'exemple de la gymnastique, avant qu'elle ne constitue un enjeu pour les différentes forces sociales, avant que tout le monde ne s'en occupe et que le patron d'entreprise ne préside, avec le vicaire de la paroisse et le commandant de la Place, la Société de Gymnastique où évoluent les ouvriers et les employés, qui étaient les pratiquants et les promoteurs ? Comment formulaient-ils leurs buts et quels développements possibles pouvaient-ils envisager lorsqu'ils pensaient l'avenir du mouvement des gymnastes ?

La possibilité d'une gymnastique militante

On connaît mal l'histoire de la gymnastique et l'on n'a peut-être pas assez prêté attention au fait que ses débuts sont liés aux innovations des « *patriotes* » qui préparent 1789, et que son apogée (qui est le début de son déclin) la voit associée aux Républicains de 1870 et aux nationalistes (« *patriotards* ») de 1880-1890. Entre ces deux termes, soit les trois premiers quarts du XIXᵉ siècle, elle est partie prenante dans de nombreux projets de réforme sociale, de rénovation pédagogique, de modernisation de la formation militaire, etc., que divers groupes élaborent contre l'organisation et l'ordre existants. Mais elle n'apparaît pas seulement dans les revendications politiques : elle tend, en Allemagne par exemple, à servir comme pratique militante, comme activité commune à l'ensemble des membres du groupe mobilisés par une cause commune.

L'esthétique politique des Saint-simoniens

Dans la formulation de leurs utopies sociales, les Saint-simoniens ont donné une bonne illustration de ce que l'on pouvait attendre des arts vocaux, picturaux, mais aussi des arts comme la danse, les exercices du cirque et de la gymnastique, pour la symbolisation du progrès et de l'harmonie politique.

Selon eux, l'art (en un sens général) doit servir à stimuler la création scientifique et la production industrielle : d'où, dans un projet de transformation de Paris, la réunion du cortège des travailleurs et de celui des artistes.

« *Que tous les théâtres se réunissent, que tous les génies aimés du peuple s'inspirent. Béranger, chante ! Charlet, prends tes crayons ! Que la danse, la poésie, la musique et le drame, le marbre et les couleurs, et que tous les prestiges et toutes les séductions exaltent à l'avance les joies qui vont surgir de ce premier camp des travailleurs... Au champ de Mars le mouvement des chevaux, Franconi et sa troupe, le cri des fanfares, les longues évolutions des cohortes des travailleurs repliant et faisant défiler leurs lignes enluminées d'éclatantes couleurs... ici les jeux d'adresse et de force : Amoros, Mme Saqui, Garnerin et ses ballons... Au Louvre les magnificences de la danse, des décors et du chant.. les Meyer-Beer, les Rossini, les Scribe, les Duponchel, les Taglioni. Que le peuple vienne dans ces nouveaux carrousels se pacifier à la délicatesse touchante de ce que les arts ont de plus raffiné... qu'il devienne joli, élégant, doux ; qu'il s'initie aux plaisirs ennoblis du grand monde que son travail va lui donner.* »

(article « travaux publics » et « fêtes » du *globe*, 11 et 16 avril 1832. Cité par H.J. Hunt, *Le socialisme et le romantisme en France*, Oxford, Clarendon Press, 1935, p. 75).

Comme le montre G.L. Mosse (2), au début du XIXe siècle, les formes que revêtent les mobilisations collectives s'adaptent aux structures sociales qui émergent et aux nouvelles règles du jeu politique (droits individuels, droit de vote). Le cadre institutionnel du parti politique n'existe pas encore ; on recherche alors dans les réunions, les banquets, les fêtes gymnastiques, les chœurs, les concours de tir ou les discours, des rituels qui contribuent à souder le groupe mobilisé en figurant son unité dans l'action et l'harmonie entre ses membres.

La démonstration de gymnastes se développe en Allemagne et en Suisse au cours de la première moitié du XIXe siècle, tandis que les groupes politiques français mobilisent leurs membres au moyen de banquets ou de débats au sein de clubs, de sociétés et de loges. Parallèlement s'élabore l'idée que la gymnastique peut remplir un rôle de formation civique, dès l'enfance, en entrant dans « l'éducation du peuple », et qu'elle peut figurer dans les fêtes publiques où elle se présentera de manière à inspirer le respect des institutions démocratiques : « *La gymnastique de la République* » disent les gymnastes H. Triat et N. Dally en 1848, « *doit être savante, puissante et solennelle, comme sa régénération sociale* » (3). *Savante*, c'est-à-dire réfléchie, conforme à la raison, et dirigée vers

_____

(2) G.L. Mosse, *The nationalization of the Masses*, New York, H. Fertig, 1975, passim.
(3) H. Triat, N. Dally, *Au gouvernement provisoire*, Paris, imp. P. Dupont, 1848 (affiche).

un but clairement formulé, à la différence des jeux ou des exercices acrobatiques ; *puissante,* ou encore dégageant une impression de force collective afin de rendre sensible le potentiel de violence que recèlent les groupes qui s'exercent et se mobilisent : *solennelle,* comme le sont les cérémonials religieux ou laïques, dont la mise en scène grave et majestueuse donne de l'importance à la manifestation. Cette alliance de rationalisme et de recherche de la fusion collective fait penser aux Fêtes de la Révolution plus qu'à celles de la religion.

Un idéal d'excellence politique se dégage durant l'époque que couvre l'ascension de la gymnastique : il est incarné par le tribun, au corps puissant, sanguin, à la voix tonnante, à l'esprit rationnel, réaliste et gai, en un mot une « force de la nature », une sorte de synthèse de la puissance physique du peuple et de l'efficacité intellectuelle de la bourgeoisie : type humain inauguré par Mirabeau ou Danton à la fin du XVIIIe siècle et qui s'achève (en changeant de sens) vers 1880 avec Gambetta ou le général Boulanger. Cet idéal viril, déterminé, actif, intrépide, inspire clairement la définition de l'homme correctement exercé : « *Les gymnastes pur sang, ils sont faciles à reconnaître dans une société* (de gymnastique) : *ils ont tous la foi ; pour atteindre leur but, ils mettent en mouvement tous les membres de leur corps, et cela d'après les données que l'expérience et l'étude doivent leur avoir fourni. Ces gymnastes soignent réellement leur être suivant les lois de l'hygiène, un excès pour eux serait un signe d'ignorance et d'inconséquence. Aussi sont-ils toujours gais, dociles* » (4). Ainsi s'exprime dans un « *catéchisme gymnastique* » un auteur républicain, fondateur d'une des premières sociétés de gymnastique (Epinal, 1863).

La « gym » est l'avenir de l'homme

A l'époque où l'instruction élémentaire — lire, écrire et compter — n'est pas généralisée, des groupes se mobilisent pour hâter son expansion et imposer un niveau minimum de formation jugé nécessaire à tout individu (citoyen). Par exemple, la société pour l'Instruction élémentaire (où figurent les gymnastes F. Amoros et C. Girrebeuk) dont les thèses sont exposées par son président.

« *L'éducation physique importe donc à tout homme : mais elle est surtout indispensable aux classes laborieuses... Elle leur est plus nécessaire que jamais, aujourd'hui qu'il faut les protéger contre l'influence pernicieuse de tant d'industries, qui dans leur soif de l'or, s'emparent de l'homme dès son enfance, contraignent son corps, vicient l'air qu'il respire... et le ravalent à l'état de machines sans respect de son intelligence qu'elles éteignent, et de son âme qu'elles corrompent.* »

H.G. Boulay de la Meurthe, *Sur l'éducation gymnastique,* Paris, P. Dupont et Cie, (1848).

---

(4)   H. de Jarry de Bouffémont, *Catéchisme gymnastique à l'usage de tous les citoyens...,* Epinal, l'auteur ; Paris, Dumaine, 1876, p. 75.

La possibilité d'une formation pour lutter contre l'exploitation

Un autre développement possible de la gymnastique est entrevu par les hommes et les groupes qui luttent contre l'exploitation économique grandissante induite par l'industrialisation ; à mesure que s'élargit le secteur industriel, l'idée se répand que ce système de production est en voie de détruire le monde social et d'asservir des individus de plus en plus jeunes. Le remède est, chez les uns, un essai de dépassement du système de production (les socialistes, les communistes), chez d'autres le projet d'une amélioration du système lui-même (les « libéraux », les progressistes), chez d'autres encore, un rejet de l'industrialisation visant à revenir au système artisanal traditionnel (courant qui sera sensible vers la fin du siècle). Mais quelles que soient leurs divergences, tous réclament que l'on interdise le travail trop précoce et que l'on réserve un temps suffisamment long pour permettre une formation intellectuelle et physique des individus, au sein de laquelle la gymnastique figure volontiers.

On trouve des argumentations comparables (sur ce point particulier) sous la plume de députés d'opposition de gauche sous Louis-Philippe, comme Boulay de la Meurthe et H. Carnot, dans les écrits représentant le communisme « critico-utopique », R. Owen (cité par K. Marx), E. Cabet, V. Considérant (5), et enfin parmi les groupes et les individualités qui soutiennent l'action des principaux gymnastes en France, que ce soit la Société pour l'Instruction élémentaire aidant le gymnaste F. Amoros, ou des personnalités influencées par Fourier et les idées libérales soutenant le système de P.H. Clias, ou bien Eugène Pottier, l'auteur des paroles de l'« Internationale », célébrant la gymnastique pratiquée chez C. Girrebeuk (6).

La possibilité d'un exercice violent

Avant que leur mouvement ne soit bien maîtrisé par les hommes d'ordre de l'Union des Sociétés de Gymnastique de France (fondée en 1873) ou d'autres organisations, les gymnastes n'ont pas seulement esquissé de possibles applications de l'exercice aux rites de mobilisation politique ou à l'éducation du jeune citoyen : aux marges du monde de la gymnastique et des exercices physiques, on trouve des hommes dont la manière de pratiquer et les buts sont **condamnés,** au double sens du terme, c'est-à-dire jugés négativement et appelés à disparaître. Il leur est reproché de pratiquer des exercices intenses, périlleux, de rechercher le maximum d'excitation et de dépense physiques, d'aboutir à une accumulation de force excessive, de vouloir s'en servir à des fins douteuses, voire

(5) E. Cabet, L'ouvrier, ses misères actuelles..., Paris, au bureau du Populaire, 1844, p. 32. V. Considérant, Théorie de l'éducation naturelle et attrayante, dédiée aux mères, Paris, Lib. de l'école sociétaire, 1844, pp. 184-185. K. Marx, Le Capital (1867), Paris, éd. Sociales, 1954, Livre 1, t. II, pp. 161-162.
(6) J. Thibault, « La gymnastique en France au XIXe siècle : fait social et fait socialiste », in H.I.S.P.A., VIIe Congrès International, Paris, Insep, 1978, t. I, pp. 353-363.

repréhensibles, proches de la délinquance ou de la subversion. Ils forment une frange relativement limitée, toujours populaire, qui reste mal connue parce que sa manière de s'exercer est jugée indéfendable et que les pratiquants n'ont guère l'occasion de s'exprimer par écrit (pratique illégitime, public peu lettré). Mais s'ils se montrent peu par eux-mêmes, ils sont par contre constamment désignés par leurs adversaires comme des « *funambules* », des « *acrobates* », des « *Hercules de foire* » dont il ne faut pas suivre l'exemple.

A la différence des deux perspectives précédentes, où la gymnastique devait prendre un caractère non seulement collectif, mais public et national (international même), le développement que lui impriment les gymnastes populaires est certes collectif, mais fondé sur la solidarité de groupes locaux, relativement fermés sur eux-mêmes (comme dans les anciens jeux d'exercice, par exemple la lutte des bergers suisses). Il n'y a pas d'objectif de salut public, mais seulement le désir de s'amuser et de s'affirmer physiquement ensemble suivant les valeurs d'un ethos particulier, propre aux groupes qui s'exercent. Groupes informels réunis dans des lieux dont l'existence n'a rien d'officiel et qui, souvent, ne portent pas le nom de « *gymnase* » même quand on y pratique une *gymnastique* : arrière-salles de débits de boissons qui forment un espace « *privé* », libre de tout contrôle, une zone franche et plus ou moins interlope (les « tapis-francs » des truands et des adeptes de la savate). Les activités ordinaires et « *les assauts qui se donnaient... n'avaient pas le caractère de la spécialité : presque tous les exercices de défense et autres y étaient représentés : épée, sabre, canne, bâton, boxe française et anglaise, lutte, force, gymnastique, équilibres, fléau, bilboquet* » (7), tous exercices impressionnants, amusants, spectaculaires, qui révèlent la puissance, l'adresse et le cran des individus réunis (on y boit, on y chante aussi).

Que les hommes qui s'exercent ainsi soient des troupiers, des mécaniciens, des ouvriers bouchers, des dockers, etc., n'est pas indifférent ; d'abord, parce que soumis à un régime d'activité physique intense par leur métier même, ils n'ont pas vraiment à s'entraîner pour disposer d'un potentiel de force physique important, ce qui les détourne spontanément de toute gymnastique élémentaire, pour débutants, et leur permet de pratiquer directement un exercice très engagé (s'opposant par là aux hygiénistes et aux gymnastes modérés) : ensuite parce que la fermeture de ces groupes sur eux-mêmes est le produit d'un réflexe de classe, si bien que la puissance et la distance qui les caractérisent se combinent à merveille pour les rendre menaçants. La préfecture de la Seine interdit les assauts de boxe française (vers 1855 ?), qui prennent alors le nom d'assauts « *d'adresse française* » : on surveille les assemblées de gymnastes, de lutteurs, de boxeurs : la formation des Sociétés fait l'objet de rapports de police. Mais ces groupes se perpétuent et leur réputation reste douteuse : repères de truands ? de révolutionnaires (comme Charlemont, ancien communard) ? d'activistes de gauche, ou de droite (après 1880) ?

(Cliché Martin)   VUE EXTÉRIEURE DU CABARET ATHLÉTIQUE.   Concours

(Cliché Martin)   L'ARÈNE.   La Vie au grand air, 1898
                                                              cf. annexes

Les hommes forts

On ne peut trouver que des témoignages tardifs sur les salles populaires qui existèrent à Paris à partir de 1850 environ. En 1904, la revue « La vie au grand air » évoque la disparition de celles de la Butte Montmartre, où l'on rencontrait « les gymnases les plus curieux et les plus pittoresques ». L'auteur ajoute : « aussi bien est-il peut-être exagéré d'attribuer le qualificatif de gymnase à des salles basses et obscures souvent agencées dans des caves et où l'air ne pénètre que par de rares soupiraux ». Leur vie nous est restituée dans les mémoires d'un professeur de boxe française, J. Charlemont, qui écrit en 1899, et par quelques documents sur les dernières salles existantes de la fin du XIXᵉ siècle.

L'Académie Athlétique, présentée en 1898 aux lecteurs de « La vie au grand air » est située rue des Boulets, près de Charonne (11ᵉ arr.). Elle est dirigée par M. Noël, dit « le gaulois », de son vrai nom Pierre Noël Rouvérolis, fils de menuisier, monté de Sète à Paris, débardeur à la Cie Transatlantique, puis homme de chais à Bercy : il s'achète un débit de vins après avoir économisé et ouvre une arène athlétique pour amateurs. Dans sa clientèle figurent Louis Charles, fondeur sur cuivre, 26 ans ; Soleil, tourneur sur bois, 18 ans ; Jules Guiénard, employé à la compagnie des Chemins de Fer, 26 ans ; etc.

Cette assemblée d'hommes forts pratique la lutte (voir les photographies), la gymnastique et les poids et haltères, en recherchant les qualités athlétiques, celles que le discours pédagogico-hygiéniste repousse au nom de la modération et des convenances.

La Vie au grand Air, 1898, pp. 196-198 ; 1904, pp. 178.
La Culture physique, 1906, p. 468.

La causalité du possible

S'il y a des ordres de phénomènes où *le très probable* seul est pris en compte, il en est d'autres où même une éventualité affectée d'un coefficient faible de *probabilité* peut engendrer des stratégies d'anticipation durables, et faire réagir tel groupe afin que le possible n'advienne pas : tel est le cas dès qu'il s'agit de violence physique dans un Etat moderne qui tente de monopoliser l'usage de cette violence.

Ce qui est présenté ici, est-ce une simple possibilité de développement de l'exercice sans effet ? Non ; au bout de ces cent années, vers 1870-1880, cette perspective d'évolution vers un usage politique et violent de la gymnastique a marqué cette spécialité. L'exercice gymnastique est perçu comme une pratique d'adultes, ou de jeunes dont les capacités physiques sont portées à un degré de maturité tel qu'ils valent des adultes : elle est ressentie comme une forme de mobilisation, politiquement assimilée au parti du « *mouvement* », contrairement à l'exercice de l'escrime par exemple, expression des traditions immobiles.

---

(7) J. Charlemont, *La boxe française*, Paris, A l'académie de boxe. 1899, p. 107.

« Dans une salle d'armes de Paris » dit un observateur, *« on fait de la politique. Là, c'est le contraire de ce qui a lieu dans les stands* (de tir) *et les gymnases, le rouge n'est pas la nuance à la mode, on préfère le blanc... »* (8).
Les gymnastes, à la veille du bouleversement sportif (le football, l'athlétisme, les compétitions, etc.), parlent beaucoup de fraternité, de progrès, d'indépendance, d'égalité, et s'interpellent volontiers par des *« citoyens »*, des *« chers confédérés »* qui, juste après la Commune, ont une signification politique parfaitement claire (9). C'est vers 1882 que l'utilisation politique de la gymnastique et du tir va atteindre son apogée avec la tentative de constitution des *« bataillons scolaires » :* essai avorté, mais dont la portée possible ne manque pas d'effrayer les hommes d'ordre et de tradition, comme cet universitaire qui a participé à son organisation : *« notre grande appréhension au fond était le danger social... On allait dans ce milieu* (Paris après la Commune) *former une armée d'enfants qui dans quelques années, seraient adultes et pourraient tourner les armes contre la mère patrie »* (10).
La crainte du danger social (après 1830, 1848 et 1871, cela signifie quelque chose) va animer les organisateurs d'exercices physiques, soudain très nombreux en cette fin de siècle : ils vont faire de la pratique de l'exercice corporel **un jeu, pour enfants, sans politique ;** trois axes que connaît bien P. de Coubertin, entre autres (11). Travaillant avant tout les questions d'organisation, de réglement, de discipline, ils vont forger les conditions d'apparition du pratiquant sportif typique du XXᵉ siècle.

(8)   H. de Gron, « Les sports et la politique », *La Revue des Sports*, 1876, nº 14.
(9)   Les Sociétés de Gymnastique projettent de s'organiser en « Fédération » après 1871. *« Il paraît que le gouvernement avait peur de cette association... Autoriser de tels rassemblements d'hommes »* (l'auteur ne dit pas « de jeunes ») « lui paraissait dangereux, alors que les souvenirs de la Commune hantaient encore tous les esprits ». Au terme de « fédération » fut préféré celui d'« union ». D. Mamoz, *De la gymnastique en France au XIXᵉ siècle*, Angoulême, l'auteur, 1891, p. 101.
(10) A. Mourier, *Notes et souvenirs d'un universitaire*, Orléans, 1889, p. 316.
(11) L'organisation vieillit à mesure que son public rajeunit et que la hiérarchie se fixe. Sur le passage de jeux, des adultes aux enfants, cf. P. Ariès, *L'enfant et la vie familiale sous l'Ancien Régime*, Paris, Plon, 1960, p. 64 et suiv.

Les origines du sport en France 4

Jean Durry

Il y a trois lustres à peine, la recherche historique française en matière de sport et d'éducation physique végétait, tristement. *« Les sports et Jeux d'exercice dans l'ancienne France »* de Jusserand (1901), l'étude de Georges Bourdon sur *l'Histoire des sports de l'Antiquité à nos jours. La renaissance de l'athlétisme : les premiers pas en France* publiée dans l'Encyclopédie des Sports, (Tome I, de 1924-26), émergeaient encore dans ce désert. Des ouvrages, sinon de simples chapitres, écrits de seconde ou de troisième main, reprenaient avec impavidité les mêmes assertions, transmettaient les mêmes erreurs, en toute logique puisqu'ils se satisfaisaient de s'inspirer les uns des autres, la petite et très honorable *« Histoire du sport »* de Bernard Gillet (1949) ne pouvant suffire de par ses dimensions même (les 128 pages d'un « Que sais-je ? ») à combler la soif des quelques esprits curieux qui auraient voulu aller plus loin...

Le paysage a changé. Jacques Ulmann, Michel Bouet, ont ouvert la voie par leurs travaux de qualité universitaire. D'autres générations sont advenues, pour lesquelles le sport constituait un terrain de recherche encore mal défriché, mais attachant et situé bien au-delà des sempiternels conflits de doctrines ou de méthodes d'éducation physique.

En une quinzaine d'années plusieurs démarches se sont fait connaître, dont les instigateurs empruntèrent des chemins nouveaux, en ordre dispersé certes, mais avec des velléités non négligeables de cohésion. Nous ne savions rien, nous commençons de voir percer les rayons de lumière ; cependant qu'apparaissent aux vitrines des libraires certains ouvrages destinés à un large public auquel ils présentent du moins une histoire événementielle de bon niveau.

Les très brèves pages qui suivent ne peuvent avoir d'autres propos que de faire sobrement le point, en réunissant quelques indications sur les origines du sport en France — ou sur cette préhistoire que certaines donations récentes, (Décembre 1978) en faveur des collections du Musée du Sport (1), nous assurent désormais de tirer à jamais de l'oubli, de la poussière sous laquelle l'ignorance l'avait ensevelie.

---

(1) N.D.L.R. On se réjouira que ses responsabilités aient incité l'auteur à attribuer une particulière importance à l'identification et à la conservation des *sources* documentaires et bibliographiques qui constituent les matériaux, mais aussi les filières de recherches pour l'historien.

On s'accorde à considérer que les « sports modernes » se sont implantés sérieusement de ce côté-ci de la Manche il y a un siècle. Cent ans, cela nous paraît si loin. Pourtant, c'étaient nos arrière-grand-pères, c'étaient nos grand-pères, voire nos pères — dans quelques cas de longévité qui vont à l'évidence se raréfiant —, c'étaient bien eux, dans toute la force et l'animation de la vie, que l'on aurait pu voir alors sur les bancs de classe, dans les cours — les sombres cours — de récréation, ou bien s'essayant gauchement à chevaucher les premières bicyclettes. Dans leurs rangs se révélèrent les pionniers de la propagation en France des « sports athlétiques », une expression dont le sens ne se développa que peu à peu.

Marcel Spivak, par ses premiers travaux sur « les origines militaires de l'éducation physique française, de 1774 à 1848 », Jacques Thibault décrivant les débuts du mouvements sportif en France au cours de sa remarquable étude relative à l'influence de ce mouvement « sur l'évolution de l'éducation physique dans l'enseignement secondaire français » (2), puis développant son propos lorsqu'il retrace « les aventures du corps dans la pédagogie française » (3), ont retrouvé plusieurs des « chaînons manquants ». Contrairement à ce que l'on a longtemps pensé, le sport en France a lui aussi son histoire, ses racines profondes : mais de cette culture, de cette richesse, la découverte ne fait que commencer.

Laissant de côté volontairement les tournois, les joutes, la vénerie d'antan, les prouesses guerrières ou para-guerrières des seigneurs et des chevaliers, l'équitation, l'escrime, voire le tir à l'arc ou le patinage, il me paraît plus artificiel encore de négliger la vogue indiscutée que connut du XIIIᵉ au XVIIᵉ siècle la paume, avec ses règles, ses parties codifiées, ses champions ; ou bien la soule, exemple d'une pratique populaire étroitement liée à des rites et aux clivages sociaux les plus « spontanés » (célibataires contre hommes mariés ; village contre village, etc.).

Le Directoire fait entrer les coureurs dans la lice du Champ de Mars, et c'est au Champ de Mars toujours que seront chronométrées avec plus ou moins de rigueur, les performances du coureur Rumel (1826) performances que surpasseraient aisément les disciples d'Amoros, (du moins, aux dires de ce dernier). Que de terrains de fouilles à prospecter pour l'historien du phénomène sportif : notre quête, encore une fois, débute à peine.

Don Francisco Amoros y Ondeano, « fondateur de la gymnastique en France » (3) (1770-1848), où il était arrivé dès Juillet 1813... Avec lui apparaît dans le champ de notre regard et de notre réflexion l'un des éléments majeurs qui contribueront à former le microcosme des activités physiques et sportives. D'Amoros, à travers ceux qui furent ses élèves, procèdent l'**Ecole de Joinville,** (officiellement ouverte en 1852) et la formation de cadres dans ce secteur d'activités. A ses gymnases parisiens succédèrent ceux d'un Hippolyte Triat, (avenue Montaigne), ou d'un Eugène Paz, (rue des Martyrs), qui sera le premier

(2)   Librairie philosophique J. Vrin, Paris, 1972.
(3)   Idem, 1977.

BIBLIOTHEQUE DES CHEMINS DE FER

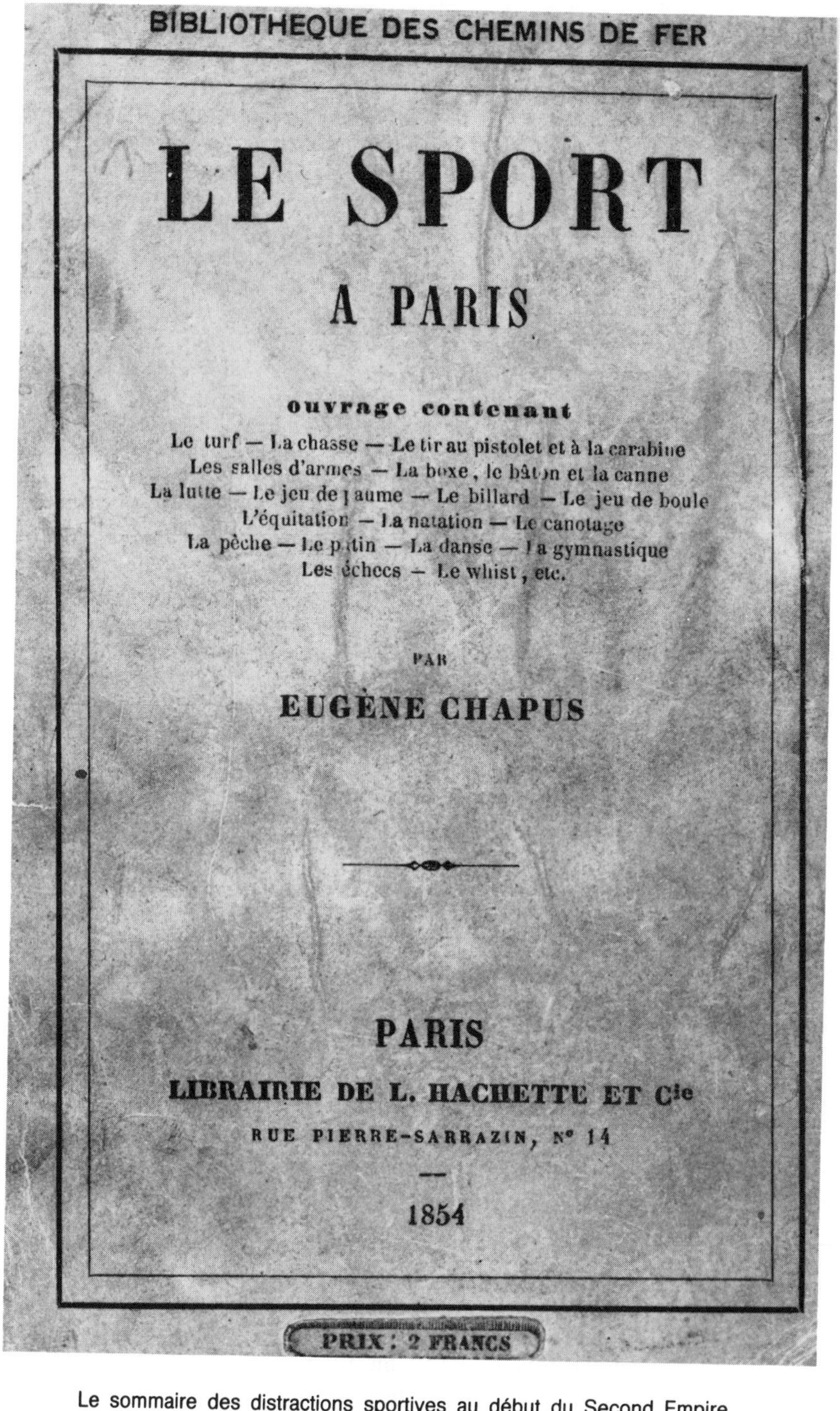

LE SPORT

A PARIS

ouvrage contenant

Le turf — La chasse — Le tir au pistolet et à la carabine
Les salles d'armes — La boxe, le bâton et la canne
La lutte — Le jeu de paume — Le billard — Le jeu de boule
L'équitation — La natation — Le canotage
La pêche — Le patin — La danse — La gymnastique
Les échecs — Le whist, etc.

PAR

EUGÈNE CHAPUS

PARIS

LIBRAIRIE DE L. HACHETTE ET Cie

RUE PIERRE-SARRAZIN, N° 14

—

1854

PRIX : 2 FRANCS

Le sommaire des distractions sportives au début du Second Empire.
Collection Musée du Sport.

courses de vélocipèdes. Sur une idée de son fils Ernest, Pierre Michaux conçoit la pédale en mars 1861, et la première compétition officiellement tenue pour telle se déroule le 31 mai 1868 dans les allées du Parc de Saint-Cloud ; son vainqueur James Moore, Anglais de Maisons-Laffitte, s'adjugera également avec un brio exceptionnel une course étonnante, Paris-Rouen, disputée le 7 novembre 1869, 123 kilomètres en 10 h 25, soit à plus de 11 kilomètres-heure de moyenne, par des routes innommables, sur sa machine pesant quelque 25 kilos. Ainsi se met en place tout un système. Soutien d'une presse spécialisée ou favorable, qui ira toujours se développant : « Le Vélocipède illustré » (1869) ; le « Véloce-Sport » de Bordeaux comme le fameux « Petit Journal » cher à Mannoni et Pierre Giffard, qui appuieront les formidables Bordeaux-Paris et Paris-Brest et retour de 1891, tandis que « l'Auto » (ex « Auto-vélo ») lancera le Tour de France en 1903. Apparition de champions adulés du public : De Civry, Medinger, Charles Terront annonçant les Jacquelin, Garin, Petit-Breton de l'avenir. Création d'arènes spécialisées, avec entrées payantes : Buffalo, le Vélodrome Municipal de Vincennes, plus tard le Parc des Princes. Amélioration d'un matériel toujours plus sophistiqué, fer de lance d'une industrie en plein développement : le « Grand bi » succède au vélocipède, la bicyclette à pneumatiques gonflables s'impose enfin. Les capacités infinies d'entraînement à la résistance, que recèle l'être humain se révèlent à travers le sport. Tandis que le champion ouvre la voie pour d'innombrables pratiquants : les privilégiés de l'existence d'abord, puis les milieux aisés, puis les milieux populaires... sans oublier les femmes, dans l'émancipation desquelles la propagation de « la reine bicyclette » lors des années 1895 jouera un rôle considérable...

*
**

Cette si rapide esquisse n'a guère fait place à l'athlétisme. Et pour cause. L'heure en est arrivée pourtant, après quelques essais infructueux. A l'automne 1880, quelques lycéens de Condorcet posent leurs cartables pour courir d'un mur à l'autre de la grande salle « aux massives et brunes solives » de la vieille gare Saint-Lazare. Rejoints par quelques condisciples de l'Ecole Monge, (futur Lycée Carnot) et du Collège Rollin, ils créeront en 1882 le « Racing Club » devenu en 1885 ce « Racing Club de France » qui s'implantera bientôt à la Croix-Catelan (Bois de Boulogne) et que Georges de Saint-Clair débarrassera des toques, cravaches, et casaques, donnant à l'engouement passager de jeunes originaux des chances de durer. En 1880 également, mais sur la « rive gauche », quelques lycéens de Saint-Louis fondent une éphémère société de gymnastique, à l'instigation de René Malizard ; trois ans plus tard, devenus étudiants, c'est le Café Procope qu'ils choisiront pour lancer le 13 décembre le « Stade Français », dont l'un d'entre eux Jules Marcadet (né en 1866) demeurera membre jusqu'à sa mort en 1959. Ce sont ces deux mêmes Clubs qui, en janvier 1887, au restaurant Cabassud de Ville d'Avray, décident à l'issue d'un « rallye-paper » (les chasseurs poursuivaient les « lièvres » en courant sur leurs traces) de créer l'Union des Sociétés françaises de courses à pied ; Saint-Clair a lancé l'idée ; Marcadet le soutient et propose la devise « Ludus pro patria ». Deux ans après, l'Union devient celle des **Sociétés Françaises de Sports Athlétiques** (U.S.F.S.A.), embryon des structures à venir du sport français.

La modeste phalange a été rejointe par un homme jeune venu du Faubourg Saint-Germain, Pierre de Coubertin (né le 1er janvier 1863). Celui-ci s'est voué à cette rénovation pédagogique dont un voyage en Angleterre à l'âge de 20 ans — et notamment l'impression profonde ressentie à Rugby — lui a donné l'idée comme le moyen : l'introduction du sport dans les établissements scolaires du second degré. Il publie dès novembre 1886 un premier article. Actif, jouant de son entregent, il crée un « Comité pour la propagation des exercices physiques », dont Jules Simon l'ancien ministre de l'Instruction Publique accepte la présidence, tandis que lui-même en assume le Secrétariat général. « L'Union » et le « Comité » vont s'étayer, puis se fondre. Ils prendront ainsi le pas sur la « Ligue de l'Education Physique », animée par le journaliste Paschal Grousset (alias André Laurie, alias Philippe Daryl), ancien membre de la Commune de Paris, homme de gauche donc, qui a voulu se dresser face aux « anglomanes » ; mais dont les efforts manquèrent de continuité ; le « lendit », conçu comme l'apothéose annuelle de la Ligue, ne s'imposera pas, si ce n'est dans le Sud-Ouest, sous sa forme régionale, grâce au Docteur Philippe Tissié et à sa « Ligue Girondine ».

C'est à l'occasion du cinquième Jubilé, tant soit peu fictif, de l'Union que Coubertin, applaudi mais tout à fait incompris, proposera le « rétablissement des Jeux Olympiques » le 25 novembre 1892, à la Sorbonne. Pour imposer le sport, il veut l'internationaliser. Le Congrès de juin 1894, à la Sorbonne également, voit les 79 délégués de 12 pays en adopter le principe. Le 6 avril 1896, dans le stade d'Athènes, le roi Georges scelle le destin des Jeux de l'ère moderne.

Quant aux **sports collectifs**... En 1872, au Havre, des Britanniques prennent une large part à la création du premier club de « football », un football qui tient du « Rugby ». Il faut attendre en fait deux décennies, pour que le Racing s'adjuge face au Stade par 4 points à 3 le premier titre de Champion de France, sur la Pelouse de Bagatelle. Bordeaux, Toulouse, Lyon, dameront bientôt le pion aux « Parisiens ». Le « sport-roi » comptera ses fanatiques et la première victoire de l'équipe de France obtenue sur l'une de ses rivales britanniques, l'Ecosse, en 1911 à Colombes causera une émotion considérable. De même que celle des joueurs d'« association », le 2 juillet 1921 au Stade Pershing, sur le onze des amateurs anglais.

Les **sports motorisés** font alors florès, brassant d'énormes intérêts financiers. Il paraît antédiluvien le Paris-Bordeaux-Paris 1895 — revenu à Emile Levassor au terme de quelque 49 heures de randonnée — lorsque s'élancent les concurrents du Paris-Madrid de 1903, pour une hécatombe de conducteurs et de spectateurs inconscients, qui sonnera le glas des épreuves sur route ouverte, au profit de circuits aménagés (6).

---

(6)   Tel celui du Grand Prix de l'Automobile Club de France remporté par Sziz sur Renault en 1906.

Le « grand steeple » printanier disputé au Bois de Boulogne
près du tir aux pigeons.
Gravure de « l'Illustration » en 1885. Collection Musée du Sport.

De l'automobile à l'aviation, aucune passerelle ne peut-elle être lancée ? Bien au contraire. Un même génie de la mécanique, l'attrait de l'inconnu, la recherche de perfectionnements sans fin et de la multiplication des possibilités humaines, se retrouvent de la pratique du cyclisme à celle des *« plus lourds que l'air »*. Nombre de champions évolueront d'un sport à l'autre, puis au troisième. Ainsi d'Henry Fournier ou de Charron, grands sprinters des vélodromes dix ans avant de remporter Paris-Berlin ou Paris-Vienne ; ainsi d'Henri Farman, lauréat du Paris-Clermont-Ferrand cycliste de 1892, qui sera le 13 décembre 1908 à Issy-les-Moulineaux le premier à boucler la boucle du... kilomètre aérien en circuit fermé, grâce à son biplan Voisin. Le 25 juillet 1909, Louis Blériot, sautant par-dessus la Manche, ouvre un nouveau chapitre de l'histoire des hommes. Jean Bouin, Georges Carpentier, Max Decugis. Des champions oui, mais aussi déjà des **vedettes.** Le sport contemporain est né, déplaçant les foules, et touchant des milliers de pratiquants, bien que les chiffres de l'époque n'aient aucun rapport avec les millions de licenciés et d'adeptes non recensés de notre fin du XXe siècle.

Les limites imparties à ce court chapitre me condamnaient à laisser dans la pénombre tant d'aspects. Les pratiques confessionnelles (7), les difficultés ouvrières pour l'accès au sport, le rôle d'un Demeny, d'un Hébert et de tant d'artisans des premières heures, les caractéristiques régionales, les liens nouveaux avec l'art et la littérature.

Du moins ces quelques pages auront-elles peut-être renforcé la notion du foisonnement des données relatives à l'émergence de la pratique sportive en France ? Encore une fois, le champ d'investigation est vaste (8). Nous ne sommes assurés que d'une chose : tout reste à construire.

---

(7) Voir l'excellente étude de Bernard Dubreuil. La naissance du sport catholique in *Revue Recherches. Aimez-vous les stades ?* n° 43, avril 1980.
(8) L'excellent « numéro spécial histoire », publié par la Revue « Travaux et Recherches en éducation physique et sportive » n° 6, INSEP, mars 1980, fourni un bon aperçu de la variété des points de vue possibles.

2. Des chiffres et des dates sur le sport moderne

Quelques indications chiffrées 1
sur les fédérations sportives françaises

Lucien Herr

Les historiens spécialisés s'accordent à penser que *le « sport »* s'introduit, en France, au cours de la deuxième moitié du XIXe siècle, dans les milieux aristocratiques profondément perméables à l'influence anglaise (1). Mais son institutionalisation, c'est-à-dire la mise en place de son organisation par la création de *structures associatives* et de *fédérations* sportives, ne s'effectuera que très progressivement avec la lente diffusion du phénomène. Afin de situer la place actuellement occupée par la pratique sportive dans notre pays, il est nécessaire de connaître la façon dont les institutions sportives se sont créées, mises en place, modifiées, c'est-à-dire d'appréhender une évolution qui n'a pas manqué de transformer quantitativement et qualitativement cette pratique, en retour.

Une meilleure compréhension de l'organisation sportive française actuelle passe par la présentation commentée de trois documents établis à partir de renseignements puisés dans les publications officielles :

- Le tableau retraçant la chronologie de la création des fédérations sportives françaises ;

- Un document à deux volets, faisant apparaître l'évolution du nombre total des licenciés dans la plupart des fédérations au cours des trente dernières années ;

- Un document, du même type, illustrant la progression de la pratique sportive *féminine* par la comparaison du nombre de licenciées dans un certain nombre de fédérations, en 1963, 1970 et 1977.

Chronologie de la création
des fédérations sportives françaises

Le tableau 1 présenté à la page suivante a été établi à partir des indications fournies par les responsables (le plus souvent, les présidents) des différentes fédérations sportives françaises. Elles sont contenues dans l'ouvrage « Sport de

---

(1) Voir la contribution de Christian Pociello : « Quelques indications sur les déterminants historiques de la naissance des sports en Angleterre », ainsi que celle de Jean Durry « Un retour aux sources ».

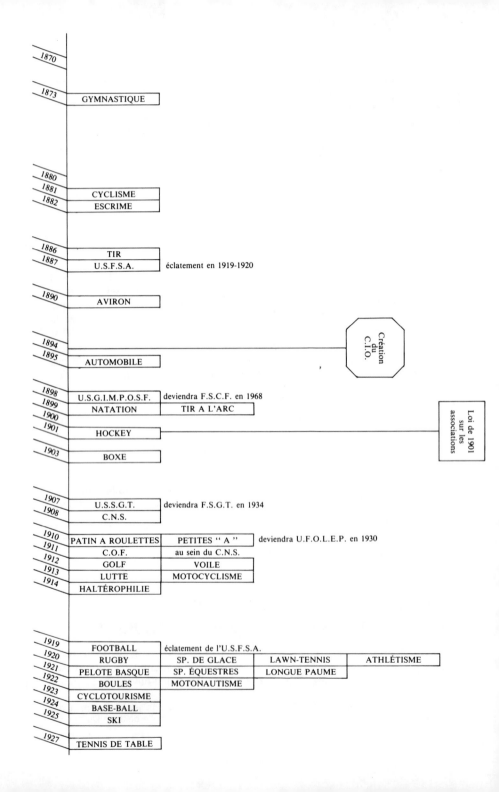

1930				
1931				
1932	CANOË-KAYAK			
	BASKET-BALL			
1934	JEU A XIII	U.S.T.	O.S.U.	
1936	VOLLEY-BALL			
1938	O.S.S.U.	englobe l'O.S.U.		
1940				
1941	HANDBALL			

30 décembre 1945 Assemblée constitutive du Comité national Plein Air

1945	PÉTANQUE		
1947	JUDO	SKI NAUTIQUE	→ Comité national des Sentiers de gdes randonnées
1949			
1950	PARACHUTISME		
1952	C.O.F.	autonomie	
1955	SP. SOUS-MARINS		
1957	SP. DE QUILLES		

Fédération nationale des offices municipaux de sport F.N.O.M.S.

1960			
1962	CHAR A VOILE	A.S.S.U.	succède à l'O.S.S.U.
1965	SURFING	TRAMPOLINE	
1966			

Union nationale des Associations de Tourisme et de Plein air (U.N.A.T. + C.N.P.A.)

1970	C. D'ORIENTATION		
1971	C.N.O.S.F.	fusion C.N.S. et C.O.F.	
1974	VOL LIBRE		
1975			
1976	KARATÉ		
1977	U.N.S.S.	F.N.S.U.	

transformation de l'A.S.S.U.

Loi du 20-12-40 " Charte des Sports "

Ordonnance du 28 août 1945

Loi Mazeaud du 29 oct. 1975

France » paru en 1972 à l'instigation du secrétariat d'Etat à la Jeunesse et aux Sports, elles confirment et complètent celles fournies par « L'Encyclopédie des sports » (2).

Sur ce tableau ont été indiquées, dans l'ordre chronologique, les dates de création des différentes fédérations sportives françaises. Nous nous sommes volontairement limités, dans un souci de clarification :
— aux fédérations *« dirigeantes »*, dites *« unisport »* ;
— aux fédérations *« affinitaires »* (multisports) ;
— aux groupements nationaux scolaires et universitaires ;
— et aux organismes confédéraux : Comité National des Sports, Comité Olympique Français et Comité National Olympique et Sportif Français.

On a fait apparaître dans la partie supérieure de ce tableau, en correspondance avec ces dates de création, l'apparition de certains événements qui se révèleront particulièrement importants dans l'organisation sportive française, tels que la création du Comité International Olympique ou la promulgation des lois ayant une incidence directe sur les structures sportives de notre pays.

L'observation rapide permet déjà de remarquer que la date de création du premier groupement sportif constitué : « l'Union des Sociétés de Gymnastique de France » (qui deviendra, en 1942, la Fédération Française de Gymnastique) se situe dès 1873. On voit ainsi que le point de départ de l'institutionalisation du sport français, qui remonte à plus d'un siècle, pourrait expliquer « l'inertie » de certaines structures traditionnelles.

Il est possible de relever, en outre, le nombre important de disciplines sportives (quarante-six) qui tend à confirmer la grande variété et diversification (que certains jugent inopportune) de la pratique sportive en France (3).

Enfin, il apparaît assez nettement que la mise en place et l'évolution de l'organisation sportive présentent, grosso modo, trois phases principales :

Une première phase, de 1873 à 1908 (date de constitution du « Comité National des Sports »), pendant laquelle la création des fédérations — sous la dénomination *« d'Unions des Sociétés de... »* — suit un rythme relativement lent. Cette période de trente-cinq ans voit la naissance de treize organismes fédéraux seulement, dont deux fédérations affinitaires, *« l'Union des Sociétés de Gymnastique et d'Instruction Militaire des Patronages et Œuvres de Jeunesse de France »* (ancêtre de l'actuelle Fédération Sportive et Culturelle de France) et *« l'Union des Sociétés Sportives et Gymniques du Travail »* (qui deviendra, en 1934, la Fédération Sportive et Gymnique du Travail).

---

(2)   Encyclopédie des sports : J. Dauven, Paris, Larousse, 1961.
(3)   Certaines disciplines sportives reconnues mais qui ont une faible audience (ballon au poing, balle au tambourin, jeu de paume...) ou dont le caractère sportif demeure incertain (billard, pêche en mer) n'ont pas été retenues, faute d'indications précises concernant la date de création de leur fédération.

Une deuxième phase, de 1910 à 1925 qui, en dépit de la coupure due à la première guerre mondiale, constitue une période particulièrement active en matière de création de fédérations sportives (vingt fédérations sont créées en une quinzaine d'années).

Une dernière phase enfin, de 1927 à nos jours, au cours de laquelle se sont constituées une vingtaine de nouvelles fédérations au fur et à mesure que la pratique de sports nouveaux semblait devoir « appeler » une organisation rationnelle des compétitions.

Il apparaît utile de compléter ces premières observations par quelques commentaires relatifs au « climat » dans lequel s'est effectuée la création des fédérations à différents stades de cette institutionalisation.

Au cours de la première phase de son évolution, le mouvement sportif, dont le nombre d'adhérents reste faible, a, par nécessité, recherché une certaine *« unité »* dans la construction de son organisation. Bien que les premières *« Unions »* (gymnastique, cyclisme, escrime, tir...) aient vu le jour dans le but essentiel de codifier et d'organiser la pratique de leur seule spécialité sportive, les dirigeants de ces organismes ont rapidement perçu l'impérieuse nécessité de *« se serrer les coudes »* afin de faire face aux difficultés de toutes sortes s'opposant à l'expansion de la pratique sportive. La création, en 1887, de l'U.S.F.S.A. *(Union des Sociétés Françaises de Sports Athlétiques)* qui regroupait en son sein des sociétés « unisport » (c'est-à-dire ne s'intéressant qu'à une seule discipline sportive) ou « multisport » (proposant la pratique de plusieurs activités comme la course à pied, l'athlétisme, le football, le rugby, la longue paume, etc.) constitue un exemple typique de cette tendance. C'est un principe du même genre qui devait présider à la création des unions « affinitaires » telles que l'U.S.G.I.M-.P.O.J.F. en 1898, l'U.S.S.G.T. en 1907 et les *« Petites A »* (future U.F.O.L.E.P. regroupant les Amicales laïques) en 1910. C'est encore la nécessité d'unité du mouvement sportif face aux pouvoirs publics qui sera évoquée lorsque s'entameront, à partir de 1900, de longues discussions entre dirigeants sportifs, qui aboutiront, en 1908, à la création du Comité National des Sports et, en 1911, à celle du Comité Olympique Français au sein même du C.N.S.

Tout différent est l'esprit dans lequel se constituèrent, au lendemain de la première guerre, les nouvelles fédérations. A partir de 1919, la tendance est en effet à *l'autonomie* de chaque discipline sportive. Elle se manifeste tout d'abord par **l'éclatement de l'U.S.F.S.A.** et la création des fédérations autonomes de *football* (1919), de *rugby, d'athlétisme* (1920) et de *longue paume* (1921). Quelques années plus tard, certaines pratiques sportives, nouvellement introduites dans le pays mais insuffisamment répandues sur l'ensemble du territoire national, qui avaient trouvé asile au sein de fédérations existantes, souhaitent s'organiser en toute indépendance et proclament leur autonomie : c'est ainsi que le basket-ball quitte la Fédération Française d'Athlétisme qui l'avait accueilli en 1921 et crée, en 1932, la Fédération Française de Basket-ball ; de la même façon, la Fédération Française de Handball voit le jour, en 1941, en

Tableau 2
Evolution du nombre des licenciés

Sports olympiques

Fédérations	1949	1953	1958	1963	1968	1973	1978
F.F. Athlétisme	35 214	33 138	39 187	51 512	77 463	92 445	92 341
F.F. Basket-ball	95 801	117 137	84 371	103 601	133 919	209 334	268 810
F.F. Boxe	15 400	13 800	8 451	7 035	7 403	11 352	13 396
F.F. Canoë-kayak	7 000	4 579	4 543	5 332	4 141	9 260	12 500
F.F. Cyclisme	52 619	51 940	37 645	37 705	45 836	51 542	85 000
F.F. Escrime	6 156	6 134	7 278	9 325	14 416	20 307	25 000
F.F. Football	440 873	439 474	380 352	443 898	602 000	906 450	1 309 878
F.F. Gymnastique	47 169	43 105	49 736	53 004	74 006	89 294	101 631
F.F. Haltérophilie	2 678	5 425	6 200	5 782	9 869	12 414	17 308
F.F. Handball	8 567	11 809	14 836	24 462	45 041	89 485	116 799
F.F. Hockey	4 250	4 209	6 510	3 300	5 000	5 919	6 805
F.F. Judo		19 100	30 070	54 544	118 194	305 957	320 000
F.F. Lutte	2 227	2 585	3 105	4 054	5 352	8 516	9 074
F.F. Natation	32 816	30 874	27 732	39 084	56 537	75 425	85 000
F.F. Ski	44 579	78 330	113 960	259 107	476 290	612 001	532 000
F.F. Sociétés d'aviron	8 855	7 932	8 955	8 108	12 059	11 929	13 995
F.F. Sports équestres	23 000	28 400	20 418	41 046	56 136	76 679	120 877
F.F. Sports de glace	786	1 334	2 799	2 574	5 577	13 975	20 485
F.F. Tir	15 396	20 400	23 896	21 312	25 283	33 576	73 500
F.F. Tir à l'arc	4 103	4 597	5 254	5 736	5 876	7 365	12 900
F.F. Volley-ball	19 102	23 515	22 710	24 815	28 682	41 435	57 565
F.F. Yachting à voile	3 050	4 145	9 669	23 000	55 340	69 437	86 000
Totaux	869 641	951 962	907 677	1 228 336	1 864 420	2 754 097	3 360 864

Sports non olympiques

Fédérations	1949	1953	1958	1963	1968	1973	1978
F.F. Sport automobile		3 428	3 413	2 600	13 842	23 198	27 000
F.F. Base-ball	2 628	1 204	169	220	222		518
F.F. Boule lyonnaise	180 000	180 462	177 506	178 926	170 207	164 582	162 376
F.F. Char à voile	—	—	—	—	284		634
F.F. Course d'orientation	—	—	—		—		2 501
F.F. Cyclotourisme			5 778		8 676	18 524	65 000
F.F. Etudes et Sport S.M.					40 000	50 980	61 480
F.F. Golf	11 745	7 118	9 538	13 533	19 200	25 057	40 000
F.F. Jeu à XIII		18 195	23 083	22 840	5 800	13 599	24 139
F.F. Lawn-tennis	50 800	57 828	76 662	89 042	133 001	235 795	554 944
F.F. Montagne					58 000	70 059	96 424
F.F. Motocyclisme	2 869	4 808	4 700	4 031	4 717	7 741	9 300
F.F. Motonautisme	133	265	320	1 148	6 524	3 853	3 167
F.F. Parachutisme					9 000	12 150	12 869
F.F. Pelote basque	863	1 884	2 082	1 828	2 598		6 000
F.F. Pétanque	50 000	57 303	112 875	128 237	196 215	282 608	375 605
F.F. Rugby	60 000	34 500	30 000	44 326	69 031	90 859	160 087
F.F. Ski nautique	47	155	445	3 480	4 850	6 459	5 671
F.F. Sp. trampoline							4 000
F.F. Surf-riding	—	—	—	—	—		1 183
F.F. Tennis de table	14 025	21 599	24 156	25 646	35 835	52 216	75 680
F.F. Vol libre	—	—	—	—	—	—	2 714
							1 691 292

se séparant de la Fédération de Basket-ball qui lui avait momentanément offert ses structures.

Au cours de cette même période, de nombreuses scissions se produisirent : l'Union des Sports Travaillistes (U.S.T.) se crée, en 1934, à la suite d'un différend au sein de la F.S.G.T. ; la Fédération Française de Cyclotourisme naît, en 1923, d'une différence de conception en matière de pratique du sport cycliste ; la Fédération de Natation et de Sauvetage (créée en 1899) se scinde, en 1937, en deux fédérations distinctes, la F.F. de Natation et la F.F. de Sauvetage. Même au niveau confédéral, on assiste, en 1952, à la séparation du *Comité National des Sports* et du *Comité Olympique Français* qui ne retrouveront leur unité qu'une vingtaine d'années plus tard par la création, en 1971, du *Comité National Olympique et Sportif Français.*

Evolution du nombre de licenciés au cours des 30 dernières années

Pour traiter ce sujet avec rigueur, il eût été nécessaire de disposer des *effectifs annuels* exacts de toutes les fédérations françaises et ceci depuis leurs origines. Or ces statistiques systématiques sont rares, ou inexistantes (sauf pour quelques sports) et les archives des fédérations ne sont pas très fournies en la matière, notamment en ce qui concerne la période antérieure à 1945. Cette carence a été heureusement comblée depuis 1949, lorsque le ministère chargé des Sports a exigé, de toutes les fédérations sportives, la communication annuelle de leurs effectifs (4).

Le tableau 2 comporte deux volets : l'un relatif aux fédérations régissant des sports dits « olympiques » (ceux reconnus par le Comité International Olympique comme susceptibles de figurer au programme officiel des « Jeux »), l'autre relatif à un certain nombre de fédérations contrôlant des sports « non olympiques ». Le choix ayant été effectué en tenant compte globalement de la « popularité » actuelle des sports considérés, c'est-à-dire essentiellement de leur divulgation.

Dans le but de simplifier la présentation du tableau, nous nous sommes limité à la transcription des effectifs recensés au cours de sept années différentes,

---

(4)   Pour établir ce tableau, nous avons consulté un document conservé à la bibliothèque de l'I.N.S.E.P. qui contient l'ensemble des tableaux annuels des effectifs des fédérations sportives publiés par le ministère chargé des Sports de 1949 à 1977. Les effectifs de l'année 1978 n'étaient pas publiés au moment de la rédaction de cet article, nous avons dû les recueillir auprès des fédérations concernées.

Bien que ces effectifs puissent être considérés comme « officiels » — ils sont publiés chaque année par le service compétent du ministère de tutelle —, il est toutefois possible que certains d'entre eux ne soient pas rigoureusement exacts, soit que la fédération intéressée ait communiqué un nombre approximatif de ses licenciés, soit que, pour des raisons de prestige ou d'opportunité, elle ait quelque peu « gonflé » ses effectifs.

comprises dans la période allant de 1949 à 1978, et distantes (sauf pour les deux premières) d'un intervalle régulier de cinq ans. Ceci nous permet d'obtenir un document reflétant assez fidèlement l'évolution, sur les trente dernières années, du nombre des licenciés des quarante-quatre fédérations (vingt-deux « olympiques » + vingt-deux « non olympiques »).

Un rapide coup d'œil à la colonne présentant le nombre des licenciés de l'année 1978 nous permet d'apprécier l'importance relative des effectifs des fédérations mentionnées. On peut ainsi mettre en lumière la grande disparité existant entre des fédérations à effectifs très importants telles que la F.F. de *Football*, la F.F. de *Tennis*, la F.F. de *Ski*, etc., et les fédérations dont le nombre de licenciés est très réduit, comme la F.F. de *Base-ball*, la F.F. *de Char à Voile*, la F.F. *de Surf*, etc. Déjà, on peut se poser les questions relatives à la signification différente que revêt la pratique « de masse » (entre le football et le ski par exemple) et les questions relatives à l'opposition des sports « populaires » et des sports rares (donc plus « prestigieux »).

La comparaison, pour chacune des fédérations considérées, entre les effectifs portés dans la première colonne (1949) et ceux portés dans la dernière colonne (1978) révèlent, dans la quasi-totalité des cas, une augmentation importante du nombre de licenciés, ce qui, rapporté à l'accroissement numérique de la population française dans ces trente dernières années (5), confirme un développement notable et diversifié de la pratique sportive.

Certaines disciplines sportives ont connu, quant au nombre de pratiquants licenciés, un essor spectaculaire. Ainsi — si l'on s'en tient strictement à l'augmentation numérique des licenciés entre 1949 et 1978 —, pouvons-nous souligner les progrès réalisés dans ce domaine par :
— la F.F. de Football : accroissement de 869 005 licenciés ;
— la F.F. de Lawn-Tennis : accroissement de 504 194 licenciés ;
— la F.F. de Ski : accroissement de 487 421 licenciés ;
— la F.F. de Judo : accroissement de 300 900 licenciés ;
— la F.F. de Basket-ball : accroissement de 173 009 licenciés ;
— la F.F. de Handball : accroissement de 108 232 licenciés ;
— la F.F. de Rugby : accroissement de 100 087 licenciés.

Il peut être également intéressant de connaître l'accroissement, en pourcentage, du nombre de licenciés des disciplines sportives qui, en trente ans, ont réalisé les développements les plus rapides. Ainsi :
• *la Voile*, passant de 3 050 licenciés (en 1949) à 86 000 (en 1978) a vu ses effectifs multipliés par 28, ce qui représente une augmentation moyenne de 90 % par an ;
• *les Sports de Glace* : effectifs multipliés par 26 ; augmentation annuelle moyenne de 83,5 % ;
• *le Motonautisme* : effectifs multipliés par 23, augmentation annuelle moyenne de 76 % ;

(5) La population française totale est passée de 41 000 000 en 1949 à 52 973 000 en 1977, Sources I.N.S.E.E.).

- *le Judo* (6) : effectifs multipliés par 16, augmentation annuelle moyenne de 63 % ;
- *le Handball* : effectifs multipliés par 13,5, augmentation annuelle moyenne de 42 % ;
- *le Ski :* effectifs multipliés par 12, augmentation annuelle moyenne de 36,5 % ;
- *le Tennis :* effectifs multipliés par 11, augmentation annuelle moyenne de 33 %...

Toutefois, il faut noter quelques rares exceptions à cette expansion générale de la pratique sportive :
- *le « Base-ball »*, dont la fédération a jugé utile d'accoler, pendant une vingtaine d'années, le nom du vieux jeu français de la *« Thèque »* à celui du sport typiquement américain, ne s'est guère imposé dans notre pays : 2 628 licenciés en 1949 et seulement 518 en 1978, soit une diminution de 80 % de l'effectif.
- *la « Boxe »* qui comptait 15 400 licenciés en 1949, a vu ses effectifs tomber à 7 035 en 1963, soit une perte de plus de 50 %, pour reprendre, à partir de 1968, une difficile progression se traduisant par un effectif de 13 396 licenciés en 1978 ;
- *la « Boule lyonnaise »*, fédération sportive relativement importante par le nombre de ses licenciés en 1949 (180 000) a subi une lente et régulière régression (environ 10 % en 30 ans).

L'observation plus minutieuse du tableau permet de déceler des « rythmes » très différents dans la progression du nombre de licenciés selon les fédérations.
Soulignons tout d'abord un fait d'ordre général, à savoir le fléchissement des effectifs d'un grand nombre de fédérations en 1958, notamment :
— en Boxe : — 5 349 licenciés en 5 ans (baisse de 38 %) ;
— en Equitation : — 7 982 licenciés (baisse de 28 %) ;
— en Basket-ball : — 32 766 licenciés (baisse de 27 %) ;
— en Cyclisme : — 14 295 licenciés (baisse de 27 %) ;
— en Football : — 59 122 licenciés (baisse de 13,5 %) ;
— en Rugby : — 4 500 licenciés (baisse de 13 %) ;
— en Natation : — 3 142 licenciés (baisse de 10 %) ;
— en Volley-ball : — 805 licenciés (baisse de 3,5 %).

Il semblerait que ce soit les fédérations de sports collectifs qui aient été plus particulièrement touchées par cette rupture exceptionnelle dans la progression générale des effectifs sportifs.
En ce qui concerne les rythmes de progression des différentes disciplines sportives, on s'aperçoit que certaines fédérations accusent une progression très régulière. C'est le cas de :

---

(6) Pour le Judo, dont la fédération n'a été constituée qu'en 1947, l'augmentation des effectifs a été calculée sur la période allant de 1953, (date du premier recensement apparaissant sur le tableau), à 1978, c'est-à-dire sur 25 ans.

— la F.F. d'Athlétisme (mis à part un léger fléchissement en 1953) ;
— la F.F. de Basket-ball ;
— la F.F. d'Escrime (malgré un certain retard au début) ;
— la F.F. de Gymnastique ;
— la F.F. de Handball, d'une régularité quasi parfaite ;
— la F.F. de Lutte ;
— la F.F. de Tir à l'arc ;
— la F.F. de Tennis de table.

En revanche, quelques fédérations affichent une évolution « en dents de scie », les effectifs subissant tour à tour une progression notable et un fléchissement sensible. Les exemples les plus marquants sont ceux de :
— la F.F. de Canoé-Kayak ;
— la F.F. de Cyclisme, dont les effectifs marquent une nette régression de 1949 à 1963 et qui, à partir de 1968, retrouvent une progression relativement régulière ;
— la F.F. de Natation, qui a subi les mêmes fluctuations ;
— la F.F. de Hockey et la F.F. des Sociétés d'Aviron, ces deux fédérations étant parmi celles dont les effectifs ont le moins progressé depuis 1949 (moyenne de 2 % par an) et de façon très irrégulière ;
— la F.F. de Jeu à XIII et la F.F. de Rugby, dont les fluctuations d'effectifs sont sans nul doute en rapport avec les querelles intestines (liées à la question de la professionnalisation des joueurs) qui ont agité le « monde du ballon ovale ».

Enfin, un certain nombre de fédérations (« olympiques » et « non olympiques ») dont la progression des effectifs a été relativement lente pendant de nombreuses années, ont vu celle-ci devenir « fulgurante » au cours des dix ou quinze dernières années. A des degrés divers, il en est ainsi de :
— la F.F. de Football, dont le nombre de licenciés a peu varié jusqu'en 1963 et qui, depuis cette date, a vu ses effectifs croître de 13 % en moyenne par an ;
— la F.F. de Judo, dont l'augmentation a suivi une progression importante de 1953 à 1963, et qui s'accélère entre 1963 et 1973 au point de voir ses effectifs plus que doubler tous les cinq ans ;
— la F.F. de Ski, dont le rythme de progression est assez analogue à celui de la F.F. de Judo ;
— la F.F. des Sports Equestres, dont le nombre des licenciés est demeuré aux environs de 20 000 jusqu'en 1958 et qui, dans les vingt dernières années, s'est accru de plus de 100 000 licenciés supplémentaires selon une progression annuelle moyenne de près de 20 % ;
— la F.F. des Sports de Glace, passant de 786 à 2 574 licenciés de 1949 à 1963, mais dont un rythme plus soutenu en la matière lui a permis d'atteindre le chiffre de 20 485 adhérents en 1978 ;
— la F.F. de Voile, déjà mentionnée ;
— la F.F. de Cyclotourisme, la F.F. de Golf, la F.F. de la Montagne, la F.F. de Ski nautique...

— et la F.F. de Lawn-Tennis dont la progression des effectifs s'apparente à celle de la F.F. de Football à tel point qu'elle est devenue, en 1978, la deuxième fédération sportive française.

Ces observations « à plat » nous conduisent à souligner enfin un fait inattendu et quelque peu troublant : la *régression* assez sensible du nombre des licenciés de quelques fédérations au cours des cinq dernières années. Il nous faut noter en effet que :
— la F.F. de Ski a subi, entre 1973 et 1978, une diminution de ses effectifs de 80 000 licenciés ;
— la F.F. de Boule lyonnaise (dont nous avons déjà signalé la régression régulière) a perdu 2 206 licenciés au cours des cinq dernières années ;
— la F.F. de Ski nautique a vu ses effectifs diminuer de 778 licenciés pendant la même période ;
— la F.F. de Motonautisme compte, en 1978, 686 licenciés de moins qu'en 1973 ;
— la F.F. d'Athlétisme a subi, elle-même, un recul de 104 licenciés sur l'effectif de 1973.

S'il est relativement aisé de *constater* l'évolution globale ou particulière des effectifs fédéraux, il s'avère, en revanche, extrêmement difficile de déterminer avec précision et exhaustivité les différents facteurs qui sont intervenus, directement ou indirectement, dans les fluctuations observées. D'autres auteurs, économistes ou sociologues, pourront appliquer contradictoirement leurs analyses sur les données fournies par les tableaux ainsi que sur les conditions de leur construction.

Dans la recherche toujours hasardeuse des « déterminants » multiples et complexes, nous pensons pouvoir suggérer sous une forme schématisée quelques hypothèses explicatives.

Cette augmentation importante du nombre global de sportifs licenciés doit, sans doute, être mise en rapport avec la croissance numérique de la population française et plus particulièrement des *tranches d'âge susceptibles de pratiquer la compétition sportive,* mais aussi avec les transformations fondamentales de la société française et des modes de vie des Français, au cours des trente années considérées. L'urbanisation accélérée que le pays a connu, à l'instar des autres pays industrialisés, autant que le « gonflement » de la classe moyenne, sont au fondement de l'émergence de *nouvelles demandes* que Christian Pociello tente d'élucider (7) et qui ne se limitent pas aux « *besoins* » assez récemment exprimés de « *grand air* », *d'espaces libres* et *naturels* ou de « *liberté d'action* ». Il n'est pas sans intérêt de constater, à cet égard, l'explosion des sports dits de *pleine nature* (ski, sports sous-marins, cyclotourisme, yachting léger et randonnées diverses), ainsi que l'éclosion de *sports nouveaux* (comme la course d'orientation, le vol libre et surtout la planche à voile).

---

(7) Cf. « La force, l'énergie, la grâce et les réflexes » : le jeu complexe des dispositions culturelles et sportives.

Mais dans ces phénomènes qui semblent résulter d'un ajustement complexe de « *l'offre* » et de la « *demande* », on ne devra pas sous-estimer l'intervention de l'Etat et des collectivités locales, sous la forme d'aide — en matériel, en équipement, en personnel, en *subventions* — aux organismes sportifs traditionnels. L'intérêt porté par les pouvoirs publics à *l'éducation physique et sportive en milieu scolaire* et leur soutien à la propagande en faveur de la pratique sportive « *du plus grand nombre* » ne sont certainement pas étrangers, eux non plus, à la progression générale des effectifs des fédérations.

En ce qui concerne les rythmes de progression constatés dans les effectifs fédéraux, certaines explications peuvent être prudemment, avancées.

Tout d'abord — sans prétendre fournir ici la cause unique du fléchissement constaté en 1958 —, il est vraisemblable que les « *événements* » *d'Algérie* ont eu, à cette période, en raison du maintien ou du rappel sous les drapeaux d'une fraction importante de la jeunesse française, une influence capitale sur la brusque diminution du nombre de licenciés dans plusieurs fédérations, notamment dans celles de sports collectifs où — de nombreux cas tendent à le prouver — l'absence de quelques éléments au sein de l'équipe ne permet plus un fonctionnement normal du club et peut même aboutir à sa disparition.

La régularité du rythme de progression des effectifs est très souvent due à des facteurs particuliers, fréquemment internes à la fédération considérée. Ainsi, la composition de l'équipe dirigeante, son aptitude à l'écoute et à la résolution de problèmes complexes, matériels et humains, et le dynamisme dont elle doit constamment faire preuve jouent un rôle considérable dans l'organisation de la pratique sportive et dans l'attrait que celle-ci peut avoir auprès de la population toute entière et plus spécialement auprès des jeunes. De plus en plus, l'administration et la gestion des activités sportives sont en tous points comparables à celles d'une grande unité industrielle ou commerciale et, comme pour la direction générale d'une entreprise, la compétence des dirigeants, véritables « managers », est capitale pour sa survie et pour son expansion.

Dans la plupart des fédérations a été mise en place depuis un certain nombre d'années une organisation rationnelle qui, outre un « conseil d'administration » chargé de définir, dans ses réunions trimestrielles, les grandes orientations de la « politique sportive » de la fédération, comprend un « bureau », animé par le président et, le plus souvent, assisté d'un personnel administratif et de multiples commissions fédérales aux tâches bien définies et faisant appel assez fréquemment à de véritables spécialistes des questions à traiter (commissions des statuts et règlements, des finances, de l'organisation des compétitions, de propagande, de l'équipement, de formation des cadres techniques, etc.). Il n'est pas rare qu'à un changement profond des membres de l'équipe dirigeante d'une fédération, corresponde un élan renouvelé et (dans un laps de temps plus ou moins long) une modification du rythme de l'évolution des effectifs de pratiquants.

Quant à la régression du nombre des licenciés de certaines fédérations sportives, il ne nous est pas possible, compte tenu des fluctuations toujours possibles dues à des causes indiscernables, de donner une explication incontestable à ce fait. Toutefois, en ce qui concerne la diminution relativement importante enregistrée par la fédération de ski dans ses effectifs (recul de 80 000 licenciés), il est probable que les pratiquants occasionnels de cette discipline qui, jusqu'à ces dernières années, étaient tentés d'adhérer à l'organisme fédéral, — la licence assurance leur permettant d'obtenir quelques avantages matériels et financiers non négligeables dans la plupart des stations de sports d'hiver —, n'en ressentent plus la nécessité du fait de l'organisation, par des associations diverses, de séjours en montagne dans des conditions parfois plus avantageuses. Ceci coïncidant d'ailleurs avec le développement tout à fait récent d'un goût pour la « *pratique sauvage* », c'est-à-dire pratique à la fois « hors piste » et hors institution (Pociello, 1979).

Progression de la pratique sportive féminine

Pour illustrer ce troisième et dernier thème, nous avons établi un tableau double comportant, tant pour les fédérations olympiques que pour les fédérations non olympiques, le recensement du nombre de licenciées féminines dans les années 1963, 1970 et 1977.

Nous avons choisi ces trois dates pour les raisons suivantes : d'une part, les statistiques officielles auxquelles nous nous référons n'ont fait la distinction entre licenciés et licenciées qu'à partir de 1963 (8) ; d'autre part, nous avons jugé utile de présenter, outre les effectifs de 1963 et de 1977 (cette dernière date étant celle du plus récent recensement publié), ceux de 1970, année intermédiaire équidistante des deux autres.

Si, pour les fédérations régissant les sports olympiques, le tableau est pratiquement complet, il n'en est pas de même pour les fédérations qui contrôlent les sports non olympiques. L'absence de certains effectifs est due, soit à la relative « jeunesse » de plusieurs fédérations, de création toute récente (course d'orientation, surf-riding, trampoline, vol libre), soit à certaines transformations survenues dans l'organisation interne de plusieurs groupements (par exemple, la fusion dont est sortie la F.F. d'Education Physique et de Gymnastique Volontaire), soit enfin à l'insuffisance de précision dans la distinction entre pratiquants masculins et pratiquantes féminines dans les effectifs fédéraux (cas de la F.F. de Boule, de la F.F. de Cyclotourisme, de la F.F. de la Montagne).

La première constatation qui s'impose est la progression générale des effectifs féminins dans la quasi-totalité des disciplines sportives. Si l'on s'en tient uniquement au nombre des licenciées dans les fédérations olympiques, le total des pratiquantes est passé, de 1963 à 1977, de 220 630 à 693 142, soit une progression de 215 % en l'espace de 14 ans.

(8)   Ce qui nous est apparu déjà symptomatique.

Certains sports semblent attirer plus que d'autres les pratiquantes et, parmi les fédérations importantes, celles dont les effectifs féminins atteignent, en 1977, un chiffre intéressant sont, dans l'ordre :
— la F.F. de Ski : 233 810 licenciées ;
— la F.F. de Tennis : 172 548 licenciées ;
— la F.F. d'E.P. et de Gymnastique Volontaire : 154 408 licenciées ;
— la F.F. de Basket-ball : 107 588 licenciées ;
— la F.F. de Sports Equestres : 64 540 licenciées ;
— la F.F. de Gymnastique : 57 164 licenciées ;
— la F.F. de Judo : 52 876 licenciées.

En revanche, un certain nombre de disciplines sportives semblent, ou bien particulièrement « rebuter » les pratiquantes féminines, ou bien demeurer plus ou moins fermées aux femmes. Ainsi, il est à remarquer que, même en 1977, des fédérations telles que la F.F. de Boule lyonnaise, la F.F. de Pelote basque, la F.F. de Jeu à XIII, la F.F. de Rugby, la F.F. de Trampoline, ont déclaré n'avoir *aucune* licenciée féminine ou, dans le meilleur des cas, un nombre extrêmement réduit des pratiquantes.

En compensation, il faut souligner l'apparition de licenciées dans des fédérations sportives qui, pendant très longtemps, n'avaient pas jugé utile de s'intéresser à la pratique des femmes. Ainsi, il n'est pas inintéressant de constater qu'un contingent de sportives s'est agrégé (parfois avec beaucoup de difficultés institutionnelles) aux effectifs traditionnellement masculins de :
— la F.F. de Football : 8 953 licenciées (en 1977) ;
— la F.F. de Boxe : 189 licenciées (en 1977) ;
— la F.F. d'Haltérophilie : 317 licenciées (en 1977) ;
— la F.F. de Lutte : 84 licenciées (en 1977) ;
— la F.F. de Base-ball : 22 licenciées (en 1977) ;
— la F.F. de Sports Automobiles : 1 064 licenciées (en 1977) ;
— la F.F. de Motocyclisme : 172 licenciées (en 1977).

Ce qui semble particulièrement intéressant, c'est de déterminer, pour la plupart des fédérations, l'importance du nombre des licenciées féminines par rapport à l'effectif total des licenciés (masculins et féminins) et d'en constater les variations au cours des quatorze années séparant 1963 de 1977.
En premier lieu, nous pouvons dégager trois cas très particuliers. Ce sont ceux :
— de la F.F. d'E.P. et de *Gymnastique Volontaire,* dans laquelle les effectifs sont féminins à 92 % en 1977 (9) ;
— de la F.F. de *Gymnastique* dont le nombre de licenciées féminines, de 21 907 en 1963 (41,3 % de l'effectif total), est passé successivement à 41 763 en 1970 (50,2 % de l'effectif total), puis à 57 164 en 1977 (contre 38 380 licenciés masculins), c'est-à-dire 59,8 % de l'effectif total de la fédération ;

(9)   Une étude approfondie sur ce phénomène particulier a été entreprise et a fait l'objet d'un mémoire de l'I.N.S.E.P. par Nicole Dechavanne, professeur d'E.P.S., présidente de la F.F.E.P.G.V.

Tableau 3

Importance du nombre de licenciées féminines

Sports olympiques

Fédérations	en 1963 (1)	en 1963 (2)	en 1970 (1)	en 1970 (2)	en 1977 (1)	en 1977 (2)	Variations en 14 ans
F.F. Athlétisme	7 185	14 %	21 829	24,50 %	29 847	31,50 %	+ 17,50 %
F.F. Basket-ball	21 712	21 %	46 382	30,50 %	107 588	43,25 %	+ 22,25 %
F.F. Boxe	—		—	—	189	1,50 %	
F.F. Canoë-kayak	856	16,50 %	980	17,50 %	2 646	21,60 %	+ 5,10 %
F.F. Cyclisme	44	0,11 %	247	0,50 %	1 161	1,40 %	+ 1,29 %
F.F. Escrime	2 048	22 %	3 990	23 %	6 270	24,60 %	+ 2,60 %
F.F. Football	—		—		8 953	0,68 %	
F.F. Gymnastique	21 907	41,30 %	41 763	50,2 %	57 164	59,80 %	+ 18,50 %
F.F. Haltérophilie	—		—		317	2 %	
F.F. Handball	2 514	10 %	8 555	14,50 %	30 382	26 %	+ 16 %
F.F. Hockey	850	25,75 %	1 076	20,30 %	1 324	21,20 %	— 4,55 %
F.F. Judo	3 000	5,50 %	20 100	11 %	52 876	17,25 %	+ 11,75 %
F.F. Lutte	—		—		84	0,93 %	
F.F. Natation	13 909	35,50 %	27 867	40,70 %	34 805	42,50 %	+ 7 %
F.F. Ski	110 219	42,50 %	232 642	40 %	233 810	42,35 %	à peu près constant
F.F. Sociétés d'aviron	554	6,80 %	947	8,80 %	2 035	15,15 %	+ 8,35 %
F.F. Sports équestres	26 819	65,33 %	42 640	49,50 %	64 540	55,70 %	— 9,63 %
F.F. Sports de glace	481	18,50 %	3 327	44,50 %	9 346	48 %	+ 29,50 %
F.F. Tir	911	4,30 %	1 710	5,90 %	5 146	7 %	+ 2,70 %
F.F. Tir à l'arc	408	7,10 %	640	10,40 %	2 063	16,90 %	+ 9,80 %
F.F. Volley-ball	3 350	13,50 %	8 818	27,40 %	19 984	35,50 %	+ 22 %
F.F. Yachting à voile	3 863	16,80 %	15 077	23,70 %	22 612	26,90 %	+ 10,10 %
	220 630				693 142		

(1) Nombre de licenciées féminines.
(2) Proportion des licenciées féminines par rapport au nombre total de licenciés M + F.

Sports non olympiques

Fédérations	en 1963 (1)	en 1963 (2)	en 1970 (1)	en 1970 (2)	en 1977 (1)	en 1977 (2)	Variations en 14 ans
F.F. Sports automobiles	—	—	250	12,80 %	1 064	5,50 %	
F.F. Base-ball	—	—	—		22	4,20 %	
F.F. Boule lyonnaise	—	—	—		—		
F.F. Char à voile	—	—	18	6 %	103	16 %	
F.F. Course d'orientation	—	—	—		244	9,75 %	
F.F. Cyclotourisme	—	—	—		5 219	9 %	
F.F. Etudes et sports S.M.	—	—	2 346	6,30 %	6 787	11 %	
F.F. Golf	5 261	40 %	7 850	38,50 %	11 871	36,80 %	— 3,20 %
F.F. E.P. et gym. volontaire	—		—		154 408	92 %	
F.F. Jeu à XIII	—		—		11	—	
F.F. Lawn-tennis	29 600	33 %	55 702	33,30 %	172 548	39,30 %	+ 6,30 %
F.F. Montagne	—		—		—	—	
F.F. Motocyclisme	—		—		172	1,40 %	
F.F. Motonautisme	—		—		414	13 %	
F.F. Parachutisme	—		2 315	19,75 %	1 629	17 %	
F.F. Pelote basque	—		—		2	—	
F.F. Pétanque	—		—		12 528	3,30 %	
F.F. Sports de quilles	44	1,50 %	342	6,50 %	1 270	10 %	+ 8,50 %
F.F. Roller-skating	646	21,50 %	1 307	30 %	1 814	40 %	+ 18,50 %
F.F. Rugby	—		—		—	—	
F.F. Ski nautique	987	28,50 %	920	22 %	1 270	22,50 %	— 6 %
F.F. Spéléologie	—		—		—	—	
F.F. Surf-riding	—		—		53	5 %	
F.F. Trampoline	—		—		—	—	
F.F. Tennis de table	1 714	6,70 %	4 000	9 %	6 833	10,50 %	+ 3,80 %
F.F. Vol libre	—		—		97	4,70 %	

— de la F.F. des *Sports Equestres,* qui comptait, en 1963, 26 819 licenciées féminines sur un total de 41 046 adhérents (proportion de 65,33 %), qui a vu ses effectifs masculins augmenter sérieusement vers 1970, date à laquelle l'équilibre entre le nombre de pratiquants et le nombre de pratiquantes était approximativement réalisé. La progression des effectifs féminins s'est ensuite montrée plus rapide que celle des effectifs masculins pour atteindre, en 1977, le chiffre de 64 540 licenciées, soit 55,7 % des effectifs fédéraux.

En marge de ces cas exceptionnels, il faut admettre que, dans de très nombreuses fédérations, l'effectif des licenciées féminines est devenu proportionnellement très important dans l'effectif total des pratiquants. Cette progression est particulièrement remarquable :

— en Sports de Glace : 18,5 % en 1963, 48 % en 1977 ;
— en Basket-ball : 21 % en 1963, 43,25 % en 1977 ;
— en Roller-Skating : 21,5 % en 1963, 40 % en 1977 ;
— en Volley-ball : 13,5 % en 1963, 35,5 % en 1977 ;
— en Athlétisme : 14 % en 1963, 31,5 % en 1977 ;
— en Voile : 16,8 % en 1963, 26,9 % en 1977.
— en Handball : 10 % en 1963, 26 % en 1977 ;
— en Judo : 5,5 % en 1963, 17,25 % en 1977 ;

Toutefois, il convient de constater que, dans quelques fédérations, les effectifs féminins ont subi, en **proportion** et non en nombre, une légère régression, celle-ci pouvant être attribuée le plus souvent à une progression plus rapide et plus soutenue du nombre des pratiquants masculins. Sont dans ce cas :

— la F.F. des Sports Equestres : 65,33 % en 1963, 55,7 % en 1977 ;
— la F.F. de Ski Nautique : 28,5 % en 1963, 22,5 % en 1977 ;
— la F.F. de Hockey : 25,75 % en 1963, 21,2 % en 1977 ;
— la F.F. de Golf : 40 % en 1963, 36,8 % en 1977 ;

et, à un degré moindre :

— la F.F. de Ski : 42,5 % en 1963, 42,35 % en 1977.

Ce phénomène de « *féminisation* », qui est évident dans la plupart des disciplines sportives, semble prendre de plus en plus d'ampleur. Cette tendance ne peut être que bénéfique notamment pour le développement quantitatif du sport dans notre pays. Il est, en effet, raisonnable de penser que la pratique sportive régulière d'un grand nombre de jeunes filles et de femmes peut constituer un facteur capital dans le changement profond des mentalités vis-à-vis du sport, notamment en ce qui concerne le comportement des parents face au désir exprimé par les enfants de pratiquer une activité sportive et, en conséquence, participer à la généralisation de la pratique des activités physiques et sportives en France (10).

On peut légitimement penser que la « féminisation » que nous constatons dans le domaine du sport n'est pas un phénomène soudain et exceptionnel. Elle n'est, sans aucun doute, qu'un des aspects de la tendance actuelle à la préconisation de l'égalité des sexes et à la promotion de la femme dans toutes les activités de la vie sociale.

(10) On sait aujourd'hui que les *pratiques sportives de la mère* sont déterminantes dans la « vocation » sportive et les choix sélectifs de pratiques des enfants (fils ou filles) (Louveau, 1979).

Il n'est pas inutile de souligner que de nombreuses réalisations, qui sont nées de ce courant de pensée, se sont multipliées et ont contribué au développement de la pratique sportive féminine, par exemple :
- l'organisation, très nettement améliorée depuis 1945 en France, de l'initiation sportive des jeunes filles dans la cadre de l'enseignement, notamment au niveau des établissements secondaires ;
- l'accueil, dans les associations sportives, de jeunes pratiquantes et la transformation de nombreux clubs typiquement masculins en clubs mixtes ;
- les modifications apportées aux textes réglementaires s'appliquant à l'administration des fédérations (arrêtés Herzog en 1963 et Missoffe en 1967) dans le but de permettre à des dirigeantes sportives d'occuper, au sein des comités de direction des fédérations mixtes, des postes de responsabilité ;
- l'organisation de compétitions nationales et internationales féminines dans la plupart des disciplines sportives et l'introduction du sport féminin aux Jeux Olympiques ;
- la retransmission par la radio et la télévision de grandes compétitions sportives féminines, etc.

Il serait intéressant de s'interroger sur les choix qui sont ou qui peuvent être effectués par les femmes parmi l'éventail des différentes disciplines sportives. Un tel sujet mérite une étude minutieuse que nous laisserons à d'autres le soin d'entreprendre et d'approfondir (11).

Un sujet de réflexion pour la démographie sportive : « l'indice d'accroissement relatif » de Michel Pessidou

La mise en évidence de l'évolution différenciée ou, si l'on préfère de l'accroissement inégal des sports dans notre société présente un intérêt indiscutable pour les instances impliquées, à des titres divers, dans la production de l'offre. (Ministères, Fédérations, enseignants, animateurs, constructeurs, marchands, publicitaires...). M. Pessidou, dans un travail récent (12) s'est notamment préoccupé de dresser l'état des variations quantitatives des principales disciplines sportives en France, à travers l'accroissement relatif de leurs pratiquants licenciés. Pour ce faire, il propose de prendre en considération « l'indice d'accroissement relatif » (I.A.R.) défini par la formule suivante :

$$\text{I.A.R. (pour une période donnée)} = \frac{\Delta I}{\Sigma I}$$ où ΔI est la différence entre les nombres de

pratiquants licenciés considérés aux bornes de la période et où ΣI représente le nombre total de pratiquants licenciés considéré au terme de la période. Si l'on observe par exemple l'athlétisme entre 1978 et 1980 :
— nombre de licenciés déclarés en 1978 =   93 913
— nombre de licenciés déclarés en 1980 = 101 009
l'I.A.R. de l'athlétisme pour cette période se calcule comme suit :

$$\text{I.A.R.} = \frac{101\,009 - 93\,913}{101\,009} = \frac{7\,098}{101\,009} = 0{,}070$$

Il est possible de mettre cet indice en relation avec les indices des autres pratiques sportives et avec l'indice d'accroissement global de l'ensemble des sports. Tout à fait conscient du caractère imparfait de l'indice proposé, Michel Pessidou n'en a pas moins fait apparaître des phénomènes nouveaux dans l'évolution générale des pratiques, et a eu le mérite de poser clairement, (dans sa complexité et son urgence) le problème — très peu étudié — de la démographie sportive. On trouvera ci-après quatre graphiques ou tableaux révélateurs extraits de son Mémoire :

(11) Voir l'article programmatique de Catherine Louveau : « La genèse des goûts sportifs » ; Travaux et recherches en E.P.S., I.N.S.E.P., n° 5 spécial Sociologie du sport, novembre 1979, pp. 97-102.
(12) Pessidou (M.) — L'évolution différenciée des pratiques sportives en France (1960-1980). Contribution à l'analyse des déterminants de croissance (l'exemple du tennis et de l'athlétisme), Mémoire pour le diplôme de l'I.N.S.E.P. année 1983.

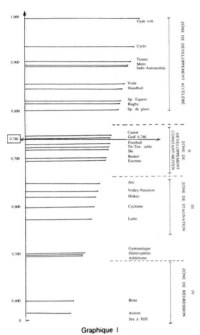

Graphique I

Échelle du « dynamisme de développement »
des principales pratiques sportives en France
Classification établie à partir des I.A.R. de leurs
pratiquants licenciés (1960-1980)

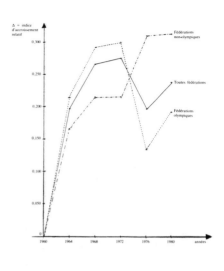

Graphique II

Développement comparé de l'ensemble des pratiques (T.F.)
des pratiques olympiques (F.O.) et non olympiques (F.N.O.)
traduit par la courbe de leurs I.A.R. quadriennaux (1960-1980).

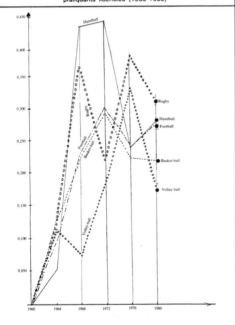

Graphique III

Courbes des développements respectifs et comparés
des 5 principaux sports collectifs
établies à partir de leurs indices
d'accroissement relatifs quadriennaux (1960-1980).

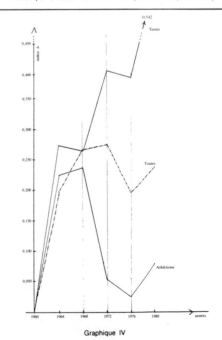

Graphique IV

Les différentes formes de courbes
traduction du développement
différencié de deux pratiques
le tennis et l'athlétisme

Panorama sur quelques aspects du sport international

2

Claude Fleuridas

Dans le but d'établir les relations les plus immédiates avec la contribution précédente de Lucien Herr, nous avons jugé utile de regrouper les informations sur le sport international, « à plat », en trois rubriques :
Les dates de création des fédérations sportives internationales, (Tableau A)
La situation des différents sports dans les programmes olympiques, (Tableau B)
Les résultats des sportifs français dans les compétitions internationales. (Jeux Olympiques, championnats du monde et d'Europe). (Tableaux C et D)

Les principales sources

Les résultats et les renseignements divers que nous avons récapitulés, ont été recueillis dans les rapports officiels des Jeux Olympiques, ceux-ci étant souvent repris de seconde main dans des journaux ou ouvrages spécialisés. En ce qui concerne les résultats des championnats du monde, d'Europe, et des autres manifestations internationales (Coupe Davis ; Tournoi des Cinq Nations, Tour de France cycliste), nous nous sommes référés au magazine « Sport-Palmarès » (1) et quelques autres ouvrages consacrés à l'histoire spécifique des différents sports, après consultation et recoupement de ces différentes sources. Nous pensons avoir recueilli l'ensemble des résultats les plus importants. Si quelques erreurs ou lacunes peuvent subsister, ces « résultats » constituent toutefois un rassemblement crédible de données brutes.

Les limites de la compilation

Pour ce qui concerne les résultats des sportifs français dans le concert international, il se posait à nous le problème du choix des *spécialités sportives*. Ce choix qui n'est pas neutre, (nous n'avons pas, par exemple, retenu la pelote basque ou la pétanque) a été dicté par l'impact différent que les diverses disciplines ont sur l'opinion, impact empiriquement apprécié à l'usage — lui-même très inégal — qu'en font les grands media (notamment la télévision).

(1) N° 1 de 1978 et n° 2 de 1979.

Tableau A

Dates de création des Fédérations			Dates de création des championnats	
Sports	Fédérations sportives internationales	Fédération nationale	Championnat du monde	Championnat d'Europe
Gymnastique	1881*	1873	1903	
Tir	1887*	1886	1897	
Aviron	1892	1890	1962	1893
Patinage	1892	1920	1896	1891
Cyclisme	1900	1881	1921	Tour de France 1903
Football	1904	1919	1930	Coupe d'Europe des Nations 1960
Yachting	1907	1912		
Natation	1908	1899	1973	1926
Hockey sur glace	1908	1920	1924	
Athlétisme	1912	1920	Coupe du monde 1977	Coupe d'Europe des Nations 1934, 1965
Lutte	1912	1913	1929	1929
Escrime	1913*	1882	1921	Coupe d'Europe
Haltérophilie	1920	1914	1937	
Equitation	1921*	1921	1953	
Bobsleigh	1908	1920	1924	
Canoë	1924	1931	1948	Coupe d'Europe
Hockey sur gazon	1924	1901	Coupe du monde	Coupe d'Europe
Ski	1924*	1924	1931	
Tennis de table	1924	1927	1927	1958
Tir à l'arc	1931	1899		
Basket-ball	1932	1932	1950	1935
Boxe	1946	1903	1974	
Handball	1946*	1941	1938	
Volley-ball	1947	1936	1949	1951 (?)
Tennis	1948	1920	Coupe Davis 1900	Internationaux de France 1891
Judo	1951*	1947	1956	1951
Rugby	1954	1920		Tournoi des « Cinq Nations » 1910
Trampoline	1964	1965		

* Rôle particulièrement important joué par la France dans la création de la fédération internationale.

En outre, si l'on tient compte de l'aide financière de l'Etat (2), force nous est de constater que l'essentiel du poids sociopolitique du sport international est concentré sur les « *chances* » *de médailles olympiques.* Nous avons donc choisi de considérer les sports qui figurent (ou ont figuré) au programme officiel des Jeux Olympiques, depuis 1896 pour les jeux d'été, et 1924 pour les jeux d'hiver. Nous avons cependant observé le *rugby,* dont on souligne, dans cet ouvrage l'importance, ainsi que quelques sports récents (karaté, trampoline, vol libre, planche à voile, ski nautique), dans lesquels les Français ont obtenu des résultats remarquables.

Nous avons retenu comme indicateurs, *les trois premiers compétiteurs* dans chaque épreuve, — médailles d'or *(Or)* d'argent *(Ag)* et de bronze *(Bz)* — pour des raisons de commodité ; la publication des résultats officiels se limitant, dans la plupart des cas, aux trois athlètes consacrés par le « podium ». Il faut admettre qu'une étude sur les huit premiers (finalistes olympiques) plus délicate mais réalisable, eût été sans doute plus significative du niveau général des résultats sportifs de nos représentants.

Présentation des différents tableaux

Le **tableau A** ci-contre indique **les dates de création des différentes fédérations sportives internationales,** en regard de celles des fédérations nationales. On a souligné la première apparue.

On peut constater qu'un nombre important de Fédérations Françaises *ont précédé* l'institution des Fédérations Internationales. Pour certains sports, la France a joué un rôle prépondérant (escrime, handball, judo, par exemple), dans la constitution de leurs instances internationales.

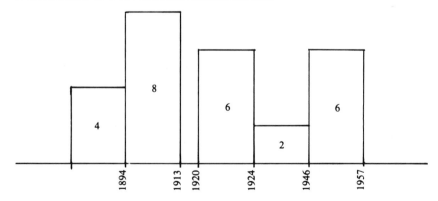

Le diagramme ci-dessus montre, par périodes « l'intensité » des créations des fédérations internationales (olympiques). Il est à noter qu'aucune Fédération « olympique » n'a vu le jour après 1957.

(2) Voir les contributions de W. Andreff et le tableau des subventions du ministère de la Jeunesse et des Sports.

Le **tableau B** ci-contre indique la **situation des différents sports dans les programmes olympiques.**

● *Sports qui ont toujours figuré au programme des Jeux Olympiques d'été*
— athlétisme ;
— aviron ;
— cyclisme ;
— escrime ;
— gymnastique ;
— natation ;
— lutte (sauf en 1900).

● *Jeux d'hiver*
— Epreuves de patinage artistique dès 1908 ;
— Epreuves de hockey sur glace, dès 1920 ;
— Création des Jeux d'hiver à Chamonix, en 1924 avec :
  . patinage artistique,
  . patinage de vitesse,
  . bolbsleigh,
  . ski nordique,
— Apparition du ski alpin en 1936, du biathlon en 1960.

● *Sports les plus récents inscrits aux Jeux Olympiques*
— Judo : (1960 aux Jeux de Tokyo) ;
— Handball (1972) ;
— Biathlon : ski de fond, tir au fusil (1960).

● *Dates d'apparition des sports féminins dans le programme des Jeux Olympiques*

— Golf	1900	— Patinage de vitesse	1960
— Patinage artistique	1908	— Volley-ball	1964
— Natation	1912	— Canoë	1972
— Escrime	1924	— Tir à l'arc	1972
— Athlétisme	1928	— Aviron	1976
— Gymnastique	1928	— Basket	1976
— Ski alpin	1936	— Handball	1976

● *Sports qui ont définitivement disparu du programme*

— Cricket	1904	— La crosse	1912
— Croquet	1904	— Raquette	1912
— Golf féminin	1904	— Rugby	1928
— Roque	1908	— Tennis	1928
— Golf masculin	1908	— Polo	1946
— Canot à moteur	1912	— Handball sur gazon	1948
— Jeu de paume	1912		

	Jeux de 1896 (Athènes)	Jeux de 1900 (Paris)	Jeux de 1904 (St-Louis)	Jeux de 1908 (Londres)	Jeux de 1912 (Stockholm)	Jeux de 1920 (Anvers)
Disciplines olympiques	Athlétisme Aviron Cyclisme Escrime (H.) Gymnastique Haltérophilie Lutte Natation (H.) Tir Tennis (H.) **Sports disparus** • Haltérophilie • Lutte	Celles des jeux précédents plus Football Equitation Tir à l'arc Yachting Cricket Croquet Golf (H. et F.) Polo Rugby	Idem 1900 plus Boxe Haltérophilie Lutte Lacrosse Roque **Sports disparus** • Football • Equitation • Tir • Tir à l'arc • Yachting • Cricket • Croquet • Golf • Polo • Rugby	Idem 1904 plus Football Hockey sur gazon Tir Tir à l'arc Yachting Canot à moteur Jeu de paume Polo Raquette Rugby Patinage artistique **Sports disparus** • Haltérophilie • Golf (H.) • Roque	Idem 1908 plus Natation (F.) Pentathlon mod. Equitation **Sports disparus** • Boxe • Hockey sur gazon • Tir à l'arc • Canot à moteur • Jeu de paume • Lacrosse • Polo • Raquette • Rugby	Idem 1912 plus Boxe Haltérophilie Hockey sur gazon Tir à l'arc Polo Rugby Hockey sur glace **Sports disparus** Néant
Dates de création des F. S. Internationales	Gymnastique (1881) Tir (1887) Aviron (1892) Patinage (1892)	Cyclisme (1900)	Football (1904) Yachting (1907)	Natation (1908) Hockey sur glace (1908)	Athlétisme (1912) Lutte (1912) Escrime (1913)	Haltérophilie (1920) Equitation (1921) Bobsleigh (1923)

	Jeux de 1924 (Paris)	Jeux de 1928 (Amsterdam)	Jeux de 1932 (Los Angeles)	Jeux de 1936 (Berlin)	Jeux de 1948 (Londres)	Jeux de 1952 (Helsinki)
Disciplines olympiques	Idem 1920 plus Ski nordique Bobsleigh Patinage vitesse Escrime (F.) **Sports disparus** • Hockey sur gazon • Tir à l'arc	Idem 1924 plus Athlétisme (F.) Gymnastique (F.) Hockey sur gazon **Sports disparus** • Polo • Rugby • Tennis • Tir	Idem 1928 plus Tir **Sports disparus** • Football	Idem 1932 plus Basket-ball (H.) Canoë (H.) Football Polo Handball sur gazon Ski alpin (H. et F.) **Sports disparus** Néant	Idem 1936 plus Néant **Sports disparus** • Polo • Handball (à onze)	Athlétisme (H. et F.) Aviron Basket Boxe Canoë Cyclisme Escrime (H. et F.) Football Gymnastique (H. et F.) Haltérophilie Hockey sur gazon Lutte Natation (H. et F.) Pentathlon mod. Equitation Tir Yachting Bobsleigh Hockey sur glace Patinage art. (H. et F.) Patinage vit. (H.) Ski alpin (H. et F.) Ski nordique Participation de l'Union soviétique
Dates de création des F.S. Internationales	Canoë (1924) Hockey sur gazon (1924) Ski (1924) • Tennis de table (1924)		Tir à l'arc (1931) Basket (1932)		Boxe (1946) Handball (1946) Volley-ball (1947) Pentathlon (1948) • Tennis (1948)	Judo (1951)

	Jeux de 1956 (Melbourne)	Jeux de 1960 (Rome)	Jeux de 1964 (Tokyo)	Jeux de 1968 (Mexico)	Jeux de 1972 (Munich)	Jeux de 1976 (Montréal)
Disciplines olympiques.	Idem 1952	Idem 1956 plus Biathlon Patinage vit. (F.)	Idem 1960 plus Judo Volley-ball (H. et F.) Luge (H. et F.)	Idem 1964 **Sports disparus** • Judo	Idem 1968 plus Canoë (F.) Handball à sept (H.) Judo Tir à l'arc (H. et F.)	Idem 1972 plus Aviron (F.) Basket (F.) Handball (F.)
Dates de création des F. S. Internationales	• **Rugby** (1954)	Luge (1957)	• **Trampoline** (1964)			

Les **tableaux C et D** ci-après précisent la nature des médailles et des **résultats des français dans les grandes compétitions** (J.O., C.M. et C.E.).
Dans les sports « olympiques »
● *SPORTS « D'ÉTÉ »*

Sports « individuels »

— Cyclisme	121 médailles	— Equitation	29 médailles
— Athlétisme	110 médailles	— Gymnastique	25 médailles
— Escrime	107 médailles	— Tir à l'arc	24 médailles
— Canoë	79 médailles	— Boxe	17 médailles
— Natation	60 médailles	— Haltérophilie	14 médailles
— Aviron	57 médailles	— Yachting	13 médailles
— Tir	46 médailles	— Lutte	10 médailles
— Judo	34 médailles	— Pentathlon	Néant

Sports collectifs

— Basket-ball	6 médailles	— Handball	Néant
— Football	2 médailles	— Hockey sur gazon	Néant
— Volley-ball	1 médaille		

● *SPORTS D'HIVER*

— Ski alpin	59 médailles	— Biathlon	Néant
— Patinage artistique	7 médailles	— Hockey sur glace	Néant
— Ski nordique	1 médaille	— Luge	Néant
— Bobsleigh	Néant	— Patinage de vitesse	Néant

Dans quelques sports non olympiques

— Karaté	46 médailles	— Trampoline	3 médailles
— Tennis	30 médailles	— Golf	1 médaille
— Rugby	9 médailles	— Vol libre	1 médaille
— Ski nautique	4 médailles	— Wind-surf	1 médaille

Tableau C
(Médailles françaises aux Jeux)

1896 (Athènes)	1900 (Paris)	1904 (St-Louis)	1908 (Londres)	1912 (Stockholm)	1920 (Anvers)
Athlétisme 1 Br. **Cyclisme** 3 Or - 1 Arg. - 1 Br. **Escrime** 1 Or - 1 Arg.	**Athlétisme** 1 Or - 4 Arg. - 2 Br. **Aviron** 2 Or - 2 Arg. - 2 Br. **Cyclisme** 2 Or - 2 Arg. - 2 Br. **Equitation** 1 Or - 1 Br. **Escrime** 2 Or - 3 Arg. - 2 Br. **Football** 1 Arg. **Gymnastique** 1 Or - 1 Arg. - 1 Br. **Natation - Water-polo** 1 Or - 2 Arg. - 3 Br. **Tir** 5 Or - 5 Arg. - 4 Br. **Tir à l'arc** 3 Or - 3 Arg. - 4 Br. **Yachting** 1 Or - 1 Arg. - 1 Br. **Rugby** 1 Or **Tennis** 1 Or	Non participation	**Athlétisme** 1 Arg. - 1 Br. **Cyclisme** 1 Or - 2 Arg. - 2 Br. **Escrime** 2 Or - 1 Arg. - 1 Br. **Gymnastique** 1 Br. **Tir** 2 Br. **Tir à l'arc** 1 Or - 1 Arg. - 1 Br. **Yachting** 1 Br.	**Athlétisme** 1 Arg. **Equitation** 1 Or - 1 Arg. - 1 Br. **Gymnastique** 1 Arg. **Tir** 2 Or **Tir à l'arc** 2 Or - 2 Arg. **Yachting** 1 Or **Tennis** 3 Or - 2 Br.	**Athlétisme** 1 Or - 3 Arg. - 1 Br. **Aviron** 1 Arg. - 1 Br. **Boxe** 1 Or - 1 Arg. - 1 Br. **Cyclisme** 1 Or - 2 Br. **Equitation** 3 Arg. **Escrime** 1 Or - 4 Arg. - 2 Br. **Gymnastique** 1 Arg. - 1 Br. **Haltérophilie** 2 Or - 1 Br. **Tir** 2 Arg. **Tir à l'arc** 5 Arg. - 1 Br. **Yachting** 2 Arg. **Rugby** 1 Arg. **Tennis** 2 Or - 2 Br.

Les médailles françaises aux J.O. (été - hiver)

1924 (Paris)	1928 (Amsterdam)	1932 (Los Angeles)	1936 (Berlin)	1948 (Londres)	1952 (Helsinki)
Athlétisme 1 Arg. - 1 Br.	**Athlétisme** 1 Or - 1 Arg. - 1 Br.	**Aviron** 1 Br.	**Aviron** 2 Br.	**Athlétisme** 2 Or - 3 Arg. - 3 Br.	**Athlétisme** 2 Arg.
Aviron 2 Arg.	**Aviron** 1 Arg.	**Cyclisme** 1 Or - 3 Arg. - 1 Br.	**Boxe** 2 Or	**Basket** 1 Arg.	**Aviron** 1 Or - 1 Arg.
Boxe 1 Br.	**Boxe** 1 Arg.	**Equitation** 2 Or - 1 Arg.	**Canoë** 1 Arg.	**Canoë** 3 Br.	**Boxe** 1 Br.
Cyclisme 4 Or - 2 Br.	**Cyclisme** 1 Or	**Escrime** 2 Or - 1 Arg.	**Cyclisme** 3 Or - 2 Arg. - 2 Br.	**Cyclisme** 3 Or - 2 Br.	**Canoë** 1 Or - 2 Br.
Equitation 1 Br.	**Equitation** 2 Arg.	**Haltérophilie** 3 Or	**Equitation** 1 Arg.	**Equitation** 2 Or - 1 Arg. - 1 Br.	**Cyclisme** 1 Br.
Escrime 3 Or - 2 Arg.	**Escrime** 1 Or - 3 Arg.	**Lutte** 1 Or - 1 Br.	**Escrime** 2 Arg. - 1 Br.	**Escrime** 3 Or - 1 Arg.	**Equitation** 1 Or - 1 Arg. - 1 Br.
Gymnastique 1 Or - 4 Arg. - 2 Br.	**Haltérophilie** 1 Or - 1 Arg. - 1 Br.	**Natation** 1 Arg.	**Haltérophilie** 1 Or	**Lutte** 1 Br.	**Escrime** 2 Or - 1 Br.
Haltérophilie 2 Or	**Lutte** 1 Arg. - 1 Br.	**Yachting** 1 Or	**Lutte** 1 Or	**Natation** 2 Br.	**Natation** 1 Or - 2 Arg. - 1 Br.
Lutte 1 Or	**Yachting** 1 Or	**Patinage artistique** 1 Or	**Tir** 1 Br.	**Ski alpin** 2 Or - 1 Arg. - 1 Br.	**Patinage artistique** 1 Br.
Tir 2 Or - 1 Arg.	**Water-polo** 1 Br.		**Ski alpin** 1 Br.		
Yachting 1 Br.	**Patinage artistique** 1 Or				
Water-polo 1 Or					
Rugby 1 Arg.					
Tennis 2 Arg. - 1 Br.					
Patinage artistique 1 Br.					

Les médailles françaises aux J.O. (été - hiver)

1956 (Melbourne)	1960 (Rome)	1964 (Tokyo)	1968 (Mexico)	1972 (Munich)	1976 (Montréal)
Athlétisme 1 Or	**Athlétisme** 1 Arg.	**Athlétisme** 1 Arg. - 1 Br.	**Athlétisme** 1 Or - 1 Br.	**Athlétisme** 1 Arg. - 1 Br.	**Athlétisme** 1 Or
Aviron 1 Br.	**Aviron** 1 Arg.	**Aviron** 1 Arg.	**Cyclisme** 4 Or - 1 Br.	**Canoë** 1 Br.	**Cyclisme** 1 Arg.
Boxe 2 Br.	**Equitation** 1 Br.	**Boxe** 1 Arg.	**Equitation** 1 Or - 1 Arg.	**Cyclisme** 1 Or	**Escrime** 1 Arg. - 2 Br.
Canoë 1 Arg.	**Lutte** 1 Br.	**Canoë** 1 Arg.	**Escrime** 1 Or - 1 Br.	**Escrime** 1 Arg. - 2 Br.	**Gymnastique** 1 Br.
Cyclisme 2 Or - 1 Arg.	**Yachting** 1 Br.	**Cyclisme** 2 Br.	**Lutte** 1 Arg.	**Judo** 1 Br.	**Haltérophilie** 1 Arg.
Escrime 1 Or - 1 Arg. - 2 Br.	**Ski alpin** 1 Or - 2 Br.	**Equitation** 1 Or - 1 Br.	**Natation** 1 Br.	**Tir** 1 Arg.	**Equitation** 1 Or
Haltérophilie 1 Br.		**Escrime** 2 Arg. - 3 Br.	**Pentathlon mod.** 1 Br.	**Yachting** 1 Or - 1 Arg.	**Judo** 1 Br.
		Natation 1 Arg.	**Ski alpin** 4 Or - 3 Arg. - 1 Br.	**Ski alpin** 1 Arg. - 1 Br.	**Ski alpin** 1 Arg. - 1 Br.
		Ski alpin 3 Or - 3 Arg.	**Patinage artistique** 1 Br.	**Patinage artistique** 1 Br.	
		Patinage artistique 1 Arg.			

Les médailles françaises aux J.O. (été - hiver)

Tableau D

1896 à 1899	1900 à 1903	1904 à 1907	1908 à 1911	1912 à 1915	1920 à 1923
Aviron CE 1896 : 2 Or CE 1898 : 2 Or CE 1899 : 2 Or	**Aviron** CE 1900 : 3 Or CE 1901 : 3 Or CE 1902 : 1 Or CE 1903 : 1 Or **Cyclisme** Tour de France 1903	**Aviron** CE 1904 : 2 Or CE 1905 : 1 Or CE 1906 : 1 Or CE 1907 : 1 Or **Cyclisme** Tour de France 1904 Tour de France 1905 Tour de France 1906 Tour de France 1907	**Aviron** CE 1908 : 1 Or CE 1909 : 1 Or CE 1910 : 2 Or **Cyclisme** Tour de France 1908 Tour de France 1910 Tour de France 1911	**Aviron** CE 1913 : 2 Or	**Aviron** CE 1920 : 2 Or CE 1922 : 2 Or **Cyclisme** Tour de France 1923 **Escrime** CM 1921 : 1 Or **Haltérophilie** CM 1922 : 1 Or • **Rugby** Tournoi des 5 N : 2ᵉ

Résultats des français aux championnat du monde et championnat d'Europe

1924 à 1927	1928 à 1931	1932 à 1935	1936 à 1939	1948 à 1951	1952 à 1955
Aviron CE 1925 : 1 Or **Cyclisme** CM Amateur 1924 CM Amateur 1926 **Escrime** CM 1926 : 1 Or CM 1927 : 1 Or **Natation** CE 1927 : 2 Arg. • **Tennis** Internationaux de France 1925 : 1er H. 1er F. 1926 : 1er H. 1er F. 1927 : 1er H.	**Aviron** CE 1931 : 2 Or **Cyclisme** Tour de France : 1930-1931 **Escrime** CM 1929 : 1 Or CM 1930 : 1 Or CM 1931 : 1 Or **Natation** CE 1931 : 1 Or 2 Arg. 2 Br. **Tennis** Coupe Davis : 1928 : 1 Or 1929 : 1 Or 1930 : 1 Or 1931 : 1 Or Internationaux France 1928 : 1 Or 1929 : 1 Or 1930 : 1 Or 1931 : 1 Or	**Athlétisme** CE 1934 : 2 Or - 4 Arg. - 2 Br. **Aviron** CE 1933 : 1 Or **Basket** CE 1935 : 5e **Boxe** CM (Moyens) 32 à 35 **Canoë** CE 1934 : 1 Arg. **Cyclisme** Tour de France 1932-1933-1934 CM Prof. : 1933 **Escrime** CM 1933 : 1 Or CM 1934 : 1 Or CM 1935 : 1 Or **Natation** CE 1934 : 2 Or **Tennis** Coupe Davis : 1932 : 1 Or Internationaux France : 1932 : 1 Or	**Athlétisme** CE 1938 : 1 Or - 1 Arg. - 1 Br. **Basket** CE 1937 : 1 Br. CE 1939 : 4e **Boxe** CM (Moyens) 1936-1937 **Cyclisme** Tour de France 1937 CM Prof. : 1936 **Escrime** CM 1937 : 1 Or CM 1938 : 2 Or **Natation** CE 1938 : 1 Arg. **Tir à l'arc** CM 1939 : 1 Or **Tennis** Internationaux France 1938 : 1 Or 1939 : 1 Or	**Athlétisme** CE 1946 : 3 Or - 4 Arg. - 3 Br. CE 1950 : 3 Or - 8 Arg. - 3 Br. **Aviron** CE 1947 : 2 Or **Basket** CE 1946 : 4e CE 1947 : 5e CE 1949 : 1 Arg. CM 1950 : 6e CE 1951 : 1 Br. **Boxe** CM (Moyens) 1948-1949 **Canoë** CM SI 1949 : 4 Or - 2 Arg. CM 1950 : 1 Or - 3 Arg. CM SI 1951 : 2 Or - 2 Arg. - 1 Br. **Cyclisme** Tour de France 1947 CM Amateur 1946 CM Cross 1950-1951 **Escrime** CM 1947 : 4 Or CM 1949 : 1 Or CM 1950 : 3 Or CM 1951 : 3 Or **Gymnastique** CM 1950 : 2 Arg. - 5 Br. **Judo** CE 1951 : 1 Or **Natation** CE 1947 : 6 Or - 1 Arg. - 1 Br. CE 1950 : 4 Or - 6 Arg. - 2 Br. **Volley-ball (H.)** CE 1951 : 1 Br.	**Athlétisme** CE 1954 : 1 Or - 1 Arg. - 1 Br. **Aviron** CE 1953 : 1 Or **Basket** CE 1953 : 1 Br. CM 1954 : 4e **Canoë** CM SI 1953 : 1 Or - 2 Br. CM 1954 : 1 Arg. - 1 Br. CM SI 1955 : 1 Or - 1 Arg. **Cyclisme** Tour de France : 1953-1954-1955 CM Prof. : 1954 CM Cross : 1952-1953-1954-1955 **Escrime** CM 1953 : 2 Or CM 1954 : 1 Or **Judo** CE 1952 : 1 Or CE 1954 : 1 Or CE 1955 : 1 Or **Natation** CE 1954 : 1 Or - 1 Arg. - 1 Br.

Résultats des français aux championnat du monde et championnat d'Europe

1956 à 1959	1960 à 1963	1964 à 1967	1968 à 1971	1972 à 1975	1976 à 1979
Athlétisme CE 1958 : 1 Br. **Basket** CE 1959 : 1 Br. **Canoë** CM Riv. 1959 : 2 Or - 2 Arg. - 1 Br. **Cyclisme** Tour de France : 1956-1957 CM Piste amateur : 1957 : 1 Or 1958 : 1 Or 1959 : 1 Or CM Cross : 1956-1957-1958 **Escrime** CE 1958 : 1 Or **Football** Coupe d'Europe 1956 et 1959 (finale) CM 1958 : 3e **Natation** CE 1958 : 1 Or	**Athlétisme** CE 1962 : 2 Or - 2 Arg. **Aviron** CM 1962 : 1 Or **Basket** CE 1961 : 4e CM 1963 : 5e **Canoë** CM Riv. 1961 : 1 Arg. - 1 Br. CM Riv. 1963 : 2 Or - 1 Arg. **Cyclisme** Tour de France : 1961-1962 CM Prof. : 1962 CM Amateur : 1961 **Escrime** CM 1961 : 1 Or CM 1962 : 1 Or CM 1963 : 1 Or **Judo** CE 1962 : 1 Or **Natation** CE 1962 : 2 Or - 1 Arg.	**Athlétisme** CE 1966 : 4 Or - 3 Arg. - 7 Br. **Canoë** CM Sl 1965 : 1 Br. CM Riv. 1965 : 1 Or CM Sl 1967 : 1 Br. CM Riv. 1967 : 2 Br. **Cyclisme** Tour de France : 1964-1966-1967 CM Amateur : 1965 CM Piste A 1964 : 1 Or CM Piste A 1966 : 3 Or - 1 Arg. CM Piste A 1967 : 1 Or - 1 Arg. **Escrime** CM 1965 : 2 Or - 1 Arg. - 1 Br. CM 1966 : 1 Or - 1 Br. **Natation** CE 1966 : 2 Or - 1 Br. **Equitation** CM 1966 : 1 Or **Golf** CM 1964 : 1 Or **Rugby** Tournoi des 5 N : 1967 **Ski nautique** CM 1965 : 1 Or CM 1967 : 1 Or **Karaté** CE 1966 : 2 Or - 1 Arg. - 1 Br. CE 1967 : 2 Or - 1 Arg. **Ski alpin** CM 1966 : 6 Or - 7 Arg. - 3 Br.	**Athlétisme** CE 1969 : 3 Or - 4 Arg. **Canoë** CM Sl 1969 : 3 Or - 2 Arg. - 3 Br. CM Riv. 1969 : 4 Or - 2 Arg. - 3 Br. CM Riv. 1971 : 2 Or - 1 Arg. - 2 Br. **Cyclisme** CM Piste A 1969 : 1 Br. CM Piste A 1970 : 1 Or CM Piste A 1971 : 1 Or CM Amat. 1971 : 1 Or **Escrime** CM 1970 : 1 Or - 1 Br. CM 1971 : 2 Or **Natation** CE 1970 : 1 Or - 1 Arg. **Tir** CE 1968 : 1 Or CE 1970 : 1 Arg. CM 1970 : 1 Or CM 1971 : 1 Or **Ski alpin** CM 1970 : 3 Or - 5 Arg. - 2 Br. **Judo** CE 1968 : 1 Or CE 1969 : 1 Or - 4 Br. CE 1970 : 1 Or - 1 Br. CE 1971 : 2 Or - 2 Br. CM 1971 : 1 Br. **Rugby** Tournoi des 5 Nations : 1968-1970 **Karaté** CE 1968 : 2 Or - 1 Arg. CE 1969 : 1 Or - 1 Arg. CE 1970 : 1 Or - 2 Arg. CM 1970 : 2 Br. CE 1971 : 2 Or - 1 Arg. CM 1971 : 1 Or - 1 Br.	**Athlétisme** CE 1974 : 2 Or - 2 Arg. **Canoë** CM Sl 1973 : 1 Br. CM Riv. 1973 : 1 Or - 2 Arg. - 1 Br. **Cyclisme** Tour de France : 1975 CM A (F.) : 1972-1974 CM Piste A 1973 : 1 Or CM Piste A 1975 : 1 Or **Escrime** CM 1973 : 1 Or CM 1974 : 2 Br. CM 1975 : 1 Or - 1 Arg. **Judo** CE 1972 : 2 Or - 1 Arg. CE 1973 : 1 Or - 2 Arg. - 1 Br. CM 1975 : 1 Or **Natation** CM 1973 : 1 Arg. CE 1974 : 1 Br. **Tir** CM 1974 : 1 Or **Ski alpin** CM 1972 : 2 Arg. - 1 Br. CM 1974 : 2 Or - 1 Arg. - 1 Br. **Rugby** Tournoi des 5 N : 1973 **Ski nautique** CM 1973 : 1 Or **Trampoline** CM 1974 : 1 Or **Karaté** CE 1972 : 5 Or - 2 Arg. - 1 Br. CE 1973 : 4 Or - 1 Arg. - 1 Br. CE 1974 : 1 Or CE 1975 : 3 Or	**Athlétisme** CE 1978 : 1 Or - 1 Arg. CM 1978 : 1 Br. **Aviron** CM 1978 : 1 Br. **Cyclisme** Tour de France : 1977-1978-1979 CM A (F.) : 1977 **Escrime** CM 1976 : 1 Br. CM 1978 : 1 Or - 2 Arg. **Canoë** CM 1978 : 1 Arg. Cpe E 1978 : 3 Or - 1 Arg. **Football** Coupe d'Europe : Finaliste 1977-1978 **Gymnastique** CE 1979 : 2 Br. **Judo** CE 1976 : 1 Or CE 1978 : 1 Or - 2 Arg. - 2 Br. **Tir** CE 1976 : 1 Br. CE 1978 : 3 Or - 2 Arg. - 2 Br. CM 1978 : 1 Or - 5 Arg. - 2 Br. **Ski alpin** CM 1976 : 1 Arg. - 1 Br. CM 1978 : 1 Br. **Ski nordique** Vassalo. 1978 : 1 Or **Rugby** Tournoi des 5 Nations 1977-1979 **Ski nautique** CM 1979 : 1 Or **Tennis de table** CE 1976 : 1 Or **Trampoline** CM 1976 : 1 Or CM 1979 : 1 Or **Karaté** CE 1976 : 1 Or CE 1977 : 2 Or CE 1978 : 2 Or **Vol libre**

Résultats des français aux championnat du monde et championnat d'Europe

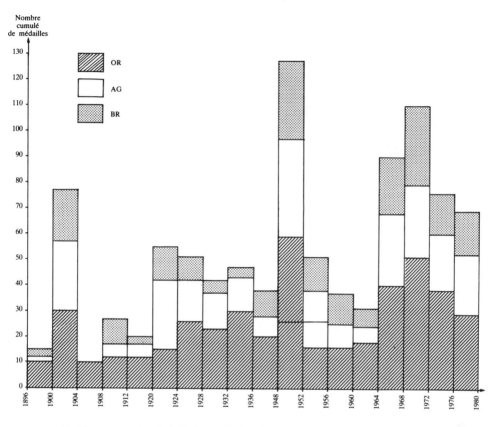

E. Diagramme récapitulatif des médailles françaises aux Jeux Olympiques, championnats du monde et d'Europe par « olympiade ».

Bibliographie sommaire

— Rapports officiels des Jeux Olympiques de 1896 à 1976.
— *Sport-Palmarès*, n° 1 et 2 (1978 et 1979), éd. J. Vuarnet.
— Fiches « Sports », éd. Rencontre S.A., Evreux, Cedex.
— *Encyclopédie des Sports* — J. Dauven, Larousse, Paris 1961.
— Bulletin des Fédérations Françaises de l'ensemble des sports.
— *Les Jeux Olympiques :* Des origines à nos jours. Records, champions, plamarès, Fichefet et Corhumel, Marabout, 1964.

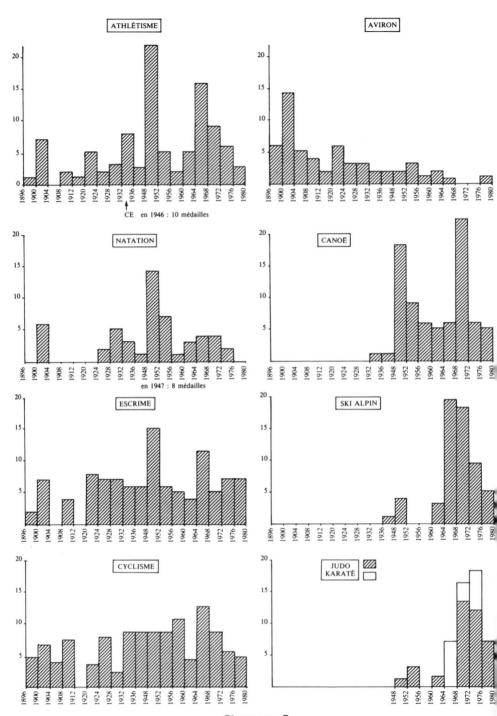

Diagramme F
Cumul des médailles françaises par olympiades (J.O., C.M. et C.E.)
dans quelques sports.

Les subventions ministérielles aux différents sports

Christian Pociello

On pourra confronter la distribution des subventions ministérielles à la « *structure des licenciés* » (L. Herr), aux *probabilités « objectives »* de médailles olympiques par sport (C. Fleuridas), (W. Andreff), au « *système des sports* » (Ch. Pociello), ainsi qu'aux résultats internationaux obtenus récemment par les différentes disciplines sportives.

Tableau I

Sports olympiques	Subventions 1978	Fond national d'aide au sport de haut niveau
Athlétisme..........................	4 312 600	672 000
Natation	2 321 000	640 000
Voile..............................	1 951 800	400 000
Aviron............................	1 754 000	460 000
Gymnastique.......................	1 718 100	560 000
Ski	1 655 100	655 000
Judo..............................	1 496 400	475 000
Basket	1 436 000	285 000
C.N.O.S.F.........................	1 392 500	—
Escrime	1 383 000	420 000
Football..........................	1 356 600	850 000
Handball..........................	1 173 300	430 000
Haltérophilie......................	1 163 400*	260 000
Canoë-kayak.......................	1 118 700	460 000
Volley-ball........................	1 088 200	170 000
Sports de glace....................	1 077 100	453 000
Tir	940 000	330 000
Boxe.............................	831 800*	275 000
Lutte	763 600*	150 000
Hockey	716 000	175 000
Sports équestres...................	694 200	325 000
Tir à l'arc	497 000	50 000
Cyclisme	484 300	260 000
Pentathlon moderne	475 700	90 000

* Subventions en diminution par rapport à 1977.

Tableau II

Sports olympiques	Subventions globales 1979	Subventions globales 1980
Athlétisme.........................	7 555 000	8 721 650
Ski	5 184 000	6 388 100
Voile.............................	4 191 000	6 154 400
Natation	3 882 000	5 380 000
Football..........................	3 455 000	5 460 000
Gymnastique.......................	3 370 000	3 998 600
Aviron...........................	3 162 000	4 468 000
Escrime	3 064 000	4 723 000
Basket-ball	2 876 000	3 623 000
Equitation........................	2 837 000	4 190 900
Judo.............................	2 790 000	3 761 800
Canoë-kayak.......................	2 514 000	3 726 400
Volley-ball........................	2 475 000	3 070 000
Sports de glace....................	2 400 000	3 130 500
Haltérophilie......................	2 376 000	2 895 000
Handball.........................	2 097 000	2 685 000
Tir	2 041 000	2 880 521
Boxe.............................	1 764 000	2 235 400
Cyclisme	1 697 000	2 032 600
Hockey	1 459 000	1 590 000
Lutte	1 315 000	1 863 200
Tir à l'arc........................	851 000	1 235 000

Sources : ministère de la Jeunesse et des Sports.

Remarques sur les tableaux II et IV
Les subventions globales de 1979 et 1980 comprennent :

• Une subvention budgétaire pour le développement des activités physiques dont :
— une subvention reconductible ajustée à la hausse du coût de la vie,
— des actions liées à des demandes conjoncturelles (organisation de compétitions internationales, production de films, etc.).

• Des crédits du fond national pour le développement du sport, dont :
— une partie est versée à la Fédération pour le sport de haut niveau,
— une partie, réservée aux athlètes, transite par la Fédération.
Toute comparaison devant être, pour ces raisons, pondérée.

Tableau III

Sports non olympiques	Subventions 1978	Fond national d'aide au sport de haut niveau
F. Handisport	92 000	
F. Tennis	64 730	140 000
F. Tennis de table	55 960	160 000
F. Etudes et sports sous-marins	37 460	
F. Course d'orientation	29 740	
F. Parachutisme	28 500*	
F. Sports automobiles	26 000	
F. Ski nautique	17 000	
F. Motocyclisme	14 500	
F. Sports au trampoline	14 400	
F. Sauvetage et secourisme	12 000	
F. Pelote basque	11 800	
F. Des sourds de France	11 500*	
F. Boxe française, savate et disciplines associées	9 400	
F. Motonautique	9 130	
F. Jeu à XIII	8 600	
F. Vol libre	7 800	
F. Rugby	7 710	300 000
F. Surf-riding et Skate-board	6 000	
F. Base-ball et Softball	6 000	
F. Karaté et arts martiaux	5 000	
F. Education par le sport des handicapés mentaux	4 500	
F. Char à voile	4 000	
F. Fédération de boules	1 700	
F. Billard	1 500	
F. Pêcheurs en mer	1 500	
F. Sports de quilles	1 200	
F. Longue paume	0 800	
F. Pétanque et jeu provençal	0 560	
F. Ballon au poing	0 560	
F. Joutes et sauvetage nautique	0 500	

* Subvention en diminution par rapport à 1977.

Source : ministère de la Jeunesse et des Sports reprise dans Enault (et coll.), *Le sport en France, bilan et perspectives* Paris, Berger-Levrault, 1979.

Tableau IV

Sports non-olympiques	Subventions globales 1979	Subventions globales 1980
Tennis	2 179 000	1 372 000
Rugby	1 477 000	2 252 000
Parachutisme	1 448 000	1 642 000
Tennis de table....................	1 177 000	1 846 200
Sports automobiles	600 000	286 000
Course d'orientation................	530 000	762 000
Etudes et sports sous-marins.........	475 000	532 000
Trampoline.......................	320 000	297 000
Vol libre	270 000	175 000
Ski nautique......................	240 000	343 000
Pelote basque.....................	235 000	323 000
Motocyclisme	230 000	386 000
Golf	212 000	303 000
Jeu à XIII........................	198 000	380 000
Boxe française, savate et disciplines associées	144 000	198 000
Patinage sur roulettes...............	140 000	449 000
Aéroclub de France.................	130 000	170 000
Motonautisme	110 000	121 000
Badminton	100 000	96 000
Boules	97 000	207 000
Base-ball	90 000	130 000
Surf et skate.....................	90 000	210 000
Karaté et arts martiaux	70 000	104 000
Pétanque et jeu provençal...........	60 000	12 000
Char à voile	60 000	73 000
Billard	60 000	130 000
Vol à voile	60 000	100 000
Quilles..........................	50 000	25 000
Aérostation.......................	30 000	120 000
Longue paume....................	12 000	13 500
Jeu de paume.....................	8 000	10 000
Ballon au poing...................	8 000	10 000
Joutes et sauvetage nautique.........	10 000	12 000

Sources : ministère de la Jeunesse et des Sports.

Pratiques sportives de masse et qualité de l'élite

4

Huit propositions pour commencer une recherche (1)

**J. Dessau, F. Di Ruzza, B. Gerbier,
(I.R.E.P. de Grenoble)**

Les rapports entre *« masse »* et *« élite »*, depuis les années 1960, (à la suite du succès des représentants des pays socialistes dans la confrontation internationale), ont fourni à la littérature et à la politique sportives un de ses thèmes favoris. En simplifiant quelque peu, les discours dominants élaborés à ce sujet reposaient sur une vision que l'on peut résumer ainsi :
• La structure de l'activité sportive peut être assimilée à une pyramide, dont la base est constituée par la masse des pratiquants, et le sommet par l'élite ;
• Il existe une certaine *proportionnalité* entre les dimensions de la base et la hauteur de la pyramide.

Autour de cette image, trois thèses ont été élaborées qui ont donné naissance à des propositions opposées de politique sportive :

Thèse 1 : *Existence d'une relation « mécanique » masse → élite.*
Il faut développer le *« sport de masse »* car plus les pratiquants sont nombreux, plus les chances que s'en dégage une élite de qualité sont fortes.

Thèse 2 : *Existence d'une relation « mécanique » élite → masse.*
Il faut développer le *« sport d'élite »*, car c'est par l'exemple de l'élite, et du fait de sa qualité, qu'une masse de plus en plus grande de la population s'adonnera à une pratique sportive. Il s'agit de la théorie dite *« de la locomotive »*.

Thèse 3 : *Inexistence d'un lien masse/élite.* Cette thèse est au moins implicitement contenue dans la *« politique des commandos »* préconisée par P. Mazeaud, ainsi que dans la politique actuelle de J.-P. Soisson, qui peut déclarer : *« J'avais cru et dit que l'élite sortirait de la masse, mais je m'étais trompé »* (cf. Le Monde du 11 octobre 78). Il faut donc faire porter l'effort essentiel sur l'élite, car la *pratique d'élite* est *par nature différente* de la *pratique de masse.*

Cette manière de considérer les choses constitue une analyse trop simple — ou un constat d'incapacité intéressant à analyser — des rapports entre masse et élite, car elle laisse inexpliquées trop d'observations empiriques aisées : l'escrime donne, en France, l'exemple d'un sport dans lequel l'élite est une des meilleures au niveau international, alors qu'il ne concerne qu'un petit nombre de

(1) Voir *« L'influence de l'économie sur une pratique ».*

participants. A l'inverse, le handball par exemple peut être considéré comme un « *sport de masse* », même si son « *élite* » n'obtient que de médiocres résultats au niveau international. Le football, sport de masse par excellence en France, voit les performances de son élite fluctuer très largement entre le bien et le pire sans que sa base n'évolue beaucoup.

C'est donc cette question difficile que notre équipe se propose d'aborder en commençant une étude détaillée — et de longue haleine — sur les rapports entre « masse » et « élite ». L'expérience acquise dans nos études « sport par sport » montre :

• *qu'il existe des rapports entre masse et élite ;*
• *que ces rapports sont complexes et multiformes.*

Nous disposons ainsi d'un point de départ que nous soumettons à la critique et à la réflexion de tous ceux qui entendent progresser dans la compréhension des pratiques sportives comme phénomène social. Nous le faisons volontairement sous la forme « comprimée » de huit propositions sèches. Nous demandons seulement que l'on nous fasse le crédit de ne pas les avoir posées « gratuitement ».

Nous sommes également conscients qu'elles n'épuisent pas la question, et que certaines d'entre elles peuvent apparaître triviales. Mais cette façon de procéder peut présenter l'avantage de susciter des réactions qui n'auraient peut-être pas vu le jour si nous avions commencé par justifier, illustrer et commenter chacune d'entre elles.

• *Proposition 1.* Il n'y a pas de relations *mécaniques globales* entre la masse des sportifs et l'élite ; seule a un sens l'analyse au niveau de chaque sport.

• *Proposition 2.* Chaque sport est spécifié, entre autre, par les **catégories socioprofessionnelles** des agents qui le pratiquent (en compétition ou non).

• *Proposition 3.* Chaque sport confère à son élite un **statut social** et **symbolique** particulier (économique, idéologique, voire politique).

• *Proposition 4.* Dans chaque sport, il convient de distinguer la masse des **pratiquants,** la masse des **compétiteurs** et **l'élite.**

• *Proposition 5.* Au niveau de chaque sport, il n'y a aucune relation mécanique entre l'ampleur de la masse des pratiquants et la qualité de l'élite.

• *Proposition 6.* La question essentielle des rapports masse/élite se situe au niveau du passage **compétiteurs → élite.**

• *Proposition 7.* Dans chaque sport, la cohorte des pratiquants de compétition ne peut donner naissance à une élite de qualité que si le **statut social de cette élite** correspond à l'idéologie des catégories socioprofessionnelles qui le pratiquent.

• *Proposition 8.* Dans chaque sport, l'élite ne peut contribuer au développement de la masse des pratiquants (en compétition ou non) que si cela correspond à des intérêts extra-sportifs (souvent économiques, mais aussi politiques ou idéologiques).

3. Influence de l'économie sur les pratiques

Les inégalités entre disciplines sportives : une approche économique

1

Wladimir Andreff

Les économistes s'intéressent beaucoup aujourd'hui, au domaine du sport. Née tout récemment en France (1) cette réflexion économique sur le sport est déjà largement engagée dans plusieurs pays étrangers (Etats-Unis, Italie, Allemagne, etc.). Il n'y a pas lieu de s'en étonner si l'on perçoit l'influence grandissante que l'économie exerce sur le phénomène, en France. C'est dire l'importance de l'évaluation de son poids (12). Les problèmes de financement, budgétaire ou non, du sport (2, 7, 12, 13), l'efficacité économique de l'éducation physique (10), les relations entre l'industrie et le sport (1, 10, 14, 16), la gestion des clubs sportifs (3, 4), la rémunération et la mobilité professionnelle des athlètes salariés sur le marché du travail sportif (8, 9). Après avoir fait l'objet d'importants rapports officiels (6, 18), les aspects économiques de l'activité sportive entrent aujourd'hui dans les programmes de l'enseignement universitaire (1). La connaissance économique du monde sportif progresse. Néanmoins, un thème demeure encore peu étudié, celui du développement inégal entre les différentes disciplines sportives. Il s'agirait là de fournir une réponse à des questions telles que, par exemple : « pourquoi le football attire-t-il plus de pratiquants, de spectateurs et d'argent que tel autre sport ? ».

La réticence des économistes à aborder des questions de cette nature se justifie sans doute par le fait que les inégalités entre disciplines sportives ne peuvent être expliquées exclusivement à l'aide de facteurs économiques ; et la recherche sur ce terrain doit être divisée entre économistes, sociologues, psychologues et historiens. Pour autant, il ne semble pas qu'une explication satisfaisante de ces inégalités puisse être produite sans tenir compte de la pénétration croissante de la sphère sportive par des liaisons économiques et financières.

---

(1) Une bibliographie sommaire figure à la fin de l'article, à laquelle renvoient les chiffres entre parenthèses du texte.

La croissance inégale des disciplines sportives (2)

Avant de proposer une explication économique du développement inégal des sports, il faut tenter d'en mesurer l'ampleur. Déjà les premières difficultés apparaissent, puisque les séries statistiques disponibles les plus complètes portent sur le nombre de licenciés par fédérations sportives, et non sur les dépenses annuelles globales, privées et publiques, engagées en faveur de chaque discipline. L'évolution du nombre de licenciés, pour les quelques sports que nous avons retenus, présente une première image du phénomène étudié *(voir tableau 1)*. Parmi les sports olympiques, on observe une croissance très supérieure à la moyenne pour la *voile,* le *ski* et le *judo,* les deux premières disciplines progressant très rapidement avant 1963, la troisième surtout entre 1963 et 1975. D'autres sports stagnent, quant à leur poids relatif dans le total des licenciés, ou même régressent légèrement tels que la *natation,* le *basket-ball* et le *volley-ball.* Dans un troisième groupe, les disciplines sportives voient leur part dans l'effectif total diminuer nettement, comme l'*athlétisme,* le *football* et la *gymnastique,* et certains sports connaissent même un déclin absolu avant 1963 : l'*aviron,* la *boxe* et le *cyclisme.*

La croissance est aussi inégale dans les disciplines non olympiques, bien que nous n'ayons pu l'évaluer qu'entre 1972 et 1976 ; la part des pratiquants licenciés dans le total s'accroît pour le *cyclotourisme,* la *gymnastique volontaire* et le *tennis,* elle stagne pour le *tennis de table,* elle diminue pour le *sport automobile* et surtout le *rugby* au sujet duquel on note une baisse absolue (— 24,6 %) du nombre des licenciés. A long terme comme à court terme, dans les disciplines olympiques et non olympiques, *le développement inégal de la pratique sportive sous licence est la règle.*

Il est certain cependant que le nombre de licenciés n'est pas le meilleur indicateur du degré de pratique de chaque sport, puisqu'il existe des pratiques non « institutionalisées », bien des individus s'adonnant au sport sans signer préalablement une licence. Mais le **taux d'affiliation,** rapport entre le nombre de licenciés et le nombre de pratiquants réguliers de chaque discipline, n'est pas connu de façon continue. On sait seulement qu'il varie d'une discipline à l'autre. Ainsi, une enquête de l'I.N.S.E.E. a révélé qu'en 1966-1968, ces taux s'échelonnaient entre 0,04 pour la natation, 0,11 pour l'athlétisme, ... et 0,78 pour le judo et 1,08 pour le ski. La prise en compte de ces taux dans l'analyse modifierait certainement le poids relatif de chaque sport dans le total des pratiquants ; par contre, elle ne changerait guère l'image des *écarts de croissance* entre les disciplines, car les taux d'affiliation sont relativement stables dans le temps (et de toute façon non évalués régulièrement).

---

(2) Nous n'examinons ici que la croissance de la *pratique* sportive, alors qu'une étude plus générale devrait aussi prendre en compte l'évolution du *spectacle* sportif et les relations entre la croissance de la pratique et celle du spectacle. Une recherche est en cours sur le développement du spectacle sportif, et ses causes économiques, dont nous communiquerons les résultats lors d'un Colloque organisé à Limoges en mai 1980 sous le titre « Le prix du spectacle sportif ».

Tableau 1

Mesure de la croissance inégale entre les disciplines sportives

Disciplines olympiques	Part dans le total des licenciés	Accroissement des effectifs		Part dans le total des licenciés	Crédits ministériels aux fédérations (en %)		
Nombre de licenciés	en 1949 (%)	en 1949-1963	en 1963-1976	en 1976 (%)	1976	1977	1978
Athlétisme	4,0	+ 46,3	+ 71,9	2,9	11,4	17,7	14,2
Aviron	1,0	− 8,4	+ 56,7	0,4	6,5	6,2	5,8
Basket-ball....	10,9	+ 8,1	+ 132,1	7,8	5,0	5,7	4,7
Boxe	1,7	− 54,3	+ 79,8	0,4	2,7	3,2	2,7
Cyclisme......	6,0	− 28,3	+ 64,3	2,0	1,6	0,8	1,6
Football	50,0	+ 0,7	+ 153,0	36,4	2,5	3,2	4,5
Gymnastique ..	5,3	+ 12,3	+ 58,7	2,7	6,4	5,9	5,7
Judo	1,6	+ 280,3	+ 483,1	10,3	4,6	5,1	4,9
Natation......	3,7	+ 19,1	+ 92,4	2,4	7,1	8,1	7,6
Ski..........	5,1	+ 481,2	+ 114,3	18,3	5,7	6,1	5,4
Voile........	0,3	+ 654,2	+ 263,8	2,7	5,6	6,1	6,4
Volley-ball	2,2	+ 30,5	+ 111,0	1,7	3,7	3,8	3,6
Tous sports olympiques .	100	+ 36,8	+ 155,6	100	100	100	100
Disciplines non olympiques	Part dans le total des licenciés	Accroissement des effectifs		Part dans le total des licenciés	Crédits ministériels aux fédérations (en %)		
	en 1972 (%)	en 1972-1976		en 1976 (%)	1976	1977	1978
Cyclotourisme.	1,2	+ 191,3		2,7	2,5	2,9	4,4
Gymnastique volontaire...	5,2	+ 136,1		9,0	2,2	2,5	5,5
Rugby........	7,6	− 24,6		4,2	3,2	1,2	1,5
Sport automob.	2,0	− 19,4		1,2	5,5	5,4	5,1
Tennis........	19,1	+ 69,3		23,9	11,3	10,5	12,6
Tennis de table	4,1	+ 29,4		4,0	8,9	8,4	10,9
Tous sports non olympiques .	100	+ 35,0		100	100	100	100

Un économiste naïf commencerait par rechercher une explication de ces écarts de croissance dans les moyens financiers mis à la disposition de chaque discipline, et en premier lieu, dans les crédits ministériels affectés aux diverses fédérations. Il supposerait ainsi que les aspects budgétaires de la politique sportive de l'Etat déterminent le développement inégal entre les sports. Cet argument n'est pas incorrect mais, on va le voir, il reste limité. En effet, on constate (tableau 1) que la proportion de crédits reçus par chaque fédération est le plus souvent différente de la proportion que cette fédération représente dans le nombre total des licenciés. Ainsi, en 1976, **l'athlétisme, l'aviron, la boxe, la gymnastique, la natation,** et à un moindre degré le **sport automobile, le volley-ball** et la **voile** reçoivent une part des crédits ministériels supérieure à leur part dans le total des licenciés. En revanche, sur le même critère, le cyclisme, le judo, le cyclotourisme, le ski, le rugby et surtout la gymnastique volontaire et le football paraissent désavantagés. Ce phénomène est encore mieux mis en évidence en calculant pour 1976, le montant de crédits par tête (de licencié) accordés aux sports que nous avons retenus :

Aviron.	141,40 F	Tennis de table	6,76 F
Boxe	58,92 F	Basket-ball	5,75 F
Athlétisme	35,43 F	Judo	4,03 F
Natation	26,18 F	Cyclotourisme .	2,84 F
Gymnastique . .	21,06 F	Ski	2,83 F
Volley-ball	19,67 F	Rugby	2,25 F
Voile	18,63 F	Tennis	1,42 F
Sport auto. . . .	14,03 F	Gymn. volont.	0,73 F
Cyclisme	7,29 F	Football	0,62 F

Pour l'ensemble des sports, (olympiques ou non), le montant moyen est de 6,93 F par licencié. On peut en tirer les conclusions suivantes. De manière générale les sports olympiques obtiennent de plus forts crédits par tête que les disciplines non olympiques ; les premiers reçoivent 85 % des crédits ministériels et le montant des crédits par tête pour l'ensemble des sports olympiques est de 8,95 F ; les sports non olympiques n'obtiennent que 3,00 F par tête (15 % des crédits). Notons encore que les disciplines où un grand nombre de médailles sont distribuées aux Jeux Olympiques (athlétisme, natation, gymnastique, aviron) sont parmi les plus favorisées. Toutefois, il faut y voir davantage un choix de la politique étatique qu'une cause profonde du développement inégal des sports ; on voit notamment que l'aviron qui reçoit 141,40 F par licencié, ne représente que 0,4 % des licenciés, et le football avec 0,62 F fédère 36,4 % de tous les licenciés français. Les sports en déclin relatif (aviron, boxe, athlétisme, gymnastique) obtiennent plus de crédits par tête que les sports en expansion (judo, tennis, gymnastique volontaire). On doit voir là que la politique d'Etat cherche plutôt à compenser les effets du développement inégal qu'à provoquer les inégalités de croissance que nous avons enregistrées.

On remarquera enfin que les disciplines bénéficiant le moins de la manne ministérielle sont celles qui réunissent par ailleurs le plus de fonds municipaux et privés ; ainsi en va-t-il du football (15), du rugby (5), du ski (10), du basket-ball (3), du tennis et du cyclisme. Se cantonner aux crédits d'Etat pour expliquer les causes économiques des inégalités entre sports est donc insuffisant. Même si l'on tenait compte des crédits déconcentrés, des aides diverses et des subventions du Fonds National de Haut Niveau (crédits extra-budgétaires) créé en 1978, les conclusions resteraient inchangées. En 1978, les subventions de ce Fonds allaient pour 9,4 % à l'athlétisme, 8,4 % au football, 6,6 % à la natation..., 2,8 % au cyclisme et 1,9 % au volley-ball.

La répartition des crédits budgétaires et extra-budgétaires entre les disciplines sportives ne paraît donc pas être un facteur déterminant de la croissance inégale de la pratique sportive. La politique de l'Etat, à l'aide de ces crédits, vise plutôt à réduire ces inégalités à deux exceptions près : elle soutient davantage les sports olympiques, surtout les plus « médaillés » aux J.O., et elle délaisse relativement les disciplines qui bénéficient de larges crédits municipaux ou de financements privés (c'est-à-dire des sports **où le spectacle a une grande importance**). Il faut chercher ailleurs les causes économiques du développement inégal, en longue période, entre les sports.

La demande de pratique sportive

A la question de savoir pourquoi une activité croît rapidement ou lentement, beaucoup d'économistes répondent que cette croissance dépend de la demande adressée au produit de cette activité. Transposé à notre problème, ceci revient à dire que le développement inégal des sports est dû au fait qu'il y a une plus forte demande pour tel sport que pour tel autre. Or, la demande (ici de pratique sportive) peut être divisée en une demande satisfaite et une demande potentielle non satisfaite. Dans notre cas, les licenciés sportifs sont des demandeurs de sport satisfaits, les pratiquants non licenciés satisfont leur demande eux-mêmes hors des institutions (associations) existantes ; il y a enfin ceux qui souhaiteraient pratiquer un sport mais ne peuvent le faire ; c'est la demande potentielle non satisfaite. En s'interrogeant sur les raisons qui empêchent la demande potentielle de devenir effective et, à un moindre degré, sur ce qui empêche des pratiquants de devenir des licenciés, on met en lumière les facteurs expliquant la demande de pratique sportive dans chaque discipline et, donc, une cause profonde de leur développement inégal.

Un premier obstacle peut s'opposer à la pratique sportive : il s'agit du *prix d'accès* à cette pratique, ce que l'individu doit payer pour devenir pratiquant. Ce prix est extrêmement différent selon les disciplines sportives. Ainsi, d'après le rapport Crespin (annexe 16) : « un jeune homme qui veut pratiquer le football doit avoir des équipements d'une valeur de près de 250,00 F ». Si cette pratique se fait dans un club, il doit souscrire une licence dont le prix était, en 1976, de 6,50 F pour le pupille jusqu'à 17,50 F pour le senior. Une fois licencié, l'accès au stade est gratuit. Le football apparaît comme un sport dont le prix reste modéré, ce qui explique que la demande satisfaite soit importante (1 123 106 licenciés en 1976). Cela ne signifie pas que la demande potentielle soit nulle, certains jeunes notamment, ne pouvant avancer les 250,00 F nécessaires ; cette demande potentielle serait quasiment nulle si le prix était nul, c'est-à-dire si les équipements étaient gratuits ; alors toute la demande serait satisfaite. Le même raisonnement s'applique à d'autres sports collectifs (basket, volley, rugby, handball) ou individuels (athlétisme, boxe, judo, natation, etc.). Néanmoins, tous ces sports n'ont pas des effectifs aussi nombreux que le football, ce qui prouve que l'explication par le prix est juste, mais partielle.

Viennent ensuite des sports dont le prix est plus élevé. Ce prix découle soit d'un équipement plus complexe (raquettes de tennis, skis, escrime, tir ; hockey sur glace, etc.), soit du fait que l'accès au lieu de la pratique sportive n'est pas gratuit une fois la licence acquittée (courts de tennis, remonte-pentes, patinoires, etc.), soit que l'inscription dans un club est très coûteuse : ce fut le cas des sports réservés à « l'élite sociale », et c'est encore le cas des clubs visant les couches aisées de la population dans certains sports comme le tennis ou le golf. Cependant, la hausse du niveau de vie moyen et les efforts entrepris pour démocratiser plusieurs de ces disciplines, par le biais de systèmes d'abonnements, de locations et de tickets de groupe et par l'aménagement de nouveaux lieux de pratique, ont eu pour effet une croissance très rapide, entre 1949 et 1976, des disciplines telles que le ski et le tennis. La baisse du prix relatif de ces sports a entraîné la croissance de la pratique.

Un dernier groupe de disciplines connaît un prix conduisant à exclure la grande masse des pratiquants potentiels. Il en est ainsi lorsqu'à l'achat d'un équipement individuel et d'une licence s'ajoute celui d'un engin (automobilisme, motonautisme, vol libre) ou d'un animal (équitation), ainsi que des frais d'entretien permanents. Longtemps instrument de discrimination sociale, ces sports n'attirent aujourd'hui encore que peu de pratiquants, à l'exception de l'équitation grâce au recours à la location.

Le prix de la pratique sportive différencie donc les disciplines quant à leur croissance, mais n'explique qu'une partie du phénomène, en raison des diverses exceptions que nous avons pu noter. Et ceci parce que la demande de pratique sportive ne dépend pas seulement du prix ; elle est aussi fonction de facteurs *qualitatifs*. Au nombre de ceux-ci, il faut compter l'existence de clubs plus ou moins nombreux, d'installations sportives, d'un encadrement des pratiquants, et de leur localisation. Sans trop insister, car chaque point mériterait une étude particulière, on peut mentionner les éléments suivants : en 1976, il n'y avait en France que 14 clubs de base-ball, 36 de motonautisme, 48 de vol libre, 118 de hockey, 129 de golf, à comparer aux 17 599 clubs de football, aux 9 220 clubs de boules de pétanque, 4 037 de basket-ball, 3 779 de judo et 3 000 de tennis. Il est clair qu'en France il est plus probable qu'un individu voit sa demande de football satisfaite plutôt que sa demande de base-ball, de vol libre ou de golf. De même, il existait en France, en 1976, 13 347 terrains grands jeux, 7 258 courts de tennis en plein air (et 245 couverts), 6 387 terrains de basket-ball, contre 80 terrains de golf, 98 patinoires, 118 salles de boxe et 2 687 piscines (dont 591 couvertes). La localisation enfin a son importance. L'essentiel des clubs et des licenciés en rugby se trouvent dans le Sud-Ouest, pour le cyclisme dans l'Ouest, pour le ski dans le Sud-Est et les Pyrénées, pour la voile sur les littoraux. La demande de rugby dans le Pas-de-Calais est aussi difficile à satisfaire que la demande de ski dans le Finistère.

Un dernier facteur, que bien des économistes oublient, est qu'une demande peut toujours être *conditionnée*. Conditionner une demande consiste à faire naître, à l'aide de moyens économiques, chez le plus grand nombre d'individus possible, le désir d'obtenir un produit ou un service (ici la pratique sportive). Ni les fédérations, ni les municipalités n'ont les moyens financiers qui leur permettraient un tel conditionnement ; il n'est d'ailleurs pas dans leurs objectifs. Le ministère des Sports peut lancer des campagnes de promotion sur le thème « faites du sport » ; mais on le voit mal lancer une action du type « faites de l'athlétisme » sans s'attirer la colère de toutes les fédérations autres que la F.F.A. Au mieux peut-il patronner ou susciter des manifestations sportives favorables au développement d'un sport nouveau ; tel est le cas aujourd'hui des marathons pédestres en pleine ville répondant à la montée du « jogging » en France. Alors qui peut conditionner la demande de sport ? A l'évidence le secteur privé. En effet, les firmes privées cherchent à conditionner les consommateurs de leurs produits par la publicité. Mais lorsqu'elles choisissent le sport comme support publicitaire, elles conditionnent indirectement la demande de sport. Quand on voit à la télévision Michel Platini frapper dans un ballon puis boire un Evian fruité, la firme B.S.N.-Gervais-Danone (qui contrôle Evian) escompte bien voir augmenter ses ventes de jus de fruits. Elle induit du même coup dans l'esprit des téléspectateurs, surtout des plus jeunes, un désir de boire de l'Evian fruité... et de jouer au football ; elle crée une demande de pratique sportive, pas n'importe laquelle : une demande de pratique du football et non d'une autre discipline. Il n'est pas alors besoin de souligner que ce facteur favorise la pratique de sports qui, par ailleurs, sont d'importants sports-spectacles (ils doivent l'être pour fournir un bon support publicitaire). Que l'on demande au lecteur s'il a jamais vu une rencontre de base-ball ou de ballon au poing à la télévision ou dans les colonnes du journal « L'Equipe » ; que l'on pose la même question pour le football ; et que l'on observe qu'il y a en France 412 licenciés en base-ball, 602 en ballon au poing et plus d'un million en football. La pénétration du sport par les firmes privées, à des fins publicitaires, détermine donc indirectement le développement inégal des pratiques sportives. C'est aussi en ce point précis que l'on voit combien l'approche économique doit s'intégrer à une analyse plus vaste, sociologique sur le rôle des média, et historique pour savoir comment la demande de sport était suscitée lorsque le prix des équipements et des licences était quasiment nul, lorsque la pratique se faisait sans installations sportives, en pleine nature, et lorsque les moyens de conditionnement de la demande étaient plus réduits. On s'apercevrait alors qu'il est au moins trois origines historiques à la naissance d'une demande de pratique sportive. Tantôt, il s'agit d'une demande de pratique pour elle-même, à des fins **éducatives** (le football - rugby dans les collèges anglais), à des fins hygiéniques (la gymnastique en Suède et en Allemagne) ou militaires (tir, équitation, etc). Tantôt la demande de pratique est dérivée d'une **demande de spectacle** : par exemple le développement de la boxe moderne au XVIIIᵉ siècle en Angleterre doit beaucoup aux paris pris sur les combats et au caractère spectaculaire qui s'ensuivait, ce qui conduisit la noblesse à fonder une académie de boxe ; cette discipline conserve des traits spécifiques à son origine : peu de pratiquants relativement au nombre de spectateurs, des pratiquants issus principalement des classes populaires et une large fraction de spectateurs appartenant aux classes aisées. La dernière origine est **technologique** : l'invention d'un nouveau moyen de locomotion a souvent donné lieu à une nouvelle discipline sportive. Le cyclisme est un cas d'espèce, et le grand nombre d'agriculteurs et de postiers dans les pelotons traduit encore aujourd'hui ce passage du moyen de locomotion utilitaire au rang d'article de sport.

L'influence de la technologie industrielle sur les disciplines sportives

Depuis l'époque de la Grèce antique et jusqu'au XIXᵉ siècle, la boxe se pratiquait armée de cestes ou à poings nus, avec les conséquences que l'on imagine. Toutefois, les progrès dans le travail du cuir avaient permis, dès le XVIIIᵉ siècle (début de la Révolution française), de doter les boxeurs de gants adéquats. Utilisés seulement à l'entraînement, les gants devinrent obligatoires dans les combats en Angleterre en 1891. Ce premier exemple montre déjà que l'évolution de la technologie, en introduisant l'usage d'un nouveau produit dans le sport, influence la pratique de la discipline considérée, les règlements en vigueur dans cette discipline et, probablement (bien qu'indirectement), le nombre des pratiquants. L'utilisation obligatoire des gants n'est peut-être pas sans rapport avec le rapide développement de la boxe, entre la fin du XIXᵉ siècle et la seconde guerre mondiale. A la limite, toutes les disciplines sportives ont été influencées dans leur pratique, parfois dans leurs règlements par les progrès de la technologie. Il convient toutefois de distinguer les situations où la technologie reste sans doute sans effet sur le nombre des pratiquants et celles où cet effet est indubitable.

Le remplacement des perches en bambou et en dural par des perches en fibre de verre a influencé la pratique des sauteurs à la perche ; il est peu probable que cette modification ait fait croître ou diminuer le nombre des perchistes. Les mêmes conclusions s'imposent pour les chaussures de tennis dont les semelles comportent un coussin d'air. Par contre, dans le cas des terrains de football, l'apparition de revêtements synthétiques, à côté des terrains en gazon ou en terre battue, a eu probablement un effet sur le nombre des pratiquants dans certains pays (pays arabes, Etats-Unis, Canada).

D'autres innovations conduisent à réviser les règlements de disciplines sportives. La combinaison d'une seule pièce, laissant peu de prise au vent, a été autorisée dans les étapes contre la montre des grandes courses cyclistes. En revanche, le skieur canadien Ken Read s'est vu disqualifié à Morzine l'an dernier pour s'être vêtu d'une combinaison trop aérodynamique, non conforme au règlement. Sur ce point, le règlement des épreuves cyclistes professionnelles semble s'être adapté plus vite aux nouveaux produits que le règlement du ski alpin.

Il est d'autres technologies qui jouent directement sur le nombre de pratiquants du sport. Sans l'invention de la bicyclette, pas de sport cycliste, sans celle de l'automobile, pas de sport automobile. On peut pousser le raisonnement plus loin. Personne ne peut devenir pilote de course automobile sans avoir des connaissances techniques (en mécanique) suffisantes ; la même remarque vaut pour les pilotes en vol libre, et à un moindre degré pour la voile et le motonautisme. A un prix élevé s'ajoute la nécessité d'une qualification technique du pratiquant comme difficulté d'accès à ce genre de discipline. De façon générale, les sports à technicité importante exigent un plus grand effort d'initiation du pratiquant. Le degré de technicité d'une discipline s'oppose donc à une croissance quantitative très rapide de la pratique sportive. Certes, ce facteur peut être plus que compensé par d'autres éléments : ainsi on peut encore devenir un joueur de football ou de rugby sans prendre de *leçons*, ce que l'on envisage plus difficilement pour le ski ou le tennis ; mais pour ces dernières disciplines, les obstacles tenant à l'initiation sont largement compensés par la baisse du prix relatif, l'accroissement des installations disponibles et le conditionnement de la demande. Dans d'autres situations, la technologie progresse dans le sens d'une augmentation du nombre des pratiquants. Quel cycliste voudrait aujourd'hui s'engager dans une compétition avec la bicyclette qui conduisit Maurice Garin à la victoire en 1903 ? Quelle aurait été l'expansion du cyclotourisme sans la foule d'améliorations, en particulier l'invention du dérailleur, qui permet aux pratiquants de s'adapter plus aisément aux caprices du relief ? De même, la création de skis compacts, susceptibles de rendre l'apprentissage du néophyte plus facile et moins douloureux, favorise la croissance de la pratique du ski par le plus grand nombre.

L'évolution de la technologie doit donc être prise en compte en tant que cause importante de la croissance inégale des disciplines sportives. D'autant plus que le recours aux produits de la technologie dans le sport a encore deux effets non négligeables : elle modifie les coûts de la pratique sportive et surtout elle implique directement une cohorte croissante de firmes industrielles dans le développement du sport. C'est ce que nous allons exposer sommairement (3).

---

(3) La pénétration de l'industrie capitaliste dans la sphère sportive mériterait, à elle seule, une vaste étude, que nous avons entreprise par ailleurs sur le thème : « La compétition économique dans les industries liées au sport » (ouvrage en cours de rédaction). Une démarche semblable, fort réussie, a été appliquée au seul cas du ski dans l'ouvrage cité en référence (10).

Les débuts de l'utilisation commerciale des victoires et des performances sportives (1892).
Affiche d'Albert Guillaume. Collection Musée du Sport.

La différenciation capitaliste des disciplines sportives

On fabrique aujourd'hui encore quelques ballons de football cousus à la main, il existe une production artisanale de « boyaux pour vélo de course » et des artisans montent encore des bicyclettes sur mesure. Cependant, la fabrication des ballons a, pour l'essentiel, abandonné sa forme artisanale, d'abord pour une production en « putting out system » (4), puis pour une fabrication entièrement mécanisée. Les petits « boyauteurs » sont voués à disparaître face à la concurrence des pneus de course industriels, surtout ceux fabriqués à faible coût en Malaisie. Quant à la grande majorité des bicyclettes de compétition, elles font l'objet d'une production standardisée à tel point que l'on a vu apparaître depuis quelques années des vélos livrés dans une boîte en pièces détachées, comme un jeu de Meccano, que l'acheteur « s'amusera » à monter lui-même (« kit »). Quelle est à chaque fois la logique de cette évolution des techniques de production ? A l'évidence, la logique capitaliste de rentabilisation de la production grâce à l'abaissement des coûts, ce que facilite la production de masse en série. Production de masse qui peut être illustrée à l'aide des faits suivants : Adidas a produit et vendu, en 1975, 10 millions de paires de chaussures, 800 000 survêtements, 400 000 vêtements de sport, 600 000 sacs et 300 000 ballons ; l'industrie française du cycle a vendu, pendant les cinq premiers mois de 1978, 990 000 bicyclettes, dont 262 000 pour Peugeot et 216 000 pour Motobécane ; Rossignol a une capacité de production de plus de 1,5 millions de paires de skis par an, contre 1,2 millions à son principal concurrent autrichien Fischer ; Trappeur a vendu 90 000 paires de chaussures de ski en 1978. Cette production en grande série peut avoir deux effets favorables sur le développement de la pratique sportive : l'amélioration des techniques permet souvent l'abaissement ou la stabilisation des coûts de production d'où découle la stabilisation des prix ou la diversification des produits. Le pratiquant potentiel se trouve devant des articles de sport dont le prix relatif n'augmente pas et peut choisir parmi une gamme plus vaste d'articles (5), soit deux facteurs incitant à la pratique du sport qui utilise ce type d'articles. On voit bien alors que le fonctionnement normal de l'industrie capitaliste est une cause importante du développement inégal des disciplines sportives, puisque **toutes ne sont pas également pénétrées par les produits industriels** et par l'impulsion des firmes. La

---

(4) Dans ce système, qui est la première forme historique de la production capitaliste, appliqué à la fabrication des ballons, une firme produit la vessie et les morceaux de cuir à assembler. Ceux-ci sont livrés à un travailleur à domicile qui procède à l'assemblage et à la couture ; la rémunération se fait à la pièce. La firme récupère les ballons cousus et se charge de leur commercialisation.
(5) Et ceci même si certaines firmes jouent sur la diversification de leur gamme pour « déguiser » des hausses de prix. Il s'ensuit alors une augmentation du profit des firmes, surtout si une publicité bien organisée laisse croire aux acheteurs que le produit diversifié, plus coûteux, est de meilleure qualité.

croissance rapide du ski n'est pas étrangère à la dynamique d'expansion de Rossignol **(10)**. Celle du tennis s'accélère depuis que des firmes comme Head (U.S.A.), Yamaha, les autrichiens Fischer et Kneissl, et enfin Donnay et Rossignol, ont diversifié leurs gammes vers la production de raquettes de tennis. La montée du cyclotourisme doit sans doute quelque chose au vélo standardisé. Les firmes de l'industrie du cycle et de l'automobile (Peugeot, Renault, Gitane, Motobécane, Fiat) repoussent chaque année la crise du cyclisme professionnel. Aux Etats-Unis des firmes industrielles ont carrément créé de toutes pièces, avec leurs produits, de nouvelles pratiques sportives telles que le « freesby » et le « roller-skating ». Par contre, les sports où l'industrie a moins de prise directe (rubgy, athlétisme), ou bien où la technologie évolue moins (gants de boxe) se rangent dans les disciplines en moindre expansion.

Il y aurait encore à analyser les effets sur la pratique sportive du **mécénat industriel** ou du « sponsoring » qui se développe dans certains sports. Outre que l'on rejoindrait ici des arguments proches de ceux que nous avons avancés pour le conditionnement de la pratique sportive par la publicité, on ne pourrait plus conserver la distinction, retenue dans cet article, entre pratique et spectacle sportifs. Signalons que le mécénat et le « sponsoring » de clubs ou d'épreuves sportives attirent de nombreuses industries de l'alimentation (entre autres Kas, Pernod, Miko, Molteni, Perrier, Evian, etc..., aux Etats-Unis, Hart Ski a été absorbé par le conglomérat Beatrice Foods, de l'industrie pharmaceutique (Aspro, Urgo, Derma-Spray, etc.), de la presse parlée (R.T.L. — Paris S.G., Nantes — Europe 1, etc.) et écrite (le cross du Figaro, le Tour de France de l'Equipe et du Parisien Libéré, etc.) et même la banque (la B.N.P. est la « banque du Tour de France » depuis 20 ans). Mais au travers du « sponsoring », l'industrie a une action extrêmement médiatisée sur le développement des disciplines sportives, cette influence passant par des liaisons complexes existant entre le spectacle sportif et la pratique de chaque discipline. On ne pourrait la déceler sans une étude spécialisée de ces liaisons complexes. On conclura donc que de nombreux facteurs économiques déterminent le développement inégal des disciplines sportives, même s'il faut considérer par ailleurs des facteurs historiques, socioculturels et psychologiques. Nous avons recensé : le budget des sports, les budgets municipaux, le prix d'accès à chaque sport, les installations sportives, la publicité prenant une discipline sportive comme support, l'évolution de la technologie applicable à la production des articles de sport, la pénétration, sous diverses formes, des firmes capitalistes dans la promotion des disciplines sportives qui ouvrent des débouchés à leurs produits. Pour être la plus diffuse, cette dernière cause n'en est pas pourtant la moins influente. Et, en paraphrasant un dicton bien connu des économistes, on peut dire que « ce qui est bon pour Rossignol est bon pour le ski » ou « ce qui est bon pour Adidas est bon pour le football ».

Bibliographie sommaire en économie du sport

1. Andreff (W.), *Aspects économiques des relations sportives*, Cours de Maîtrise A.E.S., Faculté de droit et des Sciences Economiques de Limoges, 1979.
2. Andreff (W.), Rapport de la Commission économique et financière, IIIe Séminaire organisé par le Syndicat National des Médecins du sport, *Cinésiologie*, n° 71, mars 1979.
3. Andreff (W.), *La gestion de l'association sportive*, Centre de Droit et d'Economie du Sport de l'Université de Limoges, 1979 (rapport pour le C.N.O.S.F.).
4. Andreff (W.), La gestion de l'association sportive. Sports et Sciences, Paris, Vigot, 1980.
5. Bourg (J.-F.), *Comptabilité et gestion d'un club de rugby*, Rapport de Maîtrise A.E.S., Faculté de Limoges, 1979.
6. Crespin (M.), Les différents aspects d'une politique de développement des activités sportives, sur le plan des loisirs, de l'éducation et de la compétition. Rapport du Conseil Economique et Social, *Journal Officiel*, 18 janvier 1978.
7. Enault (G.), Vanderchmitt (G.), Lorin (A.), Enguehard (J.L.), *Le sport en France. Bilan et perspectives*, Berger-Levrault, 1979.
8. Fouques (P.), *Le marché du travail sportif*, thèse de doctorat en Sciences Economiques, Université de Paris X, 1978.
9. Georges (P.), *Champions à vendre*, Calmann-Lévy, 1974.
10. Gerbier (B.), Di Ruzza (F.), *Ski en crise*, Presses Universitaires de Grenoble, 1977.
11. Hermant (P.), *L'impact de l'éducation physique et du sport sur le taux de rendement du capital humain*, Mémoire de D.E.S., Université de Paris I, 1973.
12. Katz (P.), Jouanen (M.), *Le sport et l'argent*, Authier, 1972.
13. Lenclos (J.-L.), La fiscalité des associations sportives. Sports et Sciences, Paris, Vigot, 1980.
14. Malenfant-Dauriac (C.), *L'économie du sport en France. Un compte satellite du sport*, Cujas, 1977.
15. Nys (J.-F.) *Analyse des subventions municipales aux clubs sportifs. Le cas du football en France*, thèse complémentaire de Sciences Economiques, Université de Limoges, 1979.
16. Paulmier (B.), Calmann N., *L'industrie des articles de sport*, Mémoire de D.E.A., Université de Paris I ; 1979.
17. Reysset (P.), *Le cyclisme professionnel*, Mémoire de D.E.A., Université de Paris I, 1977.
18. Seguin (P.), Rapport sur certaines difficultés actuelles du football français, février 1973.

Une bibliographie plus complète et les ouvrages correspondants sont disponibles au centre de droit et d'économie du sport de l'université de Limoges).

Pratiques sportives et enjeux économiques

2

I.R.E.P. de Grenoble

La plupart des discours sur le sport, donnent à croire en sa nature a-sociale. Notre hypothèse s'inscrit en faux contre cette prétention. Nous entendons voir dans la pratique sportive le sceau du pouvoir, c'est-à-dire, pour notre société, la mise en action, ludique et codée, du corps dans des espaces capitalistes. Notre analyse postule donc l'existence et la signification de liens entre la structure de la société et celle de la pratique sportive ; et ces liens doivent être indissolublement conçus comme économiques et sociaux. Car en effet, on ne peut analyser une pratique sportive sans tenir compte de ses détermimants économiques ; ne serait-ce que parce que le temps de cette pratique est le plus souvent (excepté pour les professionnels) un temps de non-travail et donc conditionné par celui-ci (horaires, revenus, goûts, types d'exercice physique et de rapports à soi et aux autres). Mais si les influences économiques sont **partout** présentes, *elles ne sont pas seules présentes ni partout dominantes.* Il en découle que l'on ne peut jamais analyser une pratique sportive sans tenir compte d'une série d'autres aspects qui ne sont pas économiques : le *besoin* et le *plaisir individuels* d'une mise en action de son corps ; *l'effet formateur* et sanitaire qui lui est généralement attribué ; *l'effet intégrateur* que les milieux dirigeants recherchent ; *l'intérêt politique* qu'il présente — surtout dans le succès — du niveau local au niveau international ; les images diffusées par les mass media et qui transmettent « le modèle », y compris et surtout le modèle de son équipement ; le perfectionnement des supports matériels et des techniques d'entraînement et de compétition ; encore le prestige social symbolique qu'elle confère ou qu'elle peut asséner (le bronzage des vacances d'hiver).

Tous ces éléments interagissent de manière complexe et influencent l'évolution de la pratique, du sommet à la base de cette pratique (en particulier le nombre des pratiquants et la manière dont ils se comportent individuellement et collectivement). De plus, ces éléments ne jouent pas tous, ni tous de la même manière, ni avec la même force, dans tous les sports, et donc se combinent de manière spécifique pour chaque pratique sportive. *Il s'en déduit que chaque pratique sportive s'insère et s'articule différemment et spécifiquement dans le tissu social.* Le moment ne semble donc plus aujourd'hui aux discours généraux — sinon banals — sur le sport mais à l'étude concrète et « individualisée » de chacune des pratiques sportives.

C'est pourquoi notre équipe de l'I.R.E.P. a débuté ses recherches sur la socioéconomie du sport par l'investigation de pratiques sportives particulières : *ski, tennis, équitation, football, canoë, ... cyclisme.* Nous en donnons dans les pages qui suivent un exemple portant sur le ski, qui est une *recherche conclue* (voir *Ski en crise. Essai sur l'économie du Sport.* P.U.G., 1977, de F. Di Ruzza et B. Gerbier.) Elle a abouti à fournir une clé d'interprétation de ce qu'il est convenu d'appeler *« La crise du ski français ».*

Nous avons jugé bon d'ajouter à cet exposé une courte note exposant les hypothèses *d'une recherche qui débute sur les rapports de la « masse » et de l'élite sportive.*

Cette note devrait pouvoir susciter des remarques et des critiques, — éventuellement une discussion — sur un sujet qui peut avoir d'importantes répercussions en matière de politique sportive. (1)

L'équipe I.R.E.P. de
« Socioéconomie du sport ».
Grenoble, 1979.

(1) Voir « Pratique sportive de masse et qualité de l'élite ». Huit propositions pour commencer une recherche. *Des chiffres et des dates sur le sport moderne.*

Un sport en crise : le ski français (1) 3

F. Di Ruzza et B. Gerbier

Les sports d'hiver étaient à l'origine, une distraction accessoire des curistes de stations climatiques ou thermales (Megève, Chamonix, Le Revard près d'Aix-les-Bains). Ce sont des stations pour clientèle hyper-fortunée (Megève est lancée par Maurice de Rotschild qui y construit l'hôtel « Le Mont d'Arbois ») où la pratique du ski est aléatoire du fait d'une altitude et d'un enneigement insuffisant. La mode des sports d'hiver se confirmant, des villages vont s'équiper puis des stations d'altitude vont se créer de toute pièce à l'imitation de Sestrière en Italie. Dans l'immédiat après-guerre, l'équipement en station demeure chaotique : il s'agit plus de moderniser des stations déjà existantes que d'en créer (seule, Courchevel voit le jour dans la période à des fins sociales !). Puis à partir du milieu des années 50, semble se dessiner un engouement grandissant envers la pratique des sports d'hiver qui alerte les commissions pour le tourisme, les industriels, les milieux politiques et populations locales concernées (par exemple, le Conseil Général de la Savoie reprend en 1959 le taux de 20 % avancée par la Commission du Tourisme pour le 3ᵉ Plan comme progression de la fréquentation annuelle des stations). Un phénomène social en même temps qu'un marché vont naître qui, par l'importance des intérêts économiques et politiques en jeu, fournissent un terrain d'études privilégié. Les liaisons entre sport, économie et « social » y sont fortes et très largement concentrées du point de vue géographique dans ce microcosme particulier qu'est la **station**. Création du capitalisme, son histoire se conjugue avec celle de l'accumulation du capital. C'est ainsi que l'internationalisation fera également sentir ses effets dans la pratique du ski et modifiera ses conditions au moment même où elle perturbera également les mécanismes économiques des nations occidentales. Nous pourrons ainsi nous interroger sur les raisons du parallélisme apparent existant entre une période de prospérité économique et d'essor de l'élite sportive (jusqu'à la fin des années 60) et une période de crise économique et de crise de cette même élite (années 70). Evidemment, cette liaison pose également le problème des liaisons masse-élite, envisagé par ailleurs sur un plan plus général, abordé ici seulement comme sous-produit du mouvement social général.

Nous envisagerons donc successivement ces deux moments :
- l'un, de la fin des années 50 à la fin des années 60, marqué par la mise en place d'une politique étatique, volontariste, de la pratique du ski *débouchant* sur une période euphorique pour l'élite ;

(1) Nous ne traitons dans cet article que du ski dit « alpin » de descente et de slalom.

- l'autre, à partir de la fin des années 70, marqué par la fin de toute vision d'ensemble dans l'aménagement de la montagne et caractérisé par une crise durable et profonde de la pratique d'élite du ski français.

Essor de la France et essor de l'élite

Le contexte économique de la fin des années 1950 est marqué par l'essoufflement de la reconstruction (qui met en difficulté le secteur du bâtiment et travaux publics et ses entreprises) et par la décolonisation qui freine l'investissement hors métropole et libère des masses de capitaux (par exemple, la nationalisation du Canal de Suez par Nasser en 1956 va donner lieu à une indemnisation qui est à l'origine de la constitution sous forme holding du groupe Suez, l'un des grands groupes financiers français). Ce contexte économique est d'ailleurs à l'origine des soubresauts politiques de la période qui voit la prise du pouvoir par le gaullisme et la création de la Ve République. L'époque sera donc marquée par l'affirmation du fait national et de grandes ambitions pour la France. Ceci se traduira notamment par la volonté d'aménager le territoire (création de la D.A.T.A.R.) (2). C'est l'époque où sous la direction du ministère de l'Equipement, afin d'organiser et de récupérer à des fins profitables les possibilités de loisirs des Français, on « aménage » le littoral (marinas et pratique du dériveur) et on « aménage » la montagne (stations et pratique du ski de descente). Dans les deux cas, sont d'ailleurs mises en place des commissions et services d'aménagement. Dans le domaine de la montagne, la Commission Interministérielle d'Aménagement Touristique de la Montagne (qui donnera naissance à un service d'Etude et d'Aménagement du même nom, installé à Chambéry dont le maire est alors secrétaire d'Etat au Tourisme) voit le jour en 1964. Le nom de cette commission et de son service sont déjà tout un programme : il s'agit bien d'un aménagement *touristique* c'est-à-dire de la canalisation d'un phénomène marchand en pleine expansion.

De fait, les années 60 seront caractérisées dans ce domaine par un développement rapide du « marché de la neige » s'articulant avec la pratique sportive de compétition.

Un marché de la neige en plein développement

Le développement du marché de la neige durant cette période relève principalement de trois composantes étroitement imbriquées : une politique volontariste de l'Etat, des capitaux en quête d'investissements profitables, des fabricants d'équipement en pleine mutation.

---

(2) Délégation à l'Aménagement du Territoire et à l'Action Régionale.

● La politique volontariste de l'Etat va s'exprimer à deux niveaux, par le Service d'Etude et d'Aménagement Touristique de la Montagne (S.E.A.T.M.) qui élabore « une doctrine » et par les représentants politiques locaux (députés, préfets, conseillers généraux, etc.) en prise directe avec les populations locales en attente de solutions à la crise de l'économie montagnarde traditionnelle. La doctrine de l'aménagement de la montagne est liée au nom du premier directeur du S.E.A.T.M. : Maurice Michaud. Bien que non écrite, elle n'en est pas moins réelle. Elle se caractérise par la primauté accordée à la *rentabilisation* des opérations prévues : « Quand nous sommes appelés en consultation devant un site, nous nous demandons immédiatement si les lits qu'on construira seront rentables. En cela, nous suivons les recommandations du Ve Plan » déclare son auteur (M. Michaud). Pour ce, il s'agit d'attirer ou de retenir (selon la nationalité) une clientèle fortunée étrangère ou française par la mise à sa disposition d'une pratique sportive de qualité. Le choix du site est donc essentiel. A ces conditions, s'ajoutent celle de l'équipement technique du site : alimentation en eau (grand problème des stations de haute altitude), accès routier et capacité d'accueil des pentes en nombre de skieurs. Le nombre de lits constructibles s'en trouve en principe déduit et, par là, une des bases, essentielle, du calcul de rentabilité. Le fait que l'opération dépende d'un maître d'œuvre unique donnera à ces stations de la troisième génération leur qualificatif « d'intégrées ».

La maîtrise foncière pose un problème politique : il faut faire accepter aux populations locales leur expropriation (que ce soit l'expropriation de terrains privés ou de terrains communaux). Pour ce, il faut l'accord du conseil municipal par qui passe la procédure de déclaration d'utilité publique et d'expropriation, et il faut l'appui de la puissance publique qui de toute façon ne fera jamais défaut. Et de fait, on mania la carotte et le gros bâton dans ce domaine. La carotte sous la forme de la promesse d'emplois au pays et de sauvetage de la montagne, le gros bâton lorsque les populations locales ne furent plus vraiment convaincues du caractère bénéfique *pour tous* de l'opération. La station fut ainsi présentée comme une réponse aux problèmes des vallées de montagne et le personnel politique de ces régions fit carrière sur ce thème, de telle sorte que des liens étroits naquirent entre les promoteurs privés et la puissance publique. Chacun avait son rôle : aux collectivités publiques, la charge et la gestion des équipements non rentables, au capital privé les opérations profitables et ce, avec l'aide de prêts publics (en particulier du F.D.E.S.). Un tel partage est caractéristique de la Ve République.

● Des capitaux sont en effet à la recherche de débouchés : la station comme ensemble immobilier les leur offre. Certes, les grandes banques d'affaires sont rarement présentes sur le devant de la scène. Celui-ci est occupé par un promoteur, avec lequel on entretient généralement des liaisons familiales ou personnelles. Car, pour monter une telle opération, il faut des masses très importantes de capitaux, et le capital ne prête pas sans assurances ou sans connaissances. De telle sorte que derrière les promoteurs qui assument la tâche de conception et de réalisation ainsi que les risques politiques et financiers, on retrouve les plus grands groupes bancaires et financiers français : le groupe Suez à Tignes, à Val d'Isère et à Val Thorens (avec le groupe La Hénin), le groupe Paribas à la Daille (Val d'Isère bas), la Banque de l'Union Parisienne et le groupe Mallet-Schlumberger à Plaine, le groupe Brémond-Laffont à Avoriaz, le groupe Drouot au Corbier, le groupe Rotschild à la Plagne et à Vars, etc. Ce sont des groupes spécialisés dans l'immobilier ou fortement liés à la colonisation. Il n'est donc pas sans intérêt de noter leur présence dans la montagne dans le contexte économique que nous avons évoqué.

• Quant aux fabricants d'équipements de sports d'hiver, le développement du marché de la neige va les saisir en pleine mutation et leur offrir les possibilités d'une croissance exceptionnelle en leur permettant de passer de la production « artisanale » à la production en grande série. A titre d'exemple, nous nous contenterons de décrire l'évolution de la fabrication des skis. Jusque dans les années 1955, le ski reste essentiellement un produit en bois. Cela implique des stocks de bois considérables (à fin de séchage), un travail d'ouvrier qualifié, beaucoup de difficultés à trouver deux skis aux mêmes caractéristiques (dureté ou souplesse de la spatule, du talon, etc.) et donc ayant le même comportement sur neige. Il y a de considérables difficultés à la reproductibilité de ce produit et donc des limites assez importantes à la production de masse. Il y avait là incontestablement un élément de blocage possible au développement du marché de la neige. Mais les fabricants étaient en période de pleine recherche : Dynamic s'efforçait, ces années-là, de mettre au point un ski plastique et Rossignol travaillait sur un ski métallique (qui, devint après faillite et reprise de l'affaire par Laurent Boix-Vives, le fameux « Allais 60 »). Très rapidement, le problème de la reproductibilité en grande série devint essentiel et les deux firmes s'orientaient principalement vers le matériau « fibre de verre ». C'est incontestablement sur l'utilisation de ce matériau que se fit leur croissance ainsi que le montrent les deux graphiques, ci-joints.

Les skieurs ? au centre des intérêts

Dans le contexte précisé, la compétition va se trouver au centre des divers intérêts. Lieu de convergence des regards, elle sera de ce fait le lieu de convergence des diverses parties prenantes au développement du marché de la neige. Elle leur offre en effet un terrain publicitaire sensationnel et assure à tous une excellente promotion (y compris aux champions petits ou grands).

• Pour tous, la compétition est un élément de promotion sociale de la pratique des sports d'hiver. Par le relais des moyens d'information, elle attire vers ce sport de nombreux pratiquants, particulièrement des jeunes (besoin d'identification) et promeut « le sport d'hiver » pour les plus fortunés (besoin de différenciation). Par l'image qu'elle diffuse, elle contribue donc à créer un modèle culturel et à

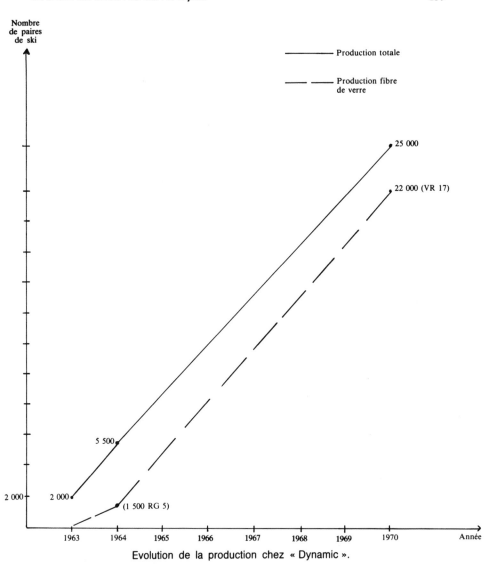

Nombre
de paires
de ski

Production totale

Production fibre
de verre

25 000

22 000 (VR 17)

5 500

2 000   2 000

(1 500 RG 5)

1963   1964   1965   1966   1967   1968   1969   1970   Année

Evolution de la production chez « Dynamic ».

étendre un besoin social, qui permet, par l'accroissement du niveau de vie résultant de la prospérité économique de la période, de fournir en nouveaux clients le marché de la neige.

● Pour les stations, qui désirent offrir de leur site un visage sportif, synonyme de pratique de qualité, la compétition, quelque soit son niveau, est le vecteur essentiel. Par la répercussion qu'assurent les mass média, elle devient une affaire

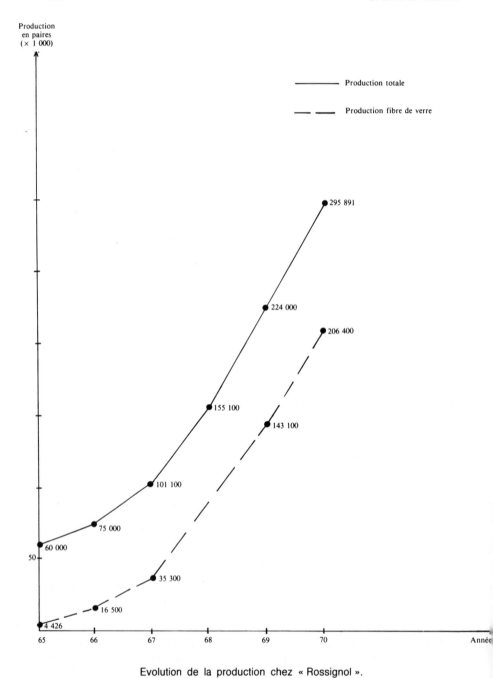

Evolution de la production chez « Rossignol ».

rentable (comparaison coût-avantage). Dans ces conditions, les stations n'hésitent pas à aider leurs clubs afin que les succès des sociétaires assurent la renommée de la station. Elles n'hésitent pas non plus à aider ou à organiser les compétitions. Dans ce domaine, le clou publicitaire reste évidemment les Jeux Olympiques d'hiver de Grenoble. Il s'agissait de lancer une demi-douzaine de stations récentes à la recherche d'une large publicité internationale, d'où la décision de faire disputer les Jeux dans plusieurs sites séparés. G. Pompidou dira : « il y avait là une occasion unique de développer notre équipement et de donner à nos stations une publicité sans précédent. Voilà, autant que les Jeux eux-mêmes, ce qui justifiait cet effort financier exceptionnel ». De fait, cet effort fut exceptionnel ainsi qu'en témoigna le rapport de la Cour des Comptes pour l'année 1968.

● Pour les fabricants d'équipements, la compétition est un signe de qualité technique et un formidable ban publicitaire. Elle signifie que le matériel utilisé est fiable et performant. La victoire sportive, répercutée par les mass média, devient très importante. Dès lors, le coureur va être transformé en homme-sandwich afin de profiter au maximum du temps de passage à l'écran (pendant et après la compétition). Ceci incite également les fabricants à développer la recherche sur le produit afin de satisfaire au maximum les coureurs. Ce fut particulièrement le cas de Dynamic qui consacra à la recherche et à la compétition un budget plus important que celui de Rossignol, alors même qu'il fabriquait dix fois moins de skis.

● Pour les jeunes des populations locales, la compétition représente l'espoir et la possibilité de se faire une situation au pays et donc d'éviter l'exode et l'usine (puisque l'économie montagnarde traditionnelle est en complet déclin). Que la réussite sportive soit locale ou momentanée importe peu à partir du moment où elle assure au moins une certaine notoriété (par l'intermédiaire des quotidiens régionaux qui couvrent largement les compétitions locales). Cette réussite permet de s'installer dans le commerce de station ou éventuellement de se reconvertir (après formation) dans l'enseignement du ski. L'important est que des débouchés dépendants du marché de la neige existent et croissent avec lui. Dans ces conditions, les jeunes des couches de l'économie montagnarde touchées par le phénomène des sports d'hiver vont former la masse des pratiquants sportifs de compétition. Ils vont s'y lancer avec enthousiasme, y découvrant un monde nouveau (sinon le monde lui-même). L'émancipation qu'il apporte va prendre pour eux la dimension d'une libération et d'une aventure sans trop de risques. Se rencontrent alors la promesse d'un statut social meilleur et d'une dimension symbolique tout autre qui s'illustre par le rôle dévolu au champion comme représentant de la collectivité nationale par le gaullisme. En se réalisant lui-même, le champion peut avoir le sentiment de participer à l'affirmation de « la grande ambition » chère au pouvoir politique de l'époque et, sans doute également, à l'ensemble des forces vives de la Nation. On ne saurait trop insister sur ces aspects de la pratique sportive qui lui sont sans doute essentiels dans notre cadre culturel.

Restait alors à gérer l'élite sur une base qui lui donne les moyens de s'exprimer. Ce fut le rôle du **pool** des fabricants d'équipements de l'équipe de France qui constitua l'élément clé. Il donna à l'élite française les moyens financiers et matériels de sa supériorité. Il permet de mettre en abondance à sa disposition un matériel de qualité, des préparateurs techniques et physiques, des entraîneurs. Il lui offre également la possibilité d'une préparation estivale dans l'hémisphère Sud. Il supprime les liaisons directes entre fabricants et coureurs ; ceux-ci sont rémunérés, selon un barème, sur les fonds même du pool, ce qui permet d'éviter l'exacerbation des conflits entre coureurs, et l'intervention directe des fabricants dans les rouages sportifs proprement dits. Tout ceci concourt à placer l'élite française dans des conditions morales, psychologiques, physiques, techniques et financières supérieures à celles des élites étrangères et lui donne une supériorité sportive presque absolue (16 médailles sur les 24 en compétition aux championnats du monde de Portillo-du-Chili en 1966, succès dont chacun se souvient aux J.O. de Grenoble en 1968). En contrepartie de leur soutien, les fabricants participant au pool se réservent l'utilisation exclusive sur leurs matériels du label « Equipe de France » symbolisé par le coq tricolore.

Ainsi, l'élite, par ses victoires, promeut-elle des intérêts économiques qui s'identifient encore pour l'instant avec la nation et son marché de la neige qu'ils contrôlent. Leurs cinq représentants (la Fédération Française de Ski, le Syndicat National des Moniteurs du Ski Français, le Comité des Stations Françaises de Sports d'Hiver, le Syndicat National des Téléphériques et Téleskis de France, le Syndicat des fabricants d'articles de sports d'hiver) organisent en effet la pratique du ski en France (avec l'aide de l'Etat) par un réseau d'accords passés entre eux. Il y a là de toute évidence un Cartel qui prendra forme juridique sous le nom d'« Union-Ski-France ». Il a pour vocation de promouvoir les intérêts de ses participants dans le monde. Il le fait en mettant sur pied des tournées de propagande à l'étranger avec l'aide financière et administrative de l'Etat auxquelles participent les champions français. Cette convergence et cette cohérence des divers intérêts économiques et sociaux, avec pour cadre et support la Nation, s'expriment d'ailleurs, à la caricature, dans une des formules publicitaires de cet organisme :

« *Skiez France. Je fais du ski en France. Car la neige est belle, l'équipement sportif parfait, l'hôtellerie la plus moderne d'Europe. Je fais du ski avec du matériel français et je profite des cours de l'école de ski français, la première du monde* ».

Déclin de la France et déclin de l'élite sportive

A partir du début des années 70, on peut dire que le système antérieur si efficace et si cohérent a vécu. Certes, sur le plan des succès sportifs, la période s'ouvre encore sur des jours fastes. Mais ils ne sont que les produits ultimes de ce système. D'autre part, les contextes économiques et politiques ont profondément changé. Mais 68 à constitué un choc dans les mentalités qu'aucune sphère de la société n'a évité. Les jeunes générations n'acceptent plus aussi facilement le caporalisme pas plus dans le sport qu'ailleurs. Les méthodes de direction devront changer et, avec elles, l'ensemble de la structure sportive. Quant à l'économie, elle est marquée par l'apparition des premières manifestations importantes des conséquences de l'internationalisation (désordres monétaires, montée du chômage et de l'inflation). Les firmes transnationales tiennent une grande place dans l'économie et dans la presse. Le marché de la neige est lui aussi touché par ce phénomène. Les stratégies et les intérêts des capitaux investis dans ce domaine se séparent puis divergent. Le Cartel éclate et les accords d'organisation de la pratique du ski sont remis en cause : des conflits apparaissent entre la Fédération Française de Ski, le Syndicat des Moniteurs, le Syndicat des Téléphériques. Les rapports entre moniteurs et fabricants deviennent plus difficiles. Les moniteurs connaissent une crise : l'Ecole de Ski Internationale apparaît, qui s'oppose à l'Ecole de Ski Français et veut « moderniser » la profession, notamment en imposant la pratique de langues étrangères, dit-elle, à ses membres. De même, la montée du niveau technique de la masse, l'apparition de skis plus courts ou plus faciles, la dépose en hélicoptère, le ski de randonnée, modifient l'exercice de ce métier : le moniteur ne doit plus seulement être un technicien, il doit être à la fois un enseignant, un compagnon et un lecteur de la montagne. Les promoteurs tentent de « salarier » les moniteurs. Des municipalités entrent en conflit avec « leur » promoteur, des municipalités et des hommes politiques dont la carrière avait été liée au développement de stations ou du marché de la neige sont battus aux élections. Des promoteurs cèdent aux copropriétaires la gestion de la station. Bref, la **convergence** des intérêts (qui avait pu faire croire à une communauté d'intérêts) qui avait marqué la période antérieure éclate. Les consciences se réveillent. Le monde du ski, comme le monde tout court, entre en crise.

Un marché de la neige en crise

Cette crise correspond à un éclatement de cette convergence des intérêts dû à la diversification des stratégies. Elle prend divers aspects.

● La crise de l'aménagement a pour cause principale la montée de la résistance des populations locales de moins en moins convaincues des bienfaits *généraux* de « l'or blanc ». Elles constatent que souvent, par le biais de la nécessaire maîtrise foncière, elles ont accepté des expropriations qui, spéculation ou opération « normale », ont considérablement enrichi certains. La hausse prodigieuse du prix de « leurs » terrains renvoie l'image amère de leur spoliation. Dès lors, certaines stations (par exemple Bourg-Saint-Maurice-Les Arcs) sont le théâtre d'affrontements et de mouvements « revendicatifs ». Enfin, l'affaire de Cervières dans les Hautes-Alpes marque un coup d'arrêt décisif : la station ne verra pas le jour, la conjonction de l'opposition des populations locales et d'une montée de la contestation — au plan national — de ce type d'aménagement non respectueux des contraintes écologiques et du paysage lui ont porté un coup fatal. A ces résistances, s'ajoute d'ailleurs un épuisement relatif des sites qui rend l'opposition d'autant plus efficace. Enfin, l'endettement considérable de collectivités locales joint à l'importante participation du budget public à ces opérations qui n'apparaissent plus comme étant « d'utilité publique » commence à susciter des interrogations. D'autant que l'Etat, appelé à d'autres tâches de financement, entend se désengager de plus en plus de ces opérations. Il faudra désormais avoir recours à de nouvelles formules d'aménagement. Certaines sont très originales et tentent de respecter l'environnement architectural en même temps qu'elles essaient d'intégrer la population locale à l'opération (comme à Bonneval-sur-Arc ou à Valmorel).

• L'internationalisation et le changement des stratégies qui lui correspond sont particulièrement importants à comprendre. Ils commencent par l'internationalisation grandissante de la clientèle. Avec le ralentissement de l'aménagement de la montagne et la poursuite de l'engouement pour les sports d'hiver, les plus grandes stations vont juger favorable de relever leurs tarifs et de viser désormais la clientèle la plus fortunée, en particulier étrangère. Il en découle un changement de stratégies pour ces grandes stations. Ce n'est plus l'image sportive qui importe mais *la qualité de la vie* (et surtout de l'après-ski) en station. La promotion de la station ne passe donc plus par la compétition : tout au contraire, une étude de marché a même montré l'impact dissuasif de J.-C. Killy sur la clientèle américaine, qui donnait du domaine skiable français une image « trop sportive ». Les grandes stations vont donc se détourner de l'organisation des compétitions — surtout de faible niveau —, qui « stérilisent » des pistes dont leur clientèle a besoin pour skier au large, au profit de « championnats » corporatifs (avocats, notaires, artistes, coureurs cyclistes, journalistes, etc.) qui sont d'un rendement publicitaire, bien supérieur dans les couches aisées.

• Cette nouvelle stratégie apparaît crûment avec l'internationalisation des promoteurs : le rachat de stations par des capitaux étrangers (Le Corbier par un groupe anglais, Isola 2 000 par un groupe libanais) prive désormais de tout fondement l'invocation par les promoteurs, comme mobile de leur action, du nationalisme dans l'organisation du secteur sportif. L'exemple d'Isola 2 000 est d'ailleurs caractéristique de cette nouvelle stratégie : son rachat s'explique par la proximité de Cannes — ville repli de Beyrouth depuis les événements du Liban. Cette stratégie s'accompagne en outre d'une nécessaire dissuasion de la clientèle « de week-end » qui embouteille les pistes et les remontées, sans grande retombée pour le commerce de station. Cette clientèle est alors repoussée vers les stations plus modestes (d'où le rôle de l'aménagement en moyenne montagne et la création de stades de neige à proximité des villes) ou tout simplement dissuadée par des tarifs qui ignorent la crise (elle passe alors au ski de randonnée ou au ski de fond). Cette division des tâches entre stations débouche momentanément sur une complémentarité d'intérêt sous le leadership des plus importants, c'est-à-dire de ceux qui s'internationalisent. Tout ceci se traduit par la disparition de l'Union-Ski-France et son remplacement par l'association

« France-Ski-International » qui regroupait, en 1975, les quatorze plus grandes stations françaises ainsi que les plus grands transporteurs internationaux et nationaux dont ces stations ont besoin pour l'acheminement de leurs lointains clients.

● Enfin dernier élément de ce processus d'internationalisation : celui des fabricants d'équipements. Il va se traduire par le retrait du pool de ceux qui auront succombé dans la lutte : pour les fixations, Look laisse Salomon seul ; Dynamic doit essayer de survivre et abandonne à Rossignol (dont Dynastar est une filiale) le soin d'assurer, aux côtés de la petite firme Lacroix, l'équipement en skis de l'équipe de France. Celle-ci perd alors son innovateur le plus efficace en même temps que le plus médaillé. Au surplus, Rossignol dont la transnationalisation peut être datée de cette période (c'est en 1971 que son chiffre d'affaires réalisé à l'étranger dépasse celui réalisé en France) pénètre dans de nombreux pools étrangers (U.S.A., Espagne, Canada, Suisse, Liechtenstein, Italie, etc.). Désormais, pour lui, l'important n'est plus la victoire d'une nationalité mais d'une **personnalité** skiant sur son produit ; et l'on assiste d'ailleurs ces mêmes années à une action des fabricants pour la publicité de marque (interdite dans un sport à statut « amateur » de l'élite) que la Fédération Internationale du Ski devait finalement reprendre à son compte et accepter (malgré les risques de conflits avec le Comité International Olympique). Dans ces conditions, il est compréhensible que la sollicitude du fabricant aille à la victoire et que l'équipe de France, en difficulté, ne fasse plus l'objet des soins les plus attentifs. Ceci n'ira pas sans répercussions au niveau des moyens matériels et financiers du pool et contribuera à affaiblir encore notre élite. Il faut ajouter à cela que l'objectif stratégique primordial de Rossignol est le marché nord-américain. Or, sur ce marché, ce sont les victoires des skieurs amateurs de ces régions et le circuit professionnel de ski qui ont le plus d'impact publicitaire. Rossignol équipant les meilleurs skieurs des deux cas de figure, tout ceci n'est pas pour réduire les maux du système sportif français.

Les skieurs ? sans intérêts

Le système sportif du ski français connaît lui aussi une crise profonde. Celle-ci est liée à deux groupes principaux de causes : des causes sociales et des causes technico-économiques.

● Les causes sociales trouvent leur origine dans l'option même d'aménagement de la montagne. Celui-ci — à la différence des choix effectués en Suisse et en Autriche — a contribué à destructurer l'économie pastorale et à précipiter son déclin (dans certaines régions comme Megève et Chamonix, sa quasi-disparition). De plus, les choix d'aménagement se sont accompagnés d'un « aménagement » de la clientèle. En 1971, 74 % des vacanciers d'hiver sont situés dans les trois plus hautes tranches de revenus et, 50 % de ceux-ci sont le fait du huitième de la population ayant les revenus les plus élevés.

Du point de vue de l'origine géographique, ce sont les villes qui sont essentiellement concernées et particulièrement Paris. On a pu conclure que la clientèle des sports d'hiver est en grande partie « riche, jeune et parisienne ». Cela va entraîner deux conséquences importantes pour la pratique sportive de compétition qui sont l'une, le changement de base sociale de la masse des pratiquants, l'autre la perte de symbolisme de cette pratique.

En effet, le freinage sévère de la progression de l'aménagement de la montagne tarit le flux des jeunes candidats à l'élite, c'est-à-dire pratiquant le ski à des fins de promotion et d'émancipation sociales, flux qui fut la caractéristique primordiale de la période antérieure. Dans le même temps, les jeunes des stations « s'embourgeoisent », c'est-à-dire voient l'avenir de la compétition avec d'autres yeux, les yeux que la situation de leurs parents et leur éducation leur ont donné. Enfin, la masse des compétiteurs se recrute majoritairement parmi les citadins. Issus des classes sociales les plus aisées, ils ne voient pas dans la pratique sportive d'élite leur horizon exclusif ; ils lui préfèrent les études et l'installation — pour eux plus facile et plus sûre — dans des situations plus honorables c'est-à-dire à contenu social symboliquement plus riche (chirurgien, pilote, professions libérales, cadres supérieurs, etc.). Ainsi, disparaît de la pratique sportive de compétition un de ses éléments principaux, sinon essentiel : **son caractère sublimant par lequel des valeurs individuelles rencontrent un idéal collectif.** La lutte folklorique (cas de l'Autriche et de la Suisse en particulier) entre villages, vallées et régions qui constituait le moteur interne du « fonctionnement du symbole » a disparu.

● A cette crise de **signification** de la pratique sportive de compétition va s'ajouter une crise de l'organisation même de celle-ci (sans doute déterminée par la première). Le système du pool dégénère : des fabricants se retirent alourdissant d'autant la charge des fabricants restant, au moment même où ils participent également à d'autres pools, sportivement plus heureux. Les liaisons directes entre fabricants et coureurs sont réapparues. Elles amènent l'intervention de représentants des fabricants dans le système de sélection (présence de deux représentants des industriels dans le comité de sélection ce qui est un exemple unique pour une fédération sportive). Elles placent les coureurs en situation matérielle d'infériorité lorsque le fabricant se révèle incapable de leur fournir un produit de qualité équivalente à celui des concurrents. Elles engendrent aussi des clans dans l'équipe pour le partage ou le maintien du partage des profits : en 1972, sur 800 000 francs annuels distribués aux douze coureurs masculins de l'équipe, quatre en percevait 80 %. Ils gagnaient 15 000 francs par mois tandis que quatre de leurs camarades ne touchaient rien, se contentant de la revente au marché noir de leur matériel (cependant qu'ils étaient contraints, pour ne pas déchoir aux yeux de leurs camarades, de suivre leur train de vie).

Dès lors, les titulaires vont esquiver ou refuser la confrontation avec les non-titulaires afin de conserver leur situation. Dans le même temps, les stations refusent les compétitions ou ne prêtent que parcimonieusement leurs pistes (et encore pour certaines compétitions) : le slalom spécial prend trop de temps, la descente demande trop de préparations et trop d'immobilisation de la piste. De même, uniquement soucieuse du prestige du record de vitesse (kilomètre lancé ou descente), les stations « rabotent » leurs pistes et en font des « boulevards-toboggans » sans lien avec le contenu sportif de la véritable descente (aux dires de J. Vuarnet lui-même). Les compétitions et l'encadrement des jeunes sont de plus en plus difficiles ou de plus en plus mal assurés. Les bénévoles s'interrogent sur le sens de leur action : qui est le véritable bénéficiaire de nos efforts, le champion, le club, la « station » ou plus simplement le promoteur ? L'enthousiasme soudain, fait défaut. Ceci touche tous les niveaux du processus de décantation de l'élite : même au plus haut niveau, l'encadrement va entrer en crise (voir le témoignage d'un membre de la F.I.S. sur la mort de Dujon. Le Monde, 19 février 1977, p. 31) et les changements d'hommes et de direction vont se multiplier. Sans solution, parce qu'une élite française amoindrie dans ses fondements, dans sa signification, dans ses possibilités et dans son environnement rencontre des élites étrangères qui ont conservé leur statut (le ski constitue en Autriche ou en Suisse romande « un véritable conservatoire des valeurs culturelles » selon la formule heureuse de D. Guérin et H. Gumuchian).

Conclusion

Est-ce à dire que la crise est désormais perpétuelle et que l'on doive s'accoutumer définitivement à la disparition de noms français des palmarès ? Sans doute pas. Si la crise est l'indice que les mécanismes antérieurs qui ont produit le succès ne fonctionnent plus, elle est aussi moment *anarchique* de recherche de nouveaux processus (3). Pour peu qu'une volonté d'aboutir soit présente, évidemment. Or, elle semble l'être depuis peu. Des voix de plus en plus fortes et de plus en plus « autorisées » réclament la reprise de l'aménagement, en ajoutant, cela va de soi (et de toute manière pourrait-on aujourd'hui faire autrement ?) dans des conditions plus respectueuses des sites et des hommes : (quoique la position officielle sur ce sujet soit encore sujette à des variations). Des fabricants, dont certains ont l'oreille du pouvoir redécouvrent l'équipe de France. C'est ainsi qu'ayant échoué dans sa nouvelle stratégie publicitaire (un champion, une marque), en raison même de la persistance et de la force de l'impact de l'ancienne stratégie (une équipe nationale, des marques nationales) qui, avec son « Coq de France » demeure très populaire, Rossignol semble avoir décidé de reprendre les choses en main. En une seule année (saison 1978-79) le budget du pool passe de quelque 3 millions de francs à plus de 10 millions. Qui a fait l'effort ? Sans doute pas les autres fabricants, soit déjà largement engagés, soit de taille trop faible, soit englués dans des difficultés financières ou de diversification. Alors, il est probable qu il s'agit de Rossignol

(3) Ultime précision : cette présentation de la crise nourrit les mêmes liens à l'égard de la formule « toute équipe connaît des hauts et des bas » que la météorologie à l'égard du dicton « après la pluie, le beau temps » !

ayant décidé de revenir à l'ancienne stratégie publicitaire pour la conquête des deux grands marchés nord-américains et japonais (plus de 50 % du marché mondial à eux deux). Est-ce un hasard si, au même moment, réapparaissent dans l'encadrement de l'équipe de France ou à la direction du ski de compétition des hommes qui l'encadrèrent ou y participèrent comme coureurs dans ses jours fastes. N'est-ce pas son ancien-nouveau responsable qui déclarait en la quittant : « L'équipe de France, j'en ai fait une affaire ? » C'était vrai : une affaire à suivre...

F. Di Ruzza
B. Gerbier
octobre 1979

4. Approche socio-culturelle des pratiques

« La force, l'énergie, la grâce et les réflexes ». Le jeu complexe des dispositions culturelles et sportives

Christian Pociello

Lorsqu'on approche avec une curiosité avertie, le phénomène sportif dans une société comme la nôtre, on se trouve saisi par la simplification, et, il faut bien le dire, par la « sloganisation » que lui imposent conjointement les discours journalistiques, pédagogiques ou officiels. La notion de sport reste investie dans la tradition humaniste et éducative, d'une forte charge normative et elle n'est sortie, en quelque sorte, des discours de distribution de prix (dont elle représentait un thème dominant) que pour s'offrir à ceux des média et des marchands qui la constituent en bel objet de consommation.

Le courant de critique radicale qui, depuis 1968, s'emploie patiemment à en ébranler les fondements n'échappe pas, dans son zèle destructeur, à une « globalisation » qui ne contribue pas à éclairer la nature complexe et mouvante de ce produit social et culturel. Ainsi, s'ils se disputent sur ses vertus *« socialisantes et libératrices »* ou bien, sur ses propriétés *« aliénantes et répressives »*, laudateurs et détracteurs se sont au moins mis d'accord sur un point ; c'est affirmer l'existence **du sport,** comme entité rationnelle et cohérente, appelée à jouer des fonctions sociales et politiques univoques (1).

Or, ce que l'on aperçoit sur les « terrains » comme d'ailleurs sur les écrans, ce que l'on appréhende dans les discours des pratiquants, comme dans les tableaux des statisticiens, ce sont, au contraire, des pratiques sportives multiples et différenciées, que les animateurs professionnels, les techniciens ou les pratiquants, identifient immédiatement, dans leurs singularités, comme leurs disciplines sportives propres ; le tir à l'arc ou le canoë-kayak, le football ou le char à voile, l'escrime au sabre ou la spéléologie. Mais une identification précise est rendue plus difficile encore pour les spécialistes, du fait de l'existence, à l'intérieur d'un même sport, de modalités différentes et contradictoires de pratique. Ainsi, le *canoë* « en couloir » sur eau stable, ce n'est évidemment pas le *kayak* de descente de rivière, et *l'escalade* de *pitonnage* trouve ses antipodes

---

(1) Louveau (Catherine), Pociello (Christian).— *Le pluriel a son importance.*— Sociologie des pratiques sportives. Travaux et Recherches en E.P.S., n° spécial Science(s) et Sport, I.N.S.E.P., juin 1979.

dans le « solo intégral » de la *varappe* « *propre* » ou californienne. Il résulte de cela une conséquence méthodologique d'immédiate évidence ; la pratique déclarée de « *l'équitation* » n'a pas du tout le même sens, dans les contextes du « *jumping* », du « *concours complet* » ou de la « *randonnée sauvage* ».
On rencontre donc un éventail extrêmement étendu de pratiques diversifiées. Or, on sait que cette variété n'a pas toujours existé ; elle s'est considérablement et continuellement enrichie depuis cent ans. A partir de l'implantation en France, des premiers sports anglo-saxons (course à pied et football-rugby) qui en constituent, avec les souches autochtones, (gymnastique et escrime) les plus solides fondations, l'édifice s'est trouvé enrichi par spécialisations successives (lancers, sauts, perche, poutre, barres asymétriques, etc.) et par l'adjonction des sports d'origine américaine (basket-ball, volley-ball), germanique (handball), scandinave (ski de fond, patinage), puis plus récemment, par des apports orientaux (judo, arts martiaux).

On peut noter à ce propos, l'intérêt considérable qu'il y aurait à analyser les conditions sociales qui président aux phases d'importation de sports étrangers (par exemple, le développement tout à fait singulier du judo au moment de la montée de la puissance économique du Japon) ainsi que les conditions culturelles qui règlent plus spécifiquement les implantations urbaines, locales, régionales des multiples sports dans notre pays.
Mais cette construction, déjà solidement stratifiée par l'histoire, subit aujourd'hui de surcroît, une dynamique de complexification étonnante sous un double effet :

• d'une part, l'**importation de sports nouveaux** que nous appellerons « *sports californiens* » pour exprimer à la fois une origine géographique et culturelle et une généalogie (2), mais aussi une « structure motrice » et un « style » particuliers de pratiques : (surf, wind-surf, vol libre, skate-board, freesbee, hobbie-cat, hot-dog, free-style, etc.).

• d'autre part, la **création de modalités nouvelles,** par un processus de différenciation interne aux pratiques établies. (Le ski alpin traditionnel engendre le ski hors piste, de randonnée, de pente raide, acrobatique, sur avalanche, le monoski, le hot-dog, etc.) de la même manière d'ailleurs que le sport motocycliste engendre la moto de vitesse, la moto « verte », d'« enduro », de cross, de trial, de raid, de saut, etc.).

En montrant que ces deux processus (d'importation et de création par différenciation interne) ne sont pas sans relations (3), on peut accréditer l'idée que cette nébuleuse phénoménale est en réalité constituée **comme un système** Les pratiques sportives ainsi structurellement organisées, entretiendraient entre elles des rapports systématiques qui opèreraient de manière permanente quoiqu'à notre insu.

---

(2) Voir notamment l'article de Joël de Rosnay : « Les sports qui montent », illustré par « Les descendants du surf », revue Vogue-Hommes, n° 3, avril-mai 1977, p. 48.
(3) Cf. Pociello (Ch.).— Pratiques sportives et demandes sociales, Travaux et Recherches en E.P.S., n° spécial Sociologie du sport, I.N.S.E.P. n° 5, novembre 1979.

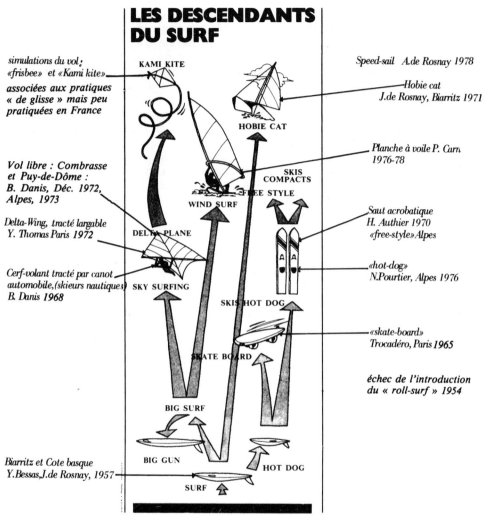

LES DESCENDANTS DU SURF

simulations du vol : «*frisbee*» *et* «*Kami kite*»

associées aux pratiques « *de glisse* » *mais peu pratiquées en France*

Vol libre : Combrasse et Puy-de-Dôme : B. Danis, Déc. 1972, Alpes, 1973

Delta-Wing, tracté largable Y. Thomas Paris 1972

Cerf-volant tracté par canot automobile, (skieurs nautiques) B. Danis 1968

Biarritz et Cote basque Y. Bessas, J. de Rosnay, 1957

KAMI KITE

HOBIE CAT

WIND SURF

DELTA PLANE

SKY SURFING

SKATE BOARD

BIG SURF

BIG GUN

SURF

SKIS COMPACTS

FREE STYLE

SKIS HOT DOG

HOT DOG

Speed-sail A. de Rosnay 1978

Hobie cat J. de Rosnay, Biarritz 1971

Planche à voile P. Carn 1976-78

Saut acrobatique H. Authier 1970 «*free-style*» *Alpes*

«*hot-dog*» *N. Pourtier, Alpes 1976*

«*skate-board*» *Trocadéro, Paris 1965*

échec de l'introduction du « *roll-surf* » *1954*

LES SPORTS QUI MONTENT
Article de Joël de Rosnay paru dans la revue
Vogue-Hommes, n° 3, avril-mai 1977.

Si l'on admet que la production de besoins culturels (dans lesquels nous incluons les pratiques sportives) est à mettre en rapport avec une structure sociale différenciée, on est conduit à formuler l'hypothèse que l'irréductible variété des spécialités sportives peut constituer l'une des manifestations de cette différenciation culturelle et sociale. Admettre en théorie que la diversité et « *l'organisation systémique* » des pratiques revêtent une signification socioculturelle, c'est d'abord tenter de décrire, puis s'efforcer d'expliquer ce rapport particulier d'affinité, relativement stable, qui s'établit entre certains groupes sociaux et certains types de sports ; c'est se mettre en mesure d'expliquer pourquoi et comment se constituent sociologiquement de nouveaux sports, mais c'est aussi considérer, plus généralement, que toute évolution (ou bouleversement) du système des pratiques révèle des transformations plus fondamentales d'une société.

Parmi les manifestations les plus visibles de cette « organisation » des pratiques les unes par rapport aux autres, on trouve, évidemment, l'intensification de leurs rapports concurrentiels, lorsque certaines d'entre elles sont institutionnellement contraintes de captiver de nouveaux publics ou de pallier les déperditions importantes de pratiquants mobilisés par de nouveaux attraits (on explique ainsi une part de la « migration » de jeunes cavaliers vers les nouveaux motocyclismes). Ainsi, on peut montrer comment l'apparition inopinée mais explicable de sports nouveaux entraîne une sorte de « redistribution » complète des pratiquants dans le système offert. L'existence de ces activités nouvelles, dont les principes de construction sont dans un rapport d'oppositions systématiques avec les pratiques établies (4) provoque la « relance » des prestiges sociaux qui leur sont attribués (du fait notamment de leur rareté momentanée) et entraîne, par voie de conséquence, une forme de *« dépréciation sociale »* de certaines pratiques traditionnelles.

Inventées, importées, appropriées ou promues par des groupes culturellement favorisés, les sports nouveaux subiront une *« popularisation »* et une divulgation progressive et, quoique différentielle, généralement inéluctable. Ainsi, tout se passe comme si le système des pratiques sportives, alimenté et enrichi « par le haut », s'appauvrissait, on se vidait « par le bas » (5).

En tout cas, les pratiques les plus ancrées dans la tradition populaire ne restent pas sans réagir sous les effets de cette « offensive ». Elles organisent des « défenses », renforcent leurs idéologies spécifiques, et s'enrichissent parfois de nouvelles modalités, qui présentent des analogies identifiables de structure avec les pratiques nouvelles.

(4) Nous avons décrit ce phénomène de constitution oppositionnelle des sports nouveaux dans notre article déjà cité « Pratiques sportives », p. 46. On en trouvera un aperçu dans le schéma V. Il convient d'insister, à cet égard, sur l'importance des appareillages spécifiques (machines écologiques) qui fondent l'originalité des « sports californiens » et qui permettent à leurs pratiquants d'investir doublement leur ingéniosité (gestuelle et technologique).
(5) Voir le « système des sports » à la fin de l'article. On a pu, par exemple constater la chute brutale des résultats nationaux en boxe après 1962, s'expliquant par l'indépendance de l'Algérie qui fournissait alors, l'essentiel de nos représentants dans cette spécialité. (I.N.S.E.P., « les sports dans la société française », U.F.B.1, 1979 et article de Lucien HERR.)

Les enjeux d'une définition

Les pratiques corporelles de jeu et d'exercice que l'on rassemble communément sous le terme générique de « sports » font l'objet, dans un ensemble social donné d'un véritable *procès de légitimation.* Il n'en est pas de meilleure preuve que cette lutte persévérante menée par les activités nouvelles pour obtenir cette « reconnaissance » contre le refus obstiné que les sports consacrés opposent à cette « intrusion » (6). Sans parler d'importantes disparités nationales (7) qui renvoient à une légitimation *« culturelle »* des sports, la définition sociale des pratiques sportives est aussi un enjeu de lutte. Il s'agit d'affrontements dont l'enjeu est l'imposition d'un sport légitime et idéal, ou plus pécisément la légitimation d'une mise en jeu particulière du corps dans le sport.

On pourrait ainsi comprendre le processus oppositionnel de constitution des nouvelles pratiques, les attitudes réactionnelles, (parfois d'hostilité) qui s'expriment avec vigueur dans les discours de leurs promoteurs, ainsi que les modes différenciateurs de « perception » (des pratiques) qui se construisent chez les jeunes. Par exemple, le *« trial »,* en se constituant comme nouvelle modalité du motocyclisme, s'oppose aussi bien à la *moto de vitesse sur circuit,* qu'au *moto-cross sur terrain* accidenté ; sports, tous deux, pratiqués « en ligne » et « en force ». Le *« trial »* se définit donc comme nouveau motocyclisme acrobatique, d'équilibre et de souplesse sur parcours balisé, et pratiqué « en finesse » et en « sensibilité ». Il en est de même de la *gymnastique volontaire* qui trouve sa pertinence culturelle initiale — mais aussi sa pertinence *technique* — dans son opposition aux sports compétitifs « virils » traditionnels.

On peut montrer qu'il s'agit là d'un processus assez général, réglant l'invention de nouvelles pratiques. Or ce phénomène trouve ses plus évidentes manifestations dans le langage socialement situé des interviews.

- *« Pourquoi le tourisme équestre est-il souvent compris d'une façon péjorative ? »*
- *« Ceux qui le comprennent ainsi sont des snobs ! Pour eux, le cheval est synonyme de luxe ; de position académique ; de tenue vestimentaire impeccable et réglementaire. Pour nous, le tourisme équestre — et c'est la seule vraie définition — c'est la décontraction, la simplicité, la modestie, l'amour du cheval,*

---

(6)   Cette « guerre » des pratiques trouve notamment de belles illustrations dans l'hostilité avouée de Gaston Meyer à l'égard du développement du *skate-board* (« L'Équipe » du 20 août 1979), ou bien, lorsque, prenant partie pour le football, il vilipende les prétentions « aristocratiques » jugées abusives ou dépassées du rygby actuel. (L'Équipe du 26 mars 1979).
On la perçoit aussi clairement dans cette remarque d'un animateur de l'U.C.P.A., à propos de la planche à voile : « *Le côté négatif* » (en) *est la rapidité même de la progression. Après cinq à six heures d'apprentissage, on parvient très vite à de bons résultats. Ceci fait oublier que l'effort doit être une constante du sport de compétition, et ces activités détournent des sports les plus astreignants ».* (Commentaires d'un film U.C.P.A. sur la planche à voile, projeté sur Antenne 2, le 30 avril 1978. (vacances sportives)
(7)   Si en Europe occidentale, le « sportif » de l'année 79 se trouve être Bjorn Borg, en Europe de l'Est, on y célèbre très logiquement Karpov. (I.N.S.E.P., U.F.C. 4, 1979).

du voyage, de la nature. Nous sommes des " cow-boys " et nous en sommes très heureux ! » (8).

Par ailleurs, interrogé par le « Nouvel Observateur », toujours à propos de l'équitation, un athlète spécialisé dans les lancers « lourds » pouvait affirmer : *« Le jour où le cavalier prendra son cheval sur le dos, alors ce sera du sport ! »*. On voit que se manifeste ici, plus clairement encore, cette « lutte » pour la définition sociale des pratiques sportives.

Les disparités relevées dans les définitions ne renvoient pas aux vagues fluctuations d'un imaginaire social ; elles trouvent leur logique dans la perception sélective et classante que confère une position particulière des agents dans l'espace social. Pour le dire autrement, elles prennent leur sens dans une double opposition :

• d'une part, l'opposition entre des idéologies spécifiques qui se *renforcent* dans l'exercice des sports choisis, mais qui **trouvent en réalité leur origine dans le type particulier de rapport que chaque groupe social entretient avec son corps et qui en conditionne largement les usages** *(notamment sportifs)* ;

• d'autre part, l'opposition entre des *« stratégies »* particulières liées **aux modes spécifiques de « gestion » des investissements corporels mais aussi culturels** que les sports sont susceptibles d'offrir différentiellement aux compétences corporelles, techniques et culturelles que les agents ont pu acquérir et développer hors du domaine sportif (par exemple dans les sphères professionnelle et sociale d'activités).

On pourrait donc ainsi discerner, dans la « bataille » à laquelle se livrent groupes et fractions, pour cette définition du sport, une signification dédoublée :

• d'une part, pour les groupes populaires « l'intention » de conserver les sports « anglais » tels quels, afin de préserver toutes les *chances de reconversion sportive de leur caractéristiques propres* (éthiques, usages particuliers du temps et du corps) et de préserver leurs chances de reconversion sociale (généralement socioprofessionnelle) des prestiges sportifs ;

• d'autre part, pour les groupes dominants, le « désir » de transformer les pratiques et leurs définitions majoritaires afin *de pouvoir « gérer » dans les pratiques, leurs dispositions et compétences spécifiques,* (leur capital économique, temporel et/ou culturel) leur permettant de dominer *aussi* en sport.

---

(8)   Entretien avec Francis Arnaud publié dans le journal « l'Equipe » du 3 mars 1978. Voir dans le même sens : « *Où sont les sports d'efforts* » ? Plein-Air Tourisme, n° 337, février 1978.

Une perspective relationnelle

Il y a donc, pour les raisons invoquées, impossibilité à définir le Sport, *en général* et *a priori*. Si l'on veut tenir compte de ces observations, on dira *qu'un sport* se définit **essentiellement** dans ses relations avec les autres sports et prend son véritable sens selon la place qu'il occupe dans le système. Il s'impose donc à nous une démarche moins « substancialiste » et plus *relationnelle,* qui doit cependant, se garder de certains présupposés structuralistes. Il convient en effet de souligner qu'il n'y a pas seulement un intérêt « spéculatif » à construire le système des pratiques, pour voir comment il fonctionne ou se reproduit. Nous essaierons, en outre, de comprendre pourquoi il agit et fonctionne *pratiquement* au niveau des publics, enfin pourquoi il évolue avec les demandes sociales. Cette manière de poser le problème nous paraît offrir quelques éléments d'explication à *cette distribution des sports entre les groupes,* et ouvrir une voie originale de recherches dans laquelle les bases d'une théorie généralisée des choix (et des rejets) de pratiques par les divers publics, serviront de modèle utilisable par les éducateurs et les praticiens.

Il s'agit donc de tenter de mettre en relation deux types de « *pertinence* » : une pertinence **« technique »** et une pertinence **« sociologique »**. L'hypothèse déjà évoquée de l'existence d'un rapport d'affinité (ou de « régularité ») entre certains types de sports et certains groupes sociaux (9) conduit à chercher dans la « nature » même des sports, (c'est-à-dire dans leurs structures motrices, techniques et réglementaires) les éléments susceptibles d'expliquer leur distribution particulière entre les groupes, ainsi que l'évolution (ou, au contraire, la stabilité) de cette distribution.

Des pratiques antinomiques

Bien que l'image du sport et des activités physiques offerte aujourd'hui à l'opinion par la presse, la publicité, ou les autres média se constitue en écho redondant par rapport à une représentation majoritaire (10) elle se révèle présenter en réalité, de multiples facettes ; les discours accusant d'autant plus les différences qu'ils sont supportés par des vecteurs socioculturellement différents. L'analyse a pu conforter notre conviction de l'existence d'un **système**

(9) Les travaux des auteurs allemands, belges, américains et français, (Luschen, Renson, Loy et Le Pogam notamment), quoiqu'adoptant des problématiques variées, corroborent cette hypothèse.
(10) Metoudi Michèle, Le sport, support thématique dans la publicité ; thèse pour le doctorat de IIIᵉ cycle. L'auteur montre que la publicité est susceptible de fournir une représentation du sport dans la « *mid-cult* ». On peut ainsi construire « *l'imaginaire social* » et les mythes attachés au sport dans la nouvelle classe moyenne. Les sports les plus fréquents et les plus *prégnants,* , dans ce contexte, sont « *individuels* », « *appareillés* » et « *naturo-centrés* ». Il se dégage ainsi, en filigrane ce qui constitue aujourd'hui « le chic sportif ». Voir également sa contribution : « Sport ; espace de l'immobilité bienséante », p. 327.

d'oppositions pertinentes entre les pratiques, oppositions qui sont déjà particulièrement perceptibles dans les discours journalistiques :

- Dans le football par exemple, « *on préfère de loin le travail carré à la dentelle* » (...) « *ici, les vedettes n'existent pas* » (...) chaque joueur « *parfaitement interchangeable, fond sa personnalité dans un esprit d'équipe* », et l'« *on a préféré des jeunes, susceptibles de substituer au panache des abnégations sans limites* » (11).

- Dans le yoga, « *pratique sensuelle et exquise* », (...) « *la compétition fait place à la complicité* », et ce « *rite* » prudemment orientalisé, consiste à « *troquer une carcasse encombrante contre un sujet de plaisir* » (12).

- En ce qui concerne le vol libre : « *c'est la satisfaction du plaisir accompli* » dans l'exploit toujours renouvelé (...) Et « *Tant qu'il y aura du vent, des vagues, de la pente, il y aura toujours de drôles de fous volant, glissant, roulant, sur leurs drôles de machines écologiques, perdus dans la griserie de leur plaisir* » (13).

- La lutte, quant à elle, se propose « *de former les corps en forgeant les caractères* » (14).

On voit que l'on trouve ici manifestement au cœur d'univers sociaux différents. Il est possible de montrer que les journalistes ne font que reprendre, en les accusant, les traits les plus pertinents des « *langages indigènes* » ; d'abord parce qu'il n'existe pas de « *métalangage* » qui puisse parler du sport en se plaçant au-dessus de ces différences.

Afin de ne pas attacher une importance excessive au postulat discutable de l'existence de caractéristiques « *objectives* », et « *substancielles* » des pratiques, notre recherche s'est donc trouvée logiquement axée sur l'approfondissement de quatre types de pratiques antinomiques susceptibles de faire jouer au maximum les **effets de contraste,** c'est-à-dire capables de révéler en l'accusant *le sens* de leurs propriétés relationnelles. Dans cette perspective, les sports que nous avons choisi d'analyser sont les suivants :

Le rugby d'avants :
Sport collectif de combat, le rugby représente essentiellement l'exploitation d'un capital morphologique avantageux, normé sur les qualités de *force,* de puissance, de résistance aux chocs de ses adeptes.

L'athlétisme :
Prototype des activités *énergétiques,* (dans les courses longues notamment) qui s'expriment en des gestes répétitifs, référés à un modèle technique dominant et

(11) Heimermann B., Sochaux, une équipe sans vedettes. « Le Matin de Paris », 9 août 1978.
(12) Rossigneux B., Un rendez-vous avec soi-même. F. Magazine, n° 6, juin 1978.
(13) Rosnay J. de, « Le guide des sports planants », publié dans « Le sauvage », n° 40 de juillet 1978.
(14) Placard publicitaire anonyme pour un club de lutte de Savigny-sur-Orge (Essonne).

La force...

L'énergie...

La grâce...

et les réflexes.

La force : Photo Eric Thoulouze
(le Chasseur-Français)
L'énergie : Photo I.N.S.E.P.
La grâce : Photo Ph. Cottret
Les réflexes : Photo R. Coulon

visant à la performance chiffrée. L'activité se fonde sur de *longues préparations* qui la constituent essentiellement en sport *ascétique* (du grec askesis : entraînement). Du fait de l'existence de spécialités différentes, l'athlétisme est une pratique à large spectre socioculturel. Il conviendra donc de les distinguer soigneusement pour analyser celles qui requièrent *endurance* et *résistance,* c'est-à-dire qui expriment le mieux les normes corporelles et éthiques de **l'énergie.**

Les danses ou les gymnastiques féminines (sportives et rythmiques) :
Représentatives de ces pratiques où dominent la « **forme** » ou la « **grâce** », la recherche de la figure gestuelle, et qui renvoient à une appréciation qualitative des mouvements. Le désir d'expression de soi y est toujours plus ou moins associé au spectacle de sa propre **aisance.**

Le vol libre :
Représentatif des nouvelles pratiques de pilotage risqué, dans lesquelles dominent des gestuels de contrôle informationnel du corps et d'un engin « incorporé ». Le vol libre illustre bien ces « *dispositions* et ce *goût,* maintes fois exprimés dans les discours de ses pratiquants, pour le perfectionnement des « **réflexes »,** compris comme rapidité de la réponse motrice, mais surtout comme *qualité* et *adéquation* des choix décisionnels.

La « logique interne » des sports

L'origine de la démarche qui consiste à rechercher dans la structure motrice et réglementaire des pratiques, les éléments d'explication de leur distribution entre les groupes est, sans doute, à chercher dans notre situation particulière de pratiquant et de praticien. Il faut bien admettre, en effet, que l'on est d'autant plus enclin à adopter cette démarche que l'on est moins « armé » en sociologie, que l'on est plus proche des *techniciens,* « producteurs de l'offre » et que l'on a soi-même ressenti, dans son propre corps, les différents effets des multiples investissements qu'une pratique omnisport vous a professionnellement imposé. Cette double implication exige que l'on se prémunisse précisément contre les présupposés propres au « *technicien-rationalisateur* » des pratiques et contre « *l'universalisation des expériences singulières* » du pratiquant (15). Mais, ce faisant, il est possible d'analyser avec une certaine précision les « logiques internes » ou les « structures motrices » des différentes pratiques, dans leurs oppositions pertinentes et objectives (cest-à-dire *non* nécessairement « *vécues* » en s'efforçant d'en abstraire leurs éléments constitutifs dont on formulera l'hypothèse qu'ils sont sociologiquement pertinents.

---

(15) Critiques et mises en garde que P. Bourdieu adresse dans « La Distinction » aux « néophytes » les plus ardents et les moins prudents.

P.A.I.

PARTENAIRE
ADVERSAIRE
INCERTITUDE

- **Sports collectifs :** football, rugby, volley, basket, waterpolo, hockey...
- **Jeux sportifs :** thèque, barres, drapeau collectif, épervier, balle au prisonnier...
- tennis, ping-pong (en double)
- certains relais
- certaines joutes
- courses d'automobiles, cyclisme
- **grands jeux** de pleine nature : prise de foulard, de drapeau...
- voile, canoë-kayak
- expression corporelle en groupe

P.I.

PARTENAIRE
INCERTITUDE

- **Activités de pleine nature en équipe :**
- alpinisme, spéléologie, plongée sous-marine,
- canoë, voile,
- randonnée, camping...

A.I.

ADVERSAIRE
INCERTITUDE

- **Sports de combat :** judo, lutte, boxe...
- tennis, ping-pong (en simple)
- **escrime :** fleuret, épée, sabre
- certaines courses : demi-fond, fond, cross
- conduite automobile, cyclisme...

P.A.

PARTENAIRE
ADVERSAIRE

Epreuves **standardisées** par « équipes » (addition de points ou de performances) :
- athlétisme, certains relais
- gymnastique au sol, agrès
- natation...

I.

INCERTITUDE

- **Activités de pleine nature en isolé :** canoë, voile, spéléologie, plongée, nage en eau sauvage, ski, vol à voile, parachutisme...
- expression corporelle...

P.

PARTENAIRE

- **Activités individuelles** dont les résultats peuvent être additionnés dans le cadre d'une équipe :
- athlétisme
- gymnastique au sol, agrès
- natation
- relais où il n'y a que juxtaposition des performances
- danse classique...

A.

ADVERSAIRE

- **Activités individuelles** pouvant être confrontées à celles d'autrui :
- concours d'athlétisme
- agrès, gymnastique au sol
- natation
- haltérophilie...

R.

RIEN

(aucun des trois facteurs : I.P.A.)
Activités en **milieu normalisé**, épreuves **standardisées**, sans interaction opératoire avec autrui :
- athlétisme (tout est réglementé : déclivité du terrain, nature et dimension des aires d'évolution, des engins lancés,.. et même la vitesse du vent)
- agrès, gymnastique au sol, haltérophilie
- natation
- danse classique...

DIAGRAMME DE L'ENSEMBLE DES SITUATIONS SPORTIVES

Structures motrices des sports
Classification des pratiques sportives selon la « communication motrice »
Partition des situations ludiques et sportives en huit classes d'équivalence selon l'organisation en simplexe proposé par Pierre Parlebas.
La relation d'inclusion qui détermine un ordre partiel joue sur les trois paramètres Partenaire, Adversaire et Incertitude, et uniquement sur eux (P., A., I.)
Document extrait de « Activités physiques et éducation motrice », édition Revue Education physique et sports ; supplément au numéro 139, mai-juin 1976, page 130.

Rechercher dans les logiques motrices intrinsèques aux pratiques, les principes premiers d'orientation des choix par les divers publics, (et par les diverses classes d'âges) suppose d'abord des démarches classificatoires susceptibles de ramener la diversité décrite à quelques formes simples qui seraient théoriquement fondées et pratiquement identifiables par les agents. On peut, en effet, considérer que chacun des jeux d'exercice se définit par une **structure motrice** caractéristique et mathématisable.

Pierre Parlebas, a pu proposer, en effet, dans le cadre des objectifs pédagogiques propres aux éducateurs physiques, une classification des sports en fonction de la « *richesse de la communication motrice* », c'est-à-dire selon la présence (ou l'absence) d'adversaires (A.) et/ou de partenaires (P.), selon « l'incertitude » de la situation (I.) et selon la possibilité que la nature du jeu offre de permutation des « *rôles sociomoteurs* » (16). Cet auteur, enseignant d'éducation physique et animateur des C.E.M.E.A. (Centre d'entraînement aux méthodes d'éducation active) s'appuie sur cette classification pour fonder *la spécificité* et l'autonomie de la « *science des conduites motrices* », et pour démontrer la valeur éducative des jeux. Il a eu notamment le mérite de montrer que, dans leur histoire, ce sont les jeux d'opposition les plus dénués d'incertitude et dépourvus « d'effet pervers » qui se sont les plus massivement « *sportivisés* ».

Essentiellement attaché à la recherche d'une *pertinence praxéologique*, P. Parlebas ne s'était pas préoccupé jusqu'ici d'une éventuelle pertinence socioculturelle de sa classification. Nous nous emploierons, au contraire, à la mise en rapport d'une pertinence **motrice** et d'une pertinence **sociale** en reprenant quelques-uns de ses critères de classification (17).

Déjà, on peut dire que les sports « collectifs », les sports « de combat » et les autres sports « individuels », ainsi identifiés, constituent des « familles » aisément repérables par les agents. En outre, les pratiques sportives peuvent être classées selon les critères de « *distanciation* » et « *d'instrumentation* ».

---

(16) Parlebas Pierre, Activités physiques et éducation motrice. Ed. Revue Education Physique et Sport, supplément au numéro 139, mai-juin 1976.
(17) Dans son dernier ouvrage, Pierre Parlebas s'inspire assez largement du travail que nous avons mené en *sociologie des sports,* mais en lui faisant subir un habillage conceptuel propre à sauvegarder ce qui relève, à ses yeux, de la spécificité du praxéologue (voir la rubrique « d'ethnomotricité »). Les vigoureuses critiques qu'il adresse pourtant à ces mêmes recherches (qui l'ont conduit à restructurer une partie importante de son discours) pourraient donner lieu à d'intéressantes observations (situation d'agents inéluctablement inscrits dans un champ de concurrence, pour des publics, des publications, etc. Refus des approches théoriques qui pourraient conduire à situer socialement et culturellement « *la pédagogie des conduites de décision* ».) On devra cependant attribuer à cet auteur, le mérite d'avoir conçu une classification des sports sur des critères utilisables par des savoirs « *non-spécifiques* » et impertinents. A ce propos, mais dans un autre registre, si *la distance de garde,* retenue comme critère « technique » de classement, se révèle grosso modo (comme nous nous efforcerons de le montrer plus loin), sociologiquement pertinente, l'opposition *violence/euphémisation* des affrontements sportifs n'est pas totalement (et univoquement) recouverte par ce critère technique. Il en est ainsi de *la boxe anglaise* qui accuse une distance de garde plus importante que la lutte, et qui cependant présente aujourd'hui un degré plus important de violence sportive.

La distance de garde

Les sports collectifs, par exemple, peuvent être situés sur une échelle « hiérarchique », en fonction des critères **« de contact »** ou de **« distance »** **d'affrontement.** Chacun d'eux se trouve, en effet, doté d'une structure réglementaire qui définit un mode spatial spécifique d'affrontement, en assurant la régulation du rapport entre la possibilité de mobilité du joueur qui transporte (ou touche) la balle, et l'intensité de la charge défensive pouvant être réglementairement exercée sur lui.

Ainsi, le *rugby* est essentiellement un sport de *contacts,* parce que rien ne vient limiter la mobilité du porteur du ballon dans ses déplacements offensifs. On comprend, en conséquence, qu'il soit le sport collectif, **le plus apparenté aux** **sports de combat** puisque la puissance de la charge de percussion autorisée sur l'homme y est maximale.

L'exigence de conduire la balle du pied, du tronc ou de la tête, limite la mobilité du *footballeur* possesseur du ballon dans ses mouvements vers le but. L'intervention défensive épaule contre épaule ou par « tackles » y est donc autorisée et les contacts peuvent s'y révéler très rudes.

Au *basket-ball,* la mobilité du possesseur du ballon est considérablement restreinte par les règles du *« dribble »* et du *« pivot ».* Il est corrélativement interdit au défenseur d'entrer en contact avec lui. Toute infraction y est sévèrement (et quasi « moralement ») sanctionnée par une « faute personnelle » pouvant entraîner son exclusion (18). Enfin, *au volley-ball,* où le contrôle de la balle est strictement limité au minimum « technico-moteur » concevable de la « touche » ou de la « déviation », une distance spatiale maximale y est instituée par l'existence même du filet qui interdit *concrètement* tout contact corporel avec l'adversaire.

On peut transposer intégralement cette analyse à l'ensemble des « sports de combat » puisqu'il est possible de classer ces derniers selon un échelonnement rigoureux des distances de garde (et de charge).

La *lutte* s'est toujours exercée dans un contact direct et enveloppant sur le corps nu de l'adversaire. La *boxe anglaise* introduit une certaine distance de garde exigée par un combat de coups portés, tandis que la *boxe française,* autorisant les coups de pieds accroît sensiblement sa distance d'affrontement.

Particulièrement bien analysés par Jean-Paul Clément, dans leurs dimensions techniques autant que dans leurs conditions matérielles et spatiales d'exercice,

---

(18) Il serait sans doute plus exact de renverser la proposition en disant que c'est *l'interdiction formelle du contact qui régit, par voie de conséquence, les limitations des déplacements offensifs du basketteur.* En effet, il est attesté que l'invention du basket-ball résulte d'une volonté, toute « puritaine », du Révérend Naismith de s'opposer aux « brutalités » du football américain (le plus violent des sports collectifs existants) et de réserver le nouveau jeu de salle à une élite estudiantine de Springfield. En tous cas ce qui est ici (socialement) pertinent c'est bien le rapport entre contact et mobilité puisqu'en limitant la mobilité, on rend *de surcroît* nécessaire l'acquisition, par les joueurs, d'une plus grande maîtrise technique des déplacements (voir plus loin). Il n'est pas sans intérêt d'indiquer en outre que le hand-ball à onze, puis à sept joueurs assure, à cet égard, la plus parfaite des transitions entre le *football* et le *basket,* puisque les modalités et l'intensité des charges autorisées y sont strictement intermédiaires.

les différents sports de combat concentrent en effet dans leurs distances spécifiques de garde, la régulation du rapport qui conditionne évidemment la nature, la durée, l'intensité, bref le degré de **violence,** des contacts spécifiques. Or, ces caractéristiques se révèlent, dans ce contexte, si rigoureusement pertinentes qu'elles fondent une « hiérarchisation » socioculturelle parfaite de la *lutte,* du *judo* et du *aïkido,* se manifestant notamment par de significatives discriminations dans les « *éthos* », les pratiques politiques, les attitudes partisanes, les modes de vie, bref dans les **« cultures »** de leurs pratiquants respectifs (19).

On peut voir ainsi s'exprimer, à travers les différentes structures réglementaires des sports collectifs et de combat, et sous l'effet de cet échelonnement, une double « intention » :

— d'une part, celle *d'ajuster,* par un mécanisme interne et profond, le potentiel offensif de mobilité à la puissance de la charge défensive. (La structure spatiale particulière du « ring » de boxe a pour fonction de limiter la mobilité d'un combattant qui, n'étant pas « maintenu », pourrait se dérober à la charge) ;

— d'autre part, celle d'opposer en permanence les règles spécifiques du sport à la créativité et à l'intelligence pratique des joueurs, qui tendent à le transformer, à leur avantage, ceci afin de *préserver* la nature particulière de l'affrontement, c'est-à-dire de stabiliser le degré de violence légitime (20).

En bref, l'intérêt de la mise en évidence de la *pertinence* technique des sports (de combat et collectifs) dans leur situation relationnelle même, réside dans le fait, (non évident), que l'appréciation comparative des caractéristiques techniques des pratiques appartenant à un même registre, *entre concrètement en œuvre dans la dynamique de certains choix.* Ainsi, on a pu entendre : « *J'ai choisi le handball parce que c'est moins « technique » et plus « en force » que le basket* (qui est plus « en finesse » et en précision), *mais c'est moins brutal et moins dangereux que le rugby ou le foot !* »

L'instrument et la machine

L'utilisation d'un instrument introduit dans les sports une fondamentale « prise de distance » par rapport à l'adversaire (escrime).

Le critère de *l'instrumentation* permet de distinguer les sports instrumentés (le saut à la perche) et ceux qui ne le sont pas, (la course à pied), puis de classer les sports individuels de combat, par exemple, sur une échelle aux extrémités de laquelle se situent la *lutte* (à mains nues) et l'*escrime* ou le *tennis* (duels médiatisés par des instruments). Le tennis apparaît, dans cette perspective, comme un cas limite intéressant. Il se révèle en effet, le plus distancié (filet) et le plus instrumenté (raquette) des sports de combat, *mais il n'est que très rarement*

(19) Voir sa contribution : « *La force, la souplesse et l'harmonie* ». Etude comparée de trois sports de combat (lutte, judo, aïkido), et son Mémoire pour le diplôme de l'I.N.S.E.P., année 1980.
(20) Pierre Conquet et Jean Devaluez ont montré comment, à travers son histoire, le jeu du rugby avait déployé dans cette dialectique réglementaire, des trésors d'ingéniosité, afin de conserver la « ligne de front » qui le fonde comme sport de combat au contact. Cf. « *Les fondamentaux du rugby* » chez les auteurs, publication 1976, p. 71 et suivantes.

appréhendé comme tel par ses pratiquants (on notera qu'il s'agit ici de mettre le
« projectile » hors de portée de l'adversaire). L'escrime, quant à elle, montre
que les deux critères retenus ne sont pas exclusifs puisque l'instrument adopté
(fleuret, épée ou sabre) impose, comme cela a été dit, une distance de garde
sensiblement différente.

En outre, il nous faut ici clairement distinguer les sports dotés d'un instrument :
(la *raquette* du tennisman ou la *perche* du perchiste) et les sports pourvus d'un
appareillage véhiculant c'est-à-dire d'une « machinisation ». En effet, la
« sportivisation » d'engins utilitaires motorisés ou non (automobile, bateau à
voile) d'une part, ou la création de « machines écologiques » (surf, planche à
voile, « deltaplane », etc.) d'autre part, seront appelées à jouer des fonctions
techniques et culturelles beaucoup plus complexes et différenciées qu'une simple
instrumentation. On comprend déjà, à l'évidence, que l'utilisation sportive
d'engins véhiculants a très généralement pour conséquence de **diminuer
fondamentalement l'engagement énergétique du corps,** ce qui n'est pas le cas des
« *instrumentations* ».

L'incertitude et la stéréotypie

Distanciation, instrumentation et *machinisation* constituent, sans nul doute, des
critères de différenciations dont nous montrerons plus loin la pertinence sociale,
mais il est tout à fait concevable de fonder d'autres classifications.

En retenant, par exemple, les critères de standardisation et de stricte codification
des pratiques (ainsi que la *stéréotypie motrice* qu'elles peuvent engendrer) ou, au
contraire, les critères *d'incertitude* ou d'imprévisibilité des milieux dans lesquels
le sportif s'affronte à des situations sans cesse changeantes, on peut situer
grosso-modo, l'opposition entre sports **« anglais »** et sports **« américains »,** entre
sports de compétition « dure » et sports « libres » d'exploits ou d'exploration.
On peut ainsi distinguer les pratiques à gestes répétitifs, que les sports de
locomotion « en couloir » portent à leur degré maximum, *(course de vitesse,
natation,* mais aussi ski de fond et *canoë en ligne)* et les sports « *cybernétiques* »
ou *de décisions,* (descente de rivière, alpinisme, spéléologie, plongée, vol libre,
etc.). Ceci étant une autre manière de formuler l'opposition entre des pratiques
où dominent assez fondamentalement des gestuels énergétiques, et celles où
dominent des gestuels de maîtrise ou de contrôle informationnel du corps (dans
les sports de pilotage notamment) où l'on est toujours conduit à s'affronter à une
variabilité et une « imprévisibilité » du milieu importantes, c'est-à-dire dans
lesquels *l'activité décisionnelle* est essentielle. La *conduite automobile* dans son
cadre quotidien constitue le paradigme de ces activités informationnelles de
mobilité au moindre effort, tandis que le *vélo-cross* et le *moby-cross* en
constituent peut-être le modèle d'engendrement chez les jeunes.

Il tombe sous le sens que si certains sports sont objectivement « énergétiques »
(chaque fois qu'ils sollicitent la machine humaine en « *consommation maximale
d'oxygène* » courses de demi-fond, aviron, cyclisme de compétition par exemple),
et d'autres sont fondamentalement « informationnels » (pilotage de machines
motorisées) (20 bis), il convient toutefois de souligner avec insistance que la

(20 bis) J.P. Famose propose une classification des *tâches motrices* selon les charges

LES SPORTS A DOMINANTE ÉNERGÉTIQUE

Les divers sports sollicitent différemment la machine humaine sur le rapport du travail endurant que les physiologistes traduisent objectivement en «*consommation maximale d'oxygène*» (Vo$_2$ max.).

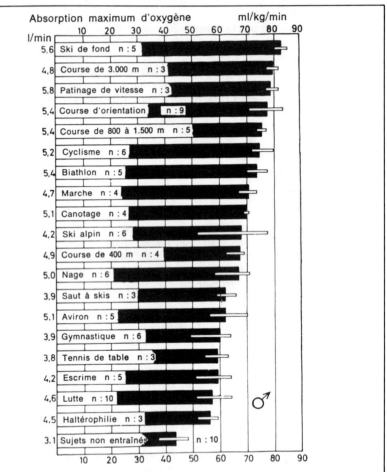

Figure 36. — Absorptions maximum d'oxygène pour une population normale de collège et pour des athlètes exceptionnels de l'Equipe masculine Nationale Suédoise au cours de différentes épreuves sportives. (Astrand, P. O., et Saltin, B. : J. Appl. Physiol. *23* : 353, 1967.

« L'absorption d'oxygène au cours d'un exercice donné dépend de l'intensité du travail et de la taille des groupes musculaires intéressés. Les athlètes bien entraînés se caractérisent par des absorptions maximum élevées d'oxygène, les valeurs les plus importantes étant notées pour ceux qui participent à des activités sportives d'endurance. »

Cité par Karpovich (P.V.) et Sinning (W.E.) — Physiologie de l'activité musculaire, Paris, Vigot frères, 1975, p. 141.

plupart des pratiques du système étudié ne se définissent pas comme tels, dans l'absolu et en substance, mais *en relation*, c'est-à-dire selon la dominante E.(+) ↔ I.(+). On doit donc considérer cette opposition (qui se révèle, à l'analyse, recouvrir des propriétés socioculturelles très puissantes) non comme inhérente aux caractéristiques « objectives » des pratiques, mais, essentiellement relative aux *usages sociaux* actuels qui en sont faits.

Les usages sociaux des sports

Cette démarche séduisante qui consiste à chercher, dans la structure des pratiques, les éléments susceptibles de rendre raison de choix sélectifs par des groupes culturellement qualifiés, se heurte à une série de difficultés.

Elle est déjà mise en défaut par le fait que des pratiques *instrumentées* (mail, billard, chistera, paletta), *machinisées* (motocyclisme) ou « techniques » (saut à ski) restent des sports populaires, tandis que des sports éminemment énergétiques et techniquement stéréotypés, comme le ski de fond, ont pu redevenir des sports distinctifs sinon « distingués ».

La démarche se trouve en outre apparemment discréditée par le constat qu'une même activité, ainsi *structurellement définie,* ait pu être, au cours de son histoire, successivement appropriée par des publics très différents. La boxe, par exemple, et le rugby, subissant un processus habituel de divulgation, se sont imposés et définis d'abord comme sports bourgeois ou « sélects » avant de devenir les sports populaires que nous connaissons. Nous serions donc tenté d'abandonner l'hypothèse d'une pertinence du rapport sociotechnique pour sacrifier au formalisme d'un arbitraire total du signe sportif. En réalité, notre démarche ne nous paraît pas devoir être abandonnée, mais précisée et quelque peu rectifiée. En effet, si *la boxe* par exemple, a pu subir une révolution dans son recrutement de pratiquants, *la lutte,* quant à elle, n'a jamais été un sport aristocratique ou bourgeois. C'est très certainement, qu'il y avait dans la « structure motrice » de ce sport de combat, pratiqué en force, dans un contact corporel direct et enveloppant, quelque chose qui excluait son usage par les groupes distingués, puisque, comme nous l'avons suggéré, la « mise à distance corporelle » est une disposition culturelle et mondaine dont la permanence ne s'est jamais démentie depuis l'Ancien Régime (21). A l'inverse, la boxe *« noble art »*, du fait de la « plasticité » toute relative de sa logique interne, et grâce à quelques aménagements convenables, (notamment par la formalisation des gestes et l'euphémisation des coups), pouvait réintroduire une certaine « distance de garde » et sous certaines conditions se métamorphoser en *« escrime des poings »* : (donc fonder dans des « cercles » réservés, une nouvelle distinction). Ceci nous conduit à relativiser l'efficacité des « logiques internes » des pratiques

bio-énergétiques et bio-informationnelles qu'elles imposent à leurs exécutants. Il y a là un ensemble de travaux porteurs de fructeux recoupements interdisciplinaires. (Cf. notamment : Tâches motrices et stratégies pédagogiques en E.P.S., Dossier E.P.S. n° 1, I.N.S.E.P., Laboratoire psychopédagogie).

(21) Voir notre article : *« Quelques indications sur les déterminants historiques de la naissance des sports en Angleterre »*, p. 33.

dans la dynamique des choix, et à préciser leurs modes d'action selon les différentes catégories de sports. La lutte, par exemple, fait montre d'une grande stabilité historique tant en ce qui concerne sa définition motrice et réglementaire qu'en ce qui concerne son recrutement social. Ce qu'il convient d'appeler la « rigidité » de sa logique interne est sans doute à l'origine de la très forte concentration de l'univers de ses pratiquants autour de son « noyau significatif » (22), de la très faible « mobilité » de ses pratiquants entre les différents sports (monopratique exclusive), mais aussi de l'absence de « variété » dans les modalités d'une pratique compétitive (ce qui paraît être, *a contrario*, à l'origine du succès actuel du judo en France).

Il y a donc lieu d'apprécier la « souplesse » ou la « plasticité » des logiques internes des pratiques (plasticité se manifestant d'abord dans la *polyfonctionnalité* » qu'elles revêtent, à moment donné, aux yeux des publics) et susceptibles d'induire ou de provoquer des usages sociaux différents.

L'on a pu, ainsi, repérer des sports qui présentent des **modalités** très différenciées de pratique correspondant à des **usages sociaux** opposés ou contradictoires (équitation, cyclisme, motocyclisme, ski), et qui tendent à les faire éclater en sports distincts. Mais il est possible d'identifier des sports à logiques souples (judo, karaté, trial) qui tendent à s'organiser selon une *bipolarité*, dichotomie entre un « *pratiqué* » **en force** et en **finesse** par exemple. Il existe, enfin, des sports à logiques souples qui suscitent des usages sociaux différents pouvant devenir constitutifs de la pratique même (c'est le cas de tous les sports collectifs). Ainsi la plasticité de la logique interne du rugby (qui l'oppose à celle de la lutte) rendant possible les transformations de son recrutement sociologique, permet de comprendre, du même coup, l'évolution technique et le fonctionnement social particulier de ces sports qui acquièrent ou conservent une importante division technique (ou tactique) du travail dans le jeu même (voir plus loin).

On peut, dans le même instant, montrer la nécessité théorique de recourir aux « *caractéristiques techniques* » des pratiques et jauger l'imprécision de ce concept et l'insuffisance de la démarche. Il est en effet possible à certains groupes, par des usages bien définis, d'accroître la distance d'affrontement donc **de diminuer la violence,** dans un sport éminemment *de contact*. Il en est ainsi de ceux qui, optant pour un « *Rugby dans l'Esprit* », disent « *faire courir la balle et éviter le plus possible les contacts* ».

Ainsi, si **l'usage social** du sport est susceptible de transformer profondément ses caractéristiques techniques, et rend discutable toute construction qui repose sur elles, il n'en reste pas moins que le *contact* est, en l'occurrence, perçu comme une caractéristique technique socialement et culturellement pertinente.

S'il y a des structures motrices qui, heurtant les dispositions culturelles (c'est-à-dire l'habitus) de certains groupes, deviennent, pour eux, rédhibitoires, il en est d'autres au contraire qui, parfaitement adaptées à ces dispositions, fixent le recrutement de pratiquants, limitent leur mobilité (inter-pratique) et stabilisent un usage particulier de la pratique. Il en est d'autres enfin, qui

---

(22) Nous précisons plus loin ce concept. Voir J.-P. Clément : « La force, la souplesse et l'harmonie... », déjà cité.

donnant la possibilité (et le spectacle) de modalités différenciées, offrent au besoin de distinction les occasions multiples de se satisfaire. Il convient donc de saisir la « nature » et le « destin » des pratiques **à travers la dialectique historique qui s'instaure inéluctablement entre leurs logiques internes et leurs usages sociaux.**

Les médiations indispensables

Dans cet effort de mise en relation d'une pertinence *« technique »* et d'une pertinence *« culturelle »*, la recherche des médiations devient indispensable. La théorie de *l'habitus* que développe Pierre Bourdieu peut nous aider dans cette recherche. Cet auteur part de l'hypothèse que les différentes conditions sociales d'existence construisent *« des dispositions durables et transférables qui fonctionnent comme système générateur et classificateur de pratiques »* (23). *L'habitus* comme ensemble de propriétés sociales incorporées est la plus fondamentale de ces médiations qu'il convient de préciser en ce qui concerne son fonctionnement dans le registre des pratiques sportives. Ceci consiste à dégager à partir des propriétés caractéristiques des différents groupes, un petit nombre de **« formules génératrices »** c'est-à-dire de *schèmes* liés aux dispositions culturelles et corporelles que les différentes pratiques sont susceptibles de révéler et de mettre en valeur du fait même de la différence de leurs caractéristiques motrices. On est donc conduit à suggérer quelques critères simples, exclusifs et pertinents qui, par combinaison, peuvent reconstituer l'ensemble diversifié des pratiques sportives et de leurs représentations. La démarche qui consiste à faire surgir des propriétés intelligibles de la pratique pour les mettre en communication avec des déterminants socioculturels se concrétise donc dans la constitution d'un tableau à double entrée dont chaque case fait l'objet d'un questionnement systématique. On peut ainsi espérer rendre les choix de pratiques par les différents publics, d'autant plus significatifs que ces médiations seront plus apparentes. Il est, en effet, possible de concevoir de nouvelles classifications dans lesquelles les médiations apparaissent plus clairement encore.

Il existe des sports où dominent la *force* et la *puissance* (haltérophilie, lancers « lourds », lutte et rugby d'avants), l'intensité de la *dépense physique* et la *résistance* (course de fond, ski de fond de compétition) ainsi que des sports qui offrent une possibilité *« d'explosion consumatoire »* de l'énergie corporelle. A l'opposé, on peut identifier des sports où dominent la *forme* ou la *grâce* (danses, gymnastiques féminines, sportives, rythmiques), la recherche de la figure gestuelle, technique, acrobatique (surf, trampoline, patinage artistique, freestyle) ou bien qui permettent une exploitation très méticuleuse de la motricité, ceci en rapport avec une appréciation qualitative des mouvements.

Or, on voit bien que dans ces deux types de pratiques, peuvent respectivement et contradictoirement s'investir et s'exprimer les qualités attribuées aux classes populaires, ou bien (au contraire) l'ensemble des dispositions — notamment esthétiques — propres aux groupes culturellement favorisés. Ceci recouvre les

(23) Bourdieu Pierre, La Distinction ; Critique sociale du jugement. Paris ; éd. de Minuit, le Sens commun 1979, et Bourdieu Pierre, Le sens pratique. Paris ; éd. de Minuit, le Sens commun, 1980.

observations que Luc Boltanski avait, par ailleurs, théorisées, sur les différents « *usages sociaux du corps* » (24).

Les rapports que les différents groupes, hiérarchiquement situés entretiennent avec leur corps servent ici de médiation intelligible et permettent précisément de fonder l'opposition entre la **force** et la **grâce**, entre la **fonction** et la **forme** du geste, entre un rapport (et un usage) « concret, instrumental, fonctionnel et silencieux » caractéristique des groupes « d'opérateurs directs », et un rapport (et un usage) de type « formel », esthétique, « non instrumental » et « d'écoute » (ou de verbalisation) que constituent les groupes intellectuels.

Le système des oppositions que nous venons de suggérer : collectif/individuel, au contact direct/à distance respectueuse, en force/gracieux, instrumenté ou non, machinisé ou non, nous paraît en effet recouvrir des significations socioculturelles. La sociologie des styles de vie et, plus particulièrement, les travaux du Centre de sociologie européenne, ont puissamment montré que « *le sens collectif* », ou au contraire « *l'individualisme* » l'adhérence fonctionnelle aux actions ou la « *distance au rôle* » (que confère la distance à la nécessité) sont socialement déterminés. De même, le privilège accordé à l'exercice direct de la force, et à la mise en jeu de la résistance corporelle ou bien celui attribué à la finesse technique et à la minutieuse gestion du temps et de la gestualité, le travail « productif » sur des matières, ou au contraire, l'exploitation sportive des éléments naturels, nous apparaissent en effet comme culturellement induits. Il est possible de mettre ainsi en évidence un premier système d'opposition entre des dispositions culturelles qui est, en réalité au fondement de notre principal système d'opposition entre les pratiques.

A la **solidarité populaire** s'oppose **l'individualisme** social de la petite bourgeoisie (25) (« *on ne peut compter que sur soi-même et encore, pas toujours !* »). A la vigueur « silencieuse » des **contacts** corporels (« *où l'on sait immédiatement à qui l'on a affaire* »), s'oppose l'**euphémisation** esthétique des combats, et la médiation technique et instrumentale des affrontements chics. A l'explosion **« consumatoire »** (que l'on pourrait dire *festive*) de l'énergie corporelle chez les classes populaires, s'opposent enfin, les comportements sportifs **consommatoires** et corporellement « *retenus* » de la bourgeoisie.

> « *L'homme (est un) mammifère bipède adapté à la locomotion assise en atmosphère de pétrole brûlé.* »
>
> A. Leroi-Gourhan

« Artisans » et « ingénieurs » du sport

Comme les ouvriers ou artisans qui ont à faire à des matières (le métal, le bois, la terre...) les « *artisans du sport* » s'affrontent et se fortifient au contact direct de matières qui cèdent sous l'effort (ou sous les coups) du travail isotonique.

(24) Boltanski Luc, Les usages sociaux du corps, Revue « Les Annales, Economies, Sociétés, Civilisations : n° 1, janvier-février 1971.
(25) Bourdieu Pierre, Avenir de classe et causalité du probable. Revue française de sociologie, XV, 3, 42, pages 24 et suivantes, et « la Distinction », déjà cité p. 204 et suivantes.

Dans la puissance de percussion d'un avant de rugby à travers la masse corporelle de ses adversaires, dans le « punch » du boxeur, dans la puissance de « soulevé » des haltérophiles, lutteurs et judokas, on voit bien que le corps sportif, instrument, outil ou projectile, agit en force, sur une matière que l'on perfore ou que l'on pousse, que l'on culbute, ou que l'on frappe, bref sur une matière que l'on « manutentionne », c'est-à-dire que l'on « travaille » peu ou prou.

Les sports « durs » de ce type s'investissent alors de toutes les valeurs du **travail manuel masculin** et enrichissent leurs « *langages indigènes* » de ses métaphores propres. C'est pour cela qu'au football, par exemple, « *on préfère de loin le travail carré à la dentelle* », et qu'au rugby d'avants, pour valoriser son effort, « *on va au charbon* ».

Dans le contexte de cette ascèse sportive, il faut savoir se « *défoncer* » à l'entraînement et l'on aime particulièrement ceux qui « *trempent le maillot* » dans un effort persévérant et un esprit d'abnégation.

La transmission quasi initiatique des savoir-faire, la méfiance vis-à-vis des processus de formalisation intellectuelle, caractérisent ces apprentissages sportifs « *sur le tas* ». Les mentalités et les pratiques se constituent sur des traditions et des « rituels » qui pourraient être inspirés du compagnonnage (G. Bruant, 1978).

Dans tous les cas, ce qui semble ici pertinent c'est d'une part, l'intensité de la dépense physique, la « *résistance* » que l'on peut (et que l'on veut) opposer à son propre corps, engagé dans l'effort endurant (c'est-à-dire pouvant être organiquement douloureux), et d'autre part, un **investissement énergétique dominant du corps sur des matières** (26).

Au contraire, à l'instar des ingénieurs, qui domestiquent l'énergie des « éléments » naturels (l'eau, le vent, le feu), les « *ingénieurs du sport* » tentent d'exploiter au mieux, à l'aide de dispositifs machinisés plus ou moins complexes, les forces extérieures indomptables qui toujours nous dépassent, c'est-à-dire avec lesquelles on doit inéluctablement composer, en les domestiquant grâce à une motricité fine d'ajustement isométrique et grâce à un rigoureux contrôle informationnel de la gestualité.

Dans la *planche à voile* par exemple, ou mieux dans le *vol libre* (appelé communément « deltaplane ») l'exploitation de sources d'énergie **extérieures au corps et aux engins,** permet d'assurer, à travers des gestuels d'équilibration et de contre-balancements maîtrisés, l'expérience de la mobilité acrobatique au moindre effort. Dans ses mouvements de déséquilibre rattrapés, le corps, grâce au prolongement machinique qu'il s'est véritablement *assujetti*, peut exploiter les « énergies douces » (de la vague, du vent et du soleil), et jouir des plaisirs vertigineux puisés dans la vitesse et le risque.

Dans ces sports singuliers de pilotage sans gouvernes (et relativement dépourvus d'instrumentations artificielles de contrôle), le pratiquant, mobilisant ses récepteurs sensibles, ainsi que toutes les ressources de son expérience passée,

---

(26) On peut rappeler qu'au judo par exemple, on appelle « *la viande* » (et sans y prêter de nuances péjoratives excessives) les combattants qui font office de partenaires d'entraînement.

s'absorbe complètement dans la capture et le traitement des informations pertinentes à la conduite. De plus, dans ces activités que l'on pourrait appeler « *jeux de catastrophes* » ; puisque la mise en jeu cybernétique d'un « corps » (« traversé » par les informations) consiste, dans chaque cas, à « *auto-entretenir* » le mouvement, à autoguider et à « *autoréguler* » le dispositif, c'est-à-dire à le maintenir à l'intérieur de limites tolérables. Or « la catastrophe » qui est ici le déséquilibre, le plongeon ou la chute mortelle, constitue, avec la recherche des figures acrobatiques et esthétiques, l'un des principaux enjeux de cet « affrontement » ludique éminemment risqué et « intelligent » avec les éléments (27).

L'impératif de « *composer* » avec une énergie extérieure (au dispositif machinique), énergie prolifique mais capricieuse, qui dispense le mouvement et qui, exploitée avec économie, permet toutes les modifications directionnelles, situe les sports dits « *de glisse* » comme la transposition sportive parfaite de ce « *style lisse* » dont Topor a souligné, avec humour, le développement (28). C'est en effet, précisément dans les groupes les plus dotés en capital culturel que semble se marquer avec le plus de netteté, à la fois ce goût esthétique pour « le lisse » et ces dispositions sportives pour la « glisse ». Ces goûts sont systématiquement mis en pratique dans ces sports de déplacements pilotés (patins, skis, luge ou surf, wind-surf, delta, etc.) dans lesquels il s'agit de profiter de l'élan, *d'offrir le moins de résistance possible à l'avancement ou de gérer au mieux les «énergies douces».* On peut montrer que cette idéologie qui se diffuse à partir des fractions cultivées, et « surdéterminées » à la fois, par leurs dispositions culturelles propres et par la logique même des pratiques choisies. En effet : **« il ne s'agit pas d'être le plus fort ou le plus agressif »** ni **« d'avoir la machine la plus grosse et la plus puissante »** (mais) **« d'être le plus habile à tirer le maximum d'une machine légère et simple»** (29) grâce à un « *informationnel* » développé ; (c'est-à-dire en définitive, grâce à un capital culturel fort). **En tous**

(27) En vol libre par exemple, le meilleur pilote (qui est toujours celui qui, dans des conditions aérologiques définies, monte le plus haut et « *dure* » le plus longtemps) est toujours implicitement considéré (et se considère, de fait), comme « *le plus intelligent* » ; puisqu'il a su tirer le meilleur parti de ces conditions. Ceci se trouve confirmé dans les fréquentes dénégations du caractère « sportif » (c'est-à-dire « *musculairement* » dominant) de l'activité : « *Le vol libre, c'est pas du sport, c'est de l'intelligence à l'état pur !* » (sic).
(28) Topor Roland, « Le style lisse ». Le Monde — Dimanche, supplément au numéro 10 843 du 9 décembre 1979.
(29) Comme nous l'avons laissé entendre, il existe, en réalité, un double système d'oppositions socioculturelles entre les pratiques sportives. Et ce sont les groupes *intellectuels* (auxquels nous avons emprunté ces éléments d'un discours reconstitué) qui sont les plus attachés à cette double démarcation. Ceux-ci sont, en effet, parfaitement « conscients » *de l'opposition de leurs pratiques vis-à-vis des sports populaires (« forts* » et « *agressifs* ») mais aussi *des sports bourgeois* («*gros* », « *chers* », «*consommatoires* » et aussi en un sens « *agressifs* »).
Dans ses ouvrages et ses articles Joël de Rosnay qui est un promoteur de ces sports californiens, souligne bien (à la manière de Roger Hakoun) ce rapport de *complicité nécessairement non agressive avec les éléments*, relation « *d'insertion* » et « *d'harmonie* », **qui fonde le nouveau rapport écologique à la Nature.** (Vogue-Hommes déjà cité p. 48), son dialogue avec Jacques Attali (Le Monde des 17 et 18 janvier 1978) et « Des milliards de cellules » (Le Sauvage, n° 25, janvier 1976).

cas ce qui est pertinent dans ces sports, c'est un investissement informationnel dominant du corps, médié par des machines idoines, **sur des «éléments» naturels.**

Pour pouvoir être exploitées en continu (durer le plus longtemps possible) et afin de ne pas encourir de risques excessifs, (parfois mortels) les énergies recherchées et utilisées doivent donc être « douces » au sens de modérées, sans soubresauts et sans déchaînements. On comprend, par conséquent, que les «éléments primordiaux» qui les portent doivent être *« lisses »*, *« glassys »*, *« fluides »* ou *« laminaires »*.

Ainsi, **l'exploitation curviligne de l'élan** y est une nécessité biomécanique plus impérieuse encore, puisque dans ces sports glissés ou planés, le corps, qui ne peut être assimilé à un moteur énergétique, n'est pas sollicité en force, mais fondamentalement en *élasticité* et en *souplesse*. (On peut noter à cet égard que l'aïkido pourrait être considéré comme le sport de « combat » le plus culturellement apparenté aux « sports de glisse » puisqu'on y exploite, là aussi, tout « en douceur » et tout en courbes, une énergie extérieure fournie par un « adversaire » plus ou moins complice). On ne s'étonnera donc pas de voir les **dispositions esthétiques** de ces groupes sociaux s'investir dans des pratiques à surfaces lisses, et à mouvements courbes, (et qui induisent parfois le port de la « combinaison ») — dont le patinage artistique est indéniablement le paradigme.

Les sports « en finesse » de ce type, que l'on pourrait dire *« de style »* ou *« d'esthétisation »*, se trouvent donc être logiquement associés aux valeurs attribuées à l'art et à la *« technique »* ainsi qu'à celles des plaisirs cœnesthésiques, artistiques, intellectuels ou « artificiels ». Le langage indigène est celui de l'« ivresse » et du « plaisir » (« le pied »), souvent celui de la « contemplation » *(surf)* et atteint parfois, comme dans *« les nouveaux alpinismes »* ou le *vol libre,* celui de la méditation et de l'extase.

Est-il besoin de rappeler combien les divers rituels d'accession à ces pratiques font largement appel à la rationalisation des techniques et à la verbalisation des expériences.

Il est ainsi possible d'opposer systématiquement les deux types de pratiques comme le font parfois, dans leurs discours spontanés ou provoqués leurs catégories respectives de pratiquants : (*« le vol libre c'est l'anti-foot »*) (sic) puisqu'elles paraissent s'être constituées comme la *qualité* (l'informationnel) s'oppose à la *quantité* (l'énergétique), comme *l'élément* (qui est le support imaginaire et onirique de la liberté) s'oppose à la *substance* et *la matière* (« la dure réalité de l'adversaire et du travail), comme *le courbe* et *le lisse* (la facilité et l'aisance) s'oppose au *« carré »* et au *« rugueux »* (29 bis), (le « dur » et le difficile), enfin comme la *délectation verbale* et esthétique, s'oppose à *l'effort* fonctionnel et silencieux.

(29 bis) En rugby, ne parle-t-on pas couramment d'un *« pack rugueux »* pour exprimer ce travail d'usure qu'impose un paquet d'avants plus puissant et plus combatif à ses adversaires ?

Stratégies sportives

Le caractère « explicatif » de la théorie ne réside pas seulement dans la mise en lumière du jeu des métaphores ou dans les processus de constitution des langages indigènes mais, plus essentiellement, dans la mise en communication des « logiques internes » des pratiques, avec les dispositions culturelles particulières des publics de pratiquants.

L'habitus de classe, défini comme système de dispositions et de perceptions classantes, est donc bien susceptible d'orienter les choix initiaux de pratiques et de constituer des goûts sportifs durables. (« *J'ai été attiré vers l'équitation sans qu'on m'y pousse !* ») (sic). Mais les fixations sur les pratiques ou les migrations (qui sont actuellement multipliées) de pratique à pratique et qui demandent du temps pour s'opérer, dépendent *aussi* des profits corporels, matériels ou symboliques auxquels une **pratique de longue haleine** donne effectivement lieu, chaque fois que cet investissement temporel est lié à un espoir d'exploitation socio-professionnelle.

On peut donc formuler l'hypothèse que le choix et les rejets sont également orientés par les **« investissements »** aux deux sens (psychologique et « matériel ») du terme, que les agents consentent à engager dans la pratique et qui sont fonction du capital corporel, culturel et temporel (économique) dont ils sont dotés et qu'ils peuvent ainsi sélectivement mettre en jeu.

On pourrait alors comprendre comment la « logique interne » de la pratique est susceptible d'exercer un attrait différentiel sur les publics, si elle donne à tel groupe l'occasion d'exprimer ou de gérer le plus « spontanément » la « structure » de son capital (30) avec les gratifications immédiates (ou différées) qui en découlent. On pense en effet que les pratiquants engagent une « stratégie » complexe (quoique souvent inconsciente) supposant l'appréciation « objective » des **coûts corporels,** (dureté du travail d'apprentissage, risque de blessures ou d'accidents), des **coûts temporels** (« *ça demande trop de temps aujourd'hui pour se maintenir à un bon niveau* ») et autres, par rapport aux **profits** matériels, symboliques et sociaux qu'ils peuvent en attendre, et qui sont fonction des caractéristiques du « marché » (c'est-à-dire qui fluctuent avec le *niveau de la concurrence* dans le champ de la pratique considérée).

Dans cette perspective, nous pourrions classer les sports selon :
- les possibilités qu'ils offrent à l'exploitation « immédiate » d'un capital morphologique particulier ;
- les modalités qu'ils offrent à l'exploitation de compétences techniques **spécifiques** et **non spécifiques** permettant de distinguer les sports à médiation instrumentale et à longs rituels d'apprentissage, et les sports d'exploitation immédiate de compétences acquises hors du sport considéré, (ou même hors du domaine sportif) ;
- leurs modes de mise en jeu du « corps » ou de la « machine humaine » permettant de distinguer les sports à engagement énergétique dominant

---

(30) Voir les définitions du « *Volume* » et de la « *Structure* » du capital dans le schéma II, p. 211.

(force, résistance et dépense physique interne) et les sports à investissement informationnel ou décisionnel dominant (gestuels de maîtrise, de contrôle, de pilotage...) ;

- l'exploitation d'un capital économique, temporel ou culturel, susceptible d'opposer les sports consommatoires lourdement machinisés à ceux qui ne le sont pas, les sports de gaspillage ostantatoire de temps à ceux de temps « concentré », les sports standardisés à gestuels répétitifs aux sports décisionnels à forte incertitude ;

- enfin les modes de sociabilité inscrits dans la logique interne des pratiques ou dans leurs usages sociaux aujourd'hui consacrés (sports collectifs ou individuels, pratiques « ouvertes » ou « techniquement » réservées). On voit certes que les critères de classification retenus ne sont pas exclusifs, mais nous avons cependant tenté un premier effort de médiation entre la « logique interne » des pratiques, les « habitus » et les « stratégies » supposées des pratiquants, qui permet de rendre compte des choix de pratiques selon une pertinence socioculturelle.

Le « capital corporel »

« Avec son physique, qu'est-ce que vous voulez, Palmié est obligé de jouer physique ! »
Commentaire de J. Raynal et B. Dauga
d'un match de rugby télévisé (T.F.1)

Il tombe sous le sens que les différents sports n'offrent pas les mêmes chances de succès, selon les **caractéristiques morpho-structurales** des agents. Ainsi, il y a des pratiques où il vaut mieux être grand et mince (sauteurs en hauteur, volleyeurs, etc.), d'autres où il vaut mieux être petit et râblé (lutteurs, haltérophiles et talonneurs), d'autres enfin, beaucoup plus nombreux, où il faut être grand et fort (avants de rugby, lanceurs, décathloniens, handballeurs, etc.) (31).

Les gratifications psychologiques obtenues dans leurs premiers succès sportifs par les adolescents bien lotis peuvent se révéler d'autant plus décisives dans leurs choix de pratiques que cette conversion d'un patrimoine morphogénétique en réussite sportive prend toujours les apparences d'un « don naturel ».

Certes, il est des sports pour lesquels ces données sont insignifiantes, (précisément ceux qui sont *machinisés*), mais il en est d'autres dans lesquels le

---

(31) Les membres des professions libérales (au demeurant relativement rares) qui parviennent à la réussite dans le rugby de haute compétition (ce qui est d'autant plus « distinctif » que cette pratique est moins fréquente dans leur groupe d'appartenance) ont en commun d'exploiter un capital morphologique très avantageux. On les retrouve donc aux postes de première ligne et de seconde ligne.

rapport entre la morphologie et le niveau d'excellence revêt un caractère d'évidence (32).

Or, nous savons que les habitudes alimentaires, les modes de vie, conjugués aux conditions spécifiques d'exercice des professions, façonnent les corps et les « natures » selon de très sensibles disparités (33). Si les différences anthropologiques entre les groupes sont relativement faibles et seulement décelables sur les grands nombres, la moyenne des tailles par catégorie socioprofessionnelle varie assez significativement pour inciter les catégories les plus favorisées à ériger la « grandeur-minceur » en standard esthétique universel (34).

De la même manière, on peut expliquer à partir des caractères ethniques (que l'on dit « raciaux ») une certaine division internationale du « travail » (et donc une certaine distribution des succès) sportifs. Ainsi l'haltérophilie *« lourde »* est monopolisée par les Européens de l'Est, tandis que les Japonais sont « imbattables » dans l'haltérophilie *« légère »* (35).

Ces remarques ont pour but de rappeler non seulement l'importance de la prise en compte d'un **« capital morphologique »** initial, mais surtout de souligner sa place dans la structure du capital dont chaque agent dispose, dans les diverses stratégies engagées sur le « marché » sportif qui n'excluent jamais l'espoir d'une semi-professionnalisation.

Instrumentations et maîtrises techniques

« *L'instrumentation* » avait été identifiée par plusieurs auteurs comme propriété caractéristique de certains « sports chics ». Si l'on perçoit en effet une signification socioculturelle *de dominance* dans ces sports à raquettes (ou à « clubs »), ce n'est sans doute pas seulement en vertu de la logique symbolique des *« bâtons de prestige »* (Renson, 1973) ou bien à cause d'une particulière concrétisation des *« fonctions et signes emblématiques »* de ces sports. Si l'instrumentation nous paraît effectivement pertinente c'est **d'abord** parce qu'elle

---

(32) Les indices qui permettent la prédiction chez les enfants, des caractéristiques pondérales, staturales, ou des rapports segmentaires, font l'objet de la part du spécialiste des potentialités sportives, de la plus rigoureuse attention (méthodes de l'âge osseux, du pli graisseux, largeur du bassin chez les filles, etc.).

(33) On peut rappeler que la moyenne des tailles par catégorie socio-professionnelle en France accuse des différences significatives : manœuvres et ouvriers agricoles : 162-165 cm, cadres supérieurs et professions libérales : 172-175 cm (Sources Musée de l'Homme, Palais de Chaillot, section Anthropologie, 1977). En outre, quelques personnalités avisées du rugby national ont su clairement établir la relation entre le processus massif et inéluctable *de mécanisation du travail agricole* avec la baisse considérable sur deux « générations » du nombre et de la qualité de ces joueurs, de gros gabarit, très forts et *« durs au mal »* qui faisaient le succès des packs français de naguère (voir l'entretien avec Lucien Mias publié dans le journal l'*Equipe* du 27 octobre 1978).

(34) Se reporter à la contribution de Catherine Louveau : « La forme, pas les formes ! ». Simulacres et équivoques dans les pratiques physiques féminines.

(35) Cette idée, qui sera développée plus loin, doit notamment à la lecture de Raymond Thomas, *La réussite sportive*, Paris, P.U.F., 1975, p. 44.

instaure (ou accroît) la plus subtile et la plus radicale des médiations : **la médiation de « maîtrise » technique.** Celle-ci contribue d'une part à renforcer une distanciation *spatiale et mondaine* avec l'adversaire, et d'autre part à instaurer une distance **sociale** par la ségrégation qu'elle opère vis-à-vis de ceux qui ne sont pas pourvus de cette compétence technique. Si le tennis apparaît comme le plus sélectif et le plus culturalisé de nos sports de combat, c'est-à-dire le plus proche, dans sa structure, de la culture légitime, ce n'est pas *seulement* parce que les comportements de courtoisie y sont très rigoureusement exigés dans des lieux réservés. C'est d'abord, nous semble-t-il, à cause de sa « logique interne » qui, dès la création de la *« courte paume »*, le constitue comme jeu socialement « fermé » des médiations spatiale et technique (36) qui **obligent à contenir la « violence » des coups ;** coups « euphémisés » dont la technique est toujours quelque peu inscrite dans une visée stratégique à cause d'une manière très particulière de compter les points.

Ainsi la complexité de la maîtrise technique des instruments aboutit à exclure (ou à limiter considérablement) l'exploitation, dans les sports considérés, de qualités ou de « techniques » corporelles *non spécifiques* (par exemple une « morphologie », une vitesse, une « endurance », voire un « jeu de jambes » avantageux), c'est-à-dire exclure des avantages « innés » ou des « compétences » acquises et développées ailleurs (37).

On voit ainsi se dessiner deux catégories de sports :

● d'une part, les sports *« ouverts »* qui offrent assez spontanément l'occasion de mettre en jeu et d'exploiter un capital morphologique « naturellement » avantageux ou de reconvertir des compétences corporelles de force ou d'énergie acquises en marge du domaine sportif. (Le rugby d'avants au poste de deuxième ligne en est un bon exemple) ;

● d'autre part, des sports socialement *« fermés »,* à compétence technique ultra spécifique, dans lesquels la longueur et la complexité, **donc la nécessaire précocité des apprentissages,** (gros consommateurs de temps), sont les plus sûrs garants de leur réservation.

Le recours à une instrumentation complexe et sophistiquée, comme disposition culturelle (autant que disposition économique), est donc susceptible de guider des groupes favorisés vers les sports de haute technicité (38). Ceci peut jouer

(36) En redoublant symboliquement les autres « distanciations », la tenue blanche du tennisman accuse la mise à distance de la terre « naturelle » et salissante du travail, et marque ainsi la sophistication (et comme l'aseptisation de son espace de civilité). Georges Canguilhem nous avait fait remarquer le *contraste social* très nettement inscrit dans les tenues et les hexis corporelles des *« tennismen »* et des *« rugbymen »* de son pays.
(37) Quiconque, venu au tennis « sur le tard », et s'affrontant à un quinquagénaire ventripotent, mais redoutable technicien, sera convaincu qu'il n'est pas possible de compenser ce type d'infériorité technique par un « engagement physique » plus intense.
(38) Un collectif d'auteurs aboutit à des conclusions similaires en ce qui concerne l'organisation de leur temps de vacances par les cadres. En effet, il émane, de la part de ces groupes, une très forte demande d'apprentissages et de perfectionnements techniques, de préférence au sein d'organismes spécialisés, qui garantissent, en quelque sorte, que le loisir sportif sera pour eux un « enrichissement culturel » (cf. « Le Corps dans la Nature, jeu et enjeu », U.F.C.V., édition Clédor, Paris 1978).

non seulement sur la distribution sociale entre les sports dits « de base » (comme l'athlétisme) et les sports « sélects » (comme le tennis), mais jouer aussi, à l'intérieur de l'athlétisme par exemple, sur la distribution entre les spécialités (lanceurs « lourds » et lanceurs « légers », coureurs de fond et sauteurs à la perche) qui peut recouvrir des différences culturelles très sensibles.

Machinisations, capital économique temporel et culturel

« Il faut admettre que l'aérostation n'est pas un sport pour tous parce qu'il faut beaucoup de qualités de ténacité et de patience. »
André De Saint Sauveur président-fondateur du club aérostatique de France .— F.R.3 29 juin 1980.

La distinction que nous avons suggérée entre « *instrumentation* » (raquette, club, perche, etc.) et « *machinisation* » (bobsleig, moto, planeur ultra-léger, dériveur, yacht, aérostats, etc.) se révèle ici indispensable. En effet, dans le cas des sports à **engins véhiculants motorisés** (motocyclisme, automobilisme, motonautisme) on remarquera qu'à la maîtrise proprement technique du pilotage de ces engins (dans lesquels se trouve nécessairement privilégiée la dimension « informationnelle » (ou décisionnelle), mais qui réclament d'autant moins de temps spécifique d'apprentissage qu'ils permettent une utilisation usuelle ou habituelle) est associée, en proportion variable, la connaissance **concrète** ou **technologique** des appareillages (montage, démontage, construction et perfectionnements), où sont susceptibles de s'investir de multiples ingéniosités. Ainsi l'on sait que les rallyemen professionnels disposent de centaines de pneumatiques leur permettant de s'adapter aux variations — notamment « climatiques » — d'un revêtement routier.

En ce qui concerne les sports de plein air à **machines écologiques** (vol à voile, yachting à voile, aérostation... auxquels on est conduit à adjoindre l'aviation sportive, mais essentiellement représenté par le *wind-surfing, le vol libre,* etc.), les temps consacrés à l'apprentissage sont nécessairement spécifiques (engins non utilitaires) (39) et les précédents investissements pratico-mécaniques, ou culturels, sont susceptibles de se doubler de la maîtrise des savoirs rationnels (ou théorisés) relatifs à la *connaissance des principes de fonctionnement de ces appareils,* mais aussi relatifs à la connaissance des *milieux complexes et mouvants dans lesquels ils évoluent* (géographique, marin, météorologique, aérologique, etc.). Ce sont là des « investissements » auxquels les publics cultivés sont les plus

---

(39) La « traduction », en termes de qualités personnelles et « morales » de ce qui relève ici manifestement de la possession, par l'agent, d'un *capital temporel important*, prend une valeur méthodologique de portée générale pour le « traitement » sociologique des discours de ces mêmes agents (voir supra André de Saint-Sauveur).

enclins à attacher du prix, d'autant qu'ils s'inscrivent au cœur du prestige social qui reste associé, dans nos sociétés, au statut du « *pilote* » (pilote de chasse, pilote de course, pilote de ligne) (40). De surcroît, ces publics voient s'ouvrir dans ces *technologies non technocratiques,* un vaste champ de pratiques d'innovations. C'est dire l'importance que revêt, dans ces sports, la capacité de verbalisation (ou même de théorisation) de l'Expérience dans la transmission des expériences, c'est-à-dire dans la constitution d'une culture spécifique du sport considéré.

Cette série de propositions ne suggère pas seulement des déterminants culturels qui, par étagements successifs construisent la hiérarchisation culturelle de *certains* sports machinisés. Il semble, en outre, que ces considérations puissent aider à la compréhension de modes particuliers de **sociabilité sportive** : en effet, dans les cas où elle s'opère, cette « micro-répartition » des savoirs et des connaissances sportives joue contre une certaine monopolisation de compétences spécifiques par des agents professionnels et, à travers les enjeux que recouvre la production des discours sur la pratique, peut garantir un fonctionnement « *démocratique* », « *contestataire* » et « *turbulent* » de certains groupes associatifs. La dynamique sociale, qui anime certaines fédérations sportives (parmi les plus jeunes), peut être expliquée de cette manière puisque, présidée par un ingénieur, la Fédération Française de Vol Libre par exemple, connaît une sur-représentation d'ingénieurs et de techniciens, enclins à apprécier la haute tenue technique et théorique de leurs revues spécialisées (41) et, plus généralement « *à ne s'en laisser conter par les technocrates* » (du vol libre) (sic). D'autre part, en induisant la recherche de **pairs culturels** dans le groupe sportif, ces dispositions sont susceptibles d'expliquer la redistribution sélective des sous-groupes de pratiquants, non exclusivement fondée sur des critères sportifs. Ainsi le motocyclisme, dont on peut dire, à certains égards, qu'il représente la forme sportive paradoxale d'un « *informationnel du pauvre* » (42) fonde sur la capacité de **démontage pratique du moteur** (c'est-à-dire sur un rapport *concret* à la machine) du même type — mécaniste — que l'on entretient avec son corps dans ces groupes, autant que sur la *connaissance de la mécanique,* une sélectivité sociale rigoureuse, permettant d'identifier les « *purs* » (les jeunes ouvriers) et les « *frimeurs* » (qui sont invariablement les jeunes « bourgeois »).

« Ecologisations »

Il n'est pas sans intérêt de souligner la proximité socioculturelle des sports à machines écologiques que nous venons d'évoquer avec les pratiques comme l'*alpinisme,* la *plongée* et la *spéléologie.* Ces sports, dans lesquels les pratiquants

---

(40) « *A quoi tient le prestige social ?* » (en Europe). Le Monde de l'Economie, 7 février 1978, p. 21.
(41) Les « libéristes » français disposent aujourd'hui de deux magazines : « *Vol Libre Magazine* » et « *Finesse 10* ». Cette remarque a été suggérée par les premiers résultats de l'enquête en cours.
(42) Voir l'article : « *Les smicards du gros cube* », publié dans « Le Point », n° 267, octobre 1977.

explorent des milieux insolites ou hostiles sont hautement distinctifs, puisqu'ils cumulent les caractères suivants :
- logiques internes souples, susceptibles d'intégrer des techniques très diverses (escalade, rappel, progression chatière, plongée, etc. pour la spéléologie par exemple) ;
- conduites de décisions dans des milieux à très forte incertitude, maîtrisées grâce à une connaissance rationalisée (voire scientifique) de ces milieux ;
- conquête risquée d'un espace inaccessible au commun ; notamment dans la recherche des très grandes difficultés techniques ;
- recours à une instrumentation plus ou moins sophistiquée quoique, dans un processus assez habituel « retour aux sources », l'escalade « propre » qui en réprouve l'usage (considéré comme superfétatoire) rend ainsi *certaines voies inaccessibles* aux escaladeurs tout-venant (Lapierre, 1980).

L'éclatement et le renouvellement des pratiques

Il est possible de distinguer aujourd'hui, pour la plupart des pratiques sportives individuelles, une sorte de *« loi des trois états »*. On peut voir, en effet, coexister (et donc interagir) trois modalités principales de la pratique (43) qui correspondent généralement à trois phases successives de son histoire :

- La première modalité (la plus ancienne ou la plus *traditionnelle*) s'exerce dans une stricte *territorialisation* et un cadre d'affrontement standardisé permettant aux adversaires d'engager **simultanément** leurs forces (leurs énergies ou leurs vitesses) selon des gestuels stéréotypés. Elle est construite sur le modèle anglo-saxon de la **course en ligne** dont le paradigme (et peut-être le modèle d'engendrement) est la course de cent mètres en couloir. Nous l'appellerons *« modalité en ligne »*.

- La seconde modalité se distingue essentiellement de la première par son organisation sur des *parcours balisés* dans lesquels les pratiquants engagent **successivement** leur habileté, à l'instar du slalom de ski alpin. Nous l'appellerons *« modalité balisée »*.

- Enfin, la troisième modalité marque, par rapport aux deux précédentes, une nouvelle étape dans la voie d'une *déterritorialisation* de la pratique. Elle « refuse », en effet, les *couloirs* de la course en ligne et s'exerce *sans balisages*. En s'élargissant en direction de la pleine nature, elle offre, à ses pratiquants, l'occasion de se confronter à une incertitude et à une imprévisibilité maximales et s'accompagne d'un accroissement sensible des

---

(43) Il existe en fait, comme nous le verrons plus loin, d'autres modalités d'une autre nature et d'apparition plus récente encore.

Tableau 1

Premier axe de développement ⟶

1	2	3	4
Modalité en couloir	*Modalité balisée*	*Modalité libre ou « Californienne »*	*Exploits et « Grandes premières »*
Pratique standardisée sur le modèle anglo-saxon de la course en ligne Ultra compétitive	Formalisation de parcours *Slalomisation* de la pratique, Gymkhanas compétitifs	Randonnées compétitives ou non	- Accroissement des risques - Diminution du temps de réalisation de l'exploit - Réduction des «logistiques»
Course automobile de formule I	Rallyes	Auto-verte « Buggies » et « tous-terrains »	Raids sahariens (Paris-Dakar) (Saviem 4 × 4)
Motocyclisme de vitesse en circuit motocross	Enduro, Trial	Moto-verte	Raid motocycl. (Paris-Dakar) Tour de la Méditerranée
Aviron et canoë *en ligne* (eau plate et stable)	Kayak de slalom. Modalité balisée (eau vive mais débit contrôlé)	Descente de rivière (eau vive : débit incontrôlé et toujours changeant)	Descente du Colorado Descente de la Dudh Kosi
Natation en couloir Courses avec palmes	Nage de rivière avec ou sans palmes	Descente de rivière à la nage avec ou sans palmes avec ou sans support pneumatique Plongée	Descente du Verdon à la nage
Ski nordique	Ski de descente et de slalom	Hors piste, raids à ski Randonnées	Ski de pente raide Ski sur avalanche
Marche sportive (Paris-Strasbourg)	Sentiers de grandes randonnées	Treeking au Népal randonnées *sauvages* hors sentiers	Traversée du Sahara
Cyclisme sur piste	Vélo-cross enfantin	Cyclotourisme	Raid Paris-Moscou à bicyclette
Windsurf en régate (triangle olympique)		Randonnées de crique à crique	Traversée du détroit de Behring, du Cap-Horn, Les îles Marquises
Course hippique	Jumping, cross, concours complet	Tourisme équestre randonnées sauvages	Paris-Moscou à cheval
Vol libre en parallèle « soaring », mini-cross « mickey-mouse »		Cross-country « non balisé »	Traversée du Cerro-Gordo désertique Mont Blanc, Kilimandjaro, K_2 Mac-Kinley

risques corporels *(« l'aventure »)*. Nous l'appellerons *« modalité libre »* ou *« californienne »* (44).

Le tableau I illustre, à travers quelques exemples, cette propriété des pratiques à *s'organiser* historiquement et sociologiquement en tripartition.

Il tombe sous le sens que, dans le contexte des sports modernes compétitifs, héritiers des sports anglo-saxons, ces trois modalités sont, en général, apparues successivement selon l'ordre historique 1, 2, 3 et 4. Ainsi, de même que la course de ski nordique (type Vasaloppet) précède le ski alpin de slalom, le motocyclisme de vitesse en circuit précède le motocross et le trial balisé.

(44) Ceci pour indiquer que cette démarche n'est pas sans rappeler les *défis* lancés par les protagonistes du film *Délivrance*. On pourra rapprocher ces pratiques des nouvelles modalités californiennes de l'escalade (voir Yosémite-Climber, California, compiled by George Meyers. Diadem Books/Robbins Mountain Letters, non daté).

Le passage de la *modalité 1* à la *modalité 2*, correspondant à une distanciation **spatiale** et **temporelle** entre les adversaires, offre à ses pratiquants l'attrait de la nouveauté, la rupture avec la monotonie, et surtout le refus des affrontements *corps à corps* ou *côte à côte*. Dans la plupart des cas, *la modalité 1* « s'organise » afin de permettre la comparaison des adversaires sur la base d'un engagement *énergétique* dominant (canoë en ligne, ou natation en couloir (45). Par contre, la *modalité 2* introduit indéniablement une dimension nouvelle faite *d'habilité* et d'adaptation du comportement à des situations plus changeantes. Tout ceci constituant plusieurs critères de différenciation opérants, c'est-à-dire culturellement pertinents. A cet égard un « libériste » nous a fait part de ses remarques concernant les rapports entre la coexistence de modalités différentes du vol libre et *l'histoire* de ce sport. Situé dans une zone géographiquement très privilégiée du vol libre (Grenoble) : « (il) *a eu l'impression, allant à Luchon, ou dans les Vosges, que le Delta y vivait des stades (qu'il) avait lui-même vécus et dépassés* » c'est-à-dire des « pratiques » qui lui paraissaient être **historiquement révolues.** On perçoit ici l'extrême sagacité « sociologique » des pratiquants, chaque fois que se trouve mise en jeu la logique de la « distinction ». Il n'est pas sans intérêt de remarquer que la modalité de balisage appauvrit son potentiel spectaculaire, puisqu'elle renvoie le spectateur à une médiation chronométrique, c'est-à-dire le frustre de la lecture permanente et comparative des efforts qu'offrait la modalité « en ligne ».

On peut donc considérer aujourd'hui le développement des affrontements sur le mode des *slaloms parallèles* comme la tendance de la pratique à « revenir » sur la *modalité 1* de la course en ligne, sous l'effet de considérations évidemment liées à sa spectacularisation (46) donc à une certaine politique de développement. Le passage de la modalité *en ligne* aux modalités balisées ou libres, manifesté par la migration de certaines catégories de pratiquants dans le sens 1 → 2 → 3 (mais jamais l'inverse) peut s'interpréter de multiples façons. On en retiendra les plus significatives.

Nous pouvons en effet appréhender ceci :

● comme un processus de *déterritorialisation* progressif, à mettre en relation avec le phénomène social d'« *écologisation* » des pratiques et de *concurrence pour l'espace ludique* que nous avons conceptualisé et approfondi ailleurs (47) ;

● comme un processus de glissement de modalités *en force,* dans lesquelles dominent les gestuels énergétiques répétitifs et stéréotypés, vers des modalités

(45) Dans d'autres cas, la structure réglementaire de la pratique cherche à préserver, toutes choses restant égales par ailleurs, la seule appréciation de l'habileté ou de la virtuosité du sportif dans le cas du pilotage de machines, ce qui complique singulièrement l'analyse.

(46) Le système « Argos » par satellite est, à notre connaissance, le premier exemple de tentative de transformation d'une *modalité libre* (la transatlantique en solitaire) en spectacle télévisuel de *course en ligne.* Ce « perfectionnement » qui n'est pas seulement en rapport avec des questions de sécurité (mais également lié aux exigences publicitaires du sponsoring) ne manque pas de transformer la pratique en modifiant le comportement en course des participants eux-mêmes.

(47) Voir : « Pratiques sportives... » déjà cité, pp. 38-40.

« en finesse », aléatoires, incertaines, où dominent des gestuels de maîtrise et de contrôle. Ce glissement correspond, par ailleurs, à une *« autopédagogie d'adaptabilité »* à mettre au compte d'une méfiance, qui se manifeste aujourd'hui dans certains groupes, vis-à-vis des « intermédiaires » pédagogiques jugés « gênants » ;

• enfin, comme une recherche notable de l'accroissement des risques corporels et des prestiges qui y sont généralement associés.

En résumé, ce premier axe de développement que nous venons de décrire nous semble orienter les transformations de certaines pratiques individuelles dans le sens d'un **réinvestissement ludique**, c'est-à-dire dans le sens de « l'abstraction » progressive de l'adversaire, de la suppression (ou de la transformation radicale) des modes de préparation et dans le sens de la recherche exclusive du plaisir que l'on puise dans une activité rare, « solitaire » et risquée, dans laquelle *« on ne peut compter que sur ses seules ressources »*.

On peut donc retrouver à travers cette analyse les antinomies déjà évoquées entre la *« force »* et les *« réflexes »*, entre la *stéréotypie monotone* et l' *incertitude d'adaptation*, entre les *« adversaires »* et les *« éléments »*. Il semble, en tous cas, que nous approchions de près les « mécanismes » mis en œuvre dans la dynamique d'opposition entre les **sports « anglais »** et les **sports « américains »**.

L'esthétisation des pratiques

Mais cette opposition d'éthos masculins est insuffisante pour saisir l'ensemble du processus de création de sports nouveaux (ou de nouvelles modalités des sports établis) que l'on peut identifier aujourd'hui.

Il est possible de saisir et caractériser une nouvelle dimension (ou axe de développement) à travers un ethos nouveau, s'exprimant dans la recherche de la *figure gestuelle* et dans la *grâce,* c'est-à-dire manifestant le privilège particulier accordé, comme nous l'avons vu, par certains groupes, à la *forme* du geste sur sa *fonction.* On peut espérer ainsi rendre compte d'une nouvelle direction qu'empruntent *certains* pratiquants dans le sens d'une **esthétisation des pratiques** et d'une **euphémisation des affrontements,** c'est-à-dire dans le sens d'une *diminution* de la division sexuelle du travail sportif. On assiste donc au développement assez sensible, sur une zone circonscrite du système, d'un phénomène qui n'est pas totalement nouveau : *la grâce masculine.*

Dans cet extrait d'un entretien avec un libériste (homme-volant) de 33 ans, masseur-kinésithérapeute, fils, petit-fils et arrière-petit-fils d'ingénieurs polytechniciens, se trouvent remarquablement rassemblés, en résumé, les dimensions les plus pertinentes d'un ethos nouveau, qui s'oppose à l'ethos sportif traditionnel et qui rend compte du glissement de certaines fractions vers de nouvelles modalités de pratiques. On y repère notamment :

• Les aspirations spatiales que l'on peut rapporter au processus décrit de *dé-territorialisation* (e) ou à la recherche d'une légitimation intellectuelle, touristique ou aventurière du sport (découverte, aventure solitaire) (e, d).

« *Ma constante à moi, dans toutes mes activités sportives c'est le vent... Même à vélo... j'ai découvert que l'effort n'était pas forcément désagréable, et c'est toujours avec le vent dans le nez que je m'accrochais... Jamais contre un adversaire, toujours contre l'élément (a). La compétition ne m'a jamais accroché !
En voile, c'était pareil... l'idée, c'était de glisser avec le vent... quand il faut se mesurer c'est jamais avec un adversaire, c'est toujours avec un élément extérieur... Avec le vent, seul, et contre le vent... En moto, c'était pareil ! Là j'ai découvert le plaisir pur (b)... même à petite allure cette hyper-oxygénation !... c'était comme une ivresse. Là, j'ai su que jamais je n'aurais recours aux drogues artificielles... Et puis ma deuxième constante c'est l'harmonie des mouvements (c)... complexes... dansés... dont le prototype parfait est la boucle... en patins à glace, en vélo, en voile, en delta, n'en parlons pas !... En karaté même... c'est le plaisir de la boucle, ... en douceur... en souplesse... (c'est comme le plaisir que j'ai pu tirer de la valse à certains moments)... Alors, le pied ! (j'ai horreur de ce mot-là, mais...) c'est de pouvoir faire ça (en delta) dans les trois dimensions...
Troisièmement, il y a le fait de se retrouver seul. Je me sens d'un individualisme forcené (d). Partout ! et quand je vole, je ne suis jamais aussi seul !...
Enfin, c'est assez curieux... mais j'ai toujours cherché à élargir mon univers (e) et concevoir mes activités comme des premières. Par exemple, ma traversée du Sahara en moto... Quel raid !... Le tour du Bassin méditerranéen... J'ai su, après, que c'était une première mondiale... Ce qui est sous-jacent à la plupart de mes activités... dans mes voyages également, c'est d'évoluer dans un univers plus grand... aller à la découverte... Oui ! élargir mon univers... Alors tu penses ! en delta !...* »

- Le *refus de l'affrontement direct* avec l'adversaire, et le goût d'un affrontement « machinisé » (donc médié) à la nature (a).
- La recherche d'un *plaisir* immédiat (b).
- Enfin, sous une explicitation tout à fait étonnante (bien que fréquente chez les pratiquants des sports californiens), la *disposition* marquée pour une **esthétisation** des pratiques (c).

Ceci est, en effet, à mettre en correspondance avec les recherches indissociablement techniques et acrobatiques des « surfers », des « skaters », des « libéristes » ou des « artistes de la neige » :

> *Le ski artistique est un sport de glisse qui est un remarquable moyen d'expression, et l'une des plus belles disciplines. Ici, plus besoin de chrono.*
> *Seule, la recherche de l'esthétique et du plaisir de glisser est importante (...)*
> *Lorsque j'ai découvert ce sport, je me suis rendu compte que le ski traditionnel était mort. Courir après des dixièmes de secondes, difficiles à gagner, paraît une mince victoire !*
> *A l'inverse, la recherche permanente de la beauté dans la technique, et surtout le mariage du ski et de la musique, voilà l'avenir !* » (48).

(48) Interview de Pierre Poncet publiée dans le journal « *l'Equipe* » du 19 janvier 1979.

Si l'on sait que la disposition esthétique ou le privilège particulier accordé à la forme sur la fonction (ici par son investissement sur la forme gestuelle) sont des propriétés culturelles inégalement réparties sur l'espace social, on peut estimer saisir dans toute **esthétisation** des pratiques sportives, ainsi que dans la recherche des figures techniques, acrobatiques et artistiques (communes aux différentes modalités de *free-style* par exemple) une des deux manifestations les plus visibles de ces transformations socioculturelles qui affectent aujourd'hui le système des sports (49).

Tableau 2

Deuxième axe (5) *de développement*	*Premier axe* *de développement*
Esthétisation des pratiques et euphémisation des affrontements • Modalités appréciées ou cotées	Déterritorialisation des pratiques énergétique → informationnel • Modalités traditionnelles, balisées ou libres
Patinage artistique sur glace	Patinage de vitesse sur glace
Ski acrobatique, ski artistique hot-dog, free-style	Ski nordique, ski alpin
Skate, free-style, figures	Skate de vitesse ou de slalom
Skate sur « bank »	
Roll-dance	Patinage à roulettes de vitesse et d'endurance
free-style, acro, voltige	Windsurf de régate
Surf	
Recherche des figures acrobatiques lazy-eight, loopings, renversements	Vol libre balisé, cross-country
Aïkido	Lutte

(49) Il nous faut cependant reconnaître que l'appropriation de ces nouvelles modalités par des fractions culturellement favorisées ne s'exerce que dans un *deuxième temps*. La première vague d'innovateurs ou d'*importateurs* qui excellent bientôt dans ces pratiques, obéit sans doute plus à une logique de la professionnalisation et à une recherche des sports de moindre concurrence. C'est pour ces raisons que l'on pourra observer avec intérêt la répartition sociale des skieurs « *acro* » et « *free-style* » dans les différents lycées grenoblois par exemple.

Si l'on se reporte au tableau 2, on remarquera qu'autour de la plupart des modalités du type 1, s'organisent d'autres modalités du type 5, selon cette dernière logique (à l'instar du ballet nautique pour la natation, ou du ski acrobatique ou artistique pour le ski alpin). Nous laisserons au lecteur le soin de compléter ce tableau ou de prévoir d'autres développements.

Une division internationale du travail sportif

L'observation sommaire des résultats actuels des sportifs français dans les compétitions internationales fait apparaître, outre un sensible glissement dans les spécialités, quelques titres tout à fait remarquables :

Champion du monde de motocyclisme (750 cc) : Patrick Pons (†).

Champion du monde de trampoline : Bernard Tison.

Champions du monde de windsurf : Le Bihan (léger) ; Graveline (femmes).

Champion du monde de ski nautique en figures : Patrice Martin.

Champion du monde de vol libre par équipe (Grenoble 1979) : Equipe de France.

Champion du monde de « ski hot-dog » : Nano Pourtier.

Champion du monde de saut à la perche : Thierry Vigneron.

Champion du monde de voile (Flying-Dutchman) : Thierry Poirey.

Nous aurions tort de ne pas analyser avec le plus grand sérieux la nature et l'évolution des résultats de nos représentants dans ces grandes compétitions. Certes, la plupart de ces succès sont enregistrés dans des sports assez récents à faible universalisation, c'est-à-dire dans lesquels la concurrence internationale ne se fait pas **toujours** sentir dans toute sa vigueur (50). Cependant, la remarquable similitude des *structures motrices* de ces pratiques, qui nous *réussissent* aujourd'hui, nous paraît tout à fait symptomatique. La plupart d'entre elles utilisent des engins sophistiqués (et souvent véhiculants) qui requièrent une grande maîtrise technique (et dans lesquelles les pratiquants ont souvent recours à une énergie extérieure au corps). Certains privilégient la dimension acrobatique et/ou esthétique, *mais toutes exigent l'exploitation de la très forte compétence spécifique généralement liée à la maîtrise des appareillages*. La *structure motrice* de ces pratiques ne permet pas (ou peu) aux compétences non spécifiques (c'est-à-dire acquises et développées hors de la pratique même des sports ou hors du sport considéré) d'y trouver une exploitation immédiate.

---

(50) Les Américains, *inventeurs* du vol libre, (très fortement représentés au Championnat du monde de Grenoble) n'étaient pas visiblement disposés à laisser échapper au profit des représentants français une hégémonie internationale dans ce sport qui réunit plus de 20 000 pratiquants aux Etats-Unis.

Une observation empirique (liée à l'expérience professionnelle et à celle du Bataillon de Joinville) avait attiré notre attention sur le fait que certains coureurs à pied français de la génération précédente avaient en commun une curieuse particularité : celle *d'avoir vécu, au cours de l'enfance, au sein d'un habitat dispersé dans la campagne.* Ainsi leurs premiers succès de jeunes coureurs étaient, sans doute, à mettre au compte d'une **endurance** acquise spontanément sur le chemin d'une école éloignée (et parcouru quatre fois par jour). Ces observations sont à rapprocher de celles, plus exotiques, faites sur les athlètes kenyans. On ne s'étonnera point, en effet, de la réussite internationale inopinée des coureurs éthiopiens, tanzaniens ou kenyans, si l'on connaît l'existence de *rituels* de locomotion sur grandes distances (plus de cent kilomètres de village à village) imposés aux fils par les pères. Dans ces pays, il apparaît à l'évidence que la nature de la course à pied (comme spécialité athlétique à dominante énergétique) permet à cette « compétence » acquise dans la tradition, de se maximiser au niveau du sport international. Or, l'avantage sensible que les coureurs africains possèdent sur les athlètes occidentaux, c'est, sans nul doute, que la *préparation,* encore inscrite dans les rituels, reste enracinée dans le *symbolique,* c'est-à-dire, conserve d'autant plus de **significations** qu'elle est en relation avec les modes de vie traditionnels et que la réussite sportive devient ici, de surcroît, promesse d'émancipation sociale (51).

(51) On pourrait, extrapolant ces observations à notre société, avancer que la dynamique socio-culturelle des sports « de force » ou « d'effort » trouve sa source principale dans les groupes, toujours plus rares, de la société rurale traditionnelle. Ceci est à rapprocher des interprétations que Philippe Mallein a proposées sur l'évolution du ski français (et de ses résultats) dans ses relations avec le bouleversement des « mentalités », consécutif des transformations, subies par cette société en montagne. On peut en effet percevoir, dans l'évolution des pratiques alpines, une transformation du **rapport à la montagne,** et de **l'image de la montagne** chez les jeunes.
Ainsi, la dynamique qui animait les champions français de la génération précédente (fils de ruraux) se fondait sur un rapport à la montagne du même type que celui que l'on entretenait avec le père, dans le cadre de la structure familiale traditionnelle. Il s'agit donc essentiellement d'un rapport fait de *SÉRIEUX, de RESPECT*, et plus ou moins fondé sur la *CRAINTE* ; en tous cas, relation qui prenait tout son sens dans les **valeurs du travail et du sacré.** On ne pouvait donc impunément *« jouer »* avec la montagne, et les risques acceptés et les efforts consentis prenaient leur source et leur sens dans la communauté. Aujourd'hui au contraire, du fait de l'émancipation vis-à-vis de cette structure, les jeunes skieurs et alpinistes (fils de la petite bourgeoisie, « marchande » ou de cadres citadins) font de la **transgression** de ces valeurs, une règle.
L'éclosion des nouvelles pratiques (ski hors-piste, de pente raide, hot-dog, free-style, vol libre, etc.) qui exprime ce réinvestissement ludique et risqué des pratiques alpines fonde aussi une certaine *« désacralisation »*, et les fait apparaître comme pratiques impertinentes, provocatrices ou même *« profanatrices »* (sic) aux yeux des tenants de la tradition, c'est-à-dire ceux qui, généralement, ont pratiqué ou se sont professionnalisés dans les métiers de la montagne avant ces bouleversements. Pour ceux-ci, la montagne doit toujours « se mériter » notamment dans la dureté des marches d'approche, dans la quantité d'énergie dépensée dans les courses, et dans l'acquisition de l'*expérience* propre aux « vrais montagnards » (qui ne sont pas toujours des autochtones).
Ces observations pourraient être grossièrement transposées au rapport des plaisanciers et des marins à la mer. Pierre Falt a rappelé combien la traversée du Cap-Horn en planche à voile a totalement détruit l'image du « marin cap-hornier » sur laquelle « fonctionnent » encore certains plaisanciers. De même lorsque, laissant jouer à leur profit les lois de

A l'inverse de ces spécialités qui se prêtent à une gestion plus ou moins spontanée de compétences non spécifiques (pour parler ici un langage de technicien occidental) on peut retrouver les pratiques sportives à dominante informationnelle. Celles-ci, du fait de l'utilisation d'engins sophistiqués, introduisent, comme nous l'avons vu, une médiation technique qui fonde la longueur des apprentissages et **supposent des investissements technologiques et culturels spécifiques importants** (de la part des constructeurs, des entraîneurs, des pratiquants eux-mêmes, etc.)

Ces réflexions laissent à penser qu'une certaine *division ou distribution* internationale du travail sportif risque, peut-être, de se constituer ou de s'accuser à terme, « division » dont on peut prévoir ou craindre aujourd'hui les conséquences (voir figure 1). En tout cas, cette distribution (52) apparaît comme le résultat de l'organisation systémique des pratiques sportives aussi bien aux niveaux nationaux (qui ont chacun leurs logiques propres) qu'au niveau international qui joue comme facteur d'homogénéisation et d'ajustement des systèmes nationaux.

La théorie, en mettant les divers systèmes en communication, permettrait de comprendre :

● Les rapports d'affinité qui lient, dans un pays défini, certains groupes sociaux et certains types de sports.
● Les lois de conversion sportive de compétences socioprofessionnelles ou culturelles particulières.
● Les « lois » de reconversion sportive des talents ou compétences sportives (courses de vitesse → sports collectifs, haltérophilie → lancers, saut en hauteur → volley-ball, gymnastique → plongeon ou trampoline, natation de compétition → water-polo, équitation → motocyclisme, etc.)

---

proximité géographique, quelques rares membres des classes populaires du littoral accèdent à la pratique de la plaisance, ils opèrent un « *ré-investissement laborieux* » de la mer, en motorisant le bâteau et en l'utilisant pour la pêche (voir : « Les usages sociaux de la croisière », et « Le système des sports », p. 226).

(52) Une des manifestations les plus visibles de cette « division » est la répartition des dominations, en *athlétisme* pour les Etats-Unis et en *gymnastique sportive* pour les pays de l'Est, (ou bien la monopolisation des succès dans les sports d'effort par les sportives de l'Est). Cette distribution ne peut évidemment pas être rapportée à des facteurs institutionnels ou socio-économiques. Les normes éthiques et les valeurs symboliques attachées aux différents sports sont inscrites dans les cultures « nationales » comme elles sont incorporées dans les habitus individuels. Nous pourrions comprendre les valeurs symboliques et culturelles attachées par exemple par les étudiants noirs californiens à **l'effort athlétique** et celles, toutes différentes relatives à **l'effort gymnastique** par les « *poupées* » des pays de l'Est, en remarquant qu'elles s'opposent un peu comme la *nature* s'oppose à la *culture* comme la *spontanéité* de l'effort athlétique en course de vitesse s'oppose à *l'artificialisme* du travail aux agrès, comme « la croyance » dans la victoire du plus apte, s'oppose à la croyance dans la toute-puissance du travail persévérant (et bien fait). A cet égard, il n'est pas sans intérêt de remarquer que l'exploitation, par les pays de l'Est, d'une sorte de « *stakanovisme* » sportif qui conduit la gymnastique sportive internationale vers la recherche systématique des difficultés, contribue à accentuer cette *division* en éliminant d'emblée (ou en rendant plus difficile) l'accès des nations qui seraient disposées à faire un usage plus « artistique » et moins « acrobatique » de cette spécialité.

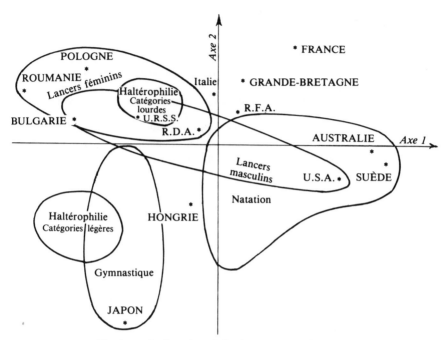

Fig. 1. — Analyse factorielle des correspondances
sur les finalistes des différentes épreuves aux Jeux Olympiques de Munich,
suivant leur pays d'origine. Plan principal (1,2).
(Les ovales représentent les surfaces recouvertes par les différentes épreuves d'une discipline).
Un effet de la « division » internationale du travail sportif.
Extrait de Raymond Thomas : La réussite sportive. Paris, P.U.F., 1975, p. 44.

- La nature des positions hégémoniques de certaines nations et les conditions de leur maintien.
- Les évolutions et les restructurations imposées au système international par l'arrivée massive des sportifs africains et chinois, ainsi que les demandes corrélatives de « rééquilibrage », de « réajustement » du rapport des forces sportives (53). On assistera, sans doute, à une montée de la puissance sportive du Japon dans les sports informationnels, du fait du statut **culturel** attribué, par ce pays, à la technologie.

(53) Nous avions pu prévoir, dans ce contexte, la demande récemment formulée par la France de voir figurer le « *trampoline* » au programme officiel des Jeux Olympiques. De même, il est *logiquement* concevable que les nations (technologiquement) développées réclament l'inscription de la planche à voile à ce même programme pour les jeux de Los Angeles.

Le champ socioculturel des pratiquants du rugby

Particulièrement représentatif des sports virils de force : (il demeure pour cette raison exclusivement masculin), le *rugby* cumule comme nous l'avons indiqué les caractéristiques populaires d'un **sport collectif de combat.** C'est le premier des sports empiriquement approfondi dans la perspective comparative que nous avons décidé de privilégier. Ce choix du rugby s'est révélé d'autant plus pertinent qu'il permet, en outre, d'illuster (et de démontrer) la diversité des modalités et des « idéologies » au sein d'une même pratique.

En référence à « *l'espace des positions sociales* », (Bourdieu, De Saint-Martin, 1976) dont nous donnons ci-contre un aperçu, *(schéma 2)*, l'exploitation secondaire de « *l'Annuaire 79 du rugby* » d'Henri Garcia, nous a permis de construire, à partir d'un échantillon de cinq cents joueurs de haut niveau le « *Champ socioculturel des pratiquants* ». Cet « espace social » du recrutement des joueurs représente le domaine ou « marché » — relativement autonome — où sont susceptibles de s'opérer des « investissements » différents, et de s'affronter des idéologies (c'est-à-dire où peuvent s'opposer des intérêts divergents). Le champ du rugby se répartit sur les deux dimensions (« *volume* » et « *structure* » du capital) selon une forme spatiale particulière présentant une « concentration » inférieure, au niveau des employés (la tendance centrale) et « une corne » supérieure droite (qui représente l'axe principal de dispersion autour de cette tendance) *(schéma 3, p. 213)*.

On peut voir ainsi se construire une architecture qui semble refléter l'image de la division sociale du travail, construction sur laquelle nous nous sommes risqués à superposer « *l'espace des modalités* » ou « *l'espace des styles* » de pratique *(schéma 4)*.

Le jeu, qui impose aujourd'hui (54) une spécialisation rigoureuse des tâches entre joueurs « avants », « demis » et « arrières », offre une représentation quasi parfaite de la division sociale du travail entre *manuels, techniciens-contremaîtres* et *intellectuels*. Le rugby n'assure-t-il pas ainsi, en même temps que l'extraordinaire succès de la mise en scène sociodramatique, la répartition *spontanée* des différents groupes sociaux sur les différentes tâches fonctionnelles ? Ceci, en tenant compte évidemment de deux éléments d'analyse :

• d'une part, des décalages et des tassements introduits dans une pratique de longue tradition populaire (ici, les « *intellectuels* », ce sont surtout les instituteurs, les enseignants d'éducation physique et les étudiants) du fait de l'importance que le jeu attribue aujourd'hui au capital morphologique et à la « violence » de l'affrontement ;

(54) Nous avons tenté d'expliquer, ailleurs, l'évolution technique et tactique du jeu à partir des transformations du recrutement sociologique des joueurs. Voir : Eléments pour la constitution d'une histoire sociale des pratiques sportives. Travaux et recherches en E.P.S., n° spécial Histoire, I.N.S.E.P., n° 6, juin 1980.

Schéma 2

L'ESPACE DES POSITIONS SOCIALES
d'après Pierre BOURDIEU et Monique de Saint MARTIN *(1)*

Le «VOLUME» du capital exprime «l'ensemble des ressources et des pouvoirs effectivement utilisables» (2) par l'agent, pour conserver ou accroitre sa position dans l'espace social, dans les trois «espèces» de capital:économique, culturel et social.

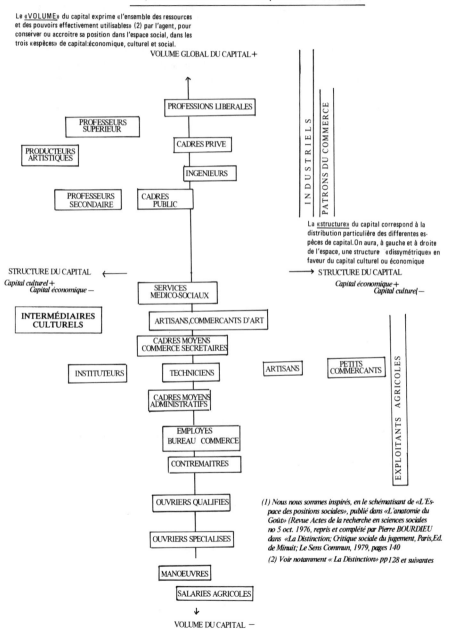

VOLUME GLOBAL DU CAPITAL +

PROFESSEURS SUPERIEUR

PRODUCTEURS ARTISTIQUES

PROFESSIONS LIBERALES

CADRES PRIVE

INGENIEURS

PROFESSEURS SECONDAIRE

CADRES PUBLIC

INDUSTRIELS

PATRONS DU COMMERCE

La «structure» du capital correspond à la distribution particulière des differentes espèces de capital.On aura, à gauche et à droite de l'espace, une structure «dissymétrique» en faveur du capital culturel ou économique

STRUCTURE DU CAPITAL ←

Capital culturel +
Capital économique —

→ STRUCTURE DU CAPITAL

Capital économique +
Capital culturel —

SERVICES MEDICO-SOCIAUX

INTERMÉDIAIRES CULTURELS

ARTISANS,COMMERCANTS D'ART

CADRES MOYENS COMMERCE SECRETAIRES

INSTITUTEURS

TECHNICIENS

ARTISANS

PETITS COMMERCANTS

EXPLOITANTS AGRICOLES

CADRES MOYENS ADMINISTRATIFS

EMPLOYES BUREAU COMMERCE

CONTREMAITRES

OUVRIERS QUALIFIES

OUVRIERS SPECIALISES

MANOEUVRES

SALARIES AGRICOLES

↓

VOLUME DU CAPITAL —

(1) Nous nous sommes inspirés, en le schématisant de «L'Espace des positions sociales», publié dans «L'anatomie du Goût» (Revue Actes de la recherche en sciences sociales no 5 oct. 1976, repris et complété par Pierre BOURDIEU dans «La Distinction; Critique sociale du jugement, Paris,Ed. de Minuit; Le Sens Commun, 1979, pages 140

(2) Voir notamment « La Distinction» pp 128 et suivantes

● d'autre part, il nous faut tenir compte de la logique interne du jeu dans sa plus profonde spécificité, par exemple, de l'importance tactique singulière conférée dans chacune des trois fonctions, à certains postes constituant *l'épine dorsale* de l'équipe (le talonneur (55), le troisième-ligne centre, le demi de mêlée, le demi-d'ouverture et l'arrière).

Il n'est pas sans intérêt de remarquer à cet égard que les grandes conceptions globales du jeu qui s'opposent sur les champs journalistiques et technico-pédagogiques, ne sont que les généralisations d'un aspect spécifiquement dévolu aux différents groupes fonctionnels de joueurs. Ainsi, le **« rugby de décision »** s'oppose au **« rugby de tranchée »** comme au **« rugby-champagne »**

Le **rugby de tranchée** concentre les tâches où peuvent généreusement s'exercer les vertus viriles (ouvrières et paysannes), jusque dans leurs débordements guerriers ou délinquants. Ces fonctions concernent électivement les avants *« hommes de devoir »,* desquels on attend des *« abnégations sans limites »* voire une certaine fanatisation au service de la communauté. C'est au paquet **« d'avants »** que sont dévolues les formes les plus ingrates et les plus obscures du travail collectif qui reste, par nature, un combat **en force** livré sur un espace limité et dont le modèle est le travail collectif groupé en percussion.

Le **rugby de décision** insiste au contraire sur les qualités de réflexion et d'exécution tactiques requises pour les joueurs, orientant fondamentalement *« l'exploitation »* du travail des avants (« la triple variante fondamentale »). La proximité spatiale et fonctionnelle avec ces avants fait des *« demis »* les *« techniciens »* ou les *« contremaîtres »* selon les cas, et l'on oscille entre une conception *stratégique* ou *caporaliste* de leur rôle.

Cette fonction de conduite et de guidage éclairés d'une masse d'autant plus puissante qu'elle est plus disciplinée, ne s'exprime jamais mieux, dans « l'imaginaire social » du rugby, qu'au travers des métaphores dont on pressent le retentissement sur la mentalité des joueurs. Ils y sont *« cornacs »,* *« poissons-pilotes »,* ou *« petits caporaux »*...

Dans ses formes les plus rationalisées, promues par les enseignants d'éducation physique, le rugby de décision, *total, informationnel* et *démocratique* se heurte donc nécessairement à une double résistance : *populaire* (« l'O.S. », contre l'ingénieur) et *aristocratique* (idéologie du don) qui révèle bien le statut de *middle-brows* (groupe moyen) qu'occupent (techniquement et socialement) dans le champ du rugby ces « rationalisateurs » de la pratique.

Enfin, aux deux précédentes formes, s'oppose le **rugby-panache** ou le **rugby-champagne,** selon que l'on se réfère à la tradition béarnaise ou lacouturienne de la noblesse de ses actions. Cette modalité de la pratique culmine dans un rugby « *de style* » c'est-à-dire dans l'effervescence d'un jeu tout débridé « en finesse », créatif, spontané, « fantaisiste », tolérant au désordre, quasi artistique, qui reste l'apanage d'individualités vives et inspirées, mis en scène dans une sorte de joute homme à homme qui peut déployer ses folles cavalcades sur de « grands » espaces libres.

(55) Le *talonneur* du Club athlétique Béglais (Gironde) est architecte par exemple.

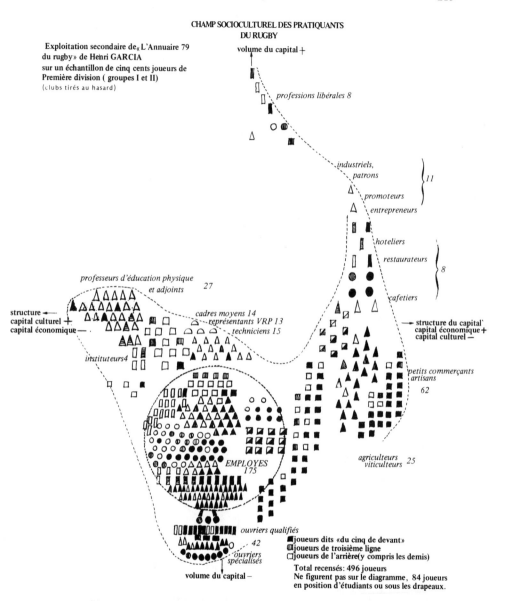

CHAMP SOCIOCULTUREL DES PRATIQUANTS
DU RUGBY

Exploitation secondaire de« L'Annuaire 79
du rugby» de Henri GARCIA
sur un échantillon de cinq cents joueurs de
Première division (groupes I et II)
(clubs tirés au hasard)

volume du capital +

professions libérales 8

industriels,
patrons
promoteurs
entrepreneurs

} 11

hoteliers
restaurateurs

} 8

cafetiers

professeurs d'éducation physique
et adjoints   27

structure ◄──
capital culturel +
capital économique ─

cadres moyens 14
représentants VRP 13
techniciens 15

──► structure du capital`
capital économique +
capital culturel ─

instituteurs 4

petits commerçants
artisans
62

EMPLOYES
175

agriculteurs
viticulteurs   25

ouvriers qualifiés
42
ouvriers
spécialisés

volume du capital ─

■joueurs dits «du cinq de devant»
⬚joueurs de troisième ligne
❒joueurs de l'arrière(y compris les demis)

Total recensés: 496 joueurs
Ne figurent pas sur le diagramme, 84 joueurs
en position d'étudiants ou sous les drapeaux.

On peut situer le « noyau expressif » au niveau des employés (tendance centrale) et la corne de dispersion
au niveau des petits commerçants et gros commerçants.

Schéma 3

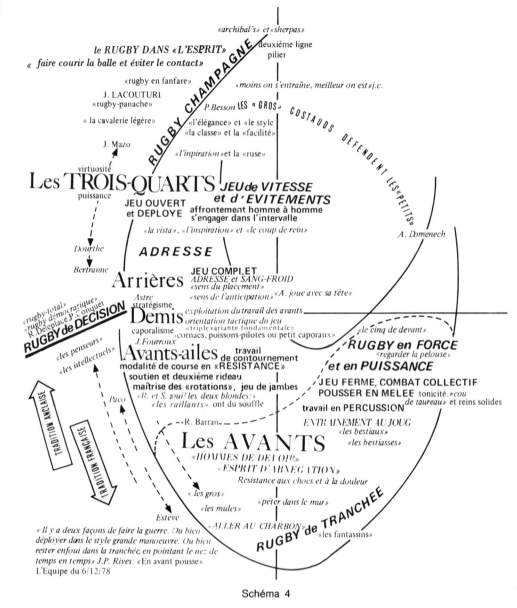

Schéma 4

Rugby : Espace des modalités de la pratique, et champ idéologique.

Cet « espace » est une tentative de mise en relation, (ici par superposition) de la division technique du travail dans le jeu et de la division sociale du travail dans l'équipe. On a, en outre, rapporté quelques traits pertinents du *« langage indigène »* à des « métaphores journalistiques » idéologiquement situées. On peut montrer ainsi combien cette *production* structure en retour l'idéologie des pratiquants.

On remarquera que la corne du cadrant supérieur gauche, qui existe encore dans le rugby universitaire et « folklorique » est, en fait, une persistance de l'image historique d'un rugby français révolu. Elle s'est trouvée laminée en tous cas au niveau du recrutement actuel des joueurs de haut niveau (voir schéma 3).

Il conviendra de s'interroger sur la genèse de ces langages métaphoriques et sur le rôle que les journalistes spécialisés jouent dans leur production et/ou dans leur systématisation, en fonction de la place qu'ils occupent dans la division du travail de production des discours sur la pratique (J. Lacouture dans « Le Monde » et R. Barran dans « Le Miroir » par exemple) et dans leur diffusion, c'est-à-dire dans la manière dont ils structurent en retour la mentalité des joueurs (56) et restent au fondement de leurs idéologies spécifiques.

Jean-Michel Aguirre

Gérard Cholley

Arrières et avants de rugby
Télé 7 jours, n° 973 du 20 janvier 1979, p. 21
Photo Télé 7 jours.

(56) La déclaration de Jean-Pierre Rives au journal l'Equipe citée dans le schéma 4) exprime assez parfaitement la conception « synthétique » et la vision tactique d'ensemble que l'on peut attendre d'un capitaine et rend compte en même temps de consignes formulées à la veille d'un match difficile (Roumanie-France).
Le large succès recueilli dans le public par J.-P. Rives, comme joueur et comme capitaine s'explique sans doute par l'ambiguïté même de sa place (3e ligne-aile) qui est « à cheval » sur les « trois-quarts » et les « avants », par son style de jeu (jeu de jambes en rotation) et par sa personnalité physique même. Si J.-P. Rives « c'est la blonde » (sic) pour Estève, c'est « la fin des brutes » pour Vogue-Hommes (n° 17, mars 1979), mais c'est aussi « le panache blond » providentiel (l'Equipe et Le Midi-Olympique — année 1980).

Ainsi, dans le rugby, on peut, sans vergogne, se savoir et se sentir « *une mule* » : modèle d'entêtement mais aussi de persévérance dans l'exercice de la tâche ingrate ; les connotations péjoratives du terme s'estompant dans les plaisanteries (un rien condescendantes) des « trois-quarts » et dans le paternalisme des entraîneurs, du fait de l'impérieuse nécessité de cette division du travail dans le jeu.

L'hypothèse de l'existence des trois « modalités » de pratique et des trois idéologies qu'elles expriment et qui les expriment, est d'un grand intérêt puisqu'il s'avère que les trois rugbys (de tranchée, de décision et de panache) sont **à la fois construits sur la division technique du travail dans le jeu et sur la division sociale du travail dans l'équipe.**

L'enquête quantitative portant sur plus grand nombre de joueurs a permis notamment d'éclairer la question de l'importance relative de l'investissement par le joueur, de son *capital corporel* (exprimé par ses données morphologiques et sa vitesse) et son « *schéma corporel* » (système de goûts incorporés) dans le choix ou le rejet des postes proposés. Ainsi, on peut répondre par l'affirmative à la question de la pertinence technico-sociale. En outre, si l'on a pu vérifier que le « noyau » du rugby se situe bien au niveau des employés (très généralement d'extraction rurale) la corne de dispersion se situe contrairement aux prévisions du côté des fractions « économiques » « commerçants » et patrons. Ainsi on peut voir que certaines caractéristiques techniques, sociales et même « politiques » du rugby français actuel sont étroitement conditionnées par la dynamique oppositionnelle entre deux **fractions :** les petits et les gros commerçants d'une part, les enseignants (d'éducation physique) et les étudiants d'autre part, (voir schéma 3).

Champ socioculturel du vol libre : ▶

On observera la disposition particulière du champ comme résultant de la « superposition » de deux phénomènes combinés :
— d'une part une *filière socioprofessionnelle* très nettement accusée : ouvriers → techniciens (ici sur-représentés : n = 76) → ingénieurs (n = 39) qui traduit à la fois des *ethos* « technologiques » communs, en même temps qu'un espoir de promotion sociale par le vol libre (39 % des pratiquants interrogés répondent par l'affirmative à la question « souhaitez-vous vous professionnaliser dans le vol libre ? » tandis que 28 pratiquants refusent d'indiquer leur profession ;
— d'autre part, une dynamique socioculturelle proprement dite qui se concrétise par un assez net *noyau* de concentration au niveau des fractions les plus fortement dotées en capital culturel (34 %).

Schéma 5

Etude par questionnaire sur un un échantillon de 476 «libéristes» de tous niveaux. Pour moitié d'entr'eux: échantillon spontané du lectorat de la Revue «Vol Libre Magazine», l'autre moitié ayant été recueillie sur les sites de vol

CHAMP SOCIO-CULTUREL DES PRATIQUANTS DU VOL LIBRE

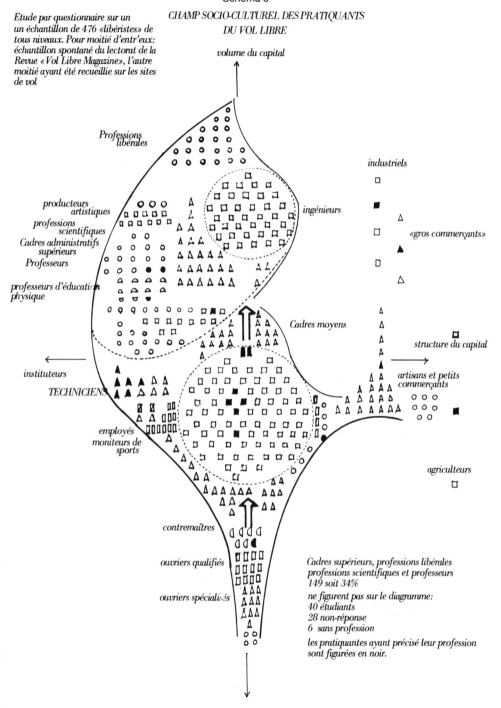

volume du capital

Professions libérales

industriels

producteurs artistiques
professions scientifiques
Cadres administratifs supérieurs
Professeurs

ingénieurs

«gros commerçants»

professeurs d'éducation physique

Cadres moyens

structure du capital

instituteurs

TECHNICIENS

artisans et petits commerçants

employés
moniteurs de sports

agriculteurs

contremaîtres

ouvriers qualifiés

ouvriers spécialisés

Cadres supérieurs, professions libérales professions scientifiques et professeurs 149 soit 34%

ne figurent pas sur le diagramme:
40 étudiants
28 non-réponse
6 sans profession

les pratiquantes ayant précisé leur profession sont figurées en noir.

218 SPORTS ET SOCIÉTÉ

*Extrait d'un entretien avec E.M., montagnard, ancien boucher,
31 ans, moniteur fédéral de vol libre à M., dans les Pyrénées, le
26 décembre 1978.*

*Dans une ambiance très amicale, E.M., raconte, avec un fort
accent du Sud-Ouest, debout, et avec force gestes, comment il a
rencontré sur un site des Alpes, deux libéristes qui « roulaient »,
et qui trouvant son aile et son équipement désuets, lui ont fait des
remarques dédaigneuses et désobligeantes. Le site des T. où se
déroule l'action, est connu pour sa configuration impressionnante
par vent fort. E.M. n'y est pas connu comme expert...*

E.M. « Tu les vois... Ils avaient des ailes de six cents mille
balles, ou sept cents... Alors que moi, j'avais une aile de trois
cent cinquante, et encore ! Un harnais « Danis », un vieux fal's
tout pété... Eux, on aurait dit des américains ! La casquette à
visière... Avec des décalcomanies partout... On aurait dit les
Vingt quatre heures du Mans... Avec des badges un peu
partout... Et puis, de la manière qu'ils roulaient en marchant,
moi j'ai pas trop aimé ça... Alors je leur ai dit : « l'habit ne fait
pas le moine ». Au mec, je lui ai dit « de toute façon, tu voles,
alors je vais te montrer comment je décolle, après, on verra... »
« Je vais te faire voir comment on part d'une cassure... »

Alors il me fait : « Non ! non ! je pars le premier ! »... Il y avait
un zèph' (vent fort), mon pauvre ! Tiens toi bien, y avait bien
trente personnes... le mec, au moment de partir, il fait :
« François, tiens moi l'nez, là ! » *(Il prend l'accent parisien)* Il
s'accroche, gros cinéma ! Tu sais, ça a bien duré une
demi-heure, ce cinéma !... Alors moi, j'en avais plein le cul
derrière, j'étais prêt, alors je lui dis : « Eh ! tu fous le camp, tu
déconnes ou quoi ! Parce que moi, ton bordel là, je sais pas ce
que t'es en train de pinailler avec ton super-je sais-pas-quoi !... »

Lui, on aurait dit une D.S., qu'il avait, moi, j'avais qu'une
4 C.V... « Allez, tire-toi !... Alors, l'autre, il part... Il se lance...
Alors, je te jure !... J'ai été obligé de m'avancer pour voir où il

était passé !... *(sifflement grave et continu signifiant une descente « parachuteuse » du pilote.)*

Il a plongé... six cent mètres de dénivelé... Il a pas mis cinq minutes pour arriver en bas. Et pourtant, y avait un de ces zèph'...

Alors, à Christian du S.A.M.U. je lui dit : « Bon, je vais te montrer comment je décolle pieds joints sur la rocaille !... » Je me suis mis au bord de la falaise. Pan ! Je pars... Je me laisse tomber *(un sifflement aigu et modulé ponctue le geste des mains exprimant la prise de l'ascendance dynamique.)*

Alors j'entends l'autre qui dit : « Oh ! ça pompe ! ». Mais le second, il était moins con que le premier... Il avait moins de gueule ! Il est parti derrière moi... Manque de pot ! J'étais au moins à trois cents mètres au-dessus, du décollage... Avec la vieille Mouette !... Alors, je le voyais qui faisait comme ça !... *(geste de la tête, se « décarcassant » pour voir l'aile située au-dessus.)* Alors, je lui passe au-dessus, et je lui fais : « Aaaaah ! Psssiiit... *(il mime le geste de lui pisser dessus, à la façon des paysans, main en hyperpronation.)* (rires). Alors, mon pauvre !... Arrivé en bas, je veux pas te mentir... Eh ! j'ai fait une heure trente... ça pompait des briques ! J'arrive en bas... Ils en étaient au dessert ! (rires). Je me suis posé au terrain. Alors, j'avais un peu le cigare qui me chauffait... Y-z-étaient là... les pieds sur la table, avec des minettes... Les « rockers » quoi ! Alors, au mec je lui fais : « Oh ! vous avez déjà mangé ? Moi ! J'ai pas encore commencé ! (rires). Alors il fait : « T'as eu de la chance ! T'as attrapé une ascendance ! » *(il prend l'accent parisien)* (l'assistance s'étouffe de rire). Alors, je lui dis : « Tu vois, le harnais Danis mon pote ! l'habit ne fait pas le moine !... avec tes décalcomanies partout ! C'est moi-Bill-Hickock-la-fourchette ! Allez-tirez-vous-les-gars-je-vole ! (rires). Ça vaut la peine que t'aies une tarpanelle pareille... Avec tous tes trucs... Ah ouais ! Boudioü quelle honte ! Ils ont du dire « qui là, c'est un popeye qui sort de la montagne ». En attendant... Tac ! dans le baigneur !...

Le principe de construction de l'espace des sports

La démarche consiste plus généralement à constituer, selon la même méthode, les champs socioculturels de chacune des pratiques retenues ; champs toujours caractérisés comme nous l'avons vu, par une *tendance centrale* et par une *dispersion* autour de cette tendance. Ceci devant permettre, pour chacun d'eux, d'identifier à la fois leur « *noyau caractéristique* » (qui recouvre une significabilité statistique et symbolique) et leurs *cornes de dispersion* (dont les agents sont susceptibles de jouer une fonction idéologique importante selon l'orientation de leurs axes, vers le haut ou vers le bas, à droite ou à gauche). On pourra ainsi différencier les zones de profits *économiques, socioprofessionnels indirects* et les zones de profits *symboliques* purs, correspondant aux différentes « possibilités » de reconversion sociale des prestiges sportifs.

Le *noyau* représente donc ici la concentration des agents qui rassemblent les propriétés les plus significatives, c'est-à-dire les agents qui sont à la fois les plus caractéristiques du rugby (ou du vol libre) et les mieux caractérisés par le rugby (ou par le vol libre).

On est donc autorisés à **représenter** le champ dans son ensemble en faisant **l'abstraction de ce noyau** et en le reportant sur l'espace général des pratiques qu'il est ainsi possible de constituer de loin en loin.

Les pratiques se situent alors dans un système de relations de proximité ou d'éloignement (spatial et socioculturel) qui conditionnent les pluri-pratiques éventuelles, les glissements (interpratiques) et « les reconversions » ou au contraire, le jeu des rejets et des exclusives, c'est-à-dire qui guide à la fois la concurrence entre pratiques et s'offre, en permanence à la dynamique de la « distinction ».

Une « distinction » sportive : l'opposition ancien/nouveau

Les pratiques sportives d'ethos ascétiques, qui correspondaient historiquement aux modèles culturels et éducatifs *(« actifs », « productifs » ou « vertueux »)* de la bourgeoisie libérale montante (sports collectifs et athlétisme) ont subi, depuis la deuxième guerre, une forme de **dépréciation sociale** corrélative de leur progressive divulgation aux autres groupes sociaux. De ce fait, elles se sont trouvées assimilées aux pratiques plus directement liées à la tradition gymnique et sportive populaire (gymnastique sportive, lutte, boxe, haltérophilie, etc.). Ces phénomènes inaugurent donc une *nouvelle dynamique de la « distinction »* au sein des pratiques sportives de loisir et de compétition se manifestant essentiellement par l'irruption inopinée de nouvelles pratiques et de nouveaux « ethos ».

La mise en jeu d'une « *aspiration informationnelle* » devrait, nous semble-t-il, entraîner :

- d'une part des *modifications* dans les « attitudes » des pratiquants et donc dans les modalités des pratiques traditionnelles. En athlétisme, par exemple, ce qui prime (57) désormais, c'est probablement moins le rendement corporel ou l'ascèse d'entraînement que des gestuels (et des préparations) centrés sur le contrôle informationnel du corps, d'où la faveur particulière actuellement accordée par de nombreux jeunes aux spécialités les plus acrobatiques et les plus instrumentées comme le saut à la perche, par exemple (58) ;
- d'autre part, une tendance marquée au *glissement* de certains groupes de pratiquants vers des activités individuelles plus rares et plus risquées (donc plus prestigieuses) et en opposition en tous points avec les formes honnies de « *l'animalisme sportif* » (sic) ou avec les dimensions les plus traditionnelles du sport que nous avons tenté de catégoriser.

Ceci est rassemblé dans un modèle formel qui à moins pour but d'orienter la réflexion et le travail que de rassembler nos idées actuelles en relevant les traits les plus pertinents de ces oppositions (soit « observées » soit extraites des langages indigènes) c'est-à-dire catégories exprimées par les différents groupes de pratiquants ou catégories introduites par le chercheur (voir le schéma 6). Cette dynamique oppositionnelle qui fonde la diffusion (et l'on pourrait dire la « *promotion* ») des nouvelles pratiques sportives (sports californiens notamment) nous a conduit à orienter l'analyse sociologique dans deux directions dont on pourrait dire qu'elles viennent, en définitive « converger » sur ces pratiques : d'une part, les **importateurs de style de vie,** et d'autre part le **courant contre-culturel.**
Les créateurs (qui sont le plus souvent des « importateurs ») de style de vie, parviennent à capter l'énergie sociale qui se concentre sur leur personne du fait même de l'exemplarité de leur « style ». On les recrute généralement chez les jeunes cadres les plus dynamiques (c'est-à-dire les plus « américains ») qui sont dotés d'un capital culturel important à dominante scientifique. Intellectuels écologistes et sportifs, ils recommandent en même temps les « *éco-sports* » et leur *diététique appliquée*, c'est-à-dire, en fait, tout un art de vivre, fondé sur les règles d'exploitation des « énergies douces », sur « l'informationnel » et « le qualitatif », thèmes qui trouvent leur plus parfaite transposition dans les *économies caloriques* et les *équilibres savants* d'une ration alimentaire (59).

(57) Certains entraîneurs admettent qu'il existe aujourd'hui, chez leurs athlètes, une moins grande tolérance à la répétitivité des gestes dans l'entraînement.
(58) Les sauteurs à la perche du fait des dimensions instrumentée, acrobatique et aérienne de leur activité, ont été conduits à privilégier plus tôt et plus vivement que d'autres athlètes, cette dominante. « *La perche est un sport qui demande une précision millimétrique et l'on n'insiste jamais assez sur les qualités de réglage. Par exemple, voyez J.-M. Bellot c'est un artiste du saut à la perche, il est extrêmement précis !* ». (J.-C. Perrin à Antenne 2, le 22/3/80). Les perchistes sont d'ailleurs reconnus comme les « *acrobates* » ou les « *voltigeurs* » de l'athlétisme (Alain Keramoal, France-soir, 29/2/79).
(59) On peut être frappé par la remarquable similitude de deux de ces promoteurs des sports de glisse : Yves Bessas et Joël de Rosnay. Pionniers des sports écologiques en France (surfers, wind-surfers et skaters de la première heure) pharmacien et biologiste, ils sont tous deux férus de diététique. (Voir notamment Yves Bessas « Surf à voile et *(suite p. 223)*

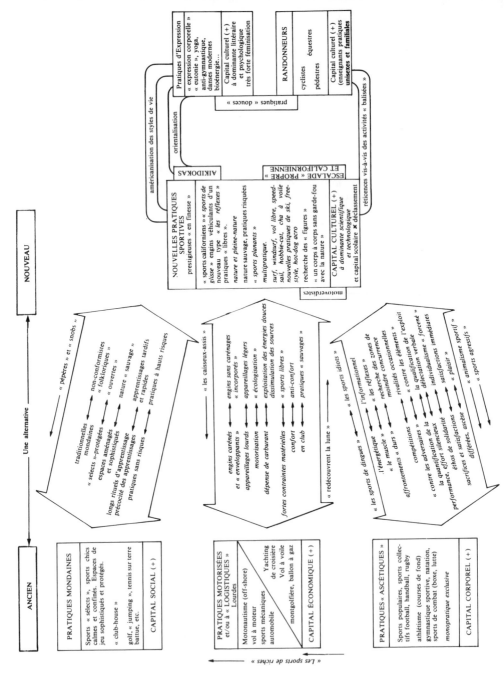

Schéma 6

On a représenté les principaux systèmes d'opposition (à la fois « *techniques* » et
« *culturels* ») réglant la nouvelle dynamique de la *distinction* dans les pratiques sportives.
Les choix et les investissements sportifs s'opèrent en fonction de la *structure du capital*
dont chaque agent est doté.

Le milieu, et la partie droite du schéma, centré sur les groupes sociaux dotés d'un capital
scolaire et/ou culturel importants, représentent à la fois le *lieu* et le *foyer* d'expansion des
nouvelles pratiques.

On ne manquera pas de repérer ici le contraste saisissant avec les pratiques alimentaires des rugbymen dont le sport s'inscrit volontiers dans un épicurisme « bringueur », et pour lesquels les nourritures valent essentiellement pour leur *apport énergétique* réel et/ou supposé : nourritures « *en quantité* » et « *qui tiennent au corps* » (60).

Notre corps d'hypothèse paraît devoir, en outre, orienter l'analyse vers les formes actuelles de la « *contre-culture* » et de leur principaux vecteurs. « Marginaux » et déclassés, dotés d'un capital scolaire important (apprécié sur l'indicateur de la durée des études plus que sur celui du niveau de leurs diplômes) trouvent dans la pratique du vol libre, par exemple, une occasion d'exploiter leurs savoirs scolaires et compétences technologiques et surtout d'y trouver la possibilité d'investissement la plus parfaite de leur « *rêve de vol social* ». Lecteurs assidus de la revue « *Actuel* » puis, plus récemment, utilisateurs du « *Catalogue des Ressources* » (éditions Alternatives et Parallèles) qui concentrent les traits les plus pertinents de cette marginalité, ces agents, « révolutionnaires » désabusés, « appaisés » ou reconvertis, constituent une culture « de contre-pied ». Basé sur l'utilisation parcimonieuse de « *ses propres ressources* », le courant contre-culturel qui est généralement anti-sportif (et surtout, il faut le souligner, anti-sports collectifs) reste, en fait, très spécifiquement **anti-énergétique** (61).

Certaines de ces pratiques, portées par le courant actuel que nous venons de décrire, nous incitent donc à tester avec lui les hypothèses de rapports malheureux au système scolaire, au système social ou aux réseaux décisionnels, à analyser les trajectoires sociales tronquées ou écartées par rapport aux trajectoires projetées ou probables, etc. En tous cas, l'engouement pour les activités sportives à machines écologiques, de pleine nature, *c'est-à-dire où l'homme est absent et ou l'incertitude des éléments joue* « *à plein* », peut constituer, en quelque sorte, la transcription sportive d'une situation sociale fantasmée, celle où l'agent se veut (et veut se sentir) seul maître de ses décisions dans une stratégie de maîtrise de l'imprévu et de domestication du hasard. C'est, d'une certaine manière, l'expression aiguë d'une revendication d'autonomie et de pleine responsabilité dans une situation d'engagement risqué (on y risque parfois sa vie). Peut-être cela renseigne-t-il sur la nature particulière des situations sociales de ces agents susceptibles d'adopter des pratiques constituées

diététique » : Revue Windsurfing, n° 10, juillet-août 1978 et « La diététique appliquée aux sports de glisse » : exemplaire ronéotypé diffusé par l'auteur et Joël de Rosnay — en collaboration avec Stella de Rosnay — « La Mal Bouffe », Paris, éd. Olivier Orban, 1979).
(60) Voir Pierre Bourdieu, *La Distinction,* déjà cité p. 197 et suivantes.
Ceci nous a fait penser que les pratiques *alimentaires* et *sportives* sont sans doute, avec les pratiques *sexuelles,* celles qui « passent le plus près du corps » en ce sens que les plus immédiatement générées par l'habitus, elles en sont la plus claire manifestation dans leurs homologies de structure mêmes.
(61) Les chapitres « *nourriture* », « *transport* » et « *vêtement* » du « Catalogue des Ressources » s'ouvrent symptomatiquement sur le *jeûne,* la *marche à pied* et la *nudité.* On ne s'étonnera donc point de le voir recommander, à la rubrique « Santé » les pratiques suivantes : *danses* et *expression corporelle, hatha-yoga* et *gymnastiques douces, vol libre* et *vélo* « *écologique* » de promenade.

contre la tradition, contre l'autorité et **l'institution,** contre les médiations technico-pédagogiques de tous ordres dans un « corps à corps sans garde fou » (62) avec la nature et ses éléments.

Ainsi à l'opposé de *l'arbitre,* qui incarne l'Institution et dicte en permanence sa loi, à l'opposé des *espaces strictement aménagés* et *des temps contraints,* à l'opposé également de *l'adversaire* (63) et de la monotonie inspirée par les gestes sportifs les plus répétitifs, se constitue cette idéologie réactionnelle.

Il est nécessaire, à cet égard, de souligner, (pour les significations sociologiques que ce fait pourrait revêtir) que l'incertitude et l'imprévisibilité propres à ces *situations sportives psychomotrices* **ne sont jamais associées ou déterminées par les décisions d'autrui mais par les éléments du milieu naturel.**

Ainsi, les dimensions constitutives paradoxales de ces activités : appareillées mais économes, faites de quête de *responsabilité* (maîtriser l'imprévisible) mais aussi « *d'abandon* » à l'incertitude des éléments : *(« le marin propose, mais c'est la mer qui dispose !... »)* sont riches de possibilités d'investissements culturels et oniriques (64) qui fondent leur originalité sociale, dans ce rapport « armé » et paradoxal à **la nature qui procure à la fois le plaisir et la sanction immanente** dans la résurgence d'un mythe aujourd'hui **écologisé.**

Le système des sports

Une première visualisation du système des sports **masculins** pourra donc être obtenue, comme nous l'avons suggéré, par la juxtaposition des champs socioculturels (abstraction faite de leurs noyaux significatifs) des pratiques antinomiques initialement retenues, puis de celles qui résultent de l'élargissement progressif du travail. Compte tenu de l'approche des systèmes d'opposition thématiques décrits dans le schéma 6, il est possible de supposer que nous obtiendrons un type d'organisation illustré par le *schéma 7.*

Ainsi, on retrouvera, construits sur l'espace des positions sociales, les deux principaux systèmes d'opposition, à savoir :

---

(62) Cette expression qui nous est apparue très pertinente est empruntée à Nathalie Voyenne dans un article de Marie-Claire, n° 269, juillet 1978.

(63) Nous avons pu repérer et décrire dans ces sports une recherche assez subtile des *zones de moindre concurrence* (Pratiques sportives, ibid. cit., p. 39).

(64) Un approfondissement des rêveries et des mythes attachés aux sports « de l'air » (et puissamment réactivés par eux) aurait sans doute d'autant plus à puiser dans la poétique bachelardienne qu'ils se disent précisément sports « libres » (« voile libre », « vol libre »). Il est frappant, en effet, de constater combien l'auteur de « *l'Air et les Songes* » appuie ses observations sur l'opposition métaphorique de « *l'air* » et des « *matières* ». « *L'air nous libère des rêveries substantielles, intimes, digestives. Il nous libère de notre attachement aux matières ; il est donc la matière de notre liberté* ». (L'air et les songes ; essai sur l'imagination du mouvement. Paris, José Corti, 1950).

- celui distinguant les pratiques à *dominante énergétique* concentrées dans la partie inférieure de l'espace et les pratiques à *dominante informationnelle* (partie supérieure de l'espace) ainsi que leur zone de chevauchement (cf. les sports motocyclistes des jeunes) ;

- et celui qui distingue un phénomène de **motorisation** des pratiques (quadrant supérieur droit) et *d'écologisation* des pratiques (quadrant supérieur gauche) qui oppose le phénomène ostentatoire de consommation de carburant et de déploiement d'appareillages et de « logistiques » lourds (caractéristique des nantis en capital économique) à un phénomène de recours à des sources « naturelles » d'énergie (ou à une dissimulation des sources) de réduction ou de masquage des « logistiques », qui restent propriétés caractéristiques des nantis en capital culturel. Ainsi si les agents impliqués manifestent — *aussi* — à travers leurs pratiques sportives leur réussite sociale, tout se passe comme s'ils spécifiaient dans le même mouvement, sur quelles bases celle-ci s'est établie ?

Le diagramme représenté p. 226, ne prétend évidemment pas rassembler la totalité des pratiques. On notera en particulier sa faiblesse en ce qui concerne les pratiques spécifiquement féminines. Sans doute, *le système des sports féminins* devra-t-il être ébauché d'une manière autonome en tenant éminemment compte de la distribution, très inégale selon les classes, de la division sexuelle du travail et des rôles, division qui affecte, comme nous le savons, le type de rapport que chacun entretient avec son propre corps (65).

En tous cas, l'étude de l'ensemble des déterminants spécifiques propres à une catégorie particulière de pratiques (indifféremment féminines et masculines) que nous avons qualifié ailleurs du terme de « *revendication corporelle* » lui-même lié à la résurgence et à la diffusion du mythe de la « *réappropriation corporelle* » reste à poursuivre. Cette occultation provisoire résulte, sans nul doute, de l'adoption délibérée d'un point de vue propre aux pratiques nouvelles et du regard particulier que leurs pratiquants masculins portent sur l'ensemble du système. Le respect d'une règle du jeu ethnographique, qui doit entraîner pour le chercheur, en passant de pratique à pratique, sympathies et distanciations successives, exige du temps si la démarche est *déracinement* puis *refamiliarisation* avec les autres pratiques étudiées. Mais nous nous soumettrons d'autant plus volontiers à cette démarche que les pratiques féminines (danses, expression corporelle, gymnastique moderne, « rythmique sportive », etc.) restent très fortement saturées en visées *esthétisantes* et *expressives* riches des dispositions corporelles féminines c'est-à-dire toujours quelque peu liées dans nos sociétés à la recherche de la *forme* ou de la *grâce*.

---

(65) C'est ce à quoi s'emploie actuellement Catherine Louveau. Se reporter également à son article : « La forme », déjà cité.

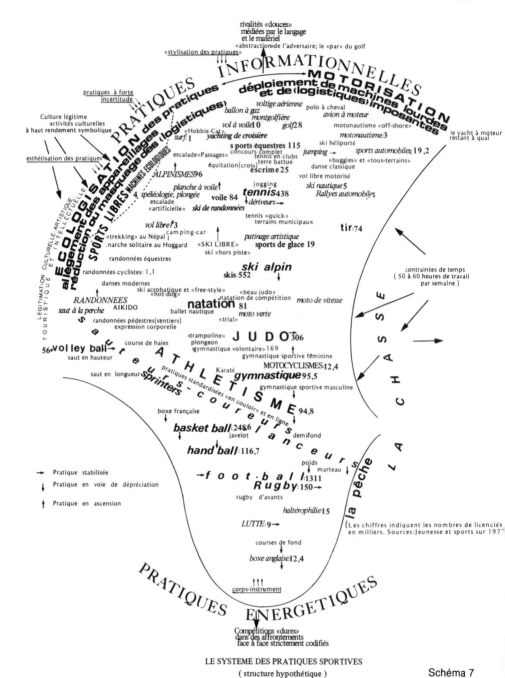

LE SYSTEME DES PRATIQUES SPORTIVES

(structure hypothétique)

Schéma 7

Des schèmes générateurs

On perçoit mieux que notre travail prend son sens dans la recherche des *« formules génératrices »* c'est-à-dire dans l'identification d'un petit nombre de critères simples, exclusifs et pertinents, pouvant fonctionner comme schèmes générateurs et classificateurs (socialement déterminés et précocement incorporés) susceptibles de rendre compte de la distribution différenciée des pratiques et de leurs représentations, mais aussi de leur **cohérence** dans le cas d'une pluripratique.

Sans préjuger de la validité des critères que nous avons finalement retenus (**« la force »**, **« l'énergie »**, **« la forme »** et **« les réflexes »**) qui expliquent le centrage du travail sur les quatre pratiques qui nous sont apparues fortement saturées dans l'une ou l'autre de ces « dispositions », on doit rappeler que la complexité du système des sports résulte de la complexité d'un fonctionnement combinatoire (66).

Que ce soit dans la *dynamique des choix* de pratiques ou dans la *« persévérance temporelle »* du sportif (qui fonde son niveau d'excellence dans la pratique choisie) chaque *schème* peut, en effet fonctionner dans sa plus étroite spécificité ou, au contraire comme composante, c'est-à-dire jouer comme disposition exclusive ou comme critère de combinaison. Ainsi le critère de *« la force ;* comme propriété du lanceur « lourd », du lutteur, de l'haltérophilie ou du pilier de rugby, exclue généralement un usage sportif *« non en force »* de son corps (ce qui pourrait se manifester dans la stricte monopratique fréquemment relevée chez ces pratiquants).

Il semble au contraire, que les « déterminismes » culturels se relâchent quelque peu dans la combinaison même de deux critères. Ainsi la *« force »* et *« l'énergie »* trouvent leur plus évidente synthèse dans *l'aviron,* fondant les « hésitations » ou les reconversions de ses plus éminents spécialistes sur les pratiques voisines (c'est-à-dire de même composante) comme le *vélo de piste* par exemple. Mais il en est de même pour les reconversions *patinage de vitesse ↔ vélo.* (Zoetemelk, Eric et Beth Heiden, Sheila Young, etc.).

On voit, de la même façon que la *« force »* et la *forme* (ou la grâce) se combinent assez paradoxalement dans la *gymnastique sportive* (67) ce qui peut conditionner une dominante dans le choix préférentiel des spécialistes gymniques masculines, où déterminer le niveau d'excellence que l'on peut y atteindre (anneaux/ gymnastique au sol). De même, la *« grâce »* et les *« réflexes* se combinent très « avantageusement » pour faire de la pratique lourdement machinisée, mais acrobatique et quasi artistique de la *voltige aérienne* un sport triplement, donc hautement distinctif.

(66) Nous admettrons volontiers que ces quatre types de *« dispositions »* ne permettent pas de rendre compte de la totalité du système des pratiques. Les pratiques de *randonnées* leur échappent notamment.
(67) La « découverte » assez récente d'une gymnastique sportive *de grâce,* du fait des possibilités « biomécaniques » et pédagogiques nouvelles offertes par un travail spécifique « en élan » et « en souplesse » détermine sans nul doute l'engouement actuel pour cette spécialité chez les jeunes filles des classes plus favorisées. Ceci fonde le nouveau prestige « paradoxal » que la pratique connaît notamment au niveau du spectacle télévisuel par rapport à une popularisation logique de la gymnastique sportive masculine « en force ».

On peut considérer, en outre, le jeu d'un même *schème* dans le cas du « glissement » d'un pratiquant vers d'autres pratiques. Ainsi d'anciens athlètes *« d'effort »* (coureurs de demi-fond) venus au vol libre, sont enclins à faire un usage *« en force »* et *« en énergie »* de leur nouvelle activité, à travers le choix « inconscient » d'appareils sécurisants et moins maniables, utilisés dans des « soarings » (68) monotones et épuisants. Ces observations fondent l'intérêt théorique considérable des **« transfuges » sportifs,** permettant d'apprécier, à travers une certaine trajectoire sociale, le poids et la pérennité du jeu de *l'habitus* (69).

Ces considérations nous conduisent donc à envisager *« le pratiqué »* du sport considéré comme manière particulière de pratiquer, renvoyant, à la fois, à une *technique du sport* et à un *usage social* défini. Ainsi on peut identifier un « pratiqué » du rugby qui s'apparente plus à l'aïkido qu'à la lutte (70) de même il existe un « pratiqué » de l'aïkido très proche de l'expression corporelle et du spectacle artistique (le groupe « Solaris » cité par J.-P. Clément).

La double lecture du système des sports

L'espace des sports et de leurs principales modalités (illustré dans le diagramme 7) doit faire l'objet d'une double lecture, assortie de quelques précautions. On le percevra comme *structure objective,* et comme *représentation.*

Il s'agit d'abord en effet, d'une tentative pour saisir, de manière synoptique, *« l'organisation socioculturelle »* des pratiques, à un moment donné de leur histoire, à travers *les relations* des pratiques et des groupes dans leurs régularités statistiques.

Espace *« des styles sportifs »,* il se présente, en outre, comme une *construction imaginaire,* c'est-à-dire la représentation de cette structure que chaque groupe d'agents a, *dans ses grandes lignes,* intériorisé, **et qui, en fonction de la position qu'il occupe dans l'espace social, conditionne la vision particulière qu'il se donne**

---

(68) Le *« soaring »* est une technique de vol aérodynamique de pente, sur un espace limité, parcouru, « en huit », de manière répétitive.

(69) *« Inertie sociale du groupe »,* l'habitus nous apparaît aussi comme une sorte de « fidélité » *subconsciente* (ou de « mauvaise conscience ») aux origines de classe. C'est, en effet, par fidélité à leur culture que certains agents d'origine rurale et fortement dotés en capital morphologique sont « moralement » obligés (et doublement obligés) de jouer au rugby.
Certains d'entre eux, devenus professeurs, parviennent à *« euphémiser »* autant que faire se peut, le jeu du « seconde-ligne » par exemple. Ce qui, pourra être, on le comprendra à l'origine de quelques équivoques et difficultés socio-sportives. L'observation de quelques cas idéaux-typiques nous a convaincus que *l'habitus* pourrait déterminer les choix des pratiques tandis que la trajectoire sociale conditionnerait la manière de les pratiquer.

(70) Le demi de mêlée de rugby qui a, dans le combat rapproché, généralement à faire à des adversaires directs morphologiquement supérieurs, est souvent conduit à utiliser une « technique aïkido » dans son jeu défensif. Il peut manifester corrélativement un certain mépris pour « la force brutale » (voir le jeu d'*Alain Berrouet* du Club athlétique Béglais).

du monde des sports. On pourrait donc le considérer comme une structure mentale déterminant ses « *goûts sportifs* » (jugements, attitudes, dégoûts, classements, etc.) mais aussi, en fonction de l'appréciation pratique de ses probabilités d'accès à tel ou tel type de pratique, (proximité/éloignement), et en fonction de ses « prétentions » d'en conditionner précisément les rejets et les choix (71).

En conséquence, il y a lieu de considérer la *structure* objective dans son fonctionnement *synchronique* (sociologique), et dans ses transformations *diachroniques,* (historiques), mais aussi d'envisager les lois « génétiques » de transmission ou d'acquisition de la structure mentale.

En ce qui concerne la structure objective de la distribution des pratiques (il va sans dire, qu'à ce point de notre travail, elle reste encore largement hypothétique), il y a lieu d'insister sur la perspective relationnelle qui a présidé à son élaboration. On rappellera en effet, que la signification socioculturelle et *le destin* de tel sport dépendent essentiellement de la place qu'il occupe dans le système, c'est-à-dire de la nature de ses inter-relations avec les autres sports, (rapports de contiguïté, de proximité ou d'opposition). On verra ainsi clairement apparaître la **« parenté »** entre *vol libre* et *planche à voile,* ainsi que **l'opposition** (c'est-à-dire les exclusives) entre *vol libre* et *sports collectifs. Le (« delta c'est l'anti-foot »)* entre le *yachting à voile* et les *motonautismes* (dénoncés comme *« promène-couillons »* et « enfumeurs ») entre les *éco-sports* et la *chasse,* entre *motocyclismes* et *automobilismes,* mais aussi entre escalades « *propres* » et randonnées pédestres. Nous avons vu que la position du sport, correspond à la place que son noyau significatif de pratiquants occupe par rapport à l'espace des positions sociales. Elle devrait donc se superposer d'autant plus parfaitement à la position d'un groupe que ce sport est plus caractéristique de ce groupe (randonnées, parcs naturels et alpinisme pour les enseignants, par exemple).

En ce qui concerne **la structure mentale,** un champ très intéressant de recherches s'ouvre aujourd'hui sur *ses conditions génétiques de constitution* et *d'évolution.* La mise au point d'un outil d'investigations *(« le jeu des sept familles sportives »)* nous a permis, avec Catherine Louveau, de dégager les premiers éléments des « lois » de transmission familiale des modèles sportifs c'est-à-dire d'identifier les principales étapes de la constitution de cette structure mentale chez les enfants.

Jeux de superpositions

Les différents « *espaces* » illustrés dans les diagrammes, étant référés (donc superposés) à l'espace des positions sociales, il est possible de les superposer entre eux. On pourra ainsi tirer d'intéressantes observations et éprouver la cohérence du système.

(71) Yves Le Pogam a bien mis en évidence ce phénomène (Démocratisation du Sport, Paris, Ed. Universitaires, Delarge, 1979). De la même manière que l'appréciation pratique de leurs chances respectives d'accès à l'enseignement supérieur et des possibilités actuelles d'exploitation professionnelle des diplômes correspondants, déterminent largement le comportement scolaire des différents groupes d'adolescents.

STRUCTURE SOCIO-CULTURELLE
DES SPORTS « DE PLEIN-AIR »

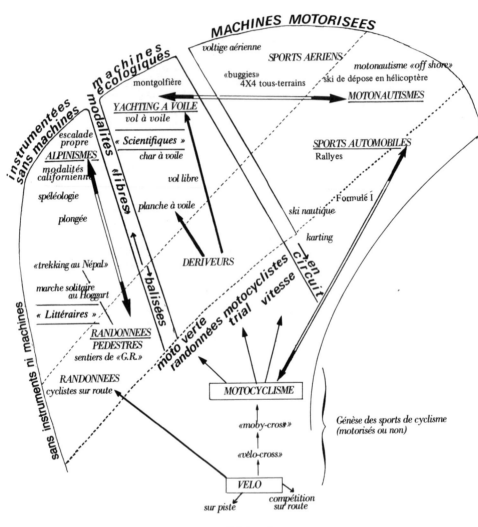

Schéma 8

Dans le système des sports, on peut isoler la structure des principaux sports de plein air. Elle s'organise en trois volets qui vont des machines motorisées les plus lourdes (sports aériens) aux randonnées pédestres en passant par les machines écologiques.

On remarquera les trois principaux systèmes d'opposition :

Yachting ↔ motonautisme

Escalade « propre » ↔ randonneurs pédestres

Motocyclisme ↔ automobilisme

ainsi que la distribution des trois modalités, en circuit, balisées et « libres ».

La superposition du « *champ socioculturel* » des pratiquants d'un sport défini avec le *système total* par exemple, permet d'anticiper sur l'organisation des principales modalités de sa pratique, donc d'aider à la construction de « *l'espace des styles de la pratique* » (et aussi de prévoir les configurations possibles de sports selon les différents « *noyaux* » de pratiquants).

Ainsi la superposition de « l'espace des modalités du rugby » avec le système des sports permet de voir et de confirmer que la dimension de « *stylisation* » qui jouait, au niveau du système global, comme critère de différenciation, entre les deux principales catégories de pratiques, (haut/bas de l'espace) joue aussi *à l'intérieur* du rugby puisque le « *style* » et « *l'élégance* » ont été précisément identifiés comme principes de la modalité propre à l'une des « cornes » supérieures de ce champ.

De la même manière, la « théorie » du deuxième système d'oppositions *(motorisation ↔ écologisation)* qui fonde la démarcation générale des pratiques propres aux fractions sociales favorisées (« *bourgeois* »/« *intellectuels* ») a trouvé une éclatante confirmation dans la mise en lumière par Pierre Falt de l'organisation oppositionnelle des deux principales modalités du *yachting*. Il est d'un grand intérêt de vérifier en effet que les deux dimensions de l'espace social que nous avons adopté : (*volume et structure* du capital) rendent socialement et respectivement intelligibles le *tonnage du bateau* (petit/gros) et son *mode de propulsion* (moteur/voile) (72).

En outre, en superposant le « champ socioculturel » du rugby avec « l'espace des sports », on peut comprendre une « configuration » insolite et une « reconversion sportive » imprévue entre *rugby* et *sport automobile* que l'étude du « *Midi-Olympique* » nous avait permis de déceler (73).

En effet, on voit que l'architecture sociale du rugby de haut niveau et la position particulière de sa « corne » supérieure, qui fondent pour ces joueurs, une part importante de la filière d'ascension sociale par le rugby (artisans→gros commerçants, entrepreneurs→gros patrons) assurent la « solution de continuité » entre deux pratiques dont on pouvait penser, du fait de leur éloignement dans le système total qu'elles étaient incompatibles.

« A quoi ça sert ? »

Ce travail de recherche qui a été proposé à des étudiants en éducation physique et sportive dans le cadre de leur formation, n'a pas échappé à la question mi-naïve et mi-perfide : « *Oui !... mais à quoi ça sert ?...* » Une réponse du

(72) Voir sa contribution : « Les usages sociaux de la croisière » p. 261, et, par ailleurs, son Mémoire pour le diplôme de l'I.N.S.E.P., année 1980.
(73) Le *Midi-Olympique*, hebdomadaire spécialisé dans le rugby (et secondairement dans le jeu à XIII) nous avait révélé l'existence — jusqu'alors inexpliquée — de quelques pages consacrées aux *sports automobiles*. Les responsables du journal ne pouvaient évidemment ignorer l'intérêt que leur lectorat portait à ces sports. Et l'on peut en effet, logiquement concevoir que la « *sportivisation* » d'un engin utilitaire et « quotidien » (voitures étrangères de préférence) était seul compatible avec les importantes contraintes de temps auxquelles ces groupes du rugbymen reconvertis sont professionnellement soumis.

type : « *ça sert à tenter d'apprécier le poids et la force de déterminants* « *inconnus* » *qui jouent hors de notre action professionnelle propre* » ne satisfait ni le positiviste d'arrière-garde pour qui « La Science » doit livrer, dans sa transparence, ses applications, ni l'idéologue d'avant-garde pour qui la démarche scientifique *brouille toujours la vision* « *sociopolitique* » et neutralise la critique. On a donc choqué, dans tous les cas, le solide *pragmatisme* qu'il est ici parfois de bon ton d'afficher, tandis qu'il est strictement de rigueur dans les autres sphères de l'univif sportif.

Le sport résiste, en France, avec vigueur, à toute forme d'investigation scientifique. Les quelques praticiens qui se hasardent encore dans ce domaine de la rationalité que le désintérêt (ou le mépris) des universitaires pour le sport, avait laissé vacant, se heurtent, dans leur milieu même, à l'hostilité ou la dérision (74).

La relance d'un utilitarisme strict répondant à une volonté politique d'endiguer certains insuccès de nos représentants sportifs, diffère indéfiniment toute forme d'investigation qui n'entre pas dans le cadre assez étroit des techniques et « sciences » d'appoint pour l'entraîneur. Les quelques faveurs qui sont accordées aux sciences biomécaniques ou, au mieux, bio-énergétiques, renseignent, dans ce cadre, sur l'orientation prioritaire des efforts. Les sciences humaines ou les neuro-sciences, quant à elles, sont perçues, dans l'univers sportif, comme luxes inutiles, comme néfastes ou comme irréductiblement « subversives ».

L'orientation actuelle, plus économe, se fait au prix de l'oubli que les français (fussent-ils sportifs) représentent, dans la particularité de leur culture, et dans la spécificité de leurs modes de vie, une difficulté à l'extrapolation pure et simple des modèles et des actions qui ont fait, dans d'autres pays, la preuve éclatante de leur efficacité.

La réussite sportive (qui se révèle toujours être une extraordinaire *réussite sociale*) comme d'ailleurs l'élargissement démocratique de la base des pratiquants dont on persiste à penser qu'ils entretiennent les plus étroites relations (au moins dans la logique des « *goûts sportifs* »), supposent que soient identifiés et analysés avec sérieux des facteurs multiples et complexes qui sont généralement ignorés par un « économisme » étroit ou par un volontarisme naïf.

A chaque niveau de la pratique, qu'elle soit pédagogique ou politique, (qui suppose toujours conception des objectifs et prise de position normative), on doit chercher d'abord à apprécier la hauteur ou la résistance des obstacles qui s'opposent à l'action et au changement. Ainsi, la prise en compte de l'ensemble des déterminants techniques, économiques, sociaux et culturels, qui jouent et qui pèsent sur la pratique sportive, apparaît comme une attitude « politique » réaliste, responsable et urgente.

Notre démarche se situe en complément des travaux et aussi comme en réponse aux interrogations des *économistes du sport* (dont nous reprenons à notre compte

(74) Les jeunes universitaires ou les chercheurs du C.N.R.S. qui tentent actuellement de faire une percée dans l'approche scientifique du sport s'affrontent encore, dans leur secteur, aux mêmes sarcasmes. De même, les enseignants d'éducation physique qui s'efforcent de mesurer ainsi le poids des déterminants sociaux sur les pratiques, sont soupçonnés de se résigner au statu quo.

les plus remarquables acquis) qui savent et qui disent que *tout* ne peut être expliqué par le jeu des facteurs économiques (75).

Nous avons donc essayé de fournir quelques éléments de réponses à des questions qui pourraient avoir échappé à d'autres grilles d'analyse. On espère, en outre, avoir pu proposer un outil théorique et un moyen d'investigations qui permettent de faire avancer la connaissance des sports et des sportifs, en élargissant la vision, nécessairement partiale, des agents professionnels impliqués dans le développement spécifique de leur discipline sportive propre et celle, nécessairement abstraite, des universitaires nouvellement conquis.

La perspective relationnelle et comparative qui fait, peut-être, l'originalité de cette étude, nous paraît riche de questions nouvelles, fait entrevoir quelques lignes d'évolutions possibles du système des sports en France ainsi que leurs incidences sur nos résultats internationaux. Ceci devrait susciter réactions et critiques de la part des animateurs et des praticiens.

Le « *système des pratiques sportives* » qui constitue l'expression la plus spectaculaire du travail, n'en est sans doute pas la part essentielle. Construit en référence avec *l'espace des positions sociales,* il tire profit de ses capacités heuristiques, mais partage avec lui, les risques d'interprétations et d'utilisations erronées. On considérera cet « espace des sports » comme une formalisation très provisoire et une visualisation imparfaite — quoique commode — de la construction théorique qui le dépasse. Représenté sur les deux dimensions de la lisibilité synoptique habituelle, il *ignore* une troisième dimension pourtant essentielle. *Il néglige en effet, tout ce que la distribution des pratiques par rapport aux groupes doit à l'histoire des pratiques, du système et des groupes.* Il cache également les effets des trajectoires sociales individuelles sur les choix des pratiques et sur les usages particuliers que l'on en fait. La question étant de savoir s'il ne masque pas plus qu'il ne montre.

Certes on pourra le voir comme un *système symbolique* c'est-à-dire comme une représentation *que les agents se font du monde social, à partir des signes sportifs* (symbolique dont une sémiologie « pure » se délecte, bien qu'elle ne l'appréhende toujours qu'en partie) et la tentation restera forte, sans doute, pour le lecteur de faire de ce système, un usage « *personnel* » et fétichiste, c'est-à-dire : d'y chercher, à travers ses propres choix sportifs, le reflet et l'effet d'une trajectoire et d'une position sociales qui se révéleront toujours avantageuses.

Pour se prémunir contre cette tendance, on énoncera, sous une forme très simplifiée, les principaux « déterminants » qui nous paraissent guider la dynamique des choix, et demeurer au principe de la constitution des *goûts sportifs.*

● *Les choix* (et les rejets) *de sports sont d'abord et essentiellement soumis à la logique de l'habitus,* qui synthétise le jeu des *dispositions corpo-culturelles,* et

---

(75) « *L'influence des facteurs économiques, si forte et si incontestable qu'elle soit, n'agit jamais seule, ni dans un vide* ». Préface de Jan Dessau à l'ouvrage de Gerbier, Di Ruzza « Ski en crise », Grenoble P.U.G., 1977, p. 2.

fonctionne *précocement* selon les principaux systèmes d'oppositions classantes : notamment, *« la force »* *« l'énergétique »* et le *« consumatoire »*, ou au contraire, les *« réflexes »* *« l'informationnel »* et la *« gestion technique »* chez les hommes, et par exemple les systèmes d'oppositions, *« l'énergie,* (la fonction, le réel) ou au contraire *« la grâce »* (l'esthétique), *« l'expression »* (la forme, le formel) chez les femmes.

Il faut ici souligner que l'on est d'autant plus soumis à la logique de la *professionnalisation sportive* (donc impliqué dans des « stratégies sportives » parentales ou personnelles précises et de longue haleine) que l'on est plus soumis à la *nécessité* c'est-à-dire que l'on est situé *moins haut* dans l'espace social (76). *Ceci conduit les groupes populaires* à préférer systématiquement les sports, où, en fonction des lois spécifiques des différents marchés (sportifs et non sportifs), et du niveau de la concurrence interne à chaque sport, on peut le plus aisément exploiter des compétences corporelles ou techniques non spécifiques, le plus rapidement et le plus facilement reconvertir, les *prestiges sportifs* en capital économique et/ou, en capital social de notoriété.

On s'oriente donc logiquement vers les *sports populaires « énergétiques » les plus fortement spectacularisés* (rugby, football, cyclisme, etc.)

Ainsi, en fonction de la mise en jeu conjuguée des dispositions culturelles, des trajectoires sociales, des conditions professionnelles, d'habitat, et de traditions régionales, (modèles de pratiques et valeurs symboliques attribuées par le groupe à ces traditions) on aura par exemple pour l'exprimer schématiquement :

Origines paysannes → capital corporel, force, endurance, endurcissement → gros bourg de campagne → rugby d'avants.

Origines ouvrières → « l'énergie, la résistance et la technique » → banlieue de ville industrielle → football.

● *Pour les groupes des classes moyennes,* (au demeurant les plus nombreux), (qui sont socialement enclins à *« bluffer »* à travers leurs pratiques et leurs consommations) ce qui paraît jouer essentiellement, c'est la *valeur positionnelle* de la pratique sportive c'est-à-dire la *valeur* qui lui est attribuée selon la place qu'elle occupe dans cette sorte de *« bourse socioculturelle des signes sportifs »* que les agents se sont pratiquement et mentalement construit. On est donc, dans ces groupes, à la recherche inlassable des pratiques qui occupent une *position prestigieuse* dans ce *« monde social représenté »* que constitue le système des sports (hier le judo et le ski de piste, aujourd'hui le tennis et la planche à voile).

● *Pour les sous-groupes déclassés* (ou en voie de déclassement), on peut repérer une particulière sensibilité vis-à-vis des prestiges associés aux *pratiques très risquées* (ski hot-dog, de pente raide, vol libre, exploits en solitaire, par exemple). On y est ici, en effet « naturellement » porté à rechercher un accroissement des profits matériels et/ou symboliques par le moyen d'une augmentation très importante des *« investissements »,* (allant jusqu'aux risques

---

(76) Cette observation ne concerne pas le choix des modalités *compétitives* de toutes les pratiques puisque, *la natation, l'équitation* et *le tennis,* par exemple, inversent ce processus.

mortels) dans des pratiques qui se prêtent particulièrement à un « *rêve de vol social* » (P. Bourdieu).

● ***Pour les groupes les plus favorisés*** (qui sont socialement enclins à « *snober* » à travers leurs pratiques et leurs consommations) ce qui semble jouer essentiellement, c'est la ***valeur distributionnelle*** de pratique, c'est-à-dire la valeur attachée *à sa rareté*. La recherche des prestiges sportifs **supplémentaires** associés à cette rareté, conduit ces groupes d'une part à s'orienter vers des pratiques socialement protégées (golf, équitation, chasse), économiquement sélectives (sports aériens, véhicules tous-terrains à quatre roues motrices) ou « techniquement » réservées (consommatrices de temps) (polo, montgolfière, tennis) et, d'autre part *à fuir* les pratiques nouvellement « *encombrées* » (par l'irruption des « classes moyennes ») et à réinventer des pratiques ou des modalités nouvelles (ski de dépose en hélicoptère, motonautisme « off-shore », safari-photo en montgolfière au Kenya, hobbie-cat, etc.) qui, dans une incessante surenchère, deviennent économiquement ou « culturellement » inaccessibles.

Ces divers déterminants socioculturels ***s'inscrivent évidemment dans le processus historique de régulation et de transformation du système des sports.*** On sait que la lente divulgation des pratiques qui est à l'origine de leur *dépréciation sociale,* ne les affecte pas toutes également ni avec la même *rapidité*. A l'exception de celles qui « bénéficient » de « l'artifice » des mécanismes de sélection financière ou de parrainage social, c'est d'une part ***la faiblesse de l'euphémisation*** des pratiques, (c'est-à-dire le niveau de *la réalité de l'affrontement* ou de *violence effective des combats)* et d'autre part la capacité des pratiques à se prêter à un investissement « *en force* » ou « *en énergie* », qui déterminent grandement la ***rapidité de leur popularisation*** (77). Ceci relativise donc la perspective synchronique que nous avons sans doute excessivement privilégiée et sert, en quelque sorte d'avertissement et de « mode d'emploi ».

En conclusion, nous dirons que le travail répond plus fondamentalement à un double objectif :
— d'une part, il constitue la première étape de la démarche qui consiste à ***introduire les sports dans le système des pratiques constitutives des styles de vie.*** L'enjeu essentiel n'étant pas l'attribution d'un supplément de dignité « culturelle » à ces pratiques et à leurs pratiquants, mais d'arracher cet objet à la problématique du « loisir de masse », et à celle d'un certain « radicalisme

---

(77) Ainsi la *boxe française*, toute auréolée des prestiges récents d'une pratique originale (par rapport à la *boxe anglaise* popularisée), remise en faveur par les étudiants parisiens, s'est trouvée elle-même très vite *popularisée* du fait que, (**contrairement au karaté**), les *coups y sont effectivement portés.*
Il en est de même du *handball*, dont les enseignants d'éducation physique avaient fait un usage social particulier (rationalisation poussée, « valeur éducative », « désintéressement », etc.) se trouve aujourd'hui en bute à ces « *problèmes d'argent* » qui accompagnent et annoncent inéluctablement une « popularisation » qui nous semblait déjà inscrite dans la *logique* d'un sport **collectif « de contacts »**, **« en force »** (par rapport au basket).

critique » qui *constituent le « jeu sportif » comme un sous-produit du travail industriel* et dont les « déterminismes » fonctionneraient, selon les cas, dans la clarté d'une logique compensatoire ou dans l'obscurité des mécanismes d'aliénation.

— d'autre part, il exprime la volonté d'ébaucher une *théorie de la constitution des goûts sportifs* dans la société française, c'est-à-dire d'essayer de comprendre non seulement les *bouleversements macroscopiques* qui affectent aujourd'hui le système des sports, mais aussi de saisir plus précisément la genèse et la *dynamique « microscopiques » des choix de pratiques par des publics culturellement qualifiés*. Saisie ainsi, la théorie, dont le système des sports est une concrétisation, apparaît comme une machine à réfléchir et à formuler des questions, machine à la fois mentale et pratique dont on cherchera à mesurer l'efficacité, la cohérence, et le pouvoir de prédictibilité.

La force, l'énergie, la forme (ou la grâce) et *les réflexes* nous sont apparus comme critères corporels et culturels de classement opérant dans les choix diversifiés de pratiques d'exercice. Ces critères paraissent en effet, à la fois rendre compte de particularités techniques de certains sports que l'on peut, dans les cas les plus typiques, scientifiquement étayer (78) et qualifier des dispositions culturelles des groupes de pratiquants.

Eléments de « base », constitutifs des principaux goûts sportifs, ils pourraient être considérés comme « *principes générateurs et unificateurs de pratiques* ». Sans prétendre, d'aucune sorte, qualifier les « *habitus* », ils permettent cependant de préciser le jeu complexe de ces habitus dans le registre des pratiques corporelles et sportives.

Si chacun de nous se trouve en quelque sorte « interpelé » par cette schématisation (qui se concentre ici dans la perception *jamais neutre* des quatre images de la couverture), c'est sans doute que l'on est déjà très activement engagé et impliqué dans un processus de classification où l'on se trouve soi-même classé par ses propres choix et ses propres pratiques.

La place que l'on occupe dans la société conditionne, comme nous l'avons vu, le type de rapport que l'on entretient avec son corps et détermine grandement les usages, notamment sportifs, que l'on en fait.

Ainsi, la « *position* » qu'immanquablement on adoptera vis-à-vis de ces représentations paradigmatiques, (à travers nos choix et nos rejets, nos goûts et nos dégoûts), nous situe non seulement comme « pratiquants » (réels ou potentiels) socialement situés, mais aussi comme « *agents* » (plus ou moins) portés par des changements qui affectent notre société dans son ensemble (79). Il n'est pas sans intérêt de remarquer, en effet, que les particularités de la société

(78) On peut voir que les sciences biomécaniques, bioénergétiques et bio-informationnelles élisent plus volontiers domicile dans les pratiques qui se prêtent particulièrement à la mise en valeur de leurs modèles théoriques respectifs (haltérophilie, aviron, tir aux armes).

(79) La portée méthodologique de ces remarques fonde l'orientation actuelle de notre travail de recherche sur les jeunes enfants.

française orientent aujourd'hui tendanciellement les goûts sportifs vers de nouvelles formes d'exercice.

Telles des strates successives déposées par l'histoire des sports dans notre pays, les pratiques et les goûts sportifs se superposent sans disparaître. On remarquera en effet que « *la force* », « *l'énergie* » et « *les réflexes* » renvoient à trois générations de pratiques qui survivent à ces « tassements » historiques.

La force était essentiellement représentée et exploitée dans les pratiques gymnastiques et haltérophiliques qui s'étaient largement popularisées dès le XIXe siècle (80). *L'énergie,* comme disposition éthique (autant que qualité « physiologique ») est déjà caractéristique des *pédestrians* qui sont les « nouveaux sportifs » de la fin du XIXe siècle, (puis se trouve en quelque sorte traduite dans les succès des coureurs français de la précédente génération.

La «nouvelle vague» des sports informationnels, dits *« de réflexes »*, qui déferle aujourd'hui sur notre pays, devrait être prise au sérieux, non point en raison des succès que déjà nos sportifs y enregistrent, mais par l'expansion, sur l'ensemble du système des sports, des modèles culturels dont ils sont porteurs (81).

(80) La suprématie internationale des gymnastes français a été incontestée jusqu'à la guerre de 1914 (Louis Thomas, 1972).
(81) Le travail de recherche dont nous venons d'exposer les grandes lignes, a été réalisé par des praticiens, grâce à l'aide du C.O.R.D.E.S. (Comité d'organisation des recherches appliquées pour le développement économique et social).
Il convient, en effet d'y associer, dans un contexte de confrontation et d'échanges fructueux, les contributions de plusieurs *pratiquants-enseignants*. On a pu ainsi, tout en améliorant la connaissance spécifique de chacune des pratiques, **conserver cette perspective relationnelle et comparative, dont on a souligné l'importance théorique.**
Jacqueline Blouin-Le-Baron *(expression corporelle)*, Jean-Paul Clément *(sports de combat)*, Jacques Defrance *(athlétisme)*, Nicole Dechavanne *(gymnastique volontaire)*, Pierre Falt *(yachting de croisière)*, André Lapierre *(kayac et alpinisme)*, Marc Rocher *(vol libre)* ont apporté leur connaissance des pratiques, et contribué à leur mise en forme théorique.
Le travail se poursuit aujourd'hui logiquement dans le sens de l'analyse circonstanciée des *déterminants techniques et sociaux de la réussite sportive des sauteurs à la perche français*, et, dans la perspective ouverte par Catherine Louveau, sur l'approfondissement des *« lois » génétiques de constitution des « goûts » sportifs chez les enfants*.

D'une nature... l'autre 2
Les paradoxes du nouveau retour

Georges Vigarello

Un univers de pratiques nouvelles introduit, depuis peu, un rapport inédit entre sport et nature. Les motos quittent leurs chemins bitumés, les sandales, les raquettes et les skis leurs pistes familières, alors que le *grand-large* alimente de véritables processus de distinction. Les engins se multiplient qui, du surf aux ailes de vol libre, diversifient les **échappées.** Comme si les gestes devaient toujours davantage se confronter aux éléments premiers et aux espaces vierges ou illimités, les jeux rompent avec les repères urbains et les voies trop tracées. Il ne faut pas attendre de telles pratiques qu'elles usent de la nature selon une définition préalablement travaillée. Elles obéissent plutôt à des inclinations vagues et pourtant repérables, à des refus obscurs mais corrélés et répétés, où les rêves d'origine s'ajoutent à ceux de milieux quasi inviolés. Reste qu'elles peuvent s'étudier comme autant de modifications de désirs, d'indicateurs sociaux et de marchés. Reste surtout qu'elles ne sont pas à l'abri de dimensions mythiques, lointaines cousines des affiches urbaines avec leurs arbres de papier.

Ce qui distingue les pratiques physiques revendiquant cet enracinement à la nature, est d'abord leurs différences avec celles qui, hier encore, affirmaient une même revendication. Les textes de Rouhet, Hébert et Carton (1), où s'associaient les images de campagne et de rusticité, où se multipliaient volontarismes et entraînements consciencieux, témoignaient d'abord de vastes projets moralisateurs. Revenir à la nature c'était promouvoir une vertu contre une décadence. L'hygiène de la fin du XIXᵉ siècle, les discours sur l'air, les thérapies de la lumière et du soleil, rencontraient leur version conservatrice où la terre était essentiellement celle d'archaïsmes oubliés et de traditions perdues. Textes polémiques stigmatisant mollesses et fadeurs citadines, assimilant progrès et déchéances morales. Retrouver les gestualités primitives ouvrait la voie des virilisations. L'entreprise était celle d'une résistance certes, mais où la mise à l'épreuve se voulait quotidienne et où les manifestations physiques ne faisaient que promouvoir force, rudesse et austérité. Ici les bains gagnaient en valeur avec

(1) Cf. : Rouhet G., *Revenons à la nature et régénérons-nous*, Paris, 1913.
Hébert G., *L'éducation physique ou l'entraînement complet par la Méthode Naturelle*, Paris, 1912.
Carton P., *Enseignements naturistes*, Paris, 1925.

la glaciation de l'eau (2) et l'effort devait, tout à la fois, lutter contre « les préjugés et les erreurs, le vice et la débauche, la faiblesse et la laideur » (3). Ces échappées naturelles du début du siècle, ces inventions d'exercices chargés de rencontrer les motricités originelles n'étaient pas sans rapport avec de nouvelles sensibilités, rejetant, alors même que refluait le positivisme, sciences et techniques dans une même défiance, et orientant cet irrationalisme vers des visées le plus souvent passéistes. Comme les sports du temps, une telle voie visait aux initiations sévères. Elle se plaisait même aux épreuves abruptes. Son originalité toutefois tenait à une obsession répétée : celle qui liait techniques ou industries « modernes » et avilissement. Retour à la terre, gestuels naturels, témoignaient en définitive d'une réaction. L'attachement hébertiste aux valeurs paysannes, par exemple, pouvait adopter des accents barrésiens. Sous la forme d'entraînements inédits, la nature se devait d'endiguer « laisser-aller » et faiblesse, désordres et affadissements. La « pureté » était polysémique où les promesses d'espaces renouvelés s'accompagnaient d'attentes rigoristes dressées contre les relâchements du présent (4).

Les pratiques d'aujourd'hui ne connaissent plus de telles raideurs. Ce n'est pas contre le « vice » que luttent les nouveaux sports de nature, ce n'est pas en termes de régénération morale qu'ils affirment leurs projets. Ils se donneraient au contraire volontiers comme libérateurs, détendus, éloignés des efforts douloureux, des tensions et contraintes crispées. Les grandes stipulations volontaires ont ici basculé. Le geste du « retour » n'est pas celui des entraînements ascétiques. Sur ce point certaines publicités sont révélatrices dans leur apparente simplicité : « *Vous pourrez redécouvrir la nature, son relief en empruntant les sentiers bordés de mélèzes, retrouver l'atmosphère des grands espaces, faire de longues promenades balisées entre les différents hameaux de Vars* » (5). La démarche est celle d'une rupture imaginée et voulue, celle d'une détente subtilement travaillée. L'aventure se voudrait quelque peu paresseuse où le corps gagnerait en **impressions inédites** plus qu'en efforts cumulés. L'image vaut autant que les textes : silhouette déliée d'un skieur sur fond de montagne, motard noyé dans une herbe que sa machine même ne semble pas avoir marquée, skippeur dont le visage traduit à peine la tension attentive.

Plusieurs décalages se sont, en fait, produits, au-delà de ces effacements. C'est l'argumentation écologique qui dévoile, par exemple, le lent détournement de certaines polarités. La critique du progrès technico-économique, conçu comme menace physique repérable et non plus comme menace morale, a offert un autre prestige et une autre finalité aux velléités du « retour ». La nature

---

(2) Rouhet G. : *op. cit.,* cf. planches.
(3) *Ibid.,* p. 202.
(4) Sur ce passéisme et certaines de ses ambiguïtés, nous renvoyons à notre article : « *La nature et l'air du temps* », les références culturelles de l'hébertisme, in : Travaux et recherches en E.P.S., I.N.S.E.P., fév. 1980.
(5) Dépliant publicitaires sur Vars, 1978.

n'appartenait plus à ceux qui, se figeant sur un passé et ses valeurs traditionnelles, multipliaient les anathèmes, mais à ceux qui, au nom même de la science, dénonçaient un péril jugé vital. Elle n'opposait plus rigueur et fermeté ascétiques à de prétendues facilités ou excès de plaisirs, elle devenait au contraire refuge de vie ou de plaisirs mêmes. Alors que la méthode hébertiste se donnait comme alternative virile à des fragilités ou errances morales que l'on disait grandissantes, les pratiques nouvelles se donnent plutôt comme découverte de rythmes mieux maîtrisés, de sensations gagnant en densité, ou de motricités gagnant en cohérence tranquille. Les propositions s'engagent aux réconciliations sereines plus qu'aux propédeutiques réactionnelles : vivre un autre temps, **une autre aisance,** plus que quelque rudesse oubliée ; prospecter de nouveaux équilibres plus que d'archaïques obstacles, fussent-ils didactisés. Les expériences sont d'abord celles d'imaginaires réappropriations harmoniques. Le « retour » se veut celui de douceurs perdues. Les revues d'écologie sont souvent les meilleurs témoins de telles attentes où la randonnée, avec « *le rythme lent de la marche* » (6) prétend associer nonchalance, aventure et « tourisme cool » où le prestige du « *vélo non polluant et non bruyant* » s'affirme dans une méfiance des « *excès compétitifs* » (7), où les stages, enfin, de massage et d'expression corporelle promettent l' « écoute » inédite d'un univers psycho-physique (8). C'est aussi que se sont lentement inversés les ascétismes liés jadis aux entraînements, au bénéfice d'attitudes (surtout dans les classes moyennes, davantage concernées ici) privilégiant un hédonisme aisément « consommatoire ». Les pratiques dites naturelles des décennies passées mêlaient un conservatisme à un volontarisme. Or l'un et l'autre semblent disparaître dans un tel contexte, non seulement parce que la nature est promise à d'autres ressources que celles d'une tradition moralisée, mais aussi parce que les contentions aux rigueurs formatives cèdent, elles-mêmes, à d'autres visées. Le « retour », et ses revendications de citadins, entre aisément dans les stratégies de jouissance que privilégient ventes et crédits. La pratique devient moins celle des plaisirs toujours différés, que celle des plaisirs immédiatisés. La finalité gestuelle est la *sensation* plus que la fatigue « salutaire ». Et la structure des consommations n'est pas sans privilégier en définitive de telles inversions ; ce qui par ailleurs n'efface en rien normes ou contraintes, mais les déplace selon des modèles de marché, et de valorisation sociale obligée.

Une autre transformation porte encore sur la représentation du corps que de telles activités semblent mettre en jeu. La nature était, au début du siècle, prétexte à de vastes régénérations respiratoires. L'entreprise était ostensiblement celle d'accroître résistances et vigueurs dans une économie organique privilégiant à son tour muscles et souffles. Les sujets dénudés devaient dévoiler des qualités foncières, des profils robustes, des solidités diverses et visibles. L'image avouée ou implicite, était celle de la force, faite de potentialités grandissantes aux

(6) Dreyfus Cath., L'aventure est au coin du sentier, in : *Le Sauvage*, Paris, mai 1974, p. 29 ; 1978, p. 26.
(7) Pourquoi faire du vélo ? in : *Ecologie*, Paris, n° 22.
(8) Publicités de stage, in : A.P.R.E., Hebdomadaire d'expresion écologique, Paris, 1977, n° 232, pp. 14-15, et 1977, n° 233, p. 28.

transferts énergétiques. Le corps entraîné, que le contact avec la nature avait à promouvoir, s'illustrait par son aptitude aux consommations efficaces et aux rentabilisations caloriques. Les qualités recherchées de l'oxygène semblaient même brusquement « inutiles », si leur exploitation n'était pas soumise à un travail toujours mieux ordonné. D'insistantes préoccupations respiratoires faisaient triompher les courbes des poitrines et l'économie des souffles. Affronter la nature était une épreuve d'haleine et d'énergie.

(document Vol libre Magazine)

C'est cette représentation qui s'est aujourd'hui transformée, privilégiant d'autres repères. L'expérience dominante n'est plus celle de la force, le regard ne va plus prioritairement aux torses et aux muscles, il va plutôt aux flexibilités motrices et à leur maîtrise. Les gestualités escomptées ne sont plus celles des dynamismes tendus et répétés, mais celles des contrôles, retenus, souples, permanents. Le plaisir passe par l'enregistrement d'un réseau d'informations complexes et non par la domination têtue et progressive de fatigues planifiées. Formes corporelles déliées, attitudes sachant subtilement conjuguer vigilances et relâchements, la représentation première n'est pas celle de la machine pulmonaire réglant des flux caloriques, mais *celle de la machine cybernétique réglant des flux* **informationnels** (9). L'épreuve est d'abord combinaison d'indices coenesthésiques,

(9) Christian Pociello s'efforce de préciser les fondements sociologiques de cette « rupture » dans « La force, l'énergie, la grâce et les réflexes »... (texte précédent).

développement de régulations perceptives, ajustement de réponses nerveuses. Sélectionner des signaux pour mieux s'abandonner à eux : « *Laissez-vous tracter sans essayer autre chose que de profiter de la première et agréable sensation que vous aurez de vous sentir hydroglisser* » (10). Il fallait pour cela que l'image quasi explicite des efficacités corporelles ait déplacé ses critères des robustesses foncières aux contrôles proprioceptifs.

Une autre modification, plus sociale enfin, ne saurait être négligée. Les sports de nature, devenus autant d'offres aux consommations ostensibles, sont devenus aussi enjeux de concurrence et d'affirmation symboliques. Espaces et lieux sont implicitement revendiqués comme marques d'appartenance et de distinction. Pratiques et pratiquants dérivent à la recherche permanente d'*un moindre encombrement* (11). L'abandon des pistes, le passage à des pilotages évoquant une illimitation possible des aires de jeu, s'opèrent, entre autres, comme entreprises de « démarcation ». Des hiérarchies masquées, des rejets à peine avoués spécifient attentes et publics. Les processus d'éloignement, les aventures promises, s'originent non plus dans une aspiration laborieuse aux auto-endurcissements, mais dans une ambition de maîtrise, à la fois démonstrative et imaginaire, s'étendant aux espaces eux-mêmes. Ce sont des catégories sociales très précises (la petite bourgeoisie montante avec certaines franges des classes dominantes surtout) qui passent du ski de station devenu trop « fréquenté », au ski hors piste et de glacier, ou encore du dériveur, jugé trop « scolarisé », au surf et au wind-surf. Dans chaque cas, se conquièrent des « positions » éprouvées comme autant de libertés ou d'intensités ludiques nouvelles. Le « retour » et les pratiques qui le portent ne manquent donc pas de destinations sociales. Ils y puisent même contours et colorations.

Reste que les natures ainsi proposées laissent mieux affleurer maintenant leurs ambiguïtés possibles. Une dimension dominante de ces gestes affirmant traverser les milieux originels n'est-elle pas celle, par exemple, de leur support technicisé ? Nombreux parmi eux font du véhicule un de leurs éléments essentiels. Nombreux ne se déploient que préalablement armés. Le problème n'est évidemment pas, dans ce cas, celui d'une prétendue limitation de l'investissement corporel attendu ; ce dernier serait plutôt simplement déplacé et instrumentalisé. Par contre, dans leur construction même, dans leur étayage, dans leur calcul, ils ne font que prolonger les conditions citadines dont ils sont précisément issus. Ils vont à la nature en même temps qu'ils déjouent leur propre mouvement. Les engins utilisés illustrent fréquemment une **orientation résolue vers les techniques douces, où l'eau, le vent, la pesanteur, sont les premiers alliés des dispositifs mécaniques** (12). Les planches de glisse, les ailes de vol offrent même à l'œil une

---

(10) Renseignements et conseils sur la pratique du ski nautique, in : « *Vroom, voile et moteur* », Paris, n° 4, 1979, p. 87.
(11) Nous renvoyons, sur ce point, aux recherches de Christian Pociello. Cf. en particulier : « *Pratiques sportives et demandes sociales*, in : Travaux et recherches en E.P.S., I.N.S.E.P., n° 13, 1980.
(12) Ch. Pociello développe ce point dans le texte cité.

limpidité et une pureté de forme promettant de souples et ondoyantes fusions avec les éléments qu'elles rencontrent. Mais c'est dans cette quête des intégrations et alliances heureuses que se manifeste, de fait, la plus sophistiquée des technicités. C'est dans ce dépouillement apparent que se révèle le plus travaillé des artifices : matériaux originaux longuement testés, formes affinées en soufflerie, ajustages subtilement polyvalents et standardisés. La fabrication du ski, ou de ses éléments annexes, est depuis longtemps un problème d'ingénieur. Les publicités qui entourent sa vente ne sont d'ailleurs pas sans rappeler celles qu'a déjà rendues classiques l'automobile : « *Toutes les commandes au pied... Un talon amortisseur de densité variable* » (13). « *Nordica le confort non-stop* » (14). De même, ce qui pourrait apparaître comme outillage artisanal ou agencement tâtonné, révèle ses appartenances industrielles, lorsque telle entreprise dit offrir des assemblages de voiles « programmés sur ordinateur » (15). Quant aux ailes de vol libre, il est acquis qu'elles ont, dans leur création même, exploité certaines technologies de l'aéronautique la plus avancée. Le paradoxe tient à ce que ces gestes, qui prétendent renouer avec les forces élémentaires, le font souvent en entretenant une médiation technique développée et précise. Il tient aussi à ce que cette dernière est généralement d'autant plus élaborée qu'elle revendique d'immédiates et « naturelles » simplicités. De telles pratiques confirment la dimension imaginaire d'un « retour » partiellement désarmé pour échapper aux conditions mêmes dont il est issu. Elles déplacent sans fin le seuil d'une nature toujours relative, mythe avec lequel semble devoir incontournablement composer l'artifice. Rêveries de citadins, elles en rappellent enfin les positions et les repères. L'automobile devient sans doute « *modèle d'engendrement* » *pour ces engins véhiculants* (16) dont la multiplicité croissante spécifie les pratiques nouvelles. Elle n'anticipe certes ni leurs formes ni leurs conditions énergétiques, mais à coup sûr leur principe central de pilotage outillé, ainsi que les modes d'attention et d'intervention qu'il ne saurait manquer de requérir. Elle déclenche et entretient une démarche technologique aussi déterminée que persévérante. Avec elle, comme avec eux, la condition d'une nature supposée brute devient très vite décor ou symbole. L'exemple sans doute extrême est celui de ces photos dévorées d'espace, dont le commentaire révèle en contre-point un regard lourdement instrumentalisé. La revue « *Vol libre Magazine* » multiplie ces procédés où, telle représentation d'un libériste sur fond de ciel, d'arbres et de rochers, suscite une légende hypertechnicisée : « *La qualité du profil en attaque est donnée par une feuille de rhodoïd collée à la voile dans le foureau* » (17). Le geste du « retour » ne saurait faire fi des discours et des technologies où il a préalablement baigné. Ce qu'il affronte de la nature n'est dès lors plus toujours ce qu'il pourrait croire. En multipliant médiations et outils, il révèle indirectement la nécessaire dépendance à l'égard de la ville, d'un mouvement néanmoins construit pour l'« oublier ».

(13) Publicité « Caber », in : Ski magazine, nov. 1979.
(14) Publicité « Nordica », I.G.
(15) Publicité « Voilerie » in : Vroom, op. cit., p. 84.
(16) Pociello Ch., op. cit.
(17) Revue « Vol libre magazine », août 1977, photo pleine page.

De l'objet à l'espace, l'emprise de l'artifice peut, par ailleurs s'étendre. Les rêves vont aux gestes primitifs et aux environnements sauvages, alors que leurs traductions pratiques conduisent le plus souvent aux gestes machinés et aux environnements dominés. C'est que cette pleine nature connaît aussi les aménagements les plus divers et travaillés. Les publicitaires sont ici encore révélateurs de tendance, imposant au milieu naturel une simple dimension connotative : « Sur ce territoire de jeu, le plus grand d'Europe, ils apprendront la nature : à travers les sports francs... Au Cap d'Agde. Le tennis et la voile... » (18). La structure des marchés, le choix des techniques, la socialisation des variables ludiques, suscitent des espaces secrètement contrôlés, voire standardisés. Plans d'eau ou aires de ski ne sont pas seulement délimités, ils sont aussi pacifiés dans leurs organisations et leurs structures mêmes. Un nombre important de leurs dispositifs supposent agencements et ordonnancements préalables. Des mains anonymes en ont attentivement modelé les distributions et nivelé les accidents. L'accumulation de leurs promesses, l'affirmation d'immensités brusquement disponibles accroît encore de telles vigilances. *« Le domaine skiable s'étend sur 2 000 hectares. Déjà cette année nous offrons 63 km de descentes (bientôt 120 km) desservies par une télécabine, deux télésièges et 10 remontées. Vous avez le choix entre 25 pistes allant de la descente (...) »* (19). Le milieu est en fait pensé selon des contraintes qui, de son exploitation financière à sa prise en compte outillée, suppose très souvent de véritables aménagements concertés. Non seulement se développent les machines ludiques, mais s'apprivoisent aussi les occurrences qu'elles sont censées rencontrer.

Il va sans dire que l'échappement à de telles conditions sert l'invention de pratiques plus inédites encore. Et c'est bien dans ce cas très précis que la conquête d'espaces nouveaux met en jeu diverses stratégies de la distinction. Quitter des traces devenues trop communes, bousculer des géographies devenues trop étroites, aller aux appareils les plus originaux, inscrit des différences à l'aide de raretés repérables. Le « retour » est traversé de forces attribuant aux « distances » d'ostensibles significations sociales. Mais c'est bien dans ce cas aussi que s'illustrent les pesanteurs réellement dominantes d'où il tire ses formes. Outre que ces innovations demeurent le plus souvent « armées », elles sont très rapidement conduites à la banalisation de leur propre terrain. Aux organisations et institutionnalisations inéchappables, afin, paradoxalement de mieux les « protéger », dans leur sécurité et leur survie collective, s'ajoute l'exploitation, tout aussi inéchappable, des matériels et des lieux. Le « sauvage », dont le statut était déjà ambigu, bascule sans délai, dans les zones de gestion familières où se règlent les publics et s'aménagent les trajets. Le « hors piste », même avec ses pratiques héliportées, entre dans un vaste processus d'administration et de maîtrise dont l'entreprise ludique n'est quasiment plus qu'une conséquence. Sauf exception, l'innovation perd en rareté ce que la revendication distinctive gagne lentement et immanquablement en nombre ; alors que l'échappée se doit par

(18) Publicité « Languedoc-Roussillon » in : *Paris-Match*, 1972, n° 1251, pp. 16-17.
(19) Publicité « Isola 2000 », *Paris-Match*, n° 1281, p. 29. Cf. aussi : Metoudi M., Le sport support thématique dans la publicité, thèse IIIe cycle, Paris VII, 1978.

ailleurs d'être gérable, donc circonscrite par ce qu'implicitement elle dénie. Les stations alpines ne savent-elles pas planifier très intentionnellement les voies de ceux qui fuient les chemins trop visibles ? Elles y trouvent même un argument promotionnel : « *La Plagne... 160 km de pistes balisées, de neiges et de pentes extrêmement variées. L'immensité du domaine skiable sur quatre expositions permet toutes les formes de ski, et notamment le* **ski hors piste** » (20). Les aires de vol se recensent et s'agencent à leur tour aussi rapidement que se fixent les espaces livrés aux motos vagabondes. Et lorsque le lieu, comme la mer, se soustrait apparemment aux maîtrises les plus tangibles, c'est au moins des réseaux toujours plus sophistiqués de prévisibilité qui, ajoutés aux assistances et aux matériels, illustrent la présence d'une organisation croissante.

Illustration extraite de la Revue « Pilote privé »,
nº 8 de février 1977.

(20) Publicité « La Plagne » in : *Le Monde*, 3 nov. 1979, p. 5.

Il demeure que l'espace des fugues est essentiellement un espace géré. La transformation montre son appropriation par de nouvelles sensibilités sociales et ludiques. Elle dévoile des modes de consommation, des images du corps, des objets, tous également inédits, que sauront développer et exploiter publicistes et marchands. En cela sont radicalement écartées les raideurs et attentes d'hier. L'hébertisme et les « *sports californiens* » (21) relèvent de mondes différents, voire irréductibles. Non pas qu'à une nature marquée idéologiquement « *à droite* » se soit substituée une nature dite « *de gauche* ». C'est plutôt une forme d'*hédonisme* qui a pris la place de crispations aussi autoritaires que conservatrices. Mais aucune visée de remise en cause politique, fut-elle implicite, n'habite ce dernier. Ses espaces sont des espaces largement symboliques. Ses attentes, outre leur dimension physique, se limitent au renforcement affiché de quelque position sociale. Le corps qu'il met en jeu, révélateur indirect des techniques du jour, est celui des emprises contrôlables et machinées. Il demeure enfin que la « nature » ici revendiquée, rêve paisible de citadin, n'échappe pas vraiment à la condition de celui-ci. Elle est même le mythe quelque peu conventionnel que, seule, cette dernière lui permet de s'offrir.

(21) Terme emprunté à Christian Pociello.

La division sexuelle du travail gymnique

3

Un regard sur la gymnastique volontaire (1)

Nicole Dechavanne

La recherche du « *bien-être corporel* » par la pratique d'exercices physiques variés est une préoccupation qui semble assez communément partagée dans notre société, mais elle est « *vécue* » et mise en actes très différemment selon les individus et les groupes. Des pratiques aussi diverses que le *jogging, la baignade,* ou *le vélo,* le « cours » de *yoga,* la séance de *judo* ou la fréquentation des salles de *culture physique,* montrent comment chacun, en fonction de son histoire personnelle, mais aussi de ses origines sociales, tente de trouver la formule répondant le mieux à ses « *besoins* ».

Le **sexe** et le **milieu socioculturel** paraissent déterminer, pour une bonne part, aussi bien les *formes de la demande* (on peut rechercher la « *condition physique* », « *l'esthétique corporelle* » ou la « *subtilité des sensations* » à travers l'exercice) que les *pratiques* susceptibles de les satisfaire.

On oublie trop souvent que le corps est *(aussi)* la manifestation sociale de nous-même, qu'il nous représente et nous situe. L'« *allure* » et la *forme* qu'avec plus ou moins d'efforts et de persévérance, on cherche à lui donner, sera fonction de l'idée que l'on se fait de notre rôle et de notre « place » dans la société. Inéluctablement, à travers lui, on se trouve « classé ».

Le « *schéma corporel* », dont on pourrait dire qu'il exprime et transmet une « philosophie de la personne » est aussi le *dépositaire de toute une vision du monde social* » (2). Le corps propre se trouve donc inconsciemment, mais essentiellement **imprégné de la division sexuelle du travail et des rôles sociaux.** Si l'image de la femme « *gardienne du foyer* » et de l'homme « *actif à l'extérieur* » semble aujourd'hui remise en cause dans certains groupes, il nous faut admettre que de profondes différences subsistent très généralement dans les représentations comme dans les pratiques. Il n'est pas sans intérêt de remarquer

---

(1) La « *gymnastique volontaire* » est un mouvement qui propose, au sein de la Fédération française d'éducation physique et de gymnastique volontaire, un cadre d'exercice à des adultes des deux sexes et de tous âges. Regroupant 200 000 licenciés, la « G.V. » s'est fortement féminisée à partir des années 60.

(2) Bourdieu Pierre, La Distinction. Critique sociale du jugement. Paris, éditions de Minuit, 1979.

par exemple que si les femmes arrivent en grand nombre sur le marché du travail, elles n'investissent pas, dans les mêmes proportions, l'ensemble des catégories socioprofessionnelles (3). Elles restent l'exception dans les fonctions de « prestige ». Dans les catégories moyennes, là où l'homme est *technicien,* la femme est *infirmière, institutrice* ou *aide sociale.* Nous retrouvons donc, dans la sphère professionnelle un *monde « masculin »* qui, à l'aide de la machine, explore activement « l'extérieur », et un *« monde féminin »* qui s'investit dans des rôles et des « missions » recréant la chaleur de la relation et la douceur de l'affection.

Ce tableau ne peut être évidemment considéré comme définitivement fixé (chacun a, en lui, sa part de féminin et sa part de masculin), les valeurs changent et les frontières s'estompent. Mais nous voudrions néanmoins souligner combien ces **modèles sont puissants et continuent à jouer** (inconsciemment) **sur la façon dont l'un et l'autre sexe vit et met en œuvre son corps dans le travail gymnique.** Les *structures mentales incorporées*, différencient essentiellement nos perceptions et notre appréhension de l'espace, et commandent notre motricité. Les *structures spatiales* sont ce à travers quoi se constituent les structures mentales, et la division du travail et des rôles entre les sexes peut être saisie dans les espaces ; espaces des lieux, espace des corps (4).

Dans ses observations ethnographiques, Pierre Bourdieu a su remarquablement montrer comment on retrouve, à partir de la distribution des tâches et de la répartition rigoureuse des gestes, ce qui est profondément inscrit dans les schémas corporels masculins et féminins, c'est-à-dire ce que la culture y a déposé. Ainsi dans le **gaulage des olives,** l'homme frappe de *l'instrument* dont il s'est invariablement saisi, d'un *effort puissant,* décisif, et orienté de *haut en bas,* tandis que la femme *se courbe, s'accroupit vers le sol,* pour ramasser les fruits qu'elle recueille dans un sac (ou le creux de son tablier), avant de les amener vers l'espace clos de la maison.

La projection spatiale de ces observations, peut se faire chaque fois que se répartit un travail dans le couple. Pour résumer elle se traduit par le système de catégories d'opposition suivant : l'homme organise sa motricité selon le *« haut »* le *« grand »,* le *« droit »,* l'*« extérieur »* et le *« discontinu »* ; la femme selon le *« bas »,* le *« petit »* le *« courbe »* *« l'intérieur »* et le *« continu »* (5).

La portée générale de ces observations n'échappera à personne. Il est, en effet, possible de se convaincre de l'importance (et de la pérennité) du jeu de ces *« catégories »* et de ces *« modèles »* masculins et féminins sur le corps et sur ses usages (fussent-ils « sportifs »), en observant ou en éprouvant soi-même pratiquement « ce qui se passe » chaque fois que, dans un travail quelconque, se

(3) Thévenot L. et Desrosières A., Economie et statistiques. Revue mensuelle de l'I.N.S.E.E., n° 110, avril 1979, et Louveau Catherine, *Le rôle de la famille dans la genèse des goûts sportifs,* thèse de IIIe cycle, Université de Paris VII, 1980.
(4) Conférence à l'I.N.S.E.P. dans le cadre de l'unité d'enseignement de Ch. Pociello (U.F.C3) le 15 novembre 1978.
(5) Bourdieu P., Esquisse d'une théorie de la pratique ; « La maison ou le monde inversé ». Paris Droz, 1972, et « Le sens pratique », éd. de Minuit, coll. « le Sens commun », 1980.

LA CUEILLETTE DES POMMES

Observation et Langage. — 1. Où ces pommiers sont-ils plantés ? — 2. Examinez-les. Que remarquez-vous ? — 3. Pourquoi une échelle est-elle appuyée à l'un des pommiers ? — 4. Que font les deux hommes avec leur longue gaule ? — 5. Que font les femmes et les enfants ? — 6. Que voyez-vous près de la charrette ? — 7. Que fait l'homme qui est monté sur une échelle ?

LECTURE   La cueillette des pommes.

Dans les prairies s'alignent les pommiers aux troncs tordus. Des milliers de pommes rouges sont suspendues aux branches qui se courbent sous le poids des fruits. Avec une longue gaule, des hommes abattent les pommes; elles tombent sur le sol avec un bruit sourd. Des femmes et des enfants les ramassent; ils en remplissent des sacs et des paniers. La charrette sera vite pleine et l'on portera les pommes au pressoir. On boira bientôt du cidre nouveau.

Gabet et Gillard
Aquarelles de F. Raffin
Vocabulaire et méthode d'orthographe Cours élémentaire, Librairie Hachette 1930.

trouve mise en œuvre (et remise à l'épreuve) une division sexuelle des tâches et des gestes. Dans le nettoyage d'un jardin, dans un « débroussaillage » ou dans la coupe du bois, dans les aménagements extérieurs et intérieurs d'une maison (« gros œuvre » et « finitions », immobilier et mobilier) on verra que ces observations ne sont pas seulement « exotiques »...

Notre vision de la « gymnastique volontaire » que nous avons voulu la plus dégagée possible d'un certain militantisme professionnel (6) s'est organisée autour d'une analyse de ce type avec un effort de transposition.

(6)   Mes fonctions de monitrice nationale, puis de présidente de la F.F.G.E.G.V., n'incitent pas à porter un regard neutre et désintéressé sur un « mouvement » dans lequel je me sens très impliquée et militante...

La « *gymnastique volontaire* », qui est moins « *une discipline* » qu'un **cadre d'exercice,** pouvait convenir et concerner *a priori* chaque adulte, homme ou femme, de tous milieux et de tous âges.

La **féminisation** progressive et apparemment inéluctable du mouvement, ainsi que l'existence d'un noyau masculin minoritaire mais irréductible, ne manquaient pas de poser déjà un certain nombre de questions aux animateurs et aux responsables.

Afin de comprendre comment se constitue et s'organise un « *recrutement* », il nous est apparu intéressant, et en quelque sorte *prioritaire* d'analyser, d'une manière approfondie, ce processus d'« *appropriation* », par les femmes, d'une pratique **qui ne leur était pas exclusivement destinée.**

Née, en France, dans les années 52/54, à l'instar de ce qui existait déjà en Suède, la *gymnastique volontaire* s'est trouvée constituée et animée par certains professeurs d'éducation physique (7), réunis aujourd'hui au sein de la « *Fédération française d'éducation physique et de gymnastique volontaire* ». Cette institution s'est structurée sur le modèle *associatif* (l'unité de base étant le club) et compte aujourd'hui 200 000 licenciés dont 92 % de femmes.

Au moment de sa création, hommes et femmes pratiquaient également et selon des modalités analogues mais la **féminisation,** amorcée vers 1962, (probablement impulsée par une féminisation accélérée de l'encadrement) paraît aujourd'hui irréversible.

Ce que, dans le langage initié, on appelle une « *séance de Gévé* » dure environ une heure et se déroule très généralement dans un gymnase ou une petite salle. Elle réunit une quinzaine (mais peut s'élargir à une cinquantaine) de personnes à différents moments de la journée. Elle consiste en une série dosée d'exercices corporels à dominante gymnique ayant pour but déclaré « *l'entretien physique* ». Mais, les motivations des « *gymnastes volontaires* » se révèlent être, à l'analyse très diverses ; cela peut être la recherche de la « *forme* » organique et/ou corporelle ou la « *rencontre* » avec autrui.

A travers la description comparée de deux séances (choisies entre mille) l'une masculine, l'autre féminine, nous nous proposons de montrer comment hommes et femmes se sont appropriés très différemment cette pratique et l'ont transformée pour s'y sentir « *à l'aise* » c'est-à-dire en ont différencié les usages afin de les ajuster à leurs dispositions « *corpo-culturelles* » propres (8). Nous percevrons ainsi comment les conditions de vie, les images et les représentations culturelles liées au sexe, ont différencié, le climat, le contexte, les échanges, le rythme, la technique même de la séance G.V. Nous nous attacherons particulièrement à la nature des exercices proposés, dont la logique exprime

---

(7)   Il est clair que beaucoup d'entre eux manifestaient un certain nombre de « réserves » vis-à-vis de ce qu'ils considéraient comme des « *excès du sport et de la compétition sportive* ».

(8)   Bien que nous nous intéressions à la manière dont les *groupes* et les *sexes* investissent différemment notre pratique, nous nous en tiendrons ici essentiellement au jeu des *différenciations sexuelles*.

photo N. Dechavanne.

Les femmes à l'intérieur...

photo N. Dechavanne.

les hommes... à l'extérieur.

d'abord des rapports aux espaces, significatifs à notre sens, de la division sexuelle du « travail » gymnique.

Les heures de la vie quotidienne d'une femme de la « classe moyenne » sont souvent bien remplies, et de nombreux cours « G.V. » se déroulent soit dans la matinée, soit dans l'après-midi ; « un temps-pour-soi » est grignoté pendant que les enfants sont à l'école, mais pour les femmes qui travaillent, (la plupart employées et cadres moyens) (9) la disponibilité est un réel problème.

Le cours féminin que nous avons observé, se déroule entre 17 h 30 et 18 h 30. Il est essentiellement fréquenté par des femmes travaillant dans les entreprises voisines. Ce jour-là, elles « s'organisent », commencent plus tôt le matin, prévoient qu'une voisine s'occupera des enfants à la sortie de l'école... ou bien le mari rentrera plus tôt... Elles se libèrent une heure avant d'aller préparer le repas du soir, pous se retrouver à la gymnastique.

« Franche camaraderie »

Un cours masculin... (les préparatifs)
Le cours est prévu dans un grand gymnase bien éclairé, à 20 heures. Vers 19 h 45, arrive le secrétaire de la Section. Il s'installe près de l'entrée et pose son cahier d'inscription près de lui. Un entraînement de handball s'achève. Petit à petit, les participants entrent. La plupart sont en **tenue de sport, survêtement** et **tennis ;** ils ont garé la voiture et viennent de terminer un léger repas.

Ils se serrent la main, se saluent avec quelque ostentation *« Ça va Michel ? »* *« Salut Pierre ! »*, puis discutent un peu. Ils évoquent essentiellement leurs activités physiques de la semaine, (vélo, tennis) et reviennent sur les péripéties du cours précédent. Un nouveau, nommé « Billard », un peu intimidé, va s'inscrire auprès du secrétaire qui le présente à chacun. On échange de nombreuses poignées de mains. On raconte à « Billard » ce qu'il va vivre. Puis, ce groupe constitué d'environ 15 personnes, va se dissocier, quelques-uns vont courir autour du terrain. A ce moment, Christian, professeur d'éducation physique au lycée proche et animateur du cours « G.V. », arrive, en tenue de ville , le sac de sport à la main. Il s'attarde un peu auprès des bavards, puis disparaît dans le vestiaire. Lorsqu'il revient, cinq minutes plus tard, dans un magnifique survêtement, un ballon à la main tout le monde se met immédiatement à tourner en *« footing »* autour de la salle. Il les rassemble et donne quelques consignes brèves avec autorité et fermeté. *« Allez ! On y va, les uns derrières les autres, petites foulées, à mon signal : flexions !... »*

(9) Résultat d'une enquête que nous venons d'effectuer et dont les résultats ne sont pas encore publiés : 50 % de femmes « au foyer » — 50 % de femmes « qui travaillent » ; 30 % d'employées et 20 % de cadres moyens.

Le cours masculin a lieu à 20 h 30 ; il intéresse le dentiste, l'architecte, les cadres de l'usine voisine qui ont décidé de consacrer leur soirée à leur « *condition physique* ». Ils s'attardent jusqu'à 22-23 h, en prolongeant la séance proprement dite par un « *petit volley* ». La gymnastique est perçue comme une nécessité un peu rébarbative et le jeu sportif arrive comme la *récompense* après l'effort.

... « Complicité douce »

Un cours féminin... (les préparatifs)
Le cours est prévu à 17 h 30, dans une salle rectangulaire, assez petite et peu accueillante. Il n'y a pas de vestiaire, la lumière est un peu jaune. Le professeur est une « animatrice » formée par la fédération, elle sort de chez elle et arrive toute prête : **pantalon de danse, pull noir, et chaussons de gymnastique** pour donner son cours. Une dame est déjà là, assise dans la pénombre. Elle n'a pas songé à allumer les lumières. L'animatrice l'interpelle, éclaire la salle, les autres vont se mettre en tenue dans une petite pièce, à côté, au fur et à mesure de leur arrivée. Elles sortent du travail et viennent faire la « *gym* » pour « *garder la ligne* » et se détendre dans ce petit temps « coincé » entre les soucis de bureau et ceux de la maison. De petits groupes de trois ou quatre personnes se forment pendant que l'on enfile sans précipitation collants, justaucorps et que l'on met les chaussons. Les conversations sont discrètes, comme intimes. On parle visiblement entre amies de problèmes familiaux. Chacune retrouve son petit cercle d'affinité ou bien l'on reste seule, sans saluer le groupe. L'animatrice essaie de lancer une conversation collective, sur un sujet d'intérêt général : « *les méfaits des chocolats sur la ligne !* » Le mauvais état des installations retient l'attention de quelques-unes... Les premières habillées vont aider à sortir et transporter le « petit matériel » (ballons, cerceaux) nécessaire à la leçon. Puis, **elles se groupent près de l'électrophone,** attendant les autres. L'animatrice décide du moment de commencer : « *Vous allez partir en courant sur toute la salle et jouer avec votre ballon* ».

Les femmes arrivent à pied, en tenue de ville, manteaux, bottes. Elles se mettent en collant ou justaucorps une fois sur place. Les hommes quant à eux, viennent, pour la plupart, *en voiture* et sont déjà en survêtement « sportswear ».
La gymnastique volontaire n'induit en elle-même aucune tenue spécifique : tandis que les hommes utilisent la **tenue sportive,** les femmes adoptent spontanément celle de **la danse.** Il va sans dire que les petits chaussons de « gym », appelés « *ballerines* », portés par les femmes, ne suggèrent et n'impliquent pas la même forme de travail que les « *tennis* » ou « *basket* » que tous les hommes portent invariablement. La « *correction* », c'est-à-dire la rigueur

académique de l'attitude, l'allongement de la jambe jusqu'à la poussée extrême de la plante du pied, la légèreté des mouvements glissés de la danseuse, s'opposent en tous point à la solidité des appuis que requièrent vitesse de déplacements et soudaineté des changements de direction, des joueurs de basket ou de tennis.

Ainsi, le choix des équipements (vêtements et chaussures) révèle déjà une différence fondamentale : quand les attributs féminins évoquent la *grâce, la souplesse* et *l'évanescence* des évolutions dansées, ceux de l'homme suggèrent *la vitesse, la vigueur* et *l'énergie* des efficacités sportives.

Fermeté militaire et douceur de salon

Une atmosphère de *franche camaraderie,* ou de « *fraternité virile* » règne dans le cours masculin. Les hommes se tutoient d'emblée, discutent et s'interpellent bruyamment. Dès le début du cours, le professeur se place au centre du terrain, il mène visiblement la leçon « *tambour battant* ». Il se pose manifestement comme « *le chef* » incontesté. Les « *élèves* » n'échangent alors aucune parole superflue. Chacun se concentre sur son propre effort. Le modèle militaire de commandement semble sous-jacent, et l'attitude didactique de *l'entraîneur* montre qu'il reste avant tout un *meneur d'hommes* ».

En revanche, même installées dans le vestiaire, les femmes sont peu locaces. De petits groupes se forment et engagent des discussions confidentielles, intimes, à voix basse. Certaines restent silencieuses. L'animatrice tente d'animer la conversation, mais ce n'est qu'au moment du cours que les relations s'établissent à propos d'une situation collective, d'un jeu par exemple. Dans ce contexte féminin, le professeur donne des consignes, explique, conseille, se promène de l'une à l'autre dans toute l'étendue de la salle. Son rôle rappellerait plutôt par certains aspects, celui d'une hôtesse incitant ses invités à la rencontre. La musique, très souvent utilisée, renforce ici ce climat affectif et fluide qui contraste singulièrement avec l'impression d'ordre et de vigueur cadencée observée dans le cours masculin.

Espace ouvert et espace clos

Les exercices s'enchaînent très vite chez les hommes sans que l'attention ne soit visiblement portée sur la rigueur technique de l'exécution. On ne s'attarde guère sur la précision des mouvements. Les **hommes ne restent jamais plus d'une minute au sol** pour un travail quelconque. La course autour du « terrain » reprend aussitôt, alternant vivement avec les exercices statiques. On parcourt ainsi un bon nombre de kilomètres. On sue beaucoup et l'on souffle bruyamment. Le gymnase, toujours spacieux, permet de donner libre cours à cette « débauche » d'énergie.

Les femmes, quant à elles, commencent sur un rythme beaucoup plus lent. Les exercices **durent** plus longtemps, et l'on y sent comme une sorte de **persévérance.** Les consignes données par l'animatrice incitent à « *l'intériorisation du mouvement* » suggère le recours permanent à la *sensation.* On cherche à développer la « *sensibilité proprioceptive* ».**Une longue période** (qui peut durer jusqu'à une vingtaine de minutes) **est consacrée au travail au sol.** Celui-ci est le plus souvent exécuté dans l'espace délimité d'un petit tapis individuel de mousse, et se déroule avec continuité sur le fond musical.

Une séquence de « *relaxation* » achève généralement la séance. L'activité féminine « se confine » pourrait-on dire (parfois) dans des espaces très exigus, ce que nous n'avons jamais observé chez les hommes.

Ainsi, l'organisation spatiale (la salle) et l'organisation temporelle (l'enchaînement des exercices) révèlent à leur tour la différenciation, par opposition, des caractéristiques gestuelles masculines et féminines. Pour les hommes l'espace disponible toujours important est « *grand ouvert* », c'est-à-dire entièrement circonscrit par une **motricité centrifuge** et « débordante ». La sueur reste le signe et le critère de l'effort. Si le travail est continuel, sans perte de temps, la dynamique motrice des hommes reste fondamentalement instable, **discontinue,** versatile, changeante.

Pour les femmes en revanche, l'espace qui se trouve déjà restreint dans sa disponibilité matérielle, **se réduit de surcroît, au plus petit** (le tapis, les positions assises, accroupies ou couchées). L'intériorisation insistante du contrôle gestuel et de la « **sensation** » s'oppose à **l'effort** extensif et activiste des hommes. Enfin, la gestualité féminine, fluide, continue, rythmée en souplesse par la musique s'oppose à l'alternance discontinue et cadencée des exercices masculins.

Force et souplesse

Dans les deux séances observées les **exercices « d'assouplissement »** qui font partie du programme habituel de tout travail gymnique rationnel, sont « techniquement » (nous dirions mécaniquement) identiques (ou très proches). Par exemple : « *assis sur le sol, en position jambes écartées et tendues ; il s'agit de fléchir le tronc alternativement sur une jambe puis sur l'autre* ». Et cependant l'exercice proposé, est réalisé de manière radicalement différente par l'un et l'autre sexe.

Dans les contextes pédagogiques décrits, il semble absolument « exclu » d'amener les hommes à centrer leur attention sur la « *perception vigilante de son propre corps* ». Celui-ci, essentiellement vécu comme **un outil** est toujours utilisé comme tel. Il s'agit, avant tout, de le faire **activement fonctionner.** Tout à fait paradoxalement (et symptomatiquement) la souplesse est ici une question de force et d'efficacités qui se mesurent en angle de mobilisation et s'apprécie dans l'intensité des sensations douloureuses. Dans l'exercice masculin, on cherche avant tout « *à aller loin* » sans souci des compensations qui dénaturent le mouvement. Le professeur insiste vainement sur la rectitude du dos. On tire vigoureusement sur un tronc raide, pour tenter de le rapprocher du genou ; ... trois temps à droite, ... trois temps à gauche...

Dans ce même exercice, la femme semble se « concentrer » sur elle-même, le passage d'une flexion sur une jambe à l'autre est lié par un « balancé intermédiaire » servi par une souplesse naturelle. Le mouvement réalisé par le tronc est tout en courbes, la tête abandonnée. Certaines, comme bercées par la musique douce qui accompagne ce travail, ferment les yeux... Ainsi, la courbe féminine et « le rythme intérieur » n'ont rien de commun avec la raideur de nos exécutants. L'inévitable série d'abdominaux est menée de façon assez semblable dans les deux cours. Hommes et femmes viennent ici avec l'espoir commun de repartir le ventre plat. Enfin, un parcours « musclé » et **musclant** est invariablement proposé aux hommes, l'équivalent n'existant pas chez les femmes. L'homme se doit d'avoir les épaules solides et le dos dur. Peut-être un effet de ses responsabilités sociales ? La femme, quant à elle, préfère donner d'elle-même une image plus fragile. A travers la norme morphologique affinée de la « ligne ».

Fagots et brindilles

Dans le cours hommes, les instruments utilisés sont *gros* et *lourds*. Le médecine-ball est un engin très recherché, ainsi que les **appareils fixes** « de musculation » qui pourraient sembler barbares aux non-initiés. Les femmes utilisent, par contre des engins *petits* et *légers,* (cordelettes, balles et petites massues). Leur intérêt se porte sur la *finesse des manipulations* et sur *l'adresse.* L'exercice aux massues, accentue la continuité d'un travail « en courbes » qui ne néglige pas la **grâce** et **l'élégance des figures décrites.** Cette distribution sexuelle de l'instrumentation dans le travail gymnique se retrouve d'ailleurs au plus haut niveau de la pratique (appareils fixes, agrès, pour les gymnastes hommes, cerceaux, rubans et massues en *gymnastique rythmique sportive* qui reste spécifiquement féminine). Ceci pourrait être rapporté à une certaine division sexuelle des travaux professionnels. Catherine Louveau a pu, remarquer que les postes *d'ouvriers spécialisés* sont occupés par des femmes, dès lors qu'il s'agit de tâches de précision, requérant un travail en « finesse » (couture, électricité, électronique...) tandis que les hommes exercent, dans les travaux les plus durs et sur des matières lourdes, (métallurgie, fonderie...) leurs qualités « propres » de force et d'énergie (10). L'ensemble de ces observations montre la force et la pérennité de la différence des schémas corporels masculins et féminins ; différence qui tend à s'accuser dans les classes populaires.

---

(10) Voir Catherine Louveau ; « La forme, pas les formes ».

Alors même qu'il s'agit d'une pratique techniquement « neutre », et s'adressant formellement à tous, on perçoit bien **l'appropriation spécifique dont la gymnastique volontaire fait ici l'objet de la part des deux sexes.** Les gestualités masculines et féminines, repérables dans tous les actes quotidiens, professionnels ou domestiques, sont inévitablement réinvesties dans la gymnastique volontaire, de la même manière qu'elles s'inscrivent dans d'autres pratiques ludiques. Néanmoins, l'antinomie n'est pas aussi franche que notre analyse pourrait le laisser supposer. Certains cours sont mixtes et l'on peut désormais constater l'intérêt que certaines catégories d'hommes portent au « style » des cours féminins. Il serait d'un grand intérêt d'identifier socioculturellement ces derniers qui pourraient être des représentants des fractions les plus « intellectuelles », attirés aujourd'hui par les exercices où pourrait s'exprimer une certaine « grâce masculine ». Ainsi, en s'érigeant en « précurseurs » et à « l'avant-garde d'un changement social » dans lequel les valeurs féminines sont reconnues, ceux-ci assurent, par l'exemple, la diffusion de leurs propres styles de vie. Les phénomènes semblent trouver leur origine dans les transformations des relations relevées aujourd'hui chez les couples les plus dotés en capital culturel, et qui ont pour effet d'estomper les différences dans la division sexuelle des rôles, donc dans les gestualités.

Les quelques remarques et observations précédentes sur le jeu des catégories mentales qui règlent la différenciation sexuelle des motrices gymniques, pourraient être précisées et approfondies. En outre, comme le suggère Christian Pociello (11) elles devraient être élargies aux autres pratiques sportives, dont on sait qu'elles ne sont pas également investies par l'un et l'autre sexe, lesquels, lorsqu'ils s'y adonnent, n'en font pas, en tout état de cause, le même **usage.**

(11) Christian Pociello, I.N.S.E.P., U.V.C$_3$, cours et conférences, 1979.

Les usages sociaux de la croisière 4

Pierre Falt

Introduction

La croisière, définie comme utilisation à seule fin de loisir d'un bateau habitable, connaît depuis quelques années une certaine extension (1). Elle a été le sujet de nombreux livres d'aventures vécues, ou imaginées. Les études qu'elle a inspirées sont d'ordre économique et le plus souvent commanditées par des constructeurs ou firmes commerciales. Notre approche de la croisière (2) a pour but de situer cette **activité sportive de loisir** dans le champ de la consommation culturelle et des styles de vie. Elle s'inscrit dans une perspective relationnelle et comparative des différents sports développée par C. Pociello et participe, à travers l'approche d'une activité sportive particulière, à la constitution du *« système des sports »* (3). L'utilisation nécessaire d'un bateau **médiatise** le rapport du plaisancier à sa pratique et introduit inévitablement une dimension économique qui situe déjà le *« noyau »* des pratiquants dans une zone « haute » de ce système. Des intérêts économiques évidents ont mis jusqu'alors l'accent sur les moyens matériels de la pratique (tels que infrastructures, bateaux, etc.) ; ceci inverse ainsi les propositions car les moyens devenus premiers prévalent alors dans l'étude sociale d'une activité sportive. *L'acteur* est rejeté au second plan, sa marge décisionnelle (et surtout l'ensemble des mécanismes qui conditionnent ses choix) est occultée par les déterminants économiques. A l'image anecdotique du : *« Dis-moi quel bateau tu as je te dirai qui tu es »* (socialement) nous voudrions substituer (et compléter par) : *« Dis-moi* **comment** *tu pratiques la croisière et je te dirai qui tu es »*...
Une double approche, complémentaire, de la croisière en tant que fait social, s'offre à nous :

- **quantitative** : il s'agit de préciser la distribution du bien : *bateau*, dans un système de production. Le plaisancier se distingue alors par une position de classe dans un rapport de production ;

- **qualitative** : elle est signifiée par la manière d'user de ce bien par des *groupes de statut*.

---

(1) Les constructeurs admettent cependant un net fléchissement des ventes au cours du dernier salon de la Plaisance (1980).
(2) Mémoire pour le diplôme de l'Institut National du Sport et de l'Education Physique, juin 1980.
(3) Voir sa contribution dans l'ouvrage : La force, l'énergie, la grâce et les réflexes...

Autrement dit nous mettons en évidence la relation entre le style de pratique nautique et le style de vie qui, comme P. Bourdieu l'a montré (4) pour l'ensemble des consommations culturelles, caractérise les différents groupes sociaux.

Les instruments de la recherche

Nous nous proposons donc de déterminer la structure sociale et culturelle des pratiquants de la croisière, et de montrer que les différentes conceptions et modalités de pratiques recouvrent des positions sociales différentes.

Notre travail s'est développé selon deux axes :
- **d'une part le recueil et l'analyse des informations fournies par l'annuaire statistique de la navigation de plaisance de 1978** (5).
- — la composition sociale des membres de différents clubs (commerciaux ou non) ;
- — les enquêtes antérieurement réalisées par divers organismes ; (travaux toujours commandités par des intérêts économiques) ;
- — des entretiens enregistrés avec des yachtmen « *marquants* » ;
- — l'élaboration et la diffusion d'un questionnaire (dont nous avons utilisé les résultats à titre *illustratif* et non *démonstratif* en raison de l'insuffisance de validation scientifique de l'échantillon).
- **d'autre part l'observation des pratiques en situation.** Notre position de pratiquant socialement situé dans le champ de la pratique nous obligera à tenter *d'objectiver* le *point de vue* particulier de notre observation. On percevra sans doute cette « position » dans la première catégorisation proposée. Cependant, nous nous sommes efforcés de toujours saisir ce qui, dans les pratiques, possédait une pertinence sociologique de portée générale.

La logique de la pratique

Le bateau-signe

Le bateau est un objet de prestige. Il apparaît comme le symbole d'une réussite sociale, comme signe, dans un système de signes, d'un statut social et d'un pouvoir économique (le bateau est l'un des signes extérieurs de richesse dans le code des impôts). Il est objet d'une consommation ostentatoire. Il participe à

---

(4) P. Bourdieu, « La Distinction », éd. de Minuit, 1979.
(5) Ministère des Transports. Direction générale de la marine marchande — Bureau de la Plaisance.

une dynamique de la distinction où chaque groupe social cherche à s'approprier les biens distinctifs du groupe immédiatement supérieur dans la hiérarchie sociale ; ceci se traduit, pour le plaisancier, par le rêve toujours insatisfait *« du mètre de plus »,* c'est-à-dire par le *désir,* (bien connu des vendeurs), de posséder en une escalade continue, le bateau toujours un peu plus long et un peu plus grand. Ce désir se situe dans une logique du signe en dehors d'une valeur d'usage, car **les inconvénients croissent avec la longueur du bateau et en limitent souvent l'usage** (les manœuvres sont plus difficiles, le tirant d'eau plus élevé condamne l'entrée de certains ports ou de certaines criques, l'entretien est plus important, etc.). Posséder un bateau c'est, pour un certain statut social, obéir à *« la contrainte de jouissance »* (Baudrillard) ou du moins s'approprier les signes de cette jouissance.

Ceci crée un véritable besoin qui répond en partie à une logique de la *différence* (interclasse) et sans doute aussi à une logique de la *conformité* (à son groupe social). Un cadre supérieur (6) nous déclarait récemment : *« Il faudrait que je fasse du bateau... »* Ce *« il faudrait »* puise à l'évidence, son origine dans un principe de conformité. (La Société Beneteau assure la promotion d'une de ses unités par le slogan significatif : *« First 35 : le bateau du médecin »*). Un écrivain en vogue vient de revendre sa vedette de 12 m après deux mois d'achat s'étant rendu compte qu'elle n'avait aucune valeur d'utilité pour lui et qu'il avait sacrifié à la puissance du signe. Le bateau et surtout la puissance des moteurs prolongent la puissance sociale. La consommation de carburant, considérable sur les vedettes de croisière à essence, apparaît comme un véritable « gaspillage ostentatoire » (Veblen) et illustre la puissance économique et sociale de son propriétaire (Pociello).

« Pour celui qui aime voir son bateau de son balcon » (publicité pour une marina) l'important est le **confort du bateau,** les qualités marines passent au second plan. Le bateau est fait pour habiter, résidence secondaire de la résidence secondaire et *yacht à quai* (7) il prouve sa fonction par le nombre des couchettes, l'épaisseur des matelas et son confort ménager.

Pour un propriétaire, la valeur de son bateau peut résider en la chose en soi par une sorte de fétichisme de l'objet où l'esthétique n'est pas exclue. La chaleur du teck, le charme d'un gréement, la beauté des cuivres créent une véritable jouissance du contact à la matière. Il s'établit une relation amoureuse du même type que celle qui lie l'esthète à l'œuvre d'art, en un rapport de possession et non d'usage : *« Je n'arriverai jamais à vendre mon bateau, j'y suis trop attaché ».* Les embruns ne sont pas bons pour les vernis et ternissent l'éclat des cuivres. La mer n'a plus sa place dans cette liaison bateau-possédant possédé. Ce bateau *« chosifié »* n'est cependant pas dénué de fonctions.

---

(6) 42 ans ingénieur, Grande Ecole.
(7) Le sommet du conformisme du confort est atteint au lac Tahoé (Californie) où la moquette recouvre les pontons couverts d'une marina.

Bateau et profits sociaux

Le bateau joue un rôle de faire valoir dans une « *stratégie de présentation de soi* » (Goffman). La **place dans le port** revêt une importance primordiale, il s'agit de voir et surtout d'être vu. La sortie en mer qui risque de faire perdre la « *bonne place* » peut être jugée inopportune.

Les relations sociales sont induites et ici facilitées, par la conception même du bateau. Une vaste *plage arrière* sur les vedettes permet de recevoir un grand nombre de personnes. Cet espace ouvert présente, en mer, des inconvénients importants, il ne protège pas des éléments, il n'est utilisé que par mer plate, à quai ou au mouillage. L'heure de l'apéritif est le temps fort de la journée, moment où se créent les relations de bord à bord. La taille du bateau sert de carte de visite et gage la conformité à un monde ; elle accélère tout le rituel des présentations. Le bateau autorise le contact *à brûle pourpoint* et peu formalisé. D'aucun, dont la maison est très fermée et dont les invitations sont des plus sélectives, ouvrira volontiers le bar de son carré à ses voisins sur l'eau. Cet ensemble relationnel est cependant limité de fait, dans les ports, les bateaux sont mouillés en fonction des tailles, le « 12 mètres » côtoiera le « 12 mètres » et il y a de fortes chances pour que le voisin appartienne à la même frange sociale.

Le bateau peut être le moyen d'aggrandir son *capital social*. Il facilite des contacts, ouvre le champ des relations dont le plaisancier pourra ultérieurement tirer profit. La relation désintéressée dans un cadre de loisir décontracté peut cacher les intérêts professionnels. La recherche des profits sociaux se prolonge en adhérant à un club nautique de prestige.

Essentiellement *lieu de rencontres*, le *cadre* du club est primordial. La pelouse qui entoure le yacht-club donne à lire le luxe de l'inutile. Les conversations qui s'y déroulent sont souvent éloignées des préoccupations maritimes. La réputation d'un club nautique n'est pas liée à son dynamisme sportif ; elle le doit souvent à la *qualité sociale* de ses adhérents. L'appartenance à un tel club confère alors à ses membres un certain prestige. Il se crée entre club et membres une relation à double sens : le club réputé entoure ses adhérents d'une parcelle de prestige ; le notable, en participant, délègue une part de sa notoriété au club.

Cette dynamique du **prestige** qu'il faut maintenir, sécrète une stratégie de recrutement pour le club et une tactique pour la recrue postulante. Le club vit sur le modèle d'une confrérie et limite son accès à un groupe déterminé ; c'est ainsi que certaines personnalités sont discrètement sollicitées pour y adhérer. Le club affirme ainsi un principe de classe par le système de cooptation. Le « vulgaire » devra mettre en jeu un système de relations et se prêter à un formalisme quasi initiatique.

Le bateau peut être par ailleurs un moyen dans une *stratégie sexuelle*. Il est surprenant de constater la densité des demandes d'équipières (« joindre photos ») dans les petites annonces de la presse spécialisée.

Cet engouement ne semble guère en rapport avec la force requise par la traction sur les écoutes, ou les qualités d'équipiers. Sous l'offre à la fois anodine et alléchante d'une croisière, se cache une tentative d'approche sexuelle qui sera favorisée par la promiscuité dans le bateau et par l'ambiance volontiers décontractée du bord. Le bateau allie d'ailleurs la double commodité de l'engin de transport et de lieu d'habitation. L'isolement d'une crique, la poésie de la mer et l'exaltation du moment, vaincront bien des résistances tandis que le prestige dominateur du capitaine fera le reste.

Le néophyte s'abandonnera à la compétence nautique réelle ou supposée du chef de bord. Cette relation de compétence-dépendance se transfère en bien d'autres domaines. Le capitaine revêt les signes de sa fonction, symboles de sa compétence, mais surtout de son statut social, le piment de quelques touches simulacres rappellent la familiarité du milieu nautique. Le capitaine, *maître à bord*, prolonge, à terre, la puissance que lui délègue le bateau, en contant ses exploits estivaux à l'auditoire ébahi du salon.

Pour une minorité, le bateau de course remplit la même fonction que le cheval de course. Sur un bateau, la seule présence à bord, même passive du propriétaire, permet de s'accaparer le mérite d'une victoire et de s'approprier les prestiges qui s'y attachent. Dans ce type de pratique que nous qualifions **« d'hedonique ostentatoire »**, à laquelle se rattache un ensemble de profits symboliques (qui sont des profits sociaux), la **dimension économique** prévaut dans le rapport du yachtman à sa pratique.

Mais si le bateau possède la valeur de signe dans un système de consommation, il est aussi le moyen d'approcher un milieu particulier : **la mer**, et d'accéder à un mode de vie original. La possession en soi du bateau devient secondaire, la valeur d'usage semble alors prévaloir.

Une pratique « ascétique » (8)

Un usage du bateau que nous qualifions **d'ascétique** entraîne le yatchman à affronter les éléments et à faire face aux agressions du milieu marin, afin d'en faire l'exploration, d'en exploiter les énergies et d'en maîtriser les incertitudes. Le plaisancier peut ainsi être confronté au froid, à la promiscuité, à l'anxiété, au mal de mer, etc. Toutes positions **inconfortables** qui participent à l'originalité du mode de vie recherché. Cette forme de croisière est généralement pratiquée par les *associations* (9). La réussite d'une navigation s'y mesure alors au nombre de milles parcourus et à la montée dans *« l'échelle Beaufort »* qui donne l'intensité du vent rencontré. L'activité nautique est alors sous-tendue par des préoccupations écologiques et possède une dimension culturelle importante.

Il est nécessaire d'être informé pour pratiquer. Cela est si reconnu qu'aucune instance ne sanctionne un niveau de connaissance. La voile est une des rares activités où la maîtrise d'un *engin véhiculant* ne nécessite pas l'obtention d'un

---

(8) Cette dichotomie des pratiques en *« hedonique ostentatoire »* et *« ascétique »* n'a qu'une valeur d'*idéal-type* au sens de M. Weber, étant bien entendu et ceci pour désarmer les critiques éventuelles que ces modèles de pratiques réunissent tous les traits ou caractères qui dans la réalité ne seront jamais regroupés par un même pratiquant.
(9) Telle le G.I.C.G. : Groupe international de croisière des Glénans.

« permis » ou d'un brevet. Cette connaissance du milieu et du bateau se caractérise par **l'autonomie** du plaisancier « *Ce qui est beau dans la voile c'est que si tu as un pépin, tu te débrouilles sans demander rien à personne* ». Il faut pouvoir faire face par soi-même aux impondérables et toute la technologie radio-électronique ne représente qu'une aide parfois superfétatoire. Il est de bon ton de ne point s'en servir. D'ailleurs « elle tombe si souvent en panne. » Hors des grandes manifestations nautiques, il ne faut s'attendre à aucune aide extérieure. Le bon sens et l'expérience se doivent de prévoir et de maîtriser l'imprévisible.

Ce **savoir** s'exprime par le langage traditionnel de la marine à voile. La plaisance est arrivée juste à temps pour assurer la survivance du vocabulaire de la marine à voile moribonde, ce que n'aurait pas fait la « *Royale* » mécanisée. Il est intéressant de constater, par exemple, que des termes comme *babord, tribord,* ne sont pas utilisés dans les règles de barre de la marine de guerre. Le plaisancier sacrifie à la séduction de la magie des mots, il cultive l'ésotérisme de son langage qui le différencie du commun et lui donne le sentiment d'appartenir à une confrérie. Cette communauté initiatique possède des signes de reconnaissance. Une certaine attention au vocabulaire et aux accents permet de situer, loin du contexte marin, le yatchman et l'idée qu'il se fait de sa pratique. Parler d'un *canot* en prononçant le « *t* » c'est exprimer sa familiarité au milieu breton. Dire « *YAK* » pour *yacht* en appuyant sur le « *k* » c'est s'affilier à une tradition distinctive du yachting.

La puissance des signes se réfère au modèle du *pêcheur breton*, (du moins à celui créé par l'imaginaire du croisiériste). On s'approprie les objets et comportements signes caractéristiques de l'appartenance au milieu professionnel de la mer. On se réfère aussi au modèle du navigateur *solitaire, barbu,* et *chevalier des mers,* dont l'archétype serait B. Moitessier, libre et pur, ou E. Tabarly dont l'image commercialisée suscite de nombreuses vocations.

Les niveaux de savoir hiérarchisent les comportements, mais les mêmes identifications sous-tendent l'imaginaire des pratiquants de la voile « ascétique ». En croisière deux mondes se complètent ou se cachent l'un l'autre :

● celui naturel et « sauvage », des *éléments*, de *la mer, du vent, du bateau*, en tant que forces, énergies, etc. matière. Ce monde flou et mouvant met en jeu des forces naturelles souvent considérables ;

● celui humanisé et rationnalisé de la *technique*, des *sciences*, du *balisage*, de la *lecture* des *cartes*.

Chacun oscillant dans cette rencontre du « sensible » et du « rationnel » satisfait ses aspirations.

L'évasion constitue une idée maîtresse dans la représentation de la croisière. « *Partir en croisière* », c'est s'introduire dans un **autre système de valeurs,** c'est rompre avec le quotidien, c'est entrer en contact avec un monde physique plus ou moins hostile, c'est établir des rapports sociaux nouveaux sur la base de rôles différents. La voile ascétique serait une des rares technologies qui suspendrait provisoirement les relations sociales habituelles. Les préoccupations terriennes évanescentes perdent leur prise. « *Quand je suis sur un bateau, j'oublie tous mes*

soucis » exprime couramment cette « *déconnection* » qui est d'autant plus facilement réalisée que la croisière exige une implication totale.
Immergé dans l'élément le pratiquant ne peut être *spectateur*. Ainsi, dans le « *feu de l'action* », point de conduite *empruntée*. Ici, « les masques tombent »... Le détachement de l'action n'est guère possible, la promiscuité renforce encore la difficulté de maintenir une « façade ». Il arrive d'ailleurs qu'en des circonstances exceptionnelles un équipage se restructure spontanément et temporairement en dehors des rôles établis, le capitaine n'ayant pas « *été à la hauteur* », par exemple.
Le bateau conjugue l'intensité du moment et le rêve sans cesse renouvelé, et bien souvent jamais réalisé, **du projet**. Quatre-vingt pour cent (80 %) des pratiquants (10) aimeraient partir pour une *circumnavigation*. Ce chiffre considérable exprime bien la dynamique de l'évasion, du départ, dans l'imaginaire du plaisancier. Si pour beaucoup cette idée reste à un niveau rêvé — ils ne feront jamais le premier pas pour la réaliser — d'autres, de plus en plus nombreux, mettent tout en œuvre pour y parvenir et se créent ainsi de toute pièce un but, une raison d'être, comblant une certaine « vacuité sociale ». La construction amateur illustre parfaitement la fonction de cet imaginaire et ses aléas (11).
L'aventure, composante de l'évasion, est en 1980 presque exclusivement sportive ; elle s'exalte en montagne et sur mer, dernière « voie ouverte ». Ainsi donc, la dimension culturelle prévaut dans ce type de pratique alors que dans les usages du bateau-signe l'économique dominait. Ceci nous laisse déjà entrevoir la correspondance entre l'usage social de la croisière et le groupe de statut du pratiquant.

L'origine géographique des plaisanciers

Les plaisanciers vivent en majorité dans les régions littorales ou dans les régions fortement urbanisées, telles les métropoles Rhône-Alpes (Lyon — Grenoble — Saint-Etienne) et Parisienne. Cependant si nous comparons les chiffres de

---

(10) Par rapport aux réponses à notre questionnaire.
(11) Le bateau construit après des efforts considérables et un investissement de temps important, navigue rarement, du moins, avec ceux qui l'ont construit, et qui se donnent mille raisons pour en ajourner le départ. L'important en dehors de la satisfaction de la réussite technique est d'alimenter le rêve par un projet ambitieux. D'ailleurs, le rêve qui masque les difficultés n'est-il pas plus beau que la réalité ? Il faut de deux à cinq ans pour construire un voilier, longue période au cours de laquelle bien des choses peuvent changer, bien des enthousiasmes s'émousser. Si le constructeur prend finalement le départ sur le bateau créé de ses propres mains ce ne sera évidemment pas dans les mêmes dispositions d'esprit que celles qui ont présidé à la naissance du projet plusieurs années auparavant.

pratiquants (12) à la population de la région considéré (13), nous pouvons vérifier, (tableau 1) que le pourcentage de la population pratiquante est le plus élevé dans les *régions côtières*, à l'exception du Nord. Ce pourcentage est inférieur à la moyenne dans toutes les régions de l'intérieur, exceptée la région parisienne.

Tableau 1

	Pourcentage d'habitants par rapport à la population totale de la France	Pourcentage de plaisanciers par rapport à l'ensemble des plaisanciers
Lorraine	4,4	0,9
Franche-Comté	2	0,5
Alsace	3	0,5
Centre	4	2,5
Auvergne	2,5	0,8
Rhônes-Alpes.........	9	4,6
Région Parisienne.....	19	22,2
Régions littorales		
Nord	7,5	4,5
Haute-Normandie.....	3	3,1
Basse-Normandie	2,5	3,2
Poitou-Charentes	3	2,7
Aquitaine	4,8	5,6
Languedoc-Roussillon .	3,5	5,2
Provence-Côte d'Azur .	7	16,1
Corse................	0,4	1,8
Bretagne	4,9	12,6

Ce tableau représente des pourcentages de propriétaires de bateaux immatriculés, voiles et moteurs confondus, et non pas des pourcentages de pratiquants de la croisière, ceux-ci ne possédant pas forcément un bateau (ceci est souvent le cas des Parisiens qui adhèrent à des clubs ou louent des bateaux.)

Nous voyons d'après ce tableau qu'un Corse a 20 fois plus de chance d'avoir un bateau qu'un Lorrain ou un Franc-Comtois et un Breton 15 fois plus qu'un Alsacien.

Les populations méditerranéennes et bretonnes sont largement surreprésentées parmi les possesseurs de bateaux.

(12) Source : Direction générale de la marine marchande : « Origine géographique des plaisanciers ayant fait immatriculer un navire neuf en 1978 ».
(13) I.N.S.E.E. Recensement de la population, 1975.

Les plaisanciers naviguent de préférence dans les régions côtières proches de leur domicile, mais le **pouvoir attractif du soleil** renforce et parfois **concurrence** cette dominante. Le plaisancier obéit au tropisme du soleil et se dirige plus particulièrement au sud de sa région. Les régions situées au nord du lieu de résidence n'attirent pas. Ceci explique que seules les régions Nord et Haute-Normandie, bien que littorales, aient un pourcentage de plaisanciers inférieur à la moyenne (Tableau 1). Ce constat a le mérite de souligner l'importance pour la pratique de la structure géographique et des lieux privilégiés ou exclusifs d'exercice.

L'originalité Méditerranée/Atlantique

La **Méditerranée,** grâce à son climat, attire les plaisanciers de toutes les régions intérieures et même du Nord. La mer favorise la flotte des moteurs par ses faibles marées et surtout par ses absences fréquentes de vent (le mistral y souffle avec trop de force pour les petits voiliers). Nous y trouvons trois bateaux à moteur pour deux voiliers.

Les bateaux sont **plus gros** qu'ailleurs. Les données écologiques ne justifient pas cette différence moyenne de taille dans la flotte, les raisons seraient plutôt d'ordre socio-économique : le pouvoir d'achat des résidents saisonniers ou non, y est plus grand. Les tarifs de stationnement très élevés dissuadent les petits bateaux dont les propriétaires ont des moyens financiers plus limités (14).

« *La facade Méditerranée et surtout la côte du Languedoc-Roussillon réunissent toutes les conditions d'être le repaire des navigateurs les moins amarinés* (néophytes attirés par le soleil plus que par la mer), *utilisateurs inexperts de moteurs* » (15).

La **Bretagne** possède un pouvoir attractif important sur la plupart des régions. Les voiliers y sont sur-représentés. Il y a deux voiliers pour un bateau à moteur. La navigation dans cette zone cumule l'intérêt touristique (beaucoup d'îles, côtes rocheuses) et technique : (mer à marées, courants...).

Cette répartition géographique des types de bateaux détermine l'usage social de la croisière. En Méditerranée la motorisation domine, et les déterminants économiques sont plus importants.

« *Cette navigation est, au fond, relativement peu marine et beaucoup plus une occupation de loisir, le plus souvent calme... voluptueuse, silencieuse, distinguée. C'est-à-dire que la composante de prestige social (ou de snobisme) se combine bien avec la recherche du calme à quelques*

---

(14) La Méditerranée est la zone où la pénurie d'espace libre est la plus grande. L'économique y agit, plus que partout ailleurs, comme régulateur de l'occupation de l'espace.
(15) La navigation de plaisance en France et sa place en Languedoc-Roussillon Cuisenier, Delphy, Pigelet, Feugereux, p. 78, éd. Centre d'Ethnologie Française, 1970.

encablures et le goût paresseux du soleil qu'ont des citadins peu sportifs »
(16).

La mer Méditerranée, **elle,** répond à l'image d'une pratique hédonique. Par
contre *l'océan* breton (ou Atlantique), **lui,** accroît très sensiblement le niveau
d'incertitude. Les voiliers qui y sont beaucoup plus nombreux, dénotent une
orientation « ascétique » de la croisière où la dimension culturelle prévaut.
La topologie des styles de pratique rapprochée de la structure sociologique de la
plaisance est un indicateur précieux dans la correspondance entre le statut social
et la manière de pratiquer.

Structure sociologique des pratiquants

Les plaisanciers se répartissent en deux catégories : les propriétaires de bateaux
que les statistiques de la marine marchande permettent de connaître, les
non-propriétaires que nous approcherons, par l'étude de clubs et associations.
Cette dichotomie *propriétaires/non-propriétaires,* facilement objectivable, est
importante pour cerner la structure sociale du champ de la plaisance, elle n'est
cependant qu'une des variables dans la relation des significations de la pratique
et des statuts sociaux.
Nous apprécions la structure sociologique des pratiquants à partir de trois
variables :
• la distribution par catégorie socioprofessionnelle (C.S.P.) des propriétaires de
  bateaux ;
• le tonnage moyen possédé par C.S.P. ;
• la répartition des bateaux à voile ou à moteur par C.S.P.

Distribution des bateaux immatriculés par C.S.P.

Le tableau 2, colonne 1 montre la répartition en pourcentage des possesseurs de
bateaux à voile et à moteur par C.S.P. Les chiffres de 13 % pour les ouvriers et
de 17,7 % pour les employés peuvent surprendre par leur importance apparente.
Si nous rapportons ces chiffres à la place occupée par chaque catégorie dans
l'ensemble de la population active en France (colonne 2) nous nous apercevons
qu'un ouvrier a 7,5 fois moins de chance de posséder un bateau qu'un *cadre
supérieur* ou qu'un membre d'une *profession libérale* et 2,7 fois moins de chance
qu'un employé (colonne 3). Seuls les agriculteurs ont une probabilité de
possession inférieure. Ceci vaut quel que soit le type de bateau et sa taille. Or il
n'est pas équivalent de posséder un bateau de 0,5 tonneau ou de 5 tonneaux. Si
nous pondérons les chiffres de la colonne 3 par la moyenne des tonnages des

(16) Cuisenier. *Ibid.,* p. 80.

bateaux possédés par chaque catégorie, l'indice de possession base 1 pour les ouvriers passe alors à 11,2 pour les cadres supérieurs (colonne 4).

Tableau 2

	1	*2*	*3*	*4*
	Pourcentage voile plus moteur possédé par C.S.P. (Marine marchande 1978)	*Répartition de la population active (statistique I.N.S.E.E. 1975)*	*Indice comparatif de possession*	*Indice de possession pondéré par le tonnage*
Ouvriers	13	37,7	1	1
Professions libérales et cadres supérieurs	17,3	6,7	7,5	11,2
Cadres moyens et représentants	19,3	12,7	4,4	6,4
Employés	17,2	17,7	2,7	3
Grands et moyens patrons	1,7	1,1	4,4	8,8
Petits patrons......	12,8	7,7	4,8	7
Agriculteurs	0,9	7,6	0,3	0,6

Les différences très notables de possession entre les cadres supérieurs et les grands et moyens patrons d'une part et entre les ouvriers et employés d'autre part ne peuvent pas être expliquées par les facteurs économiques qui demeurent impuissants à justifier ces écarts. En effet, « *on peut imputer au revenu une efficacité causale qu'il n'exerce qu'en association avec l'habitus* » (17) c'est-à-dire qu'un revenu identique peut donner lieu à des consommations différentes qui ne s'expliquent que par un système de sélection particulier à la catégorie sociale. Ceci a été montré notamment pour les consommations alimentaires qui diffèrent de façon significative entre les employés et les ouvriers (à égalité de salaire.)

Tonnage moyen par C.S.P. des propriétaires

Le tableau 3, à la colonne 1, montre que les voiliers les plus gros appartiennent aux professions libérales, aux grands et moyens patrons (moyenne 5 et 4,9 tonneaux), les plus petits aux ouvriers et employés (moyenne 3,1 et

(17) « La Distinction », P. Bourdieu, p. 437.

3,3 tonneaux). La différence est aussi significative pour les bateaux à moteur (colonne 2). Les grands et moyens patrons possèdent alors le tonnage moyen le plus élevé : 2,5 tonneaux pour 1,3 tonneaux aux ouvriers et employés.

Tableau 3

Nombre de bateaux immatriculés en 1978 et tonnage moyen par C.S.P.

(classés par l'importance du % de voiliers dans les achats)

	Voile		*Moteur*		*% de moteur*	
Professions libérales	694		787		53 %	
		5 Tx		2,2 Tx		3,5 Tx
Cadres supérieurs..........	1 822		2 408		57 %	
		4,5 Tx		1,9 Tx		2,6 Tx
Cadres moyens	1 723		3 529		65,9 %	
		4 Tx		1,5 Tx		2,2 Tx
Représentants	315		821		72,2 %	
		3,9 Tx		1,7 Tx		2,3 Tx
Grands et moyens patrons ...	150		425		73 %	
		4,9 Tx		2,5 Tx		3,1 Tx
Employés.................	1 318		4 377		76,8 %	
		3,3 Tx		1,3 Tx		1,7 Tx
Petits patrons	897		3 339		78 %	
		4,3 Tx		1,7 Tx		2,2 Tx
Ouvriers.................	601		3 692		86 %	
		3,1 Tx		1,3 Tx		1,5 Tx

Nous avons là une relation *causale* entre pouvoir d'achat et tonnage possédé. Le tonnage des bateaux acquis variant dans le même sens que le capital économique des acheteurs.

Répartition voile/moteur par C.S.P.

Le pourcentage de possession de voiliers décroît lorsque l'on va des professions libérales aux ouvriers (tableau 3). Quand un ouvrier, un agriculteur, un petit patron achète un bateau, il s'agit le plus souvent d'un bateau à moteur ; alors que l'achat d'un cadre supérieur ou d'un membre d'une profession libérale s'oriente plus volontiers vers un voilier.

Si nous considérons maintenant la propriété des voiliers de plus de deux tonneaux, (taille qui commence à permettre la croisière au sens où nous l'entendons), nous constatons que les différences de possessions par C.S.P. deviennent très importantes (tableau 4).

Tableau 4

	Nombre de voiliers de plus de 2 Tx immatriculés en 1978 par C.S.P.	% de voiliers possédés par C.S.P.	% de la C.S.P. dans la population active	Indices de possession
Professions libérales et cadres supérieurs ...	1 903	33	6,7	31
Cadres moyens et représentants.......	1 384	24	12,7	12
Employés	777	14	17,7	5
Grands et moyens patrons	121	2	1,1	11
Ouvriers	336	6	37,7	1
Petits patrons	640	11	7,7	9
Agriculteurs	46	1	7,6	0,8

Les ouvriers, possesseurs de bateaux à moteur de faible tonnage sont considérablement sous-représentés.

C'est ainsi qu'un cadre supérieur a 31 fois plus de chance de posséder un voilier de plus de 2 tonneaux, qu'un ouvrier (colonne 4) et un employé 11 fois plus qu'un ouvrier. Seuls les agriculteurs ont, encore une fois, une probabilité de possession inférieure à celle des ouvriers.

« L'espace » des pratiquants propriétaires

A l'aide des données du tableau 3 pour les **tonnages** et du tableau 5 pour la **répartition voile/moteur**, nous construisons un espace à deux dimensions (tableau 6) qui représente en *abscisse* (sur l'horizontale) le pourcentage de possession voile/moteur et en *ordonnée* (sur la verticale) le tonnage moyen des bateaux possédés. Cette ordonnée coïncide, à l'évidence, avec le capital

économique des possédants. Ceci est la conséquence d'une relation directe entre le revenu et la consommation. L'abscisse de notre « espace des propriétaires » caractérise le type de possession, c'est-à-dire la **modalité de propulsion :** à gauche les voiliers, à droite les moteurs ; elle fait apparaître la relation directe entre la possession des voiliers et l'importance du capital culturel. Le plus fort pourcentage de possesseurs de voiliers est le fait des classes sociales au capital culturel le plus élevé : professions libérales et cadres supérieurs (18).
Les classes à faible capital culturel : ouvriers, petits patrons, agriculteurs ont le plus fort pourcentage de possesseurs de bateaux à moteur. Les ouvriers représentent la limite extrême où 86 % des possessions sont à moteur. Or, la lecture des catalogues nous montre que, à égalité de tonnage, le prix d'achat d'un bateau à moteur est plutôt plus élevé que celui d'un voilier. L'utilisation d'un moteur hors-bord ou in-bord coûte très cher en carburant (alors que le vent est gratuit). En général **l'usage** d'un voilier est moins onéreux que celui d'un bateau à moteur. On voit que le facteur économique n'explique pas, bien au contraire ces disparités dans l'achat des types de bateaux par les différents groupes sociaux. Il faut en chercher ailleurs la raison. Comme nous le montrons, la pratique de la voile ne s'inscrit pas dans l'ethos des classes populaires et ne correspond pas à leur style de vie.

Tableau 5

Immatriculation des bateaux de plus de 2 tonneaux par C.S.P. en 1978

	Voiliers	*Moteurs*	*Total*	*% de voiliers*
Professions libérales......	558	259	817	68,3
Cadres supérieurs	1 345	603	1 948	69
Cadres moyens	1 560	705	2 265	68,8
Employés	777	506	1 283	60,5
Grands + moyens patrons	121	167	288	42
Ouvriers	326	378	704	46,3
Petits patrons	640	747	1 387	46,1
Agriculteurs............	46	58	104	44,2

(18) La structure de *l'espace des pratiquants propriétaires* confirme donc les hypothèses et suppositions que Christian Pociello avaient formulées, en ce qui concerne le *deuxième système d'opposition* : **Intellectuels/bourgeois** système opérant sur l'opposition *écologisation/motorisation* des pratiques. Ce qui, en outre, nous paraît intéressant, c'est que cette différenciation **est déjà amorcée** au niveau : *employés/ouvriers.* Il conviendrait donc d'approfondir ce rapport privilégié à la *machine* motorisée (c'est-à-dire lié à un contexte techno-industriel familier) au niveau du goût des jeunes pour le motocyclisme.

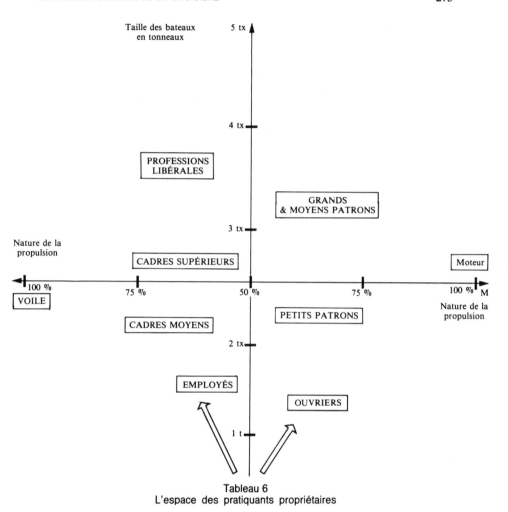

Tableau 6
L'espace des pratiquants propriétaires

Les pratiquants non propriétaires

L'obligation de *déclaration* aux affaires maritimes rend les propriétaires relativement faciles à répertorier. Il n'en est pas de même pour le monde flou des pratiquants non propriétaires. Ces plaisanciers correspondent-ils à la structure sociale des propriétaires ? Nous ne présentons ici (19) que l'étude d'un club : le

(19) Ceci afin de ne pas alourdir l'exposé. Les résultats obtenus en étudiant d'autres associations recoupent sensiblement ceux du G.I.C.G.

G.I.C.G. (20). Ce club **ne propose que des croisières à voile** et ne fonctionne pas comme école de croisière. La moyenne d'âge y est relativement élevée, la profession des agents revêt alors toute sa signification. 56 % des membres ont entre 25 et 35 ans, âge où la position sociale est fixée, ou libérée de la contrainte des études, les choix des loisirs et le style de vie s'affirment. Les cadres supérieurs et professions libérales représentent 56 % des membres, les cadres moyens 78 %, les employés 3 %, les ouvriers sont pratiquement absents. Si nous comparons ces groupes de statuts du club à l'ensemble des propriétaires (tableau 7), nous constatons des différences importantes. Dans le club, professions libérales et cadres supérieurs sont sur-représentés, par contre, il y a sous-représentation des employés et des ouvriers.

Tableau 7

Répartition par C.S.P. des pratiquants de la croisière voile en pourcentage

	Professions libérales Cadres supérieurs	Agriculteurs	Cadres moyens	Employés	Grands et moyens patrons	Petits patrons et artisans	Ouvriers
Possesseurs de voiliers de plus de 2 Tx	33	1	24	14	2	11	6
Membres d'une association (G.I.C.G.)....................	56	0	28	3	0	1	0

Cette différence est due au fait que, la croisière voile correspond essentiellement à l'ethos de classe des cadres et de la petite bourgeoisie en ascension à fort capital culturel. Or les cadres sont en grande majorité des *Parisiens* (21). Le G.I.C.G., par exemple, dont le recrutement est national se compose de 50 % de membres de la région parisienne.

(20) G.I.C.G., Groupe International de Croisière des Glénans. Association, qui bien que *émanation* des Glénans, en est indépendante. Le G.I.C.G. possède 13 bateaux de croisière de 8 à 14 mètres et 1 000 membres. G.I.C.G. Ponton des Glénans, quai Louis-Blériot, 75016 Paris.
(21) En raison du phénomène connu de la centralisation de sièges sociaux et du pouvoir de décision à Paris.

Tableau 8
Les membres du G.I.C.G.

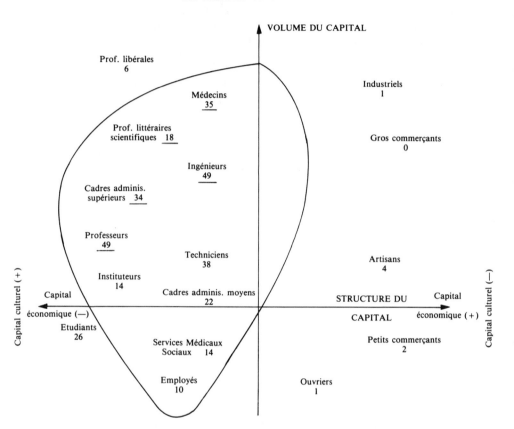

Cette illustration graphique du statut social des membres du G.I.C.G. (22) montre la relation existant entre **le type de pratique** proposée par le club : croisière voile « *ascétique* » sous forme associative, à forte valeur *information-nelle* et « écologisante » (23) et la **structure du capital** à forte dominante culturelle de ses membres.

Les associations s'adressent à des non-propriétaires éloignés de la mer. Cet éloignement accroît les difficultés de la pratique et augmente les dépenses ; ceci élimine dès lors les groupes sociaux économiquement défavorisés et déjà peu enclins à pratiquer la croisière. L'adhésion à un club implique une cotisation ; chaque personne doit payer la croisière en fonction des jours embarqués ; or ce

(22) 335 fiches exploitées.
(23) Se reporter au « *système des sports* » (Christian Pociello).

qui est financièrement possible pour un célibataire devient dispendieux lorsqu'il faut multiplier par deux les frais pour un couple, *a fortiori,* impossible pour une famille. La possession d'un bateau dont les frais achat-entretien sont incompressibles, devient alors plus économique pour le groupe familial (ceci est bien entendu fonction de la durée d'utilisation). La formule associative évince, ainsi, les familles de la pratique. En raison de la double éviction, de la classe populaire et de la famille l'adhérent type du club est cadre célibataire (ou séparé). Au G.I.C.G., par exemple, bien que la moyenne d'âge soit supérieure à 30 ans, 63 % des membres sont célibataires ou séparés et 65 % n'ont pas d'enfant. *Les seuls et rares pratiquants de la classe ouvrière sont alors des littoraux possesseurs de petits voiliers.*

La classe ouvrière n'est pas attirée par la croisière même si celle-ci est organisée par l'univers familier de l'usine. Le C.O.B. (24) possède une section croisière. Les ouvriers n'y adhèrent pas. *« On n'arrive pas à ouvrir la voile aux gens de la production »* (25). Or, le prix n'est pas une barrière infranchissable. C'est ce que démontre le coût de participation modeste et surtout l'active coopération des employés de bureau dont les salaires sont souvent inférieurs à ceux des ouvriers de la production. Ce refus de la voile par les « O.S. » n'est pas dû à une faible intégration dans l'entreprise. Beaucoup participent activement aux autres sections, en particulier à celles qui proposent des *sports collectifs.* Pour un week-end les groupes se forment fréquemment avec des personnes appartenant à un même service. Les gens se retrouvent, ou plutôt se découvrent, en dehors des contraintes professionnelles, dans une liberté de vêtement, de la parole et des corps, impensable au bureau. C'est ce qu'exprime de façon un peu idéalisée le responsable de la section : *« La croisière est un outil efficace pour rompre les barrières de classe et de hiérarchie ».* Cette profession de foi est rarement réalisée. Il n'y a pas intégration d'individus isolés, venus de milieux différents de l'entreprise, à un collectif en formation, mais participent des groupes déjà constitués sur la base d'une homologie de goût et, en fait, d'une identité de classe, même s'il existe au sein du groupe quelques différences hiérarchiques. L'amalgame n'est pas réalisé. La réalité contredit le désir syndical d'une pratique interclasse, imaginable pour une activité sportive dite de prestige. L'individu perçoit objectivement sa position dans une structure sociale par la correspondance des goûts et par une sorte d'intuition des rapports aux autres qui lui fait dire : *« Je serai à l'aise ou mal à l'aise dans ce groupe ».* C'est ainsi qu'un isolé qui désire s'inscrire à un week-end de croisière, demande presque toujours le nom des personnes déjà inscrites et confirme son inscription en fonction de cette liste. Les relations interpersonnelles, subjectives, influencent, c'est indéniable, ses choix. Cependant, les déterminants sociaux jouent un rôle important dans la formation des choix et des rejets donc dans la genèse de ces relations.

C'est ainsi que le secteur associatif, contrairement à ce que nous aurions pu attendre est moins *populaire* que l'ensemble des propriétaires et s'il joue un rôle de divulgation, il ne contribue pas aussi généreusement au rôle de démocratisa-

---

(24) Le C.O.B. : Club olympique de Billancourt est un club sportif géré par le comité d'établissement de la régie Renault.
(25) Entretien avec un responsable syndical.

tion qu'on lui attribue généralement. L'ensemble de ces pratiquants dont nous venons de cerner l'origine et la composition sociale, se côtoient sur un même espace. Quelles sont donc leurs relations ?

La dynamique du champ de la plaisance

Les modalités différentes de la pratique forment une dynamique *du champ de la croisière* qui fonctionne comme un système d'oppositions socioculturellement pertinentes.

Riches/pauvres

L'aménagement du littoral et la commercialisation de la plaisance qui en est une conséquence modifièrent la structure sociale et créèrent un nouveau clivage parmi les pratiquants. L'espace qui était théoriquement ouvert à tous, est maintenant réservé aux catégories favorisées sur le plan économique ce qui transforme la conception même de la croisière.

Le pouvoir d'achat limite de moins en moins l'accès à la pratique, mais la rareté en espaces réintroduit des freins économiques. La sélection par l'argent est une conséquence du déséquilibre entre l'offre et la demande. On sait que le prix des places dans les ports est de plus en plus élevé (l'achat d'un anneau coûte une petite fortune). Le législateur limite aussi l'expansion du yachting par un système de taxation de plus en plus lourd. Les marinas se sont souvent implantées dans des criques naturelles, des bras de mer, où le mouillage *« forain »* était possible et gratuit. Elles ont expulsé des propriétaires de bateaux qui n'avaient pas les moyens financiers de faire face aux *amodiations* ou à l'achat d'un emplacement dans le nouveau port. La place prise à une catégorie de plaisanciers modestes, habitant souvent à proximité des lieux de mouillage a été « offerte » à une catégorie aisée de citadins.

Anciens/Nouveaux

Une opposition se dessine aussi entre les anciens pratiquants et les nouveaux venus à la pratique à qui on reproche inconsciemment d'être la cause de l'encombrement et de tous les maux qui en découlent. Ces nouveaux plaisanciers ont transformé la pratique ; les traditions ont disparu ; les rapports courtois ont fait place à une certaine indifférence, voire à l'hostilité. Un système d'oppositions (qui n'est pas particulier à la plaisance) se constitue autour des concepts *vieux/neufs, anciens/nouveaux*, et de leurs connotations. Au centre de ces oppositions, on retrouve le couple **initié/néophyte.** La possession d'un savoir révèle une hiérarchie de la connaissance. Le *Skipper* capable de faire un point astronomique attire le respect de celui qui ne navigue qu'à l'estime. L'« ancien », auréolé de son expérience et de sa connaissance, tend parfois à protéger sa position par une attitude méprisante. Le novice peut avoir la plus grande difficulté à accéder aux sources de ce savoir. Sur un bateau, il peut être cantonné aux tâches banales et non spécialisées. Ce n'est que par sa patience et sa volonté qu'il arrachera à l'ancien des bribes de son **savoir**. Cette opposition recoupe parfois des positions de classes. Les agents les plus anciennement fixés dans la pratique appartiennent aux classes les plus favorisées, ils déplorent que la « *démocratisation provoque la médiocratisation* ». A l'intérieur de groupements qui révèlent pourtant de la même « idéologie », d'autres clivages réveillent des tensions : la différence d'**âge** et de **statut social** entre les membres des *glénans* et du *G.I.C.G.* n'est pas sans créer quelques problèmes de concurrence et de cohabitation. En effet les deux clubs organisent parfois des croisières *mixtes*. Les Gicgois reprochent aux Glénanais d'être « *sales* » et un certain « *laisser-aller* » et les Glénanais accusent le G.I.C.G. d'être un « *club de riches* ». Nous attribuons cette opposition plus à un conflit de génération, car 70 à 80 % des Gicgois proviennent du C.N.G., qu'à un rapport de classe voilé. Nous ne pouvons pas cependant comparer les étudiants Glénanais d'aujourd'hui et ceux d'hier. La dévalorisation des diplômes, le décalage entre les titres obtenus et les postes espérés sont source de rancœurs à l'égard des « *gens en place* », et les Gicgois en font les frais.

La saturation des sites provoque la recherche des espaces encore libres, et l'on s'efforce de trouver à *contre-lieu*, de *plus en plus loin*, ou à *contre-saison* (en hiver par exemple) la satisfaction à son désir de « *tranquillité* » ou de « *solitude* », qui n'est que l'expression psychologisée de cette concurrence sociale pour l'appropriation des espaces de jeu (Pociello, 1979).

L'espace de jeu, lui aussi devenant rare, la nature même de son appropriation devient signifiante : « Il faut faire du tourisme en dehors des endroits touristiques ». Par un curieux paradoxe, le plaisancier refuse aux autres le droit d'être plaisancier et de « s'approprier » la mer. (L'immixtion d'un autre bateau dans une anse déserte est ressentie comme une agression. Le « collègue » est alors accueilli sans aménité). Le yachtman s'octroie l'usus et abusus du propriétaire. Ceci est une des raisons qui font que le sentiment d'appartenir à une collectivité de la plaisance, n'existe pas ou n'existe plus. Par contre, le plaisancier reconnaît aux *professionnels* le droit de « *s'approprier la mer* » qu'il refuse à ses pairs.

Voile/Moteur

A la voile, la seule énergie disponible et utilisée est celle des **éléments naturels** : le vent, le courant. Le « *puriste* » se vit et se sent dépositaire des traditions de la marine à voile, « *la vraie* », la seule, celle « *d'avant la vapeur* ». Il se reconnaît à son opposition à toute plaisance à moteur, celle des « *vedettes* », « *Runa-bouts* », « *day-cruisers* » et autres « *promène-couillons* » attribués aux gens pressés et pollueurs. Le mépris, avec une pointe d'indulgence cependant, s'étend aux « *voileux* » incapables de manœuvrer dans un port, sans l'aide du moteur auxiliaire.

Pour le yachting motorisé au contraire, le *bateau* et le moteur sont premiers. Le contact avec la mer en tant que *force n'a pas de sens*. On trouve « gênant » lorsque « ça secoue ». Il faut essentiellement se prévenir des aléas du milieu. La puissance du moteur est la première forme de protection. Si la mer se lève, les chevaux du « in-bord » ramèneront rapidement la vedette à l'abri. Le moteur, dans son expression de puissance, transforme totalement le rapport du plaisancier à la mer. Le yachtman accorde une confiance en la mécanique qui le dégage de toutes responsabilités et l'entraîne à une forme de *passivité*. Ce n'est pas en lui qu'il doit trouver les ressources pour faire face à l'aléa ; une vedette rapide peut rejoindre la Corse en cinq heures, laps de temps trop court pour modifier radicalement la couverture météo. Il n'éprouve plus le besoin d'acquérir une connaissance et une « compétence » sans cesse remises en cause propres au plaisancier de voile. Le yachtman motorisé délègue son pouvoir de prise sur le monde nautique, à la mécanique, dont la technologie n'est pas toujours dominée. L'architecture de la vedette est conçue pour abriter des éléments et s'en soustraire en quelque sorte. Tandis que le barreur du voilier est à l'**extérieur** dans un cockpit ouvert à tous les vents, ici le poste de commande est fermé, protégé du vent et des embruns ; une barrière de plexiglass sépare le pilote de la mer. Son attention se porte plus volontiers sur les cadrans du tableau de bord que sur l'environnement, le ciel ou les vagues. La puissance du moteur et le perfectionnement technologique, dans une recherche poussée de rendement et des performances « coupent » de la mer, mais permettent de « *tailler la route* ». On comprend dans ces conditions, que le vocabulaire ne soit pas celui de la marine mais celui de la technologie automobile. Le temps est précieux, (ne dit-on pas que c'est de l'argent...). Il faut *aller vite et sûrement*.

Les dimensions, *l'épaisseur, la qualité du temps* sont, dans la voile, fondamentalement différentes. « *Le marin propose, mais c'est la mer qui dispose !... *» Hisser les voiles, guetter le bon vouloir d'Eole, calculer ses sorties en fonction des marées et des courants, rester encalminé pendant des heures exigent de la patience, du temps, et marquent **la qualité de l'attente.** Cette notion de **temps** nous paraît fondamentale pour approcher la logique de la voile. Avoir un moteur sur un voilier, même si on ne s'en sert pas signifie qu'à tout instant on peut par un tour de clé rageur, réintégrer le monde du temps quantifié. Le week-end n'empiétera pas sur le lundi. Tout le rapport du plaisancier aux éléments s'en trouve évidemment transformé. Comme on le voit, les différentes pratiques de la croisière peuvent être organisées selon un système d'oppositions. On peut montrer que ces oppositions correspondent aux statuts sociaux des plaisanciers. C'est dire en d'autres termes que les différentes modalités de la pratique ont une pertinence socioculturelle.

Pertinence sociologique des modes de pratique

La pratique d'une *voile ascétique*, cet « ascétisme du nanti » (Marx), cet « ascétisme aristocratique des enseignants » (Bourdieu), ne correspond pas à l'ethos de classe des ouvriers, qui entretiennent un rapport instrumental à leur propre corps. Leur activité professionnelle exige un engagement physique dans des conditions souvent pénibles. Le loisir qui marque souvent la différence (et même l'opposition) à l'activité professionnelle ne peut reproduire les situations d'inconfort et d'agressions du monde du travail. Pour l'ouvrier, loisir est bien souvent repos et sert à la restauration de la force de travail. Les aspirations à l'amélioration des conditions de travail, donc des conditions de vie devrait « logiquement » conduire vers une voile *« douce »*, *« hédonique »*, *« confortable »* secteur de la plaisance qui leur est fermé par la barrière économique et qui n'est pas proposé par les associations. Les clubs et écoles de croisière considèrent toujours la voile comme une fin ; la pratique est intensive, le stagiaire doit faire le maximum, et parfois il faut l'admettre, *« il est là pour en baver »*. Cette position de classe sécrète un système de goûts qui n'épouse pas les conceptions et l'éthique d'une voile ascétique. Ceci apparaît aussi comme une des raisons de **la faible représentation des professionnels de la mer dans les métiers de la plaisance.** Le yachting pourrait permettre la reconversion professionnelle du secteur en crise de la pêche. Or il est surprenant de constater que les professionnels du yachting sur l'eau (skipper, moniteur, chef de base) sont rarement issus du milieu de la mer. La promotion sociale de l'enfant de la mer passe par la rupture du cordon ombilical, l'éloignement de la mer.

Les employés pour qui le corps n'est pas un instrument, ne répugnent pas à l'engagement corporel dans des situations d'inconfort. Pour une petite bourgeoisie en ascension l'ascétisme correspond pleinement en la croyance en la valeur du travail, en l'exaltation du sérieux et de l'effort, gages de la promotion. La valeur « informationnelle » (26) illimitée contenue dans la voile, (il y a toujours quelque chose à apprendre, soit sur la technique, soit sur le milieu) satisfait pleinement les groupes sociaux cultivés. La composante culturelle de la croisière répond aux aspirations de groupes en position ascendante et dont l'ascension passe par la reconnaissance des valeurs intellectuelles propagées par l'école et le respect de la culture dominante.

Ce n'est pas pour rien que les formations s'appellent écoles de croisière et que les organismes tels le T.C.F. et même les Glénans ont mis au point un système hiérarchisé de niveaux de connaissances sur le modèle scolaire.

Ainsi, la voile « ascétique » ne correspond pas à l'habitus de la classe ouvrière, pour les cadres, au contraire, elle répond à un modèle de consommation nature-culture et chez l'étudiant, aspirant cadre, à une phase d'idéalisme communautaire. Elle s'oppose aux conceptions et représentations de la voile

---

(26) Ce concept introduit par Christian Pociello, tente de saisir la dimension *d'incertitude* caractéristique de certaines pratiques, susceptible d'être maîtrisée par des savoirs rationnels théorisés.

« hédonique ostentatoire » dont la pratique caractérise le style de vie d'autres groupes sociaux.
Cette plaisance hédonique marque la distance à la nécessité des classes à fort capital économique. Une position sociale bien établie n'incite pas à l'aventure encore moins à la prise de risques.
« *Le temps constitue une dimension essentielle de l'ethos de classe* ». Pour les agents haut situés dans la hiérarchie sociale la valeur du temps est grande et « ils disposent des instruments incorporés et mécaniques propres à accroître leur vitesse » (27). Il s'agit de ne pas perdre son temps : arriver de Paris et sauter dans son day-cruiser (dont le concessionnaire local assure le bon état de marche) marque cette volonté : « ce sont des personnes très actives qui recherchent dans le bateau un défoulement. Il leur faut des moteurs puissants pour partir loin en croisière, du confort auquel ils sont habitués et surtout un service après-vente irréprochable » (28). Pour ces pratiquants, le loisir nautique représente une faible valeur culturelle et les problèmes écologiques ne les préoccupent pas outre mesure. La puissance économique donne les moyens des goûts et la sûreté de soi qui s'exprime par les exigences dans les choix. La redondance infinie des signes, marque la conjonction entre les *styles de pratique nautique* et les *styles de vie des différents groupes de statut*.

Le tableau 9 illustre la relation fondamentale entre :
• le mode de pratique et la position du pratiquant dans l'espace social ;
l'analogie entre une certaine *conception du monde* (qui se traduit dans un *style de vie*) et la conception même de la pratique (qui se manifeste dans un **style de pratique**).

Les données statistiques, qui constituent autant de « garde-fous » à l'imagination parfois débordante du chercheur, confirment remarquablement cette analyse et la validité du modèle théorique adopté. Seul ce modèle permet aujourd'hui de comprendre les différences de distribution des pratiques (et des modalités de pratiques) entre les groupes, différences que les données économiques sont impuissantes à expliquer.
Bien que l'on puisse grosso modo déduire des caractéristiques d'un bateau, les propriétés de classe de son possesseur, le bateau est moins un marqueur de groupe social que *l'usage qui en est fait*.

La plaisance, apparaît dans l'espace des sports, comme un champ de luttes externes et internes où s'affrontent, de manière détournée, des intérêts de classe. L'analyse des *différentes formes de pratique* met en évidence l'homologie entre les styles de pratique et les différents groupes sociaux. Elle permet de comprendre pourquoi certains groupes adhéraient à telle forme de pratique, et en particulier, pourquoi la classe ouvrière, économiquement évincée de la plaisance « *hédonique* » n'était pas non plus représentée dans une pratique « *ascétique* », quelles que soient les conditions attractives proposées. Les

(27) Boltanski Luc, « Les usages sociaux de l'automobile ». *Actes de la recherche en sciences sociales*, n° 2, mars 1975, p. 29.
(28) Interview de R. Blanchet importateur de Posillipo, vedettes italiennes. Rapportée par Cahiers du Yachting, novembre 1979.

associations, en l'état actuel des choses, ne satisfont pas à leur idéal, souvent exprimé avec conviction de démocratisation de la pratique. La plaisance reste le privilège de privilégiés, et seule une minorité use (abuse ?) d'un bien commun pour ses loisirs : l'espace maritime côtier.

Tableau 9
Espace des styles de pratique

capital économique

Plaisance «ascétique»   Plaisance «hédonique»
                                                                  gros bateaux à moteur

                                               YACHT-CLUB
                                                               blazer, pantalon de flanelle
                                               GRANDS PATRONS   casquette blanche
                                                                            motonautisme
                                                                               «off-shore»
PROFESSIONS LIBERALES

Le savoir, richesse culturelle, invisible   richesse apparente, luxe,
                                                               ostentation

            CADRES SUPERIEURS   Marinas
                                                    «scotch»   «pêche au gros»
     écologisation   économies
              achats à la FNAC   motorisation   puissance
                                               CONSOMMATION
Le «marin-breton»   gardiennage, service après vente
     Moitessier   cirés bottes
          «rhum flibustier»
     autonomie, «ne compter que sur ses propres ressources»
barbus
        QUALITE DU TEMPS La «durée»   LE TEMPS QUANTIFIE   La vitesse
     achats à la «coopérative du pêcheur»
vivre à la dure,   anti-confort   boucher les «Water»   le confort des couchettes

        «jeans» et cheveux longs

                  LES ELEMENTS   LA MATIERE
CADRES MOYENS   PETITS PATRONS
VOILE ◄───► MOTEURS
100%   50%   100%
        LES «Energies douces»   Le carburant,   les energies «dures»

        «grimper au mat»   AGRICULTEURS

                                                pêche en mer

        EMPLOYES
                                                OUVRIERS

        l'océan   la méditerrannée

La force, la souplesse et l'harmonie 5
Etude comparée de trois sports de combat :
(Lutte — Judo — Aïkido)

Jean-Paul Clément

Les sports de combat, par la variété de leurs origines, la diversité des spécialités et par la différenciation de leurs « usages », semblent occuper une place à part dans le système des pratiques sportives codifiées (1).
Contrairement aux sports « *majoritaires* » (sports collectifs, athlétisme, natation) qui sont, pour la plupart, d'inspiration anglo-saxonne, les sports de combat se distinguent déjà, en effet, par **leurs origines culturelles** : anglaises pour la *boxe (anglaise)* ; japonaises pour le *judo,* le *karaté,* l'*aïkido* ; française pour la *lutte, l'escrime, la canne, la boxe... (française)* ; chinoises pour le *Kung-fu,* le *taï-chi,* etc. (2). Ils constituent assurément la « famille » la plus nombreuse des pratiques sportives traditionnelles. Parmi ces sports, le judo et le karaté (mais aussi l'aïkido) ont connu une assez forte expansion, dans notre pays, (comme d'ailleurs sur le plan international). Ce phénomène est d'autant plus remarquable, que les autres sports de combat n'ont jamais connu un tel essor, comme pratiques « de masse », à aucun moment de leur histoire. En effet, les succès de la *boxe anglaise* semblent devoir être mis essentiellement en rapport avec sa fonction de *sport-spectacle.*
La double appellation de « *sport de combat* » et « *d'art martial* » renforce encore cette idée de spécificité. L'introduction, dans la désignation de ces pratiques, de la notion « *d'art* », porteuse d'une charge sémantique particulière, rend difficile l'élaboration d'une définition purement motrice.
Cependant on admettra que les sports de combat, comme mise en jeu réglée de la *violence* dans un affrontement individuel face à face, apparaissent (globalement) parmi **les combats sportifs les moins euphémisés.**
Les arts martiaux japonais, en se posant par rapport aux pratiques traditionnelles locales, ont pu donner à leurs pratiquants occidentaux cette impression de

---

(1) Nous nous référons à « *l'espace de sports* » construit par C. Pociello. Les particularités des sports de combat que nous décrivons ici, nous ont fait penser qu'ils constituent un registre relativement autonome de cet espace.
(2) Dans les compétitions internationales, la langue d'origine est conservée dans le langage technique : le japonais en judo et le karaté mais aussi le français en escrime, et l'anglais en boxe.

LA VIE AU GRAND AIR

ABONNEMENTS :
PARIS.... Un an 14 fr. Six mois 7 fr. 50
PROVINCE.. — 15 fr. — 8 fr.
ÉTRANGER . — 20 fr. — 10 fr.

SPORTS ◆ THÉATRES ◆ MONDANITÉS
Rédaction et Administration, 106, boulevard Saint-Germain, PARIS

5 Novembre 1899. — N° 60

(D'après une photographie de M. Citroën.)

LE MATCH CHARLEMONT-DRISCOLL.

Ce match, qui avait été organisé pour savoir qui triompherait de la boxe anglaise ou de la boxe française, s'est terminé par la victoire, très discutée du reste, du champion français Charlemont. Ce « spectacle », diversement apprécié par la presse française, restera comme un des *événements* sportifs les plus sensationnels de l'année.

« Les défis ».

nouveauté et *d'exotisme* qui n'est pas sans relations avec leur singulier développement. Il en résulte que, dans notre pays les sports de combat couvrent aujourd'hui la plus grande partie de l'espace social.
La diversité décrite a un sens, et en même temps, pose quelques problèmes de définition.
Attaché à la spécificité technique ou *motrice* des activités, P. Parlebas propose une définition que nous reprenons à notre compte :
« *Pratiques individuelles d'affrontement, face à face, dans lesquelles il y a constamment contre-communication entre les adversaires. Ces pratiques se distinguent par un certain rapport de distance d'individu à individu, médié ou non par un engin* » (3).

D'après ces critères de classification, le tennis apparaîtrait comme le plus « *instrumenté* » et le plus « *distancé* » des sports de combat. *Or, on sait qu'il n'est* **pas socialement perçu** *comme tel ni par ses pratiquants* (4), ni par les adeptes des sports de combat en général.
En outre, dans son esprit, l'*aïkido* rejette la notion de « *contre-communication* », pour mettre essentiellement l'accent sur un rapport particulier « *d'harmonie* » avec un « *adversaire* » dont la fonction est différente et originale.
Il semble que la spécificité des sports de combat réside, pour une bonne part, dans **leur fonction d'attaque-défense,** c'est-à-dire renvoie à leur *utilité sociale* (5). C'est, sans aucun doute, ce qui est à l'origine de la *comparaison,* que leurs adeptes ont sans cesse cherché à mettre concrètement en œuvre, de leurs *efficacités techniques relatives.* Cette « comparaison » perd évidemment tout son sens dans les autres sports.
Les pratiques sportives semblent donc être, bien plus qu'un ensemble de *conduites motrices,* elles revêtent également une **pertinence sociale.**

(3) P. Parlebas : « *Activités physiques et éducation motrice* », édit. Revue E.P.S., 1976. L'auteur définit chaque activité sportive en terme de logique interne ou de logique motrice. Chaque activité se distingue par une logique qui lui est propre, et qui détermine sa spécificité.
(4) C. Pociello : « *La force, l'énergie, la grâce et les réflexes* ». C. Pociello remarque, par ailleurs, que les discours publicitaires assimilent avec insistance le tennis à un *sport de plein air.* Il retient que ce qualificatif est techniquement abusif mais culturellement pertinent. En effet c'est la dimension de *grand air* qui distingue le tennis des *autres* combats qui sont tous des sports confinés en salle (et non de *plein air* dans l'acception qu'il donne à cette formule).
Le langage soustrait ainsi le tennis du registre des sports de combats pour le rattacher aux sports « informationnels » de prestige avec lesquels il établit des *attaches culturelles* indiscutables (cours et conférences I.N.S.E.P., 1979).
(5) Nous avons pu observer maintes reconversions socio-professionnelles très directement liées à des compétences particulières acquises dans la pratique de ces sports. Cette fonction *d'attaque-défense* est jugée essentielle par les combattants en général : « *L'escrime n'est plus un sport de combat car il ne peut plus servir à se battre* » estime un lutteur de haut niveau.

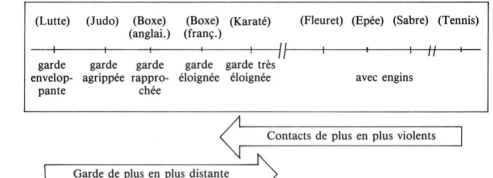

Schéma 1
Rangement des sports d'affrontement individuel selon la « *distance de garde* », dimension
de *contre-communication motrice.**

Schéma proposé par P. Parlebas in « *Activités physiques et éducation motrice* », éd.
Revue éducation physique et Sports, 1976

C'est ce que nous allons essayer de montrer en étudiant, dans une perspective comparative, la *lutte*, le *judo* et l'*aïkido* (6). Ces trois pratiques peuvent être définies à l'intérieur du registre « combat » comme *sport de préhension,* ce qui les distingue des sports de *percussions* dans lesquels *le coup* est effectivement porté, ou contrôlé, ou simulé (boxe, boxe française, karaté). **Le contact corporel,** bien que revêtant des formes différentes **est direct,** et la maîtrise de l'adversaire passe nécessairement par la préhension et la manipulation de celui-ci.

Nous n'insisterons pas ici sur l'intérêt théorique qu'il y a à approcher les pratiques non « *en substance* » mais « *en relation* ». Nous renvoyons le lecteur, sur ce point, à l'analyse proposée par Christian Pociello.

(*) La notion de « contre-communication » est longuement définie dans l'article « Jeux sportifs et réseaux de communication motrice » in « Activités physiques et éducation motrice », p. 96.
(6) La *lutte* est un sport de combat d'origine française. Il se constitue en fédération dès 1919. Mais, avant cette date, il est pratiqué par des professionnels. Actuellement la lutte compte 10 000 licenciés environ. Le *judo*, littéralement « *voie de la souplesse* » est né au Japon à la fin du XIXe siècle. Il compte actuellement plus de 300 000 licenciés et (beaucoup plus de pratiquants). L'*aïkido* (*voie de l'harmonie*), implanté récemment en France, compte 15 000 licenciés environ dont près de 50 % de femmes.

Logique interne et pertinence sociale

L'*origine* sociale et le *statut* socioculturel des individus semblent déterminer les choix et l'intensité de la pratique sportive. Le coût matériel des activités n'est plus considéré comme la seule variable discriminatoire (7). Les sports de combat étant en général faiblement « appareillés », ils n'entraînent pas des dépenses d'équipement très sensiblement différentes selon leur nature. Or l'étendue qu'ils recouvrent sur l'espace social semble renforcer l'hypothèse de l'importance de la variable culturelle.

La **lutte** « *est un sport de prolo et elle en est fière* ». C'est ce que dit, en substance, un « *conseiller technique régional* » de ce sport. Cette formule provocatrice et lapidaire, résume néanmoins ce que tout familier de la lutte connaît par expérience. Notre enquête, plus approfondie, sur le terrain, a confirmé un recrutement populaire de ce sport, et les lutteurs sont, en effet, dans leur très grande majorité d'origine ouvrière. On rencontre dans leurs rangs très peu de cadres moyens ou supérieurs.

Le **judo** touche un public plus varié où les *couches moyennes* (cadres moyens, employés, techniciens) sont largement majoritaires.

Les cadres supérieurs et parmi eux, une forte proportion de *travailleurs* « *intellectuels* », semblent porter leurs préférences sur l'**aïkido** qui attire également beaucoup de femmes, (contrairement au judo) (8).

Cet investissement des pratiques par des groupes sociaux aussi différenciés ne nous paraît évidemment pas résulter du hasard. Il se pose alors la question de savoir comment et pourquoi s'opère cette « *sélection* ». Malgré les difficultés et les risques que comporte une telle démarche « *on est tenté de rechercher dans la nature même des pratiques, l'explication de leur distribution entre les groupes* » (9). Ainsi, il s'agit de déterminer avec précision les « structures motrices » et réglementaires des sports de combat retenus afin de montrer que cette pertinence motrice **est également** socialement pertinente. Les pratiques sportives seront donc appréhendées comme des pratiques sociales et culturelles, et à ce titre **constitutives du** « **style de vie** », défini comme « *système de pratiques constitué en tant que signe* ».

Ainsi que le suggère Pierre Bourdieu :

« *On peut poser en loi générale qu'un sport a d'autant plus de chances d'être adopté par les membres d'une classe sociale qu'il ne contredit pas le rapport au corps dans ce qu'il a de plus profond et de plus profondément inconscient, c'est-à-dire le schéma corporel en tant qu'il est dépositaire de toute une vision du monde social, de toute une philosophie de la personne et du corps propre* » (10).

---

(7) Voir notamment à ce sujet Y. Le-Pogam : *Démocratisation du sport*, éd. Delarge 1979.
(8) Tandis que la lutte est exclusivement masculine, l'aïkido admet une quantité particulièrement forte de femmes (près de 50 % d'après nos estimations).
(9) Christian Pociello, voir sa contribution déjà citée.
(10) Pierre Bourdieu, La Distinction. Critique sociale du jugement. Paris, éd. de Minuit, 1979, p. 240.

C'est à ce problème que nous vous proposons d'apporter quelques éléments de réponse, en ce qui concerne le registre des sports de combat.

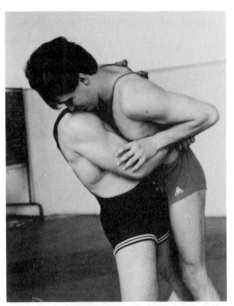

photo Clément.

photo Clément.

photo Gomez Sedirep.

Les distances de garde

Malgré leurs ressemblances de sports de combat de préhension, les trois pratiques se différencient entre elles précisément par *la distance de garde, qui n'est pas donnée, mais induite par la structure réglementaire et la finalité du combat.*

En lutte comme en judo, il faut **projeter** l'adversaire, puis, éventuellement en judo, (et obligatoirement en lutte), le **maîtriser au sol.** Le problème sera donc, dans ces deux activités, d'entrer savamment au contact de l'adversaire en plaçant son corps de telle sorte que la *« projection »* soit la plus efficace possible. C'est ce que les techniciens spécialisés appellent dans leur jargon les *« formes de corps »*.

Le combat commence donc par la saisie et le « contrôle » de l'adversaire. C'est à ce niveau que se situe la différence essentielle entre la lutte et le judo.

En effet, si la lutte se pratique nue, (le maillot n'ayant ici pas plus de fonction motrice qu'en haltérophilie), **le judo utilise un médiateur :** le « kimono », ce qui entraîne des techniques particulières de contrôle, de préhension en « grapping » (le « kumi-kata ») induisant une distance de garde réduite certes, mais cependant plus importante qu'en lutte, où la garde est plus « enveloppante », et la saisie de l'adversaire plus directe.

Tandis qu'en *lutte* et en *judo,* la projection et l'immobilisation entraînent un rapprochement des adversaires dans un corps à corps, l'*aïkido,* en assurant l'essentiel de ses contrôles sur les extrémités des membres supérieurs (poignets, coudes) cherche au contraire à éloigner l'adversaire, à le maintenir à distance, à éviter le contact corporel, par de grands mouvements tournants (11). Sur le plan moteur dans la plupart des techniques, le kimono ne joue pas ici un rôle essentiel.

La consistance même des tapis utilisés accentue encore les écarts dans les distances de garde. Le *« tatami »* (12) utilisé en judo et en aïkido est en effet beaucoup plus dur et lisse que le tapis de lutte. En lutte, le contact préalable, plus étroit et plus intense, s'accompagne d'une très grande stabilité des appuis, encore renforcé par la consistance particulière du sol. Les déplacements s'en trouvent relativement limités. En judo et en aïkido, la structure du tapis favorise des déplacements amples et rapides et permet aux attaques de *« partir de plus loin »*. L'utilisation plus fréquente et plus efficace des « balayages » ou « fauchages » de jambes, en judo, illustre bien cette grande différenciation de la technique des appuis au sol. En aïkido, l'extrême mobilité des appuis, qui donne cette impression de glissement dansé au sol, (et qui a sa signification technique) revêt une importance encore accrue. Une des fonctions du pantalon *« hakama »* (13) n'est-il pas précisément, en masquant à l'adversaire le placement de vos

---

(11) Il s'agit là bien sûr, d'une schématisation. L'ensemble des techniques de l'aïkido est très diversifié. Il existe des projections de type « judo », et l'utilisation des atemis est théoriquement possible.
(12) Le tatami est fabriqué à l'origine avec de la paille de riz pressée, alors que le tapis de lutte est constitué d'un ensemble de tapis en mousse recouvert d'une bâche plastifiée.
(13) Pantalon noir et ample qui recouvre les membres inférieurs de « l'aïkidoka ».

pieds et de vos jambes, de lui masquer vos intentions et votre « science » des appuis et des déplacements ?

Enfin, le combat au sol, à lui seul, mériterait une analyse. Il tient une place très importante en lutte, mais aussi en judo. Le corps à corps, les contacts corporels y prennent une intensité maximum. En revanche, il est inexistant en aïkido, où l'adversaire est maîtrisé par une clef de bras ou projeté au loin (14).

Compétition - Euphémisation Esthétisation

Parallèlement à cette structure motrice qui détermine une distance de garde variable, (augmentant de la lutte à l'aïkido) la **compétition** apparaît comme un point de rupture fondamental entre le judo et la lutte d'une part et l'aïkido d'autre part.

En refusant d'organiser des compétitions, *l'aïkikaï* (15) respecte une certaine *logique* de l'aïkido. Il ne peut en effet y avoir de combat réel entre deux aïkidokas ayant la même technique et cherchant à se maîtriser mutuellement. Paradoxalement, « *Tori* » (16) est seulement défensif, dissuasif, et pour qu'il puisse déployer sa technique, il faut qu'il y ait au moins une intention unilatérale d'agression de la part d'un « partenaire ». Ceci explique le refus de la dénomination « sport de combat » par les aïkidokas de ce qu'ils considèrent souvent comme un « *art de combat non violent* ». Le refus de la violence, de la destruction de l'adversaire, de la compétition recouvre ce que nous appelons une **« euphémisation » du combat.** L'euphémisation estompe ou supprime une certaine *réalité* du combat (violence, corps à corps, compétition) mais permet cependant à l'aïkido d'être reconnu comme un art martial utilisant l'énergie de l'individu. Celle-ci doit servir à rechercher « *l'harmonie* » (17) avec soi-même et/ou avec le « partenaire » (et non plus l'adversaire), et non à le terrasser dans une logique de la confrontation, de la compétition. L'art martial d'origine taoïste, le « *Taï-chi-chuan* », que certains considèrent comme l'ancêtre de l'aïkido, illustre bien cette notion « *d'euphémisation* ».

« *Je ne suis jamais attaqué car je n'y pense jamais. Celui qui se pose ce genre de questions est au plus bas niveau du taï-chi-chuan... Le véritable art du taï-chi-chuan est de ne jamais s'en servir* » (18).

La compétition, incompatible avec l'esprit de l'aïkido revêt au contraire une importance primordiale en judo, et « fondatrice » en lutte. La totalité des

(14) Voir l'ouvrage de C. Tessier : « *Aïkido fondamental* » ; Paris, éditions Sedirep, 1979.
(15) Organisme directeur de l'aïkido.
(16) L'attaquant. Celui qui porte la technique.
(17) « Aï » dans aïkido.
(18) *Libération* du 22 octobre 79. Interview de Tabenvigane, grande prêtresse Taoïste, sous le titre : « *Taoïsme ; Yin et Yan dans une pagode à Rambouillet* ».

photo Clément.

photo Gomez, Sedirep.

lutteurs rencontrés et interrogés ont participé à des compétitions, et leurs interviews à ce sujet sont significatives. Leur pratique est presque unanimement définie comme compétitive. Les judokas sont plus nuancés dans leur ensemble, même si les compétiteurs adoptent une position similaire : le judo est avant tout un sport de compétition où il s'agit d'être le plus efficace possible. Cependant, certains judokas que l'on peut qualifier de « *traditionnalistes* », hostiles aux catégories de poids sont généralement « éloignés » de la compétition (19). Ils considèrent que le « *randori* » (combat d'entraînement) est seulement un moyen efficace de tester sa valeur technique. La compétition systématique risque à leurs yeux de dénaturer « l'esprit » du judo. Cette opposition entre le *judo-compétition* et ce que l'on a appelé le « *beau judo* », subsiste encore de nos jours.

> « C'est un beau cycliste ! »
> « *Oh oui ! il est terriblement efficace !* »
> Réponse de Raymond Poulidor à un commentaire sur le Tour de France cycliste.

Ce rapport à la compétition, et l'euphémisation du combat en général est, à notre sens, inséparable d'une autre notion, *l'esthétisation* des pratiques. Les lutteurs bien qu'ils pensent évidemment, pratiquer un « beau sport », ne valorisent jamais la dimension « esthétique » de celui-ci, mais insistent toujours sur son **efficacité**. Les aïkidokas et certains judokas n'y voient souvent qu'un « *corps à corps pas très esthétique* », « *plus fruste que le judo* », « *moins élégant* » (20). Ce qui apparaît normal pour les aïkidokas, est en revanche remarquable de la part de judokas de très haut niveau, qui se réfèrent à l'esthétique comme facteur de différenciation, alors que par ailleurs le judo de compétition se voit souvent reprocher de sacrifier l'élégance et la beauté au profit de l'efficacité, voire même d'emprunter ses techniques à la lutte (21). Claude Thibault note que dès le début, les partisans du « *beau judo* » s'opposent aux tenants de l'efficacité. « *Les judokas ainsi marqués sont souvent des techniciens pour qui la beauté du mouvement compte autant que son efficacité* » (22). En 1979, le conflit n'est pas résolu, et les adeptes du « *beau judo* » regrettent l'aspect inesthétique et brouillon du judo de compétition qui, trop souvent, laisse le spectateur « *pantois devant ces batailles de chiffonniers* ». Ce type de controverse ne secoue pas le monde des lutteurs pour lesquels la beauté du combat est toujours subordonnée à sa valeur de pragmatisme compétitif. Ce qui fait la « beauté » d'un combat, c'est l'engagement, la combativité des lutteurs, le nombre, la variété et l'efficacité des techniques portées, que favorise encore un mode particulier de comptage des points. Au moment où le judo de compétition s'est imposé,

(19) De la compétition en tant qu'institution.
(20) Voir encadré. Les judokas ne contestent pas en revanche la grande efficacité de la lutte.
(21) Voir à ce propos les articles du « Monde » des 26-27-28 et 29 mai 1979 sur les championnats d'Europe de judo.
(22) « Un million de judokas », Albin Michel, 1966.

exigeant des efficacités qu'il pouvait emprunter à la lutte, tout ce passe comme s'il tendait, en contrepartie à préserver, et maintenir une dimension esthétique à laquelle les traditionnalistes restaient attachés (23).

Dans l'aïkido, la fonction esthétique de l'assaut demeure primordiale. La pureté des mouvements amples et courbes, « en cercle », la vitesse d'exécution, les roulades et les esquives, la volonté de ne jamais utiliser la « *force pure* », la présence aussi du « hakama » qui par sa couleur contrastée et l'amplitude particulière qu'il donne à tous les mouvements du corps, accentuent encore cette sensibilisation extrême des aïkidokas à la beauté de leurs mouvements.

« *Les partenaires, revêtus du hakama (pantalon noir, très large, à plis) se contournent, se tordent les poignets, se projettent au sol à toute vitesse. Envols impressionnants, mouvements tout en courbe et en légèreté, d'une très grande beauté. Aucun choc, aucune rupture dans le geste. Il faut " capter " la force de l'adversaire, provoquer son déséquilibre. Un maître d'aïkido ne donne jamais l'impression de forcer* » (24).

Cette esthétisation extrême du combat, proche parfois de la chorégraphie, a inspiré au groupe « Solaris » un spectacle intitulé « *la modern-dance saisie par l'aïkido* », récemment présenté au Centre américain de Paris. L'aïkido apparaît donc comme la plus **distancée**, la plus **euphémisée** et la plus **esthétisée** des trois pratiques étudiées.

Les rituels

Autour de la pratique des sports de combat, on peut observer un certain nombre de comportements individuels ou collectifs qui ne semblent pas avoir un rapport direct avec la pratique, dans sa réalité motrice mais qui s'y inscrivent très profondément. Aux notions de « cérémonial » ou d'« étiquette », nous avons préféré celle de « *rituel* » pour décrire cet ensemble de phénomènes, en nous référant à la définition de J. Cazeneuve : « *comportement social, collectif, dans lequel apparaît plus nettement à la fois le caractère répétitif du rite, et surtout, qui se distingue des conduites rationnellement adaptées à un but utilitaire* » (25). Ces rituels, à caractère ostentatoire et obligatoire, présents dans tous les sports de combat, peuvent aller d'un très grand raffinement en aïkido à une quasi-absence en lutte. Préparation psychologique à l'activité, respect des traditions (ou simple concession), adhésion à une mystique ou à une « philosophie », les *rituels*

(23) Le maintien des Katas, ensemble de mouvements exécutés avec une extrême précision dans le passage de la ceinture noire, et au-delà, illustre bien cette volonté de conserver au judo cette fonction esthétique. La suppression de ceux-ci pendant une courte période correspondait à la « mutation » du judo en sport de compétition, et à l'influence de ceux qui ne voyaient dans le judo qu'une « lutte en kimono ».
(24) Article de Jean-Claude Lewandowski, « *Les nouveaux Samouraïs* », le Matin de Paris du 16/2/79.
(25) J. Cazeneuve : article « Rites », Encyclopedia Universalis, vol. 14, p. 284.

traduisent toujours le type de rapports sociaux qui s'instaurent dans la pratique, rapports qui la déterminent pour partie (26).

Les discours des pratiquants sur leurs propres rituels, et surtout sur ceux des « autres » montrent que loin d'être un cérémonial gratuit, les rituels (ou leur absence) organisent la pratique, lui donnent un sens, et participent ainsi à la logique de la distinction entre les pratiques.

Les rituels règlent les comportements, établissent un type particulier de rapport entre les pratiquants (ordre, hiérarchie, distance), et font partie intégrante de la pratique, dont ils imposent bien souvent l'image à l'extérieur.

L'observation de la mise en place et du déroulement des séances est en ce sens riche en informations, dont on cherchera à définir la pertinence.

L'observation sommaire de la lutte montre que les « rituels » y sont extrêmement réduits. Le salut à l'adversaire, en combat comme à l'entraînement, consiste en une simple et prosaïque poignée de main précédant l'affrontement. Les lutteurs se plaisent à opposer la simplicité d'une habitude de respect à l'adversaire, signe que le combat sera loyal et sans concessions, aux rituels réputés superfétatoires du judo. Certains parmi eux considèrent le rituel du judo comme « *inutile* » ou comme des « *simagrées* » mais ils déplorent surtout (d'y voir) un acte de *soumission au maître* ».

Le cérémonial du judo, empreinte des traditions japonaises est, en effet beaucoup plus complexe. Il se compose d'un salut avant l'entrée sur le « Dojo » (espace sacré dans la tradition japonaise) puis d'un salut mutuel maîtres-élèves précédant la séance proprement dite et enfin d'un salut entre les combattants avant le « *randori* ». L'importance des rituels varie toutefois en fonction des salles et des professeurs, et peut aller de l'absence totale (très rare) à un cérémonial très appuyé (27).

Dans la plupart des cas, l'investissement de l'espace de combat par les judokas se fait dans un certain ordre ou dans un ordre certain. L'uniformité de la couleur des kimonos renforce cette impression, mais chacun prend place selon une rigoureuse hiérarchie. Les combattants s'alignent le long d'un des côtés du « Dojo », selon la couleur des ceintures, symbole du rang. Un observateur averti saura d'ailleurs distinguer dans la « blancheur » délavée des ceintures noires, la marque de l'ancienneté dans le grade. Ceux qui ne combattent pas restent « à genoux-assis » et observent les « randoris ». A cet ordonnancement du judo, s'oppose en tous points une mise en place spatiale de la lutte « *à la bonne franquette* ». Absence de hiérarchie visible, variété des tenues, placement apparemment aléatoire des lutteurs. Les inactifs « *discutent le coup* », etc.

C'est dans l'aïkido que le cérémonial est indéniablement le plus accusé. Le salut aux portraits des maîtres « *O Sensei* », le pliage du *hakama* en fin de séance,

---

(26) Tous les sports de combats (escrime, boxe, karaté, boxe française, etc.) prévoient des rituels de salut, très particuliers pour chacune des pratiques.
En ce qui concerne le judo, les attitudes de déférences et les marques de respect pour le *maître*, renvoient, par exemple, à un étonnant pouvoir charismatique des *champions* (tel celui de J.-L. Rougé pour les jeunes judokas de compétition).
(27) Le judo est aussi très partagé à ce sujet. Certains professeurs sont même soupçonnés d'accroître le rituel « *pour masquer leur incompétence* ».

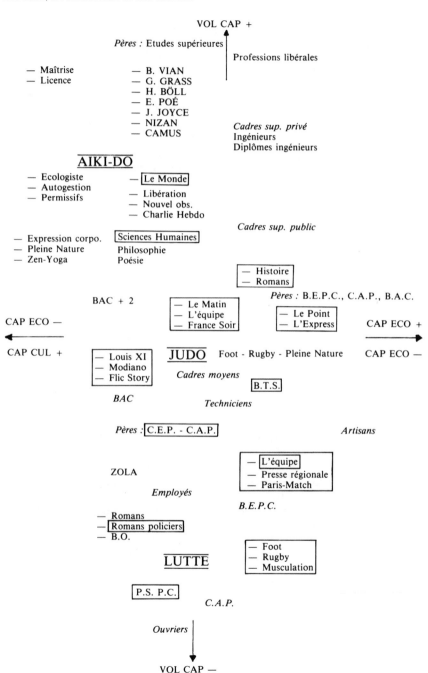

VOL CAP +

Pères : Etudes supérieures

Professions libérales

— Maîtrise
— Licence

— B. VIAN
— G. GRASS
— H. BÖLL
— E. POÉ
— J. JOYCE
— NIZAN
— CAMUS

Cadres sup. privé
Ingénieurs
Diplômes ingénieurs

AIKI-DO

— Ecologiste
— Autogestion
— Permissifs

— Le Monde
— Libération
— Nouvel obs.
— Charlie Hebdo

Cadres sup. public

— Expression corpo.
— Pleine Nature
— Zen-Yoga

Sciences Humaines
Philosophie
Poésie

— Histoire
— Romans

BAC + 2

Pères : B.E.P.C., C.A.P., B.A.C.

— Le Matin
— L'équipe
— France Soir

— Le Point
— L'Express

CAP ECO —

CAP ECO +

← ———

CAP CUL +

— Louis XI
— Modiano
— Flic Story

JUDO Foot - Rugby - Pleine Nature

CAP ECO —

Cadres moyens

B.T.S.

BAC

Techniciens

Pères : C.E.P. - C.A.P.

Artisans

ZOLA

Employés

— L'équipe
— Presse régionale
— Paris-Match

B.E.P.C.

— Romans
— Romans policiers
— B.O.

LUTTE

— Foot
— Rugby
— Musculation

P.S. P.C.

C.A.P.

Ouvriers

VOL CAP —

obéissent à des règles précises. Le **salut mutuel systématique avant et après chaque exercice,** s'ajoute aux rituels communs avec le judo (28).

Les rituels distinguent donc très fortement les trois pratiques étudiées. L'absence de rituel en lutte, (que les lutteurs semblent apprécier) est tout aussi importante, et dans tous les cas, le symbolique est présent.

La **distance de garde,** les **processus d'euphémisation** et d'**esthétisation,** les **rituels,** nous permettent de différencier les pratiques étudiées, et de mesurer l'importance que revêt la distinction *« fonction/forme »* comme critère de différenciation pertinent dans les sports de combat.

L'axe lutte → judo → aïkido, s'oriente donc dans le sens d'une augmentation progressive de la distance de combat, d'une plus grande euphémisation, d'une esthétisation croissante et d'un rituel de plus en plus accusé. La lutte est définie et revendiquée par ses adeptes comme *« efficace et naturelle »,* comme combat au contact *« naturel et franc »,* où *« le plus fort gagne »,* et où *« il n'y a pas de cinéma »* (sic). Ces remarques des lutteurs, illustrent bien cette *« subordination rigoureuse de la forme à la fonction »,* caractéristique de la classe populaire (29). Par opposition, « l'esthétisme » des couches sociales supérieures se satisfait plus aisément du geste de l'aïkido, qui peut pousser sa stylistique jusqu'à la limite extrême de la gratuité du geste. Le choix d'une pratique de combat dans l'ensemble des possibles, c'est-à-dire dans l'ensemble des pratiques reconnues légitimes à un moment donné apparaît ainsi comme socialement et culturellement déterminé.

« Il suffit aux agents de s'abandonner aux penchants de leur habitus pour reprendre à leur compte, sans même le savoir, l'intention immanente aux pratiques correspondantes, de s'y retrouver eux-mêmes tout entier, tout en y retrouvant aussi tous ceux qui s'y retrouvent, leurs pareils » (30).

En offrant une grande diversité de modalités de pratique (de la compétition à la recherche esthétique) et donc des usages sociaux différents, le judo occupe une place originale dans le système des sports de combat. Malgré l'orientation compétitive du judo moderne, il est toujours possible au pratiquant d'avoir sa propre « conception » du judo, et de trouver une salle correspondant à ses attentes. Tout au long de son histoire, le judo s'est développé en élargissant l'éventail de ses pratiquants. Au début de son implantation, l'élite intellectuelle de Paris fréquente les premiers Dojos. Très rapidement, comme le note Claude Thibault, *« le grand public succède aux universitaires et aux hommes de sciences »* (31). Le judo connaît alors ses premiers conflits (pour ou contre la compétition, bataille des catégories de poids, etc.). Tout se passe comme si la transformation de la structure sociale diversifiée des pratiquants du judo s'accompagnait d'une diversification de la pratique, même si une conception

(28) Voir à ce sujet : *« Le salut, le respect : Pourquoi ? »* de Christian Tissier, ainsi que celui intitulé : *« Notion d'étiquette dans le Dojo »* ; *Ibid. cit.* Egalement Pierre Delorme : *« Dojo »,* éd. Solars, 1978.
(29) P. Bourdieu, La distinction, *ibid.,* p. 33.
(30) P. Bourdieu, *Ibid. cité,* p. 246.
(31) C. Thibault, *Ibid. cité.*

« dominante » ou « majoritaire » tend à s'imposer à un moment donné. Ce processus n'est pas propre au judo, mais semble caractériser tous les sports ayant connu une forte expansion (football, rugby, ski, tennis). Il y a donc un rapport dialectique entre la diversification des pratiques (qui peut aller jusqu'à la modification de la logique interne) et l'usage social de celles-ci (32).

La détermination de **ce que devrait être** le judo a toujours été un enjeu de lutte, et l'aïkido commence à connaître le même phénomène (33). La relative stagnation de la lutte peut s'expliquer, a contrario, par l'immuabilité de son noyau de pratiquants d'origine ouvrière. La lutte a connu fort peu de conflits au niveau de la conception de la pratique, et ses structures officielles ont toujours échappé aux bouleversements, car *elle ne semble pas avoir jamais été un enjeu de lutte entre différents groupes sociaux.* Elle s'est plutôt trouvée unifiée et consolidée face à la montée du judo. On voit comment les judokas ont pu paradoxalement bénéficier de cette situation, en valorisant la « souplesse », la « technique », « l'esthétique », opposées à ce qui leur apparaissait comme la « force rudimentaire » de la lutte. Ce renouvellement de la symbolique des sports de combat a permis le démarrage foudroyant du judo, par son expansion aux couches moyennes et à certaines fractions des couches dominantes. En opposant « l'harmonie » à la confrontation dure, la pureté technique du geste aux efficacités ouvrières, la mixité de la pratique à la masculinisation (quasi) exclusive des autres sports de combat, l'aïkido prolonge un même processus de distinction. Il se propose de « *retrouver l'idéologie des arts martiaux japonais* » « pervertie » par le judo moderne.

« *Il se présente avant tout comme une somme de propositions en rupture avec l'univers culturel occidental, et dans une certaine mesure avec l'univers japonais d'aujourd'hui* » (34).

Chaque pratique se définit, pour reprendre les grandes lignes de cet article, *par rapport* et *en opposition* aux deux autres.

La lutte se caractérise par une forte homogénéité, une grande spécificité. Il n'existe, pour les lutteurs, qu'un seul type de pratique possible : compétitive et efficace. Cette homogénéité est renforcée par l'origine sociale populaire de la majorité des lutteurs, qui privilégient dans leurs discours des valeurs proches de ce que nous pouvons appeler « l'éthique populaire ». Le monde de la lutte est centré sur lui-même, très soudé, apparaît un peu comme *« une grande famille »* (sic) solidaire et partageant les mêmes valeurs.

Le judo s'en distingue, en revanche, par une grande diversité de pratiques et de conceptions, et par l'hétérogénéité des origines sociales de ses pratiquants. Du **judo de compétition,** imposant des catégories de poids, un système très sophistiqué de

---

(32) Cf. C. Pociello. Eléments pour la constitution d'une histoire sociale des pratiques sportives. Travaux et recherches de l'I.N.S.E.P., n° 6, mars 1980, spécial Histoire des sports.
(33) L'aïkido connaît également de nombreux conflits internes, opposant les différentes « écoles », qui proposent chacune une conception de l'aïkido.
(34) « Aïkido fondamental » *Ibid. cité*, article de Delmas : « Psychologie des arts martiaux ».

comptage des points (où la « souplesse » est quelque peu oubliée au profit de la puissance musculaire), au **« beau judo »,** *« en finesse »*, et « en souplesse » où la recherche de l'esthétique prime l'efficacité compétitive, les judokas bénéficient du choix entre plusieurs modalités de pratiques.

L'aïkido qui, selon le précepte taoïste est la recherche d'une « harmonie » avec soi-même (grâce au partenaire) s'oppose non seulement à la « force » et aux « efficacités ouvrières » de la lutte, mais aussi à cette « voie de la souplesse » que le judo moderne (de compétition) a *« occidentalisé »* jusqu'à réhabiliter la masse corporelle de ses combattants. L'exploitation par l'aïkidoka d'une énergie extérieure à son propre corps savamment détournée à son profit repose sur une gestion subtile de la gestualité, toute en courbes et en finesse, dont les dimensions esthétiques sont jugées essentielles.

C'est une rupture culturelle que nous percevons chez les aïkidokas à travers la description même de leur pratique. Multidimentionnelle, elle s'exprime certes par un refus des pratiques sportives de combat traditionnelles, dans une opposition systématique à leurs principales dimensions, mais aussi par une mise en cause du système social et politique. L'aïkido, qui s'inscrit dans ce que nous pourrions appeler une **« contre-culture »** et constitue un élément essentiel de tout un style de vie, se trouve en effet, avec l'expression corporelle et le yoga être une des pratiques corporelles « recommandées » par le *Catalogue des ressources* (35). Afin de préciser ces « ruptures » qui sont à la fois politiques et culturelles, nous avons inclu dans le questionnaire destiné aux pratiquants des trois arts martiaux, des questions dont on a montré par ailleurs (36) qu'elles sont politiquement clivantes. Les premières interprétations des résultats, que l'on doit prendre avec précaution (37), révèlent l'opposition des aïkidokas aux interdits sociaux et moraux. Très « permissifs » sur les thèmes de l'homosexualité, sur la consommation des drogues douces, très favorables à l'abolition de la peine de mort, les aïkidokas se sentent également très éloignés des partis politiques traditionnels mais plus proches des écologistes et de l'extrême-gauche. Les lutteurs et les judokas apparaissent en revanche plus « conformistes », culturellement comme politiquement, plus attachés dans l'ensemble aux « valeurs traditionnelles » (38).

---

(35) *Le catalogue des Ressources*, en trois tomes, édité par Alternatives et Parallèles, rassemble les principaux promoteurs de l'« Underground » (Revue Actuel) et peut être considéré comme un des plus caractéristiques de cette « contre-culture ».

(36) A titre d'exemple, voir l'article de Janine Mossuz : « Radicalisme politique et permissivité sexuelle », en Revue française de sciences politiques, février 1974.

(37) Il ne saurait être question d'utiliser les résultats de cette enquête, aux lacunes méthodologiques certaines, comme *« vérification »* des thèses que nous avançons, mais seulement comme un élément de réflexion supplémentaire.

(38) Ces résultats sont à mettre en rapport avec le niveau socio-culturel des pratiquants. Par exemple, les positions novatrices des aïkidokas dans le domaine de la morale, s'expliquent largement par leur « niveau d'instruction » supérieur.

L'étude comparative de trois arts martiaux, montre, dans la perspective théorique adoptée par Christian Pociello, que les pratiques sportives constituent un ensemble très diversifié, en perpétuelle évolution, qu'il faut replacer dans le système des pratiques constitutives des styles de vie. Le « sport » ne peut plus être considéré comme un tout homogène et « autonome » qui assumerait des fonctions sociales univoques, comme l'affirment certaines analyses, globalisantes et réductrices. Bien au contraire, l'apparition de pratiques nouvelles, dans le registre des sports de combat comme dans d'autres registres, fonde la complexité du phénomène sportif et sa diversité. Il y a donc lieu de lui appliquer les méthodes et les concepts jusqu'ici réservés à des pratiques considérées comme plus « prestigieuses ».

Le meilleur
chemin
de la beauté :
le sport

Vogue-Beauté
Numéro spécial automne-hiver 1978-1979

« La forme, pas les formes ! » (*)   6
Simulacres et équivoques dans les pratiques physiques féminines

Catherine Louveau

La forme lourdement chargée de sens

Quelques études tentent de mettre en lumière les différents facteurs qui poussent les individus vers le sport. Rarissimes sont, en revanche, celles qui se consacrent spécifiquement aux pratiques féminines. Certaines femmes choisiront de pratiquer comme leurs « homologues » masculins : le basket, le handball, l'athlétisme ou la natation, mais aussi l'équitation ou le ski de randonnée. D'autres s'orientent par contre vers des activités dont elles constituent non exclusivement mais spécifiquement le public : l'expression corporelle, les nombreuses formes actuelles de « gymnastique » ainsi que les multiples modalités de la danse. On peut déjà percevoir la grande vogue de cette seconde catégorie de pratiques à travers la thématique courante des journaux féminins. « Elle », « Vogue-beauté », « Maigrir-Rester jeune », « F. Magazine », « Médecine-beauté », etc. constituent à cet égard un « corpus » de choix.
C'est la plupart du temps comme support d'une *(re)mise en forme,* énoncée comme telle, que ces activités sont conseillées avec insistance. Ce sont ces dernières que nous évoquerons plus particulièrement.
La notion de « forme », banalisée dans notre langage s'est glissée dans nos jugements sur les gens et sur les pratiques. Elle jauge même nos propres humeurs, à l'aune d'une valeur « universelle », polysémique mais quelque peu équivoque. L'équivocité de la *« forme »* ne vaudrait pas que l'on y prête attention, si elle n'était au principe du choix de certaines pratiques, et si curieusement, elle ne les transformait parfois jusqu'au simulacre.
Il nous est apparu intéressant d'analyser cette vague notion, d'en retracer l'itinéraire, d'en repérer les usages successifs, le galvaudage même, car on peut voir comment sous ses divers avatars, elle peut servir une idéologie. La reconstruction « historique » permet, en outre, de comprendre comment les différents sports sont perçus et représentés dans l'imaginaire de nos contemporains et dans les fantasmes de nos consœurs.
Si la *« forme »* est un terme présent dans les dictionnaires, il ne recouvre jamais l'acception particulière contenue dans le : *« Ça va aujourd'hui, j'ai la forme ! ».*

(*) Publicité, en forme de précepte, du fromage Sylphide.

Dans la définition la plus courante, « la forme » c'est évidemment l'apparence extérieure des choses et des personnes. Dans la technologie, c'est le gabarit, la matrice, le modèle, le moule, (le « patron » des modistes par exemple). Rudes ou distinguées, ce sont aussi des manières de se conduire, chaque fois que la vie sociale impose de « *mettre les formes* ». Il n'est pas sans intérêt de noter enfin que dans la théologie même, « *la forme* » s'oppose à la « *matière* » (dans les sacrements). Ainsi, la diversité des sens, qui ne semblait aucunement être liée au corps, se prête aujourd'hui aisément à toutes formes de transposition corporelle. Les « formes corporelles », ce sont d'abord les « *contours* » soulignés par le découpage de la silhouette, sur laquelle se porte immédiatement le jugement normatif. C'est pour cette raison que dans un raccourci familier : « *en prendre* », c'est engraisser. Les « formes » deviennent alors, « *pleines* », « *arrondies* », « *dodues* », « *potelées* ». Plus précisément, « *être en forme* » renvoie d'une part à « l'aspect », c'est-à-dire le plus souvent « *à la ligne* » (modèle de minceur érigé aujourd'hui en standard universel), d'autre part à un état organique optimum correspondant à « la santé » qui est d'abord « *la vie dans le silence des organes* ». Le corps médical, mis en demeure de définir scientifiquement le terme, étire jusqu'à sa limite extrême l'élasticité de ses compétences mais reste pourtant hésitant et évasif : un consensus cependant semble se dégager sur la définition d'un **état de disponibilité organique particulier, support d'un état « psychique » de bien-être.**

A un magazine féminin qui l'interroge, le professeur Escande répond : « *La forme, c'est le ronronnement harmonieux de notre corps ... Le cerveau joue, dans la forme, un rôle essentiel et la forme ne peut pas exister s'il n'y a pas un rapport* **harmonieux** *entre le cerveau et le reste du corps* » (Elle, n° 1758, septembre 1979). On voit que cette notion de *forme* s'est trouvée lourdement chargée de sens, notamment dans les rapports qu'elle a entretenu avec **l'hygiène** et **l'activité sportive.** L'évocation de l'histoire de ces rapports, apporte un éclairage intéressant sur une conception, à ce jour flottante et galvaudée, mais terriblement efficace.

Les avatars de la notion de « forme » dans ses rapports avec les activités gymnastiques et sportives

En France, au XIXe siècle, se généralisent et se popularisent des pratiques de *gymnastique* et de *culturisme*. Les fondateurs du culturisme et les théoriciens de la gymnastique disent appuyer leur expérience sur celles des éleveurs et des vétérinaires. C'est ainsi que l'on peut lire, dans un *Bulletin du Cercle de gymnastique rationnelle* daté de 1886 (1) sous la plume d'un vétérinaire

(1) Pages C., Bulletin d'Anthropotechnie, n° 15, déc. 1886. Cité par Pociello C. Physiologie et éducation physique au 19e siècle J.-E. Marey et G. Demeny. Thèse pour le doctorat de 3 ^e cycle, Paris VII, 1974.

positiviste. « *(Des exemples permettent de) démontrer la puissance organo-plastique des animaux domestiques ; ils nous permettent de juger, par analogie de la puissance organo-plastique de l'homme et des résultats physiques qui en découleront le jour où l'homme, reconnaissant qu'il est un animal perfectible et non un ange déchu s'appliquera enfin à lui-même des méthodes de perfectionnement physique analogues à celles qui auront produit chez ses collèges inférieurs, de merveilleuses transformations ».* Il s'impose donc, dans la classe populaire — à travers cette recherche de la **fortification des corps** — un type morphologique particulier caractérisé par le développement musculaire avantageux de la cage thoracique (dorsaux, pectoraux, etc.) au moyen d'une gymnastique appropriée aux agrès ou aux haltères.

Lors de l'apparition en France des nouvelles pratiques **athlétiques** immédiatement appropriées par des groupes sociaux favorisés, tend à s'imposer un nouveau type humain *plus gracile* et « *taillé pour la course* ». L'interrogation sur les conditions de rendement et d'efficacité de la machine humaine, qui met les théoriciens en demeure de trouver les signes de sa « *capacité en travail* » ; (« travail » dans une acception abstraite et indifférenciée) est rendu possible par les progrès récents de la physiologie. Ceci va entraîner un changement dans les perspectives des théoriciens et des praticiens, dans le sens du passage d'une conception « *morpho-structurale* » à une conception plus **« fonctionnelle »** de l'organisme actif. Le « *morpho-structural* » est une « sémiologie » de l'« *apparent* », qui recherchait dans « les formes » les signes de la force, tandis que dans la perspective fonctionnelle, ce qui est pertinent, c'est *l'invisible* de cette qualité particulière conférée aux échanges organiques, sans formes, du **« fond »,** qui correspond à cette aptitude singulière à la *course de distance*.

G. Demeny, qui reste partisan des méthodes gymnastiques (parce qu'il conserve le point de vue traditionnel du type populaire) insistera sur le développement structural de la cage thoracique considérée par lui, comme le siège du « moteur » de l'organisme (1882). A l'opposé, le Docteur F. Lagrange, auteur remarqué de « La physiologie des exercices du corps » (1890), partisan des nouvelles pratiques anglo-saxonnes, insistera sur un « fonctionnel » avant la lettre, en théorisant sur « *le fond* » et sur le « *souffle* ». Or, on sait qu'en Angleterre les pratiques sportives de course à pied se sont très largement inspirées des pratiques antérieures de la course de chevaux (sweating, training, etc.). Ainsi, il s'avère que la « *condition physique* » a d'abord concerné les chevaux avant de concerner les hommes (2). Un cheval *en forme* est un cheval qui a « *du fond* », c'est-à-dire un cheval qui a d'abord perdu, par un entraînement approprié, sa *surcharge graisseuse* (3). Par analogie (4) un athlète « en forme » était (et reste) un sportif

---

(2) Le « turf » servira, en effet, de modèle aux premières courses athlétiques. Cf. Pociello C. Quelques indications sur les déterminants historiques de naissance des sports en Angleterre.

(3) On peut être sensible au charme de ces gravures anglaises du XVIIIe et XIXe siècles, qui accusent à l'envie, l'affinement extrême de la silhouette des chevaux pur-sang. On voit que se sont noués, ici précocement les rapports herméneutiques de la « *forme* » et du « *fond* », dans l'expression stylistique des signes extérieurs de cette capacité de l'animal à « rendre » ce pour quoi il a été spécialement sélectionné et entraîné ; la course de résistance.

(Cliché J. Beau.)

DELOGE.
Du Racing Club de France, gagnant du Grand Steeple, du Prix Roosevelt et du Prix François Gondrand.

Un athlète « en forme ».

qui parvient au summun de ses capacités fonctionnelles sur la distance, puis, par extension, dans le secteur où il a cherché spécifiquement à se perfectionner ; c'est celui, qui par son **entraînement,** arrive à un état organique tel qu'il est capable des meilleures performances.

Mais la « *forme athlétique* », ainsi définie, qui tendait, par l'expansion de l'éthique sportive, à se diffuser dans le langage courant, est aujourd'hui battue en brèche. Certains physiologiques et éducateurs, partisans de nouvelles modalités de pratiques (comme la « gymnastique volontaire », ou les gymnastiques *douces*) la décrivent en effet comme un état de précarité physiologique voire de fragilité organique. Il convient donc à leurs yeux, de développer une « forme » moins spécifique et plus équilibrée à travers des pratiques hygiéniques, euphémisées et esthétisantes variées. Cet état actuel des points de vue théoriques et pratiques nous renvoie alors à la division sexuelle de la définition de « la forme », c'est-à-dire sur le terrain du rapport du masculin/féminin. C'est, en tous les cas, à travers deux conceptions différenciées de la forme que l'on légitime la différenciation des pratiques : les femmes reviendraient ainsi aux modèles gymniques et hygiéniques antérieurs (que les hommes ont peu ou prou *reniés*), par opposition au modèle sportif où les normes masculines restent dominantes (5).

De la forme athlétique à la beauté

Les débats théoriques précédemment évoqués et la nature différenciée des activités qui en sont le support, montrent, comme cela a été suggéré, qu'il persiste une véritable division sexuelle de la définition de forme, induisant une certaine « perception » des pratiques sportives, mais aussi les conceptions plus générales de « *l'état physique* » masculin et féminin.

La « corpulence », c'est-à-dire l'hyper-développement musculaire des sportifs masculins se prête bien peu à la critique, mais se trouve, au contraire fortement valorisée, dans la mesure où elle est — pour de nombreuses disciplines — la condition indispensable de la production de hautes performances (6).

---

(4) « *Il existe une relation étroite entre l'extérieur d'un individu et son organisation, entre son apparence et sa valeur réelle ; chez les animaux on désigne sous le nom de Beautés les caractères extérieurs qui traduisent certaines aptitudes ; rien n'empêche de transposer cette notion dans l'étude de l'homme* ». Pages C, L'Hygiène pour tous, Paris Naud, 2ᵉ éd., 1903, p. 5, cité par Pociello C. dans sa thèse, *op. cit.*, p. 163.
(5) Ce qui n'est pas sans équivoque car au début du XXᵉ siècle, c'est bien comme signe « d'émancipation » que les femmes considèrent leur participation aux grandes compétitions sportives. Le sport comme moyen de cette libération est un débat relancé depuis. Voir Revue Quel corps ? Dossier Sport et femmes, nº 10/11 et 12/13.
(6) On soulignera l'importance que revêt dans l'entraînement d'un sportif moderne le temps accordé aux techniques de **musculation**, et ce, dans des disciplines de plus en plus nombreuses.

On notera qu'il n'en va pas de même pour les femmes. Dans un travail sur la femme sportive, I. Messan (7) met en effet en évidence que la championne est d'autant plus « *portée aux nues qu'elle est, et qu'elle reste une vraie femme* » (8). Autrement dit, elle ne doit pas porter les stigmates du travail sportif sur sa musculature, donc ne pas avoir les formes qui l'indifférencieraient des hommes et choqueraient leur *nature propre*. C'est ainsi que : « *les nageuses allemandes de l'Est, au cou de rugbymen piochent l'eau (alors que) les Américaines jolies et féminines (...) glissent sur l'onde* » (9).

D'une façon plus générale, pour un homme, « *être en forme* », c'est posséder des qualités organiques invisibles ou cachées qui le prédisposent à l'action, tandis que pour une femme, « *être en forme* », c'est au sens étymologique, (re)trouver la beauté corporelle telle qu'elle est définie par les canons en vigueur dans la classe dominante. Un soin attentif ou obsessionnel se porte alors sur l'aspect extérieur (10).

« *On confond fréquemment dans le public mal informé **grosseur** et **force** du corps. La vision de l'ancien lutteur ou du manieur d'haltères n'a pas encore été remplacée par celle de l'athlète moderne aux muscles toniques, **bien modelés mais peu volumineux** (...). Les formes massives sont l'exception chez les pratiquantes de la culture physique et des sports (...) ; au contraire, la gymnastique et les sports bien compris font perdre la surcharge graisseuse et donnent au corps une sveltesse, une souplesse, une grâce inimitables* ».
Dr. Houdré-Boursin. Ma Doctoresse. Guide pratique d'hygiène et de médecine de la femme moderne. Tome I. Editorial-Argenton-Strasbourg. 1928, p. 313.

On assiste donc aujourd'hui à un ultime glissement de sens : d'une référence **sportive** pour l'homme qui « doit » essentiellement disposer d'un potentiel d'action, on bascule vers une référence **esthétique** pour la femme qui « doit » développer son potentiel de séduction. Il convient de souligner que c'est selon cette rigoureuse répartition des rôles que la thématique de « la forme » s'est diffusée dans les publications pour hommes et pour femmes.

Madame G.M., 32 ans, rédactrice dans une revue, déclare ne pas se préoccuper de ces questions, mais elle admet qu'elle « *commence à s'affoler quand elle ne rentre plus dans du 38* » *;* la robe ou le pantalon deviennent en même temps le *moule* référentiel et le signal d'alarme. D'autres femmes ne « *supportent pas* » la variation de leur coefficient idéal de poids, calculé avec une rigueur toute

---

(7)　Messan I., La sportive de haut niveau dans la presse. Mémoire pour le diplôme de l'I.N.S.E.P., juin 1977.
(8)　Expression qui prend tout son sens dans le cas extrême des soupçons émis quant au sexe « génétique » véritable, des lanceuses de poids soviétiques en particulier.
(9)　Relevé par l'auteur dans le journal « L'Aurore ».
(10)　Voir J.-C. Lewandowski. Un reportage au Club Vitatop, document I.N.S.E.P., U.V.C$_3$, inédit.

mathématique, par rapport à la taille (t-110). (Il faut toutefois remarquer que ce calcul propre aux Parisiennes est moins exigeant en province. En Bourgogne, par exemple, l'exigence pondérale suprême est de : t-100).

On sait en effet aujourd'hui que la femme se doit d'être mince. Ce **canon de minceur** qui s'impose comme la norme la plus drastique chez les membres de la classe moyenne, fait l'objet du « matraquage » publicitaire le plus éhonté (11). Or on sait qu'il n'en a pas toujours été ainsi selon les époques et selon les cultures. Les œuvres des peintres et des sculpteurs (on pense à Rubens, Renoir, Rodin ou Maillol) témoignent qu'en d'autres temps, les canons de la beauté étaient à l'inverse, les rondeurs et la peau de lait (12). En outre, dans une culture comme celle du bassin méditerranéen, les femmes grasses sont le signe envié de l'opulence (13). Il y a peu de temps encore à Djerba en Tunisie, on « gavait » les femmes avant de les marier et l'on continue d'apprécier leur valeur érotique au *poids* imaginaire, soupesé d'un geste de la main attribué à leur sexe anatomique.

Bour'tal
Littéralement : « Il y en a au moins pour une livre »

Ainsi, dans nos sociétés occidentales, l'évolution des canons de la beauté s'est faite dans le sens du *gros* au *mince,* du *gras* vers la *gracilité* sans que l'on puisse formuler une explication totalement satisfaisante à ce renversement arbitraire du signe.

C'est comme norme de conformité que ce modèle s'impose aujourd'hui aux femmes. Les incitations dont les hommes sont certes l'objet, paraissent de peu d'importance si l'on prend comme indicateur la quantité et la nature des revues s'adressant spécifiquement aux femmes. Le développement de la presse de la beauté et des soins du corps est impressionnant si l'on veut bien considérer qu'il touche aussi les adolescentes (mademoiselle Age-Tendre, 20 ans, Jacinthe, etc.). Puisqu'un homme n'est jamais « gros » mais *costaud* et que *plaire* au regard d'autrui se conjugue depuis des siècles au féminin, on comprend qu'il n'y ait pas de journaux masculins équivalents. La nécessité de conformité ouvre en effet

(11) L'usage exclusif des corps-mannequin, dans les publicités de journaux ou de télévision, se généralise sur les murs des villes. Voir sur ce sujet : Lavoisier B., *Mon corps, ton corps, leur corps.* Le corps de la femme dans la publicité, Paris Seghers, 1978.
(12) Actuellement, il convient au contraire d'être « *longue, fine et bronzée* » (de préférence *intégralement* car c'est là, le vrai naturel) ; autrefois, le « bronzage » était pour la bourgeoisie le signe honni de la vie à l'extérieur, c'est-à-dire du travail aux champs. C'est sans doute là que l'on peut trouver l'origine actuelle de l'horreur de « la trace du maillot de corps ». « *Cela fait prolo* » dit-on.
(13) En Inde, être obèse pour un homme est le signe d'appartenance à la classe sociale la plus riche.

tout un marché de remèdes et de moyens à mettre en œuvre pour celles que « *la nature n'a pas gâtées* » *;* si « Maigrir pour rester jeune » est une préoccupation réelle des femmes, (bien que peu avouable en ces termes) une nouvelle justification apparaît à tous ces *traitements,* parallèlement aux mouvements féministes : « *être bien dans sa peau* », « *retrouver son corps* ». Dans tous les cas, il s'agit d'être en forme. Pour ce faire, il faut *rester mince* et faire de *l'exercice physique.*

En bonne et due forme. Rester mince

Selon un sondage de la S.O.F.R.E.S. de 1975 (14) 23 % des Françaises cherchent à maigrir ; c'est à elles encore que s'adressent les articles de la presse féminine, généralement plus abondants au printemps, en prévision de « *l'épreuve du maillot de bain* ».

Depuis 1974, une presse spécialisée s'est introduite sur le marché avec « *Maigrir — rester jeune* » et « *Médecine-beauté* » *;* elle concerne évidemment le même public : toutes les couvertures ainsi que les photos et publicités des numéros parus à ce jour ne montrent que des femmes. De plus, un des articles mettait récemment en évidence (tout en le déplorant !) que 80 à 90 % des consultations dans la spécialité de l'obésité sont le fait de femmes alors que l'on sait que les obèses masculins sont plus nombreux en France (15). Les mises en garde contre cette « maladie » révèlent, sans l'énoncer, une double anormalité pour celles qui en sont victimes : le morphologique (l'esthétique, « *le corps difforme* ») et le « fonctionnel » (le mauvais fonctionnement des organes) sont « atteints », rendant précaires à la fois la forme et la santé. Qu'elle soit menacée ou non, la bonne santé devient alors la justification la plus courante pour inciter à acquérir le « poids idéal » théorique. La médicalisation de l'argumentation tient ici une grande place. On demande prioritairement l'avis de professeurs et de diététiciens renommés pour parler de la forme. Les régimes, produits amincissants, etc., sont présentés comme autant de prescriptions médicales. De surcroît : « *lorsqu'un médecin choisit personnellement de vivre comme il le conseille à ses malades, on a tout lieu de penser que la vérité est de son côté* » (16).

L'amalgame répandu de la bonne santé et de « la forme » donc de la *jeunesse et de la beauté* révèle, en l'occurrence, l'équivoque de ce souci constamment exprimé par ces revues pour la santé des femmes. Il suffit en effet de remarquer que les revues hyper-spécialisées ne montrent jamais de femmes « fortes ». Faire des régimes, modeler son corps « à la demande » avec des appareils et des massages certes, mais *la beauté c'est aussi un sport* lit-on dans Vogue-Beauté. « *Il n'y a* (alors) *pas de vraie beauté sans exercice physique* » (17).

(14) « 50 millions de consommateurs », n° 52, avril 1975.
(15) « Médecine beauté », n° 60, septembre 1979.
(16) « Maigrir-Rester jeune », n° 31, avril 1977.
(17) N° spécial automne-hiver 1978-1979.

> « *Body essentials ; l'esthétique de votre corps* ». *Tout comme votre visage votre corps se respecte. C'est un témoin important de votre séduction, de votre équilibre général et de votre santé. Prenez conscience de votre corps : avec un clin d'œil d'humour, regardez-vous, critiquez-vous et sachez que chaque femme peut avec un peu de volonté épanouir sa propre beauté et retrouver une silhouette parfaite.*
> *Body essentials, c'est une ligne de produits spécialement créée pour votre corps. Elaborée en liaison avec un médecin, elle sera votre complice de tous les jours et c'est avec elle que vous allez entreprendre votre remise en forme* » (prospectus accompagnant le produit).

Faire du sport : simulacres et équivoques ?

« *Le sport est la meilleure des médecines, il muscle le cœur, sculpte le corps, conserve le souffle, la souplesse, la jeunesse* ». Elle-Magazine, n° 1 758, septembre 1979.

Les pratiques « sportives » proposées par les journaux féminins auxquels nous nous référons présentent des caractéristiques communes, en particulier une certaine **euphémisation** de l'activité. Le yoga, l'expression corporelle, la *relaxation*, la *bio-énergie*, la *gymnastique* « douce » ou classique, la *natation* apparaissent le plus fréquemment. Le *jogging*, le *tennis* et les diverses formes de la *danse* sont parfois recommandés. Le plus souvent, on incite les femmes à la production d'un effort présenté comme nécessaire : « *on n'a rien sans rien* », et l'on rappelle avec insistance « *qu'il faut souffrir pour être belle* ». Or, paradoxalement, les activités proposées ne requièrent pas une dépense intense d'énergie ; c'est le cas en particulier des gymnastiques douces qui restent relativement statiques. Le cas limite et caricatural est représenté par le « *slendertone qui fait votre gymnastique à votre place* ». La publicité insiste sur le fait qu'il s'agit « *d'une gymnastique chez soi, sans bouger, et sans fatigue* ». Même pour des pratiques sportives comme le tennis ou la natation, nous observons à la suite de M. Métoudi (18) que la quasi-totalité des photos accompagnant les articles montrent l'activité dans le déploiement ostensible de ses signes **sans la pratique réelle** : la joueuse de tennis est assise après la partie, la danseuse se repose nonchalamment sur la barre, la joggeuse feint de « récupérer sur le trottoir... » ; bref, les photos insistent sur la posture, le geste, la ligne... du mannequin, car les reportages ne se font jamais avec des pratiquant(e)s réelles. M. Métoudi relève que les individus représentés dans les publicités sont « *jeunes*,

---

(18) Métoudi M., Le sport, support thématique dans la publicité. Thèse pour le 3e cycle, Paris VII, juin 1978.

grands et minces » ; si les danseuses et les gymnastes sont souvent utilisées (par exemple pour les fromages sans matières grasses), c'est sans doute qu'elles symbolisent l'excellence de la finesse, de la beauté ; en ce sens elles offriraient le modèle idéal auquel les femmes doivent aspirer.

Bien que s'appuyant le plus souvent sur des arguments de bien-être corporel (*« ce qui compte, c'est moins d'être belle que de bien se sentir »* lit-on dans F. Magazine, n° 16, mai 1979), on assiste à un retour en force des gymnastiques *« formelles »* délaissées par les hommes ; elles sont, par leur nature même, le lieu de rencontre du « sportif » et de l'esthétique. Ainsi, les mouvements proposés ont une visée utilitaire ; en ce sens, ils exigent effort et volonté (abdominaux, musculation du dos, etc.), mais en même temps ils doivent être esthétiques, c'est-à-dire qu'ils évoquent, dans la représentation donnée et dans l'effet supposé produit, une forme gestuelle gracieuse. Un article sur le tennis dans la revue « Médecine-Beauté » insiste par exemple sur l'attrait que peut exercer sur l'envie de pratiquer ce sport *« la plastique superbe des beaux joueurs »*. Plus loin on lit : *« c'est un sport de belles jambes (avec lequel) les ventres fondent et les tailles se creusent »* (n° 60, septembre 1979).

> *« L'exercice physique ne donne pas seulement une bonne santé, de la vigueur et de l'adresse. C'est par lui que l'être humain peut encore acquérir cette **pureté des lignes**, ce **modèle** souple et ferme des masses musculaires qui constituent **la vraie beauté »**.* Dr Houdré-Boursin, 1928, *op. cit.*
>
> *« Garder la forme, c'est aussi lutter contre les raideurs, les lourdeurs qui signent le vieillissement. Oui à la gymnastique et au sport donc ! Pour se muscler et pour garder le geste vif et le pied léger »*. Elle-Magazine, n° 1 758, septembre 1979.

Ainsi, la forme recouvre-t-elle pour les femmes à la fois un bien-être général et une esthétique corporelle qui s'acquièrent à travers des activités physiques où la beauté du geste et l'expressivité dominent et présentées photographiquement comme telles. Tout laisse à penser que la forme serait alors une fin en soi pour les femmes puisqu'elle apparaît essentiellement liée à la beauté du corps ; l'exercice physique et les produits de beauté sont en effet souvent indissociables : « dans la piscine, après le sauna, un bon exercice à condition de bien lubrifier son corps (ici avec l'émulsion pour le corps n° 5 de Chanel). La position du « veau » en yoga est excellente pour les « jointures ». Après le match de tennis, elle enlève son bandeau et frictionne ses cheveux à l'ortie blanche et au romarin avant de se refaire un brushing (lotion vivifiante de Léonard Greyl) » (Vogue-Beauté, automne-hiver 1978/79, p. 36). Or, cette beauté *« vient de l'intérieur »* peut-on lire dans ce journal. Martine, pratiquante de yoga dit *« je veux me sentir bien avec moi-même, que tout tourne rond. Je veux pouvoir me baisser pour ramasser mon crayon sans faire de grimaces. Je veux être en forme en sautant de mon lit le matin. Me sentir souple, à l'aise. Le yoga lie le corps à l'esprit. Il aide à prendre conscience de l'intérieur du corps. C'est une philosophie de la vie »* (F. Magazine, n° 16, mai 1979). L'attirance des femmes vers des activités exigeant un *« retour sur soi »*, une *« prise de conscience du corps »*, une *« expression personnelle »* est une des composantes de la dichotomie persistante entre le masculin, l'homme ayant un rôle *« instrumental »* (actif, tourné vers l'extérieur, rationnel, scientifique, etc.) et le féminin, la femme ayant un rôle *« expressif »* (passif, affectif, tourné vers l'intérieur, la maison, l'émotionnel et le littéraire) (19).

Prenant en compte les caractéristiques de ces activités, on ne peut faire alors l'économie d'une interrogation sur l'origine sociale des femmes à la recherche de la forme. Les lectrices des journaux Elle-Magazine, Marie-France (cf. M. Métoudi), F. Magazine, se recrutent dans la classe moyenne supérieure, celles de Vogue chez les femmes (de) cadres supérieurs.

Une étude effectuée par nous auprès de pratiquantes de la gymnastique volontaire en région parisienne (il y a 92 % de femmes dans cette fédération) montre qu'elles se recrutent à 60 % chez les cadres moyens et supérieurs. Elles sont le plus souvent enseignantes ; leurs conjoints appartiennent surtout aux cadres supérieurs, (ingénieurs pour une bonne part). L'acquisition d'une esthétique corporelle et le souci de la forme physique correspond pour plus de 80 % d'entr'elles non seulement à ce qui les attire vers cette forme de gymnastique mais à ce qu'elles attendent d'une pratique sportive en général. Par ailleurs, une étude effectuée auprès des pratiquantes de la *danse classique et moderne* (20) met en évidence d'une part que les hommes représentent moins de 10 % des pratiquants, d'autre part que les femmes se recrutent un peu chez les cadres moyens, beaucoup chez les cadres supérieurs et professions libérales mais aussi chez les petits commerçants. Dans tous les cas, cette pratique apparaît, de façon statistique, significativement étrangère aux catégories ouvriers et employés. L'auteur ajoute enfin que *« conserver une belle silhouette en faisant quelque chose de plaisant »* est la motivation essentielle des jeunes femmes interrogées. La recherche du plaisir tient en effet une grande place dans ces pratiques ; « sans plaisir, faire un sport, n'importe lequel devient odieux... des flexions au réveil, très peu pour moi ! », dit une femme interrogée par F. Magazine. S. Szczesny souligne l'ambiguïté de ce plaisir en ce qui concerne la danse classique : « l'effort produit ne doit en aucun cas être apparent. La danseuse est souriante, même si ses pieds sont ensanglantés dans ses chaussons à pointes... »

Enfin, le sondage de la S.O.F.R.E.S. évoqué précédemment montre que « ce sont surtout des femmes plutôt minces » qui suivent un régime en invoquant le souci de leur ligne. Ainsi, *« être bien dans sa peau »* apparaît comme un

---

(19) C'est ainsi que T. Parsons définit les rôles parentaux. Voir Michel A., Sociologie de la famille et du mariage. Le sociologue. P.U.F., 2e éd., 1978.
Par ailleurs, un sondage récent sur les professions préférées des françaises, fait apparaître aux trois premières places : enseignante, puéricultrice et infirmière, c'est-à-dire les « vocations » où peut se retrouver la chaleur affectueuse de la relation (voir également Nicole Dechavanne : La division sexuelle du travail gymnique).
(20) Szczesny S., Essai d'identification et d'analyse des déterminants sociaux de la pratique de la danse. Mémoire pour le diplôme de l'I.N.S.E.P., juin 1977.

sentiment subjectif dépendant de la définition dominante du rapport aisé au corps ; le degré maximum de malaise se situerait alors chez les femmes des classes moyennes, précisément parce qu'elles sont les plus directement « victimes » de cette image et de cet usage légitimes et dominants. Elles ne peuvent ni s'en moquer (comme les paysannes ou les ouvrières pour lesquelles le corps est d'abord un outil de travail), ni être à l'aise comme celles qui sont nées avec « *la classe, l'élégance et la grâce* » (21).

La beauté du geste

L'esthétisation du corps, des gestes et des pratiques sportives n'est pas une disposition strictement féminine. On peut en effet constater une analogie entre certaines pratiques physiques féminines et des pratiques sportives masculines ; en outre, la nature des unes et des autres ne saurait être étrangère à la division sociale et sexuelle du travail (social et domestique).

A partir de l'espace des positions sociales, construit en fonction, d'une part de **« la structure du capital »** dont chacun dispose (économique et culturel), d'autre part du **volume du capital,** P. Bourdieu aboutit à ce que l'on pourrait schématiquement appeler une structure *triangulaire* (22). Les catégories socio-professionnelles, les revenus, les diplômes, mais aussi les styles de vie et les pratiques culturelles sont les éléments de différenciation dans une double opposition de la classe populaire, la bourgeoisie, les cadres et intellectuels. En ce qui concerne en particulier les pratiques alimentaires et les manières de se conduire, l'auteur note : « *Le goût des professions libérales ou des cadres supérieurs constitue négativement le goût populaire comme goût du lourd, du gras, du grossier en s'orientant vers le léger, le fin, le raffiné : l'abolition des freins économiques s'accompagne du renforcement des censures sociales qui interdisent la grossièreté et la grosseur au profit de la distinction et de la minceur* » (23).

La division sociale du travail est donc génératrice de goûts et de valeurs opposés. De plus, on ne saurait oublier qu'il existe chez les ouvriers une forte division sexuelle du travail social (les femmes occupent, entre autres, des postes dans des secteurs spécifiques comme le textile, l'alimentation ou l'électronique (travaux de précision), qui se retrouve aussi dans le travail domestique : la gestion et l'entretien du foyer reviennent entièrement à la femme (24). En revanche, chez

(21) Dans une étude sur « *les usages sociaux du corps* » Luc Boltanski met en évidence que plus le corps est utilisé physiquement, moins il est légitime de l'écouter (à propos de la maladie par exemple), Revue « les Annales », Economie, Société, Civilisation, n° 1, janvier 1971.
(22) Bourdieu P., de St-Martin M., Anatomie du goût. Actes de la recherche en Sciences sociales, n° 5, octobre 1976.
(23) Bourdieu P., La Distinction. Critique sociale du jugement. Les éditions de Minuit, 1979, p. 207.
(24) Les femmes des milieux ouvriers assurent six fois et demie plus souvent la redistribution de l'argent du ménage, que celles dont le mari est cadre supérieur. Sondage effectué pour la Revue Biba, n° 1, février 1980.

les cadres et les intellectuels, ces divisions tendent à s'estomper ou à disparaître ; les fonctions professionnelles se rapprochent (chez les enseignants par exemple) et les hommes sont plus fréquemment enclins à s'occuper des enfants et des affaires de la maison.

Les pratiques sportives, en tant que pratiques culturelles ne sauraient échapper à l'effet de positions sociales et sexuelles différenciées.

C. Pociello a en effet montré (25) que l'on trouve une distribution différenciée des pratiques corporelles d'exercice masculines ; les groupes sociaux d'« *opérateurs directs* » ont tendance à privilégier les sports normés sur les qualités de force et de résistance et ceux dans lesquels le corps « instrumental » s'exerce sans médiations sur des « matières », bref, ou **l'engagement énergétique du corps est dominant** (lutte, boxe, rugby d'avants, haltérophilie, etc.). Les groupes favorisées sur le plan du *capital économique* se fixent généralement sur des activités **motorisées.** (Vol à moteur, Formule 1 et Mononautisme). Enfin, les fractions plutôt dotées d'un *capital culturel* fort s'orienteraient vers des pratiques plus « *écologiques* ». Si ces deux derniers types d'activités ont en commun d'être **« informationnels »**, ils s'opposent par la nature de l'engin véhiculant utilisé (motorisé ou « écologique »). Cette dernière catégorie nous paraît particulièrement intéressante car ces nouvelles pratiques, (surf, wind-surf, deltaplane) s'accompagnent d'un nouveau type de discours. « *Le plaisir* » y tient une place importante et la recherche de *la dimension esthétique,* de la *figure gestuelle* y semble prépondérante. Ainsi un « libériste » souligne « *le vol libre n'est pas seulement un sport, au sens d'exercice physique, c'est aussi pour (lui) une activité profondément* **contemplative et esthétique** *(contact avec la nature et la beauté du geste* »). A la question : « *pourquoi si peu de femmes pratiquent-elles ce sport ?* », il répond : « *le vol libre est pourtant un « sport » où la force physique compte moins que* **l'harmonie des gestes** *; et la plupart des femmes pilotes sont plus sensibles en pilotage que les hommes (décollage, enchaînement de figures, élégance de l'approche, etc.)* ». Il n'est pas sans intérêt de remarquer que cette quête de la *grâce sportive* semble se généraliser dans d'autres activités : les nouvelles pratiques de ski fournissent un très bon exemple de ce phénomène : (figures acrobatiques, « free-style », « hot-dog », etc.). Ce souci de l'esthétisme lié à la pratique sportive et correspondant globalement aux fractions dominantes de la classe moyenne, pour les hommes, nous semble particulièrement intéressante ; on constate en effet, dans cette classe sociale, une « superposition » quasi parfaite, des pratiques masculines et féminines du fait d'une identité des valeurs attribuées aux unes et aux autres.

Alors que le corps est porteur de la division du travail social, apparaît ici une certaine indifférenciation. En effet, si l'ouvrier *doit être fort* (« il vaut mieux faire envie que pitié ») et si l'image du patron « ventripotent » n'est pas totalement caduque, on sait que le jeune cadre « dynamique » doit être « *bronzé, mince et décontracté* » ; (on a pu observer fréquemment l'aspect *longiligne* de nombreux pratiquants du deltaplane, du wind-surf et d'autres activités de pleine nature). La

(25) Pociello C., Pratiques sportives et demandes sociales. Travaux et recherches n° spécial. Sociologie du sport. I.N.S.E.P., novembre 1979, et sa contribution : « La force, l'énergie, la grâce, les réflexes ».

minceur apparaît comme une préoccupation réelle dans ces catégories sociales et elle se concrétise par les pratiques répandues du jogging, ou par le recours à des clubs spécialisés comme Vitatop. Se dessine alors dans certains groupes un modèle « unisexe » des canons de la beauté, corporelle et vestimentaire. On notera à cet égard l'apparition relativement récente de la mode unisexe dans l'habillement (26) à laquelle n'accèdent pas « uniformément » toutes les classes sociales. En outre, c'est surtout chez les cadres et les intellectuels que les hommes ont d'abord adopté « le sac à main-vide-poches » et que l'on utilise les eaux de toilette et autres produits de beauté. Vogue-Homme, revue « au fait » de la mode masculine et des sports nouveaux, apparaît stricto-sensu comme l'équivalent de Vogue-Beauté (27).

Bien que l'on perçoive une forte homologie (de nature, des valeurs...) entre les pratiques sportives masculines et féminines, des fractions dominantes de la classe moyenne, certaines ambiguïtés demeurent toutefois. En effet si les fonctions attachées à l'activité étaient identiques comme les valeurs attribuées le laisseraient croire (plaisir et esthétisme), les hommes de la « petite bourgeoisie » devraient être nombreux à pratiquer les gymnastiques douces, l'expression corporelle ou les danses. Or ce n'est pas le cas. On peut alors penser que la femme continue à investir dans **la beauté du geste aux fins d'un « modelage corporel »** dont l'apparence est une fin en soi, c'est-à-dire dans un formalisme (28) alors que l'homme investit ses dispositions esthétiques dans des pratiques pour le plaisir qu'il tire de **la figure gestuelle** elle-même.

La gymnastique sportive est actuellement le meilleur exemple d'une activité où se concentrent à la fois les différences et les similitudes entre les hommes et les femmes. Ce ne sont pas les mêmes qualités qui y sont requises : « les agrès pour les jeunes filles demandent des qualités de vitesse, de détente, de souplesse et de féminité qui s'obtiennent très jeune. Une gymnaste peut être à son meilleur niveau à 14 ans alors que les garçons font beaucoup plus appel à la force qui s'acquiert plus tard » (Le Monde du 30 octobre 1979). En revanche, le rapport de la forme et du poids est traité de façon similaire : « A Strasbourg, comment réagiront les juges, en dehors de la cotation propre aux difficultés présentées ? Par quel aspect seront-ils influencés ? Les formes ou la grâce juvénile ? En allant sur ses 17 ans, Erminia s'épanouit, mais la gym lui paraît plus dure et plus exigeante. Il faut lutter chaque jour, monter sur la bascule. C'est un poids bien lourd à porter » (L'Equipe du 29 juin 1978). « Boerio laisse le champ libre à deux « gyms » très différentes par leur morphologie et leurs styles sont en opposition directe : l'Orléanais M. Boutard, dauphin de Boerio en décembre à Nantes, fin, aérien, et le Lorrain W. Moy : il est petit, trapu, solide, excellent dans les exercices de

(26) Descamps M.-A., Psycho-sociologie de la mode, P.U.F., 1979.
(27) « L'année de la forme physique » et « Maigrir dans les étoiles » sont les titres de 2 articles « pour hommes seulement », n° 25, décembre 79-janvier 80.
(28) Paradoxalement, le culturisme semble aller dans le même sens ; les effets de ce qui est un « façonnage corporel » sont appréciés dans des poses plastiques au niveau de compétitions. Ils symbolisent l'apparence de la force.

force. Notre préférence va à Boutard à cause de son élégance naturelle »
(L'Equipe, 2 juin 1978).

Conformément

En résumé, la présente tentative d'élucidation de ce qui se dit et se fait pour « la
forme », se trouve entièrement circonscrite par son titre même. En effet, si l'on
parle volontiers de la forme, l'élément dont elle est la négation — les formes —
n'apparaît jamais explicitement. Les femmes qui en sont pourvues sont absentes
des revues et des publicités, sans doute parce qu'elles évoquent précisément ce
que le modèle dominant situe comme non conforme et surtout comme
socialement haïssable.

La diffusion massive de la représentation du corps longiligne et cette quête
permanente ou obsessionnelle qu'elle suscite, ne sont pas l'effet d'un quelconque
hasard historique.

Il n'est de meilleure démonstration de l'arbitraire de la norme esthétique
imposée à la femme que de souligner le renversement total du signe : les
formes/la forme. A l'opulence esthétique de nos grands-mères s'oppose
aujourd'hui l'exigence drastique de la minceur. Mais le « commandement » n'est
pas uniformément ressenti sur l'ensemble de l'espace social. Les femmes de la
classe moyenne restent sans nul doute, les plus soumises à la rigueur de cet
impératif. On n'a pas suffisamment souligné le caractère aliénant de l'expression
« être mal dans sa peau » qui n'est que le symptôme désespéré de ne pas être
dans la peau d'une autre, c'est-à-dire de celle qui a, par nature, « la classe ».
Mais ce renversement de la norme n'est pas totalement arbitraire. Réduit aux
hypothèses, on peut risquer quelques explications. Le **corps gracile de l'éternelle
jeunesse**, pourrait être, ainsi que le suggère R. Barthes l'évocation de
l'immortalité (29). Cette explication « sémiologique » et philosophique renvoyant de façon globale et indifférenciée à un *imaginaire social* ne saurait être
totalement satisfaisante. La minceur qui renvoie à l'image du corps de la jeune
fille impubère semble satisfaire l'attrait — un rien pervers — que les hommes de
la bourgeoisie puisent dans les créations « hamiltonniennes », ou dans le
spectacle des gymnastes enfants.

A l'opposé, dans la classe populaire la stricte division du travail social (et
domestique) aboutit à une répartition morphologique inversée : la femme est
forte, l'homme, « râblé » et musclé. La fortification des corps, ainsi que
l'opulence des formes en ce qu'elles évoquent les nécessités du travail les
habitudes alimentaires ou les stigmates des maternités servent de repoussoir pour
les groupes favorisés qui imposent leurs normes comme légitimes et dominantes.
La stature particulière de minceur que les « jeunes cadres dynamiques » tirent de

---

(29) Dans le cadre de l'émission Zig-zag. Antenne 2, 13 novembre 1978.

leurs conditions spécifiques de vie se trouve confortée par les nouvelles exigences d'une ascèse diététique. Le corps « unisexe », comme le vêtement « unisexe », constituent à la fois la manifestation d'un statut et une **revendication** ; en accédant — ou en prétendant accéder — aux mêmes professions, les femmes de la nouvelle bourgeoisie aspirent tout naturellement à modeler leur corps par un estompage des formes susceptibles de rappeler leur appartenance au sexe « faible ». La « *culture* » c'est bien ici « le contraire » de la « *nature* » puisque le panicule adipeux que la nature avait constitué comme caractère sexuel secondaire se trouve ainsi culturellement honni.

7

Expression corporelle : le flou et la forme

Jacqueline Blouin Le Baron

« *En s'exprimant corporellement, on se libère !* » Tel est le postulat, le manifeste ou la justification d'un ensemble de pratiques nouvelles, que l'on rassemble communément sous le terme générique « *d'expression corporelle* ». Comme une nébuleuse, en expansion depuis une douzaine d'années, se développe en effet un ensemble de phénomènes liés :

- à l'éclatement tous azimuts des techniques de groupe et à leur introduction dans les organismes de formation permanente ;
- à la crise idéologique révélée par Mai 68, qui avait pu donner, un moment, l'espoir puis l'illusion d'un « *changement* ». On entrevit alors des **« échappées »** partielles dans les drogues douces, la transe, la macrobiotique, la méditation, l'ascèse, ou les médecines orientales, mais aussi des « *solutions* » plus collectives et politiques dans les mouvements écologiques ou antinucléaires ;
- à l'extension d'un **marché du corps,** avec l'arrivée, en France, de nouvelles techniques développées aux U.S.A. depuis 1963 : *relaxation, hydrothérapie, massages* et soins divers, qui ne sont pas sans rapport avec la relance de la « *valeur marchande de la beauté* » et de ses nouvelles reconversions professionnelles ;
- enfin, à ce qu'il est convenu d'appeler la « *crise* » de l'institution sportive. Certains animateurs ou éducateurs physiques refusant le modèle du sport de haut niveau (voire même la compétition) comme finalités de leur action éducative.

S'inscrivant en rupture par rapport aux sports « *virils* » traditionnels et *en parallèle* avec toute une cohorte de pratiques venues d'outre-Atlantique (1) dont elle épousait au moins le style et « l'esprit », l'expression corporelle, semble proposer **un nouveau type de rapport au corps.**
Au *corps rationalisé,* réglementé par des structures et des pratiques qui valorisent la performance et la mesure, elle oppose la réinsertion « *d'un vécu corporel* » considéré comme « *plus authentique* » dans le lieu informel de **l'anti-rendement.**

---

(1) Pratiques que Christian Pociello désigne sous le nom de « *sports californiens* » et qui ont la même origine géographique et culturelle que l'expression corporelle, (skate, surf, wind-surf, vol libre, etc.) voir sa contribution : « La force, l'énergie... ».

Au *corps mécanisé,* instrumentalisé et policé du sport, corps quasi *« abstrait »,* *objet* dont la relation à l'autre est le plus souvent réduite aux efficacités techniques, l'expression corporelle répond par le réengagement hédonique du *sujet* dans son corps, *« où ce qui circule ne se fige pas »* et ne peut donc jamais se décoder et se réduire totalement aux interprétations rationnelles.
« C'est le passage d'un savoir-faire technicisé à un pouvoir-être relationnel » (2). C'est donc *l'anti-technique.*
En se proposant comme alternative, ces nouveaux modèles de pratiques font alors apparaître comme *« intolérables »* les hiérarchisations obligées des performances sportives, au même titre que les contraintes réglementaires et « l'autoritarisme » du coup de sifflet arbitral.
Il s'instaure, alors, un temps de jeu avec son corps et de prise de plaisir à se découvrir comme *sujet éprouvant,* un temps de délectation, de verbalisation, de communication avec l'autre, qui fait apparaître l'expression corporelle comme **l'anti-sport.**
Se définissant en opposition aux pratiques du « réalisme » sportif, l'expression corporelle semblait devoir se loger dans les lieux privilégiés du « formalisme » corporel des *gymnastiques.* Or, l'interdit du contact, et l'organisation discipli-naire du *« Prenez vos distances ! »* des gymnastiques « dures » y sont triplement transgressés au nom du principe de *non-distanciation :*
• *à l'autre ;* dans la possibilité des contacts les plus étroits, et même dans l'esquisse de caresses ;
• *au corps ;* lieu de l'activité autocentrée, introvertie, de la « prise de conscience » du *vécu* et du *ressenti ;*
• *à l'activité,* puisqu'elle se déploie sans médiation d'aucun engin ni instrument (3)

On comprend que, dans ses différentes modalités, l'invariant de l'expression corporelle, soit *la* **« forme »**. *La forme* sous tous ses aspects : forme que prend la séance dans son « esprit » ; forme encore que traduit *l'« hexis » corporelle* et la *gestualité* des pratiquantes, dédoublement formel du corps spéculaire et du corps fantasmé. C'est bien à travers **l'esthétisation** des formes gestuelles, doublée de cette aisance corporelle (qui est aussi aisance culturelle) que` l'expression corporelle s'oppose le plus nettement à l'aspect « activiste » et « fonctionnel » des sports traditionnels.
L'expression corporelle met en œuvre dans ses différentes modalités de pratique, (assez souvent eutoniques et relaxées) les catégories mentales et les dispositions culturelles féminines. Le repliement sur soi dans le lieu clos de **l'intimité,** « *l'intériorisation des sensations »,* l'expression de **l'affectivité,** des sentiments ou des « passions » trop longtemps contenues, s'opposent, en tous points, aux catégories masculines d'extériorisation (4) de **rationalisation** et de **« cyberné-**

---

(2) Cl. Pujade-Renaud : *Thérapie Psychomotrice ;* l'expression Corporelle, n° 15, avril 1972.
(3) On fait usage cependant de masques et de petit matériel, notamment dans la modalité dite « *d'expression scénique »* comme moyen d'accroître la théâtralisation de l'activité.
(4) Se reporter à Nicole Déchavanne « La division sexuelle du travail gymnique. Un regard sur la gymnastique volontaire ».

tisation » même qui trouvent leurs plus évidentes manifestations dans les sports virils de terrains ou dans les sports risqués de plein air.

Par l'observation des séances et la participation à de nombreux « cours », (armées d'un bref *questionnaire* d'identification sociologique) mais essentiellement par la réalisation *d'entretiens* approfondis (avec des « théoriciens », praticiens et pratiquants d'E.C.), nous avons pu catégoriser différentes modalités de la pratique, regroupées en quatre principaux « courants » :

● un courant dit **« pédagogique »** visant, à l'aide d'exercices assez nettement structurés et hiérarchisés une mise en disponibilité corporelle pour faciliter des apprentissages ultérieurs. Il s'agit d'une optique proche de celle défendue par la « F.S.G.T. » en éducation physique (5) ;

● un courant dit **« d'expression scénique »** dans lequel *l'art du mime* semble représenter un référentiel important. Il est basé sur *la création, en vue d'une représentation, d'un spectacle* et s'incarne chez E. Decroux, Marceau, Pinok et Matho ;

● un courant dit **« analytique »**, inspiré des théories freudiennes et reichiennes qui n'exclue pas la possibilité d'une intervention de type thérapeutique. C'est l'optique de Cl. Pujade-Renaud ; B. Jeu et D. Denis mais aussi du G.R.E.C. de Toulouse (Groupe de Recherche en Expression Corporelle) et de toutes les techniques de groupe proches de la « bioénergie » ;

● enfin, un courant **« métaphysique »**, (au sens d'un « au-delà du physique ») où la composante *spirituelle* et *mystique* tend à prendre la première place, donnant aux séances une coloration irrationnelle et méditative accusée.

La répartition des individus sur les pratiques (ici sur les modalités de la pratique) ne s'opère pas au hasard. Ceux-ci « choisissent » de s'orienter vers telle ou telle, en fonction d'attentes et de représentations qui sont socialement et culturellement déterminées. Si l'on considère avec quelque attention cette distribution des groupes sur les quatre modalités, on peut constater que les différences et les oppositions observées au niveau des caractéristiques « pratiques » des différents « courants » recouvrent des différences et des oppositions entre les **dispositions culturelles** (et les pratiques associées) des publics qui s'y sont respectivement fixés.

Repris par Christian Pociello et Jean-Paul Clément notamment, dans leurs études sur le *« système des pratiques sportives »* et sur les sports de combat, le concept *d'habitus* forgé par Pierre Bourdieu, *« comme principe générateur, organisateur et unificateur de pratiques »* (6) nous paraît devoir être ici d'autant plus aisément retenu, que les oppositions relevées par nous et par ces auteurs nous sont apparues comme systématiquement organisées. Ceci nous autorise à

---

(5) « La Fédération sportive et gymnique du travail », épouse les options politiques et idéologiques du courant majoritaire du syndicat des professeurs d'éducation physique (S.N.E.P. proche du parti communiste).
(6) Système « des principes générateurs et organisateurs de pratiques et de représentations, qui peuvent être objectivement adaptées à leur but sans supposer la visée consciente des fins et la maîtrise expresse des opérations nécessaires pour les atteindre... » P. Bourdieu : Le sens pratique ; éd. de Minuit, 1980, p. 88.

inscrire *l'expression corporelle* (et ses principales modalités) dans « le système des pratiques sportives », où elle trouve logiquement sa place, c'est-à-dire, à l'intégrer dans le **système des pratiques constitutives des styles de vie,** dont elle semble représenter un élément important (dans le registre des exercices corporels).

C'est par la médiation des concepts « d'habitus » et de « styles de vie » que nous tenterons d'approfondir **ce lien** entre les modalités de pratique précises et les caractéristiques sociologiques des pratiquants qui s'y adonnent.

● Très prisé par certains professeurs d'éducation physique qui tendent à l'assimiler aux autres disciplines dont ils ont professionnellement la charge, *« l'expression corporelle doit être considérée exactement comme les autres disciplines sportives »,* (7) le premier courant, par l'apport technique et pédagogique qu'il requiert, sa référence à un *« haut niveau en expression corporelle »* (8) et la démarche qui fonde rigoureusement la progression du débutant sur le modèle du plus haut niveau, répond à la demande d'un public de pratiquants pour lequel les critères de rendement et d'efficacité restent encore très prégnants (9). Souvent associé à des pratiques assez traditionnelles, de natation, et de handball, à des loisirs — tels que la lecture et les travaux manuels, on « fait » de l'expression corporelle didactiquement et collectivement. L'enseignant porte des jugements normatifs sur les exécutions. On reproduit plusieurs fois les « improvisations » individuelles. Les plus « créatives » d'entr'elles étant données en exemple.

Dans ces « cours », on observe peu de verbalisations, (hormis les consignes et les conseils de l'animatrice), peu de « communications » spontanées de pratiquant à pratiquant. *« Le propos n'est pas de faire s'agiter des remous intérieurs, ni de faire en sorte que l'affectivité soit agressée »* (10).

● Proche de ce courant par le recrutement sociologique de ses pratiquants, la modalité dite d'**« expression scénique »** touche davantage de praticiens et de pratiquants n'ayant aucun rapport avec le milieu de l'éducation physique. (A l'exception de « Pinok et Matho », enseignants d'éducation physique et mimes semi-professionnels, qui furent les promoteurs, avec quelques-uns de leurs élèves, d'une des principales composantes de ce mouvement).

On relève plus fréquemment des *autodidactes* issus du théâtre amateur, ou « passionnés » de l'expression gestuelle qui ont suivi pendant de nombreuses années les cours d'E. Decroux ou de ses émules. Ils apprécient visiblement cette recherche technique et esthétique du geste qui était chez lui, environnée de tout un halo culturel et philosophique particulier.

Par delà leurs avatars américains ou allemands, on se « *re-source* » aux origines

(7) Interview d'un professeur d'E.P.S., spécialisé « Danse et Expression Corporelle » dans une Unité d'enseignement et de recherches en éducation physique et sportive.
(8) Ouvrage collectif ; Mémento F.S.G.T., Expression Corporelle, Paris, Armand Colin-Bourrelier ; 1977.
(9) J. Blouin-Le-Baron, thèse de 3ᵉ cycle à soutenir en oct. 81, Université de Paris V, Sce de l'Education.
(10) Interview déjà citée.

de nombreuses « innovations » vocales, chorégraphiques, et théâtrales, aux techniques d'expression gestuelle attribuées à François Delsarte (11). Le halo spirituel et mystique qui entourait initialement cette méthode, comme sa présentation « scolastique » furent progressivement évacués par les enseignants d'éducation physique (12) dans leur volonté de « rationaliser » la pratique et d'adapter la pédagogie de cette activité corporelle à l'école. C'est ainsi que les « techniques » d'émission centrale du mouvement ou de l'irradiation gestuelle « à partir du plexus » se trouvent, dans leurs formulations les plus typées et dégradées rejetées sur les marges (13).

● Le troisième courant dit « **analytique** » regroupe ceux qui, hostiles à l'idéologie sportive » se sont toujours sentis « en marge » du milieu sportif ; même s'ils s'y sont trouvés professionnellement insérés (14). Farouchement anticompétitifs, ils recherchent dans cette pratique originale la communication avec l'autre ou avec le groupe, à travers la verbalisation de leurs affects et de ce qu'ils « *ressentent très profondément en eux* ».
« *Sans la communication, l'expression corporelle n'existe pas... Tout était médiatisé par le groupe... On a eu de grandes séances de verbalisation ; il y a des moments très denses et très riches et après c'est vachement important d'en parler* » (15).
Ces pratiquants, souvent issus des cadres supérieurs, accompagnent très fréquemment cette activité, d'autres pratiques telles que la planche à voile ou les sports de plein-air, mais toujours en dehors des cadres institutionnels fédéraux. On y repère également des pratiques de *relaxation relationnelle* de type analytique.
● Enfin le courant « **métaphysique** », où praticiens et pratiquants sont étrangers au milieu de l'éducation physique ou des sports, se différencie des autres autant par le **climat** du cours (qui se passe parfois dans un rythme de ralenti cinématographique ou dans un silence total) que par les exercices proposés. Ceux-ci sont parfois en opposition radicale avec ce qu'une rationalisation psychophysiologique pourrait suggérer. Le but essentiel est d'atteindre à cette *vie intérieure* par des rituels permettant de se débarrasser de la pesanteur corporelle, et de s'abstraire de cette « *carcasse encombrante* ». L'essentiel est, en effet, ailleurs, dans cette recherche d'une spiritualité, d'une communion avec le cosmos, la nature ou les dieux. Public de professions libérales, souvent diplômés

(11) Voir Christian Pociello, « *François Delsarte ; un discours mystique sur le corps* », I.N.S.E.P. texte ronéo. (U.F.C₃, 1975).
(12) Il semble que l'Ecole normale supérieure d'éducation physique de jeunes filles de Chatenay-Malabry ait été un foyer initial très actif d'initiation et de diffusion de ces idées.
(13) On retrouvera donc logiquement ces thèmes dans la modalité dite « méta-physique ».
(14) Christian Pociello suggère que l'apparition de ces nouvelles pratiques pourrait être notamment mise en relation avec l'arrivée, au sein du corps des professeurs d'éducation physique (femmes), de couches sociales plus favorisées, dont les habitus corporels et les styles de vie ne pouvaient s'accommoder des modèles sportifs traditionnels (auxquels adhéraient logiquement les agents professionnels d'extraction plus « populaire ») (I.N.S.E.P., U.V.C₃ année 1979).
(15) Interview d'une ancienne élève de Cl. Pujade-Renaud. Fille d'un cadre supérieur, elle vit en union libre, et a milité dans des mouvements d'extrême-gauche.

d'H.E.C. ou des universités américaines, élèves des Ecoles normales supérieures, etc., ils associent rarement cette pratique à d'autres activités
« sportives », mis à part le *Taï-Chi,* les *arts martiaux,* l'*aïkido* ou les *nouveaux
alpinismes.* Ils font par ailleurs de la sculpture, jouent de la flûte traversière et
organisent entre eux des réunions de bridge.

Le flou « artistique » et distinctif constitutif de cet ensemble de pratiques, en fait
une activité *multidimensionnelle* et *polyfonctionnelle* qui la place au carrefour
« stratégique » de différentes sphères d'activités :
— le domaine éducatif,
— le monde artistique,
— la sphère psychothérapique,
— l'univers du religieux.

Ainsi, un champ professionnel d'influence (c'est-à-dire un nouveau « marché »)
s'est créé autour de ce nouveau **produit :** « le corps » ; marché qui tend à
échapper aujourd'hui en grande partie à l'éducation physique qui est plus ou
moins restée institutionnellement cantonnée dans une seule optique. Ce champ
professionnel à l'intérieur duquel se livre une lutte monopolistique pour
l'appropriation d'un public à la demande mouvante et diffuse mais au spectre
sociologique précis, permet le jeu d'une concurrence sur le « corps » dont un
enjeu essentiel est l'imposition de ces **usages légitimes.**
Ainsi, ne peut-on pas y voir, au-delà des aspects positifs d'un **renouvellement
enrichissant des modèles de pratiques,** l'expression d'un combat idéologique et
culturel, ainsi que le domaine nouveau et étonnant d'expansion d'intérêts divers
et notamment économiques ? (16)

---

(16) On peut rappeler que l'ouvrage de T. Bertherat « *Le Corps a ses raisons* », a battu,
en son temps, des records de vente en librairie.

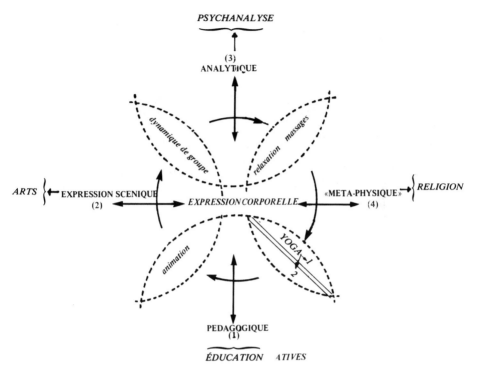

Schéma 1
Expression corporelle : la diversité des tendances.

Le sport, espace de l'immobilité bienséante
Présence du sport dans la publicité

8

Michèle Métoudi

La publicité constitue un miroir capable de fournir une représentation socioculturelle du sport, une image du sportif, une idée du mythe (1) : le sport, support thématique (2) au service des techniques de persuasion sert, à l'instar de tous les supports thématiques, à susciter, à entretenir ou à accroître le désir d'acquérir un produit, cela fonde son intérêt sociologique. En effet, même si elle joue sur l'inédit, sur le paradoxal, sur l'inopiné ou l'outré, la publicité n'est que redondance, elle s'appuie sur le lieu commun, sur les lois de masse ; et le sport présent dans ses pages, s'il n'est pas le reflet d'une réalité tangible, d'un événement sportif, s'il est idéalisé, correspond en tous cas aux rêves des destinataires, et se trouve porteur des valeurs admises. Examiner le sport dans la publicité, c'est étudier l'impact du phénomène sportif dans la « mid-cult », « cette sorte de culture moyenne, standardisée et soignée, cette amalgame de mythes modernes » (3), c'est analyser son rôle dans le « style de vie de la nouvelle classe moyenne » (4). Feuilleter la publicité en focalisant le regard sur le support thématique-sport, c'est rechercher les rêves banals en matière de sport et de corporéité. Cette mythologie n'en est pas moins en décalage avec toute construction idéale d'un sport banalisé ; elle s'enracine dans un imaginaire qui, loin de maquiller le quotidien, loin de rafistoler le sport pour qu'il corresponde mieux aux descriptions de ses meilleurs protagonistes, pour qu'il acquière une perfection, fabrique un sport autre, un sport différent, inséré dans des aspirations sociales profondes et qui se rit d'une quelconque normalité sportive.

(1) Voir Métoudi Michèle, Le sport, support thématique de la publicité, (thèse de 3ᵉ cycle. Paris VII, Sc. de l'éducation, 1978).
(2) Le support thématique est l'image (ou la partie d'image) ou le texte qui permet à la métaphore de fonctionner ou qui anecdotise le produit. Dans certaines pages, les deux rôles du support thématique sont superposés et indissociables : l'anecdotisation permet la métaphore et, réciproquement la métaphore rend acceptable la mise en science.
(3) Mid-cult : terme employé par J. Grihli, in : culture et technique de masse. Paris, Casterman, 1967, (coll : le monde et l'esprit).
(4) Cf. Thibault-Lolan Anne-Marie, L'image dans la société contemporaine. Paris, Denoël, 1971 (coll. le point de la question).

Ski	161	Polo	6
Voile	109	Volley-ball	5
Tennis	108	Pétanque	5
Equitation	72	Parachutisme ascentionnel	5
Sports mécaniques	69	Canoë	4
Natation	58	Tir à l'arc	4
Gymnastique non sportive	47	Escrime	3
Ski nautique	46	Bob	3
Golf	37	Luge	3
Montagne	20	Karting	3
Patin à glace	20	Ball-trap	3
Rugby	19	Ski de sable	2
Yoga	14	Judo	2
Danse	13	Football	2
Pelote basque	13	Boxe	2
Sport en général	12	Vol à voile	2
Cyclisme	12	Bowling	1
Ping-pong	10	Patin à roulettes	1
Char à voile	7	Scooter des neiges	1
Curling	6	Hockey sur glace	1
Surf	6		

Hiérarchie des pratiques en fonction de leur fréquence d'apparition comme thème publicitaire dans le corpus analysé de revues à grand tirage (5).

Des performances... verbales

Le premier paradoxe que souligne l'analyse des placards publicitaires tient au fait que s'adressant à un large public (5), en de nombreux cas inaverti, le langage employé pour décrire les activités est précis et technique. Il contient de multiples expressions réservées aux initiés ; bien sûr, toute la langue sportive n'est pas incompréhensible aux non-pratiquants, mais on peut gager que certains mots sont chargés d'un signifié différent dans la bouche d'un spécialiste ou dans celle d'un profane. Les idiomes et le jargon fleurissent, quel que soit le sport évoqué :

« *Schuss !* la " Noire "... *Schuss !* » (Mossant. *Elle,* n° 1411, p. 73).

« *Des carènes effilées qui fendent l'eau. Des voiles gonflées tentant furieusement d'échapper à leurs winches...* » (Pernod. *Paris-Match,* n° 1287, p. 18).

(5) Les publicités étudiées sont extraites de sept périodiques à très grand tirage : « *Paris-Match* », « *L'Express* », « *Le Nouvel observateur* », « *Elle* », « *Marie-Claire* », « *Modes et Travaux* » et « *Lui* » année 1973 pour des raisons qui sont développées dans la thèse.

« *Une balle Dunlop... ne vole pas, Résultat une souplesse accrue sans perte de punch sur tous les terrains.* » (Dunlop. *Express,* n° 1138, p. 2 de la couv.).

Ces expressions, parfois rugueuses, qualifient aussi bien le geste que la performance ; elles ne sont oubliées ni pour peindre le terrain, ni pour décrire le matériel. Sans doute, par l'illusion de technicité qu'elles cultivent, amorcent-elles le rêve, l'acquisition (ou la pseudo-acquisition) d'un vocabulaire technique qui est un élément déterminant de l'expérience vicariale : ces mots autorisent l'entrée dans la sphère de ceux qui skient, qui rament, qui « drive » au golf ou au tennis ; ils permettent de parler en sportif, d'imaginer qu'on est à bord d'un *yacht,* qu'on foule le *green...* avec le registre compétent. Ils sont nécessaires pour que le béotien accède au rêve et pour que la figure sur papier glacé devienne l'image du lecteur, une photographie onirique de lui-même. Cette interprétation semble être confirmée par des formations erronées, voire franchement idiotes du type :

« *Il y a un vent force 4 et vous piquez vent debout, ça fonce.* » (Tampax. *Marie-Claire,* n° 251, p. 12).

Peu importe que les expressions soient exactes, qu'elles aient ou non un sens, il s'agit seulement qu'elles résonnent « technique » pour *fonctionner,* qu'elles projettent le récepteur dans l'image, et, par-delà l'image dans la fiction qu'elle introduit.

L'emploi de superlatifs peu grammaticaux procède de la même thaumaturgie. Certains d'entre eux naissent de la « langue publicitaire » elle-même : la juxtaposition de substantifs, la ponctuation, le rythme de la phrase, l'accumulation de mots et d'images provoquent le changement de degré sémantique. D'autres sont réellement d'essence sportive ; les exploits, les records et les champions qui apparaissent alors comme qualifiants :

« *Maillots de bain Mark Spitz, une création Arena.* » (Arena. *Lui,* n° 116, p. 107).

Marc Spitz est un qualificatif, c'est même un adjectif ou superlatif déterminant le maillot de bain ; de plus, c'est un paradigme de superlatifs réunissant tous les compliments adressés au nageur lors des J.O., à ses performances, à sa beauté, à son intelligence, à sa carrière universitaire, à... n'importe quoi le concernant. A chaque récepteur est laissé le soin de choisir celui en qui il veut se reconnaître ou de n'en préférer aucun, de ne saisir que deux mots doublement magiques (Marc Spitz), en ce qu'ils catalysent les projections superlatives, en ce qu'ils prouvent au lecteur qu'il est sportif puisqu'il sait qui est champion, puisqu'il donne un contenu à « Marc Spitz » !

L'utilisation du record emprunte, le même schéma, puisque l'évocation d'une victoire rend superflue tout autre qualification du produit. L'excellence d'une voiture est déjà inscrite dans son triomphe aux « *24 heures du Mans* » ; mais, de même que tous les noms des champions cités ne sont pas illustrissimes, toutes les médailles égrainées ne sont pas vérifiables. De plus, le palmarès est parfois utilisé de façon fort lapidaire : « *1966 : Portillo, 1968 : Grenoble, 1970 : Val Gardena* » (S. Salomon. *Lui,* n° 108, pp. 24-25), ajoutant bien au superlatif qualifiant l'objet vanté l'assurance pour le lecteur qu'il appartient au monde des skieurs, au monde de ceux qui, initiés, comprennent à demi-mot.

Des exploits matériels

Tutoyer le sport, c'est dire, savoir dire, faire semblant de pouvoir dire, c'est aussi et surtout posséder. C'est au vêtement, à la raquette, au piolet ou au masque de plongée que se reconnaît le « sportif ». L'habit fait l'homme, en dehors même de tout contexte d'utilisation. Le ski, par exemple, désigne la montagne, la neige, le soleil, le vent, le froid qui agressent et contre quoi le skieur doit se défendre, les spécialistes du prêt-à-porter l'affirme :
> « *Contre les assauts de l'hiver* » (Moncler. *Marie-Claire,* n° 255, p. 52).

Cette lutte contre les intempéries, omniprésente, reste pourtant accessoire, elle constitue l'argument sage, l'essentiel étant incontestablement **l'élégance ;** le skieur doit « *passer un hiver dans le vent à la manière de Mac Gregor* » (Mac Grégor. Express, n° 1172, p. 11), surtout s'il ne skie pas, comme les images le suggèrent qui ne font s'affronter des individus emmitouflés qu'aux glaçons qui rafraîchissent leurs verres.
> « *Si vous n'êtes pas une fanatique de la première benne, vous apprécierez la coupe séduisante et le confort des vêtements de ski Airday* »... (Nilses-Airday. *Elle,* p. 1453, p. 81).
> « *Si vous n'aimez pas le ski (...)* » (Club méditerranée. *Nouvel Observateur,* n° 470, p. 89), « *être à la mode* » se conjugue à *l'impératif.*

Les risques de chutes et de fractures, quoique peu évoqués, confortent aussi l'adage implicite « sois beau et ne skie pas » ; les promoteurs immobiliers, les marchands de vacances, les hôteliers prêchent unanimement la réserve : ils présentent des paysages immenses, superbes, enneigés qu'aucun skieur (en gros plan ou identifiable) ne vient corrompre ; ils proposent des terrasses accueillantes et ensoleillées où bronzent des « sportifs » immobiles !
Pour les fabricants d'équipements le gommage de la pratique nécessite des démarches plus détournées : vendre des chaussures, des fixations, des skis en refusant toute mise en scène de leur utilisation serait évidemment une gageure ; leur argumentation, lue trop rapidement, pourrait paraître opposée à celle qui vient d'être décrite puisqu'ils promettent des performances, insistent sur la technique, paraissent identifier chaque lecteur à un champion ou à un espoir :
> « *Cet hiver, vous allez jouer dans les bosses, planer en poudreuse en toute détente* » (Lange. *Express,* n° 1161, p. 39).
> « *Avec ses nouvelles cotes de souplesse et ses carres élastiques, le dynamic V.R.A. vous permet de skier avec facilité sur toutes les neiges.* » (Dynamic. *Lui,* n° 108, pp. 10-11).

A croire que les pistes et ses à-côtés n'accueillent que les bolides !
« *Pour grignoter des secondes sur les pistes, il faut des nerfs d'acier (...)
pour contrôler l'équilibre à la limite de l'adhérence (...) en Alpine Renault
comme sur des skis Blizzard on s'amuse, car, quoi qu'il arrive on tient la
piste.* » (Blizzard. *Lui*, n° 108, p. 19).

Quiconque, muni du matériel vanté se métamorphoserait-il en champion ? Ce
tour de magie engendrerait-il à volonté des Lacroix, Perillat et autre Duvillard ?
Quand un publicitaire s'aventure à greffer la tête de Jean-Claude Killy sur les
épaules de neuf personnages (hommes, femmes et enfants) posant pour une
photo de famille, annonce-t-il que les fixations, vantées sont la « poudre de
Perlin-Pinpin » générant en série des champions du monde, ou presque ? Le
texte de cette publicité n'invite vraiment pas à une pareille interprétation :
« *Faites comme Killy. Des fixations de sécurité, il en a essayé ! Comme lui
choisissez les meilleures. Maintenant qu'il est champion du monde
professionnel, beaucoup de marques sont prêtes à le payer cher pour qu'il
adopte leurs fixations... son métier à lui, c'est de faire du ski, pas de faire le
cascadeur.* » (Look Nevada. *Lui*, n° 118, pp. 68-69).

A l'évidence, cette double page rejette le pratiquant plus ou moins confirmé. Elle
élimine de l'image tous ceux à qui elle s'adresse. Elle masque, au sens propre, le
skieur anonyme. Le lecteur est amené à s'identifier à Jean-Claude Killy, certes ;
mais pas dans le « skier » ; c'est dans son comportement d'achat, dans son choix
d'un matériel qu'il peut imiter le champion. D'autres exemples n'évincent pas
aussi radicalement les pratiques sportives ; contrairement au placard précédemment analysé, où Jean-Claude Killy est réduit à un masque et à un titre, certaines
publicités présentent un skieur en mouvement : mais, ce personnage skiant n'est
pas davantage celui que le lecteur peut devenir, il porte l'uniforme prestigieux du
moniteur. La frange d'identification est totalement circonscrite là encore, au
même domaine, celui de **l'acquisition d'un bien de consommation.**
L'objet, dénominateur commun de tous ses propriétaires, est au centre d'une
autre mystification, « extravertie », si l'on peut dire : **l'attribut** marque et
qualifie celui qui l'affiche.
« *Partout de l'Ecosse à l'Algarve, des parcours de France à l'Andalousie un
signe de reconnaissance sur le long green moelleux : le sac de golf Hermès.
Avant de faire vos preuves au « premier trou » un sac Hermès prévient vos
adversaires : vous n'êtes pas un amateur.* » (Hermès. *Exp*, n° 1156,
pp. 72-73).

L'objet, **substitut** de la pratique, rend non seulement cette dernière superflue,
elle la donne pour redoutable : la simple saisie d'un club pourrait démentir les
promesses du sac, le premier visage (ou la première chute) risquerait de
transformer le skieur ostensible en Tartarin des pistes, le héros des terrasses en
personnage falot.
Le pratiquant est autrement effacé dans le cas spécial des sports mécaniques.
Loin d'être l'attribut nécessaire et suffisant qui distingue celui qui l'arbore, la

voiture (ou la moto) n'est rien moins que le sport et le sportif. Les textes parlent clair à ce propos :

> « *La sportive la plus vendue du monde, elle vient de gagner l'East African Safari.* » (Datsun, *Lui*, n° 111).
> « *C'est une sportive de bonne race digne de la tradition.* » (B.M.W., *Exp*, n° 1137, p. 7).

Au sein de cette compétition mécanique où l'engin est bien né, où c'est lui qui est musclé, où c'est la moto qui fait penser à un lutteur Sumo-Tori, où — en un mot — la machine est humaine, le pilote est totalement absent.

La performance existe, elle est le fait d'un moteur. L'homme, lecteur ou personnage de l'anecdotisation, quand il apparaît, a l'épaisseur d'un potentiel économique. Rien d'étonnant, à bien y réfléchir : l'argument publicitaire perdrait certainement en efficacité si la réclame rappelait qu'il faut de bons réflexes, une bonne anticipation des trajectoires, bref, une bonne technique de pilotage pour qu'un record automobile soit battu. Le propos perdrait tout aussi évidemment vigueur et impact s'il faisait remarquer à l'acheteur éventuel qu'il peut acquérir un véhicule de série, lointain cousin de la voiture *du Mans* ou de la moto du « *Bol d'or* ». En valorisant la mécanique, comme en amalgamant toutes les fabrications d'une même marque, le publicitaire propose un sport sans sportif, c'est-à-dire :
- d'une part l'oubli pour le client potentiel de ce qu'il est (non entraîné, surmené, obèse peut-être) ;
- et d'autre part le rêve : la machine peut se substituer à lui, le suppléer, métamorphoser le conducteur en pilote, elle rend le succès possible, concevable.

Une éthique ou une esthétique ?

Pour être souvent réduit à une pratique verbale, à un apparat où s'imposent vêtements et équipements, à une confrontation mécanique, le sport n'en sculpte pas moins les corps, n'en fixe pas moins les attitudes, n'en **normalise** pas moins. Le stéréotype s'énonce d'abord en terme d'âge : nous ne pouvons fournir qu'une estimation à ce propos, puisqu'il s'agit de lire des images et d'extrapoler à partir de quelques maigres brides de textes ; certaines absences toutefois sont inscrites, claires et non ambiguës : celle des vieillards, absolue, celle des personnages « murs », totale à une page près, celle des enfants tout aussi marquée. Les sportifs représentés sont **jeunes.** Ils paraissent avoir — grosso modo — plus de 15 ans et moins de 30 ans. Juvéniles et sains, les corps sont également grands et minces, de nombreuses prises de vue en contre-plongée exaspèrent ce canon. Les textes insistent sur la **minceur**, la donnent comme indispensable et les images qui la montrent soulignent que si la sveltesse ignore tout détail adipeux, elle dicte également sa loi aux musculatures : la lascivité des femmes d'Ingres et les rondeurs des modèles de Degas ne sembleraient pas plus déplacées que les épaules larges et les biceps d'un Apollon triangulaire. La silhouette féminine ou masculine dans sa constitution longiligne se prête aux **gestualités déliées,** aux attitudes épousant des tracés obliques, savamment décontractées. La posture «naturelle» n'est pas tout exempte d'artifices.

S'il y a norme ce n'est pas seulement parce qu'un modèle esthétique s'impose par récurrence. Certes, la « bonne forme » est indiquée, mais le processus reste superficiel à ce niveau. En fait, ce corps svelte non marqué par le temps, qui n'affiche aucune force physique (et donc aucune force de travail manuel) propose un idéal de vie, un type de réussite. Il est celui d'une bourgeoisie aisée qui peut le soigner, le masser, le corriger au besoin et l'entretenir... entre autres grâce au sport. Il est celui à qui le « bon geste » a été appris, quotidiennement, et dans une assez faible mesure, grâce à certaines pratiques sportives ; il est celui qui sait «se tenir», «comme on se tient aujourd'hui». Ce corps est **signe,** signe dans sa stature et ses mouvements, signe en ce qu'il est « porte-attributs », « porte-signes »... le sport, présent dans le corpus étudié, ne distingue guère les hommes des femmes, il partage les plus riches des moins favorisés : le « sexe-or » y a beaucoup plus de réalité que le sexe réel ; la norme imposée par le sport est celle d'un **paraître,** d'un paraître-vivre, d'un paraître-appartenir : et ce sport-là peut bien être une non-pratique — que l'inactivité sportive soit détournée par le texte ne modèle guère la signification du support thématique. En effet même si l'empire sur le corps est prôné usuellement :

> « *Le cavalier domine son corps et son esprit, accomplit cet étonnant duo de l'intelligence et de l'instinct (...) »* (Hermès, *Exp*, n° 1156, pp. 70-71).
> « *Si vous êtes pressé de parvenir (...) à la maîtrise intégrale de vos skis (...) »* (Rossignol. *Lui* n° 108, p. 95), l'excès même de la pratique proposée, excès qui néglige qu'un homme ou une femme sont fatiguables, enlève toute force aux propositions :
> « *Marcher, courir, monter, descendre, sauter, sautiller, partir, virevolter, flâner, tournoyer, danser, trotter, bronzer (...) »* (Modess. *Elle*, n° 1431, p. 186),
> « *Avant, j'aimerais faire du yoga, ou du tir à l'arc. Du tennis, ou nager avec les enfants... dans le fond, je prendrai plutôt une leçon de tennis. »* (Club Méditerranée. *Exp*, n° 1137, p. 16).

Ces corps que les mots malmènent et que les images ménagent absolument, que le sport imprime d'une double norme instituant une pratique d'élite et intensive et proposant des silhouettes graciles et non musclées, ne sont et ne peuvent être que corps sur papier glacé. Cette dernière réduction renforce le processus, le modèle perdant de sa réalité tangible gagne en « vacuité », et du même coup en prégnance : chacun pouvant se projeter dans une image qui reste, en définitive essentiellement fictive.

5. Autres approches pour construire une synthèse

Sports et société locale : 1
le rugby à Bordeaux

J.-P. Augustin et M. Berges

Les discours dominants sur le sport ont longtemps maintenu les thèmes le présentant comme un moyen de développement physique et moral de l'individu ou des groupes. En nous démarquant des théories divergentes qui assimilent globalement le sport à des appareils de promotion ou d'aliénation, nous présentons ici quelques aperçus d'une étude en cours qui, à partir d'une approche de l'histoire, de la spécialisation et des relations de clientèle, précise **quelques traits du rugby à Bordeaux.** Dans aucun des champs cette approche n'est exhaustive et faut-il le souligner, elle ne recouvre que des aspects partiels de la situation bordelaise.

La mise en place des clubs de rugby

L'héritage britannique

Les clubs de rugby apparaissent à Bordeaux vers 1880. Ils ont pour modèle la tradition des écoles britanniques qui ont précisé les règles du jeu collectif au milieu du siècle. C'est à partir de l'exemple du collège de Rugby et des réformes pédagogiques engagées sous Thomas Arnold (1) que ces jeux vont connaître une diffusion et se généraliser. Les luttes entre divers modèles de jeux dans les collèges anglais apparaissent comme les reflets d'un système culturel et politique qui se transforme sans révolution mais qui intègre des formes nouvelles de relations sociales entre la *Gentry* (et notamment la nouvelle Gentry-Tory) et la *Plèbe* (2). Les premières règles de ce « football » (un peu spécial), originaire de Rugby, sont formulées en 1871 par la *Rugby-Union*. C'est à partir de cette date que ce sport sera pratiqué en France par de jeunes anglais, au Havre (dès 1872) puis à Paris (vers 1873). Les joueurs locaux vont prendre la relève et les premiers

---

(1) Directeur du collège de Rugby de 1829 à 1848.
(2) Pociello C., Pratiques sportives et pratiques sociales, *Revue Informations Sociales*, 5/1977, pp. 33-45.

clubs apparaissent d'abord dans le Nord de la France, puis, par un glissement géographique curieux, ils vont atteindre la France méridionale où le rugby trouvera son lieu d'élection quasi exclusif.

En fait, il existe d'anciennes traditions populaires, des jeux de ballons proches du rugby, celles des occupants de la Narbonnaise, celles des joueurs de Soule dans les provinces de l'Ouest et celle de la « barrette » jouée dans les provinces du Centre et du Midi (3). Il n'y a cependant ni continuité historique entre ces traditions et le jeu importé d'Angleterre, ni continuité sociale, puisque les clubs vont être créés en France par les classes aisées de la société ou par des Britanniques séjournant en France.

A Bordeaux, les ferments actifs de l'implantation des clubs sont les petites colonies britanniques formées de marchands, de négociants ou d'acheteurs de « claret ». Le premier club fondé, le Bordeaux Athlétic Club, est d'ailleurs composé essentiellement de Britanniques (4). Puis progressivement la bourgeoisie bordelaise, les industriels, les commerçants, les négociants vont participer au mouvement et l'on retrouve leurs représentants à l'origine des clubs les plus prestigieux : Edouard Lawton, Daniel Guestie, Albert de Luze, Paul Buhan, etc. On est cependant surpris de voir la prolifération des sociétés sportives à partir de 1870 : pratiquant les sports nautiques, les régates, puis le golf et le tennis ou l'automobile et la course hippique (5). C'est dans ces clubs omnisports que le rugby va logiquement trouver sa place.

La primauté du S.B.U.C.

Le Stade Bordelais est fondé en 1889 ; on y pratique l'athlétisme, puis le rugby sur les premiers terrains de sports qui vont être aménagés au stade Sainte-Germaine. En 1893, une poignée d'étudiants en médecine, pour la plupart, fondent le Bordeaux Université Club (B.U.C.) qui va fusionner avec le Stade Bordelais en 1901 pour créer le célèbre S.B.U.C., dont les succès sont incontestés au niveau local et national (7 fois champion de France et 25 de ses joueurs sont internationaux en 25 ans). Quelques étudiants décident cependant une scission dès 1903 sous l'impulsion de Paul Fournial pour fonder le Bordeaux Etudiants Club (B.E.C.).

Entre temps, le Sport Athlétique Bordelais (S.A.B.) est créé, en 1892, à partir d'une section cycliste, mais très vite le rugby, l'athlétisme et le football vont y être pratiqués (6).

Enfin, le Club Athlétique Béglais (C.A.B.) est fondé en 1907 par Delphin Loche (qui en sera le premier président) et quelques sportifs qui souhaitaient pratiquer à proximité de leur domicile, dans la banlieue sud de Bordeaux.

(3) Lacouture J., Rugby : du combat celte au jeu occitan, Revue L'histoire, n° 8, 1979, pp. 40-50.
(4) Garcia H., La fabuleuse histoire du rugby, O.D.I.L., Paris, 1973.
(5) Dupeux G., La société bordelaise à la Belle Epoque, in Histoire de Bordeaux : tome 6, Bordeaux au XIXe siècle, 1969.
(6) Des hommes et des activités, éd. B.E.B., Bordeaux, 1957.

La victoire de l'équipe du Stade Bordelais Université Club (S.B.U.C.) obtenue dans le championnat de France en 1906, préfigure la « montée » du Sud-Ouest dans le rugby national. On note dans ses rangs les personnalités de Laporte et J. Duffourcq. Collection Musée du Sport.

ÉQUIPE « VIERGE » 1910-1911 · BATTANT LE S.C.U.F. EN FINALE 14
24 MATCHES · 24 VICTOIRES · 547 POINTS MARQUES CONTRE 83
AVEC SES INTERNATIONAUX : LEUVIELLE, de BEYSSAC, LAFFITTE, M:
BRUNEAU, MASSE, PASCAREL et IHINGOUE

« La fameuse équipe du S.B.U.C... »
Stade Bordelais Université Club, 1910-1911.

Le rugby apparaît ainsi comme le doyen des grands sports d'équipe bordelais. En 1914, le S.B.U.C. domine le rugby français sur son stade de Sainte-Germaine mais peu à peu et jusqu'à 1960, le S.A.B. sur le stade de Suzon, le C.A.B. sur son terrain de Musard et le B.E.C. vont lui disputer la première place de la ligue de la Côte d'Argent.

Premier glissement géographique et social

L'implantation des clubs aux marges de la ville va différencier leur recrutement (7). Le S.B.U.C. implanté au nord-ouest de Bordeaux, à proximité de secteurs résidentiels de haut niveau, va rester le club bourgeois de la ville. Le S.A.B. recrute ses adhérents, au sud-ouest, dans des quartiers intermédiaires, alors que le C.A.B. est installé, au sud, en milieu ouvrier.

Les membres du B.E.C. sont étudiants, surtout en médecine, et n'ont pas vraiment d'enracinement local.

Cette situation pose en fait la question de l'apparente ambiguïté sociale du rugby. D'abord pratiqué dans les collèges sélects en Angleterre, repris par les classes aisées de la société bordelaise, il va se populariser tout en maintenant quelques bastions plus réservés comme le S.B.U.C.

C'est que le rugby cumule les traits populaires du jeu de ballon et du combat. Le combat rapproché, immédiat, avec le maximum d'intensité, la force et la résistance, le sens de la solidarité (les copains) ou de la fête (la troisième mi-temps) sont selon certains, des *dispositions populaires* (8). Ceci n'exclut pas la pratique pour des joueurs appartenant à d'autres classes, mais les différents rôles sont alors spécifiques et chaque individu exploite le capital corporel et culturel dont il est doté (9). En ce sens le glissement social des pratiquants peut interférer sur le jeu, et le style de « *vitesse et évitement* » des étudiants en 1910 s'oppose au style de « *force et de résistance* » des clubs populaires en 1950 (10).

On peut, si l'on en croit ces analyses, se demander s'il n'existe pas deux modalités différentes d'organisation d'un club de rugby avec, d'un côté le style **libéral** qui regroupe une élite (dont le S.B.U.C. a été le prototype), de l'autre, le club **patronné** par les notables avec une forte proportion de licenciés des milieux populaires.

Dans les faits, la situation n'est pas si simple. Le club « élite » en rugby, n'existe pratiquement plus et les deux modalités se retrouvent, à des degrés divers, dans le club lui-même. Certains y voient une évolution qui, sous l'effet de la rationalisation des techniques de jeu et du recrutement populaire des joueurs, accorde une plus grande place au jeu d'avants *(« les gros », « les bestiasses »)*

(7) Augustin J.-P., *Espace social et loisirs organisés des jeunes*, éd. Pedone, Paris, 1978.
(8) Pociello Ch., Pratiques sportives et demandes sociales, Travaux et recherches en E.P.S., I.N.S.E.P., n° spécial Sociologie du sport, et Bourdieu P., *La Distinction*, éd. de Minuit, Paris, 1979, p. 234.
(9) Boltanski L., « Les usages sociaux du corps » — *Annales, Economies, Sociétés, Civilisations*, I, 1971, pp. 205-233.
(10) Pociello Ch., *L'espace des styles de pratique (du Rugby)*, in « La force, l'énergie, la grâce et les réflexes ».

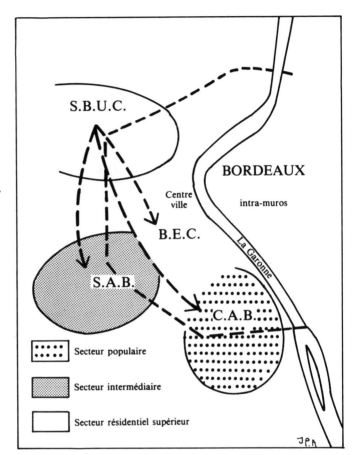

PREMIER GLISSEMENT
GÉOGRAPHIQUE ET SOCIAL

LES CLUBS DE RUGBY
AUX MARGES
DE
BORDEAUX

1889-1907

dont on parle dans les termes du labeur le plus astreignant : « *aller au charbon* », « *faire le travail* », « *préparer le terrain* », « *pousser comme des bêtes* », etc. Le S.B.U.C., club bourgeois, dominant le rugby au début du siècle, a progressivement (et dès les années 20), cédé la primauté au C.A.B., club populaire et banlieusard, qui gagne la coupe de France en 1949. Avec cette victoire qui correspond à une troisième génération de joueurs, le C.A.B. trouve ses animateurs (11) qui sauront attirer et retenir au club d'une part les joueurs qui deviendront finalistes en 1967 (et champion de France en 1969), et d'autre part les « personnalités extérieures » qui feront du C.A.B. *une grande famille.*
En fait, il faut se méfier de l'usage un peu simpliste des déterminismes sociaux. Dans la même commune de Bègles, l'équipe du C.A.B. vainqueur de la Coupe

de France, en 1949, pratique un jeu d'avants qui s'oppose à la technique du rugby « *champagne* » de l'équipe championne de France en 1969.

Transfert vers la périphérie et montée des jeunes

Dès les années 50, l'urbanisation s'accentue autour de Bordeaux. La population de la ville-centre diminue de 60 000 habitants entre 1954 et 1975, tandis que celle des 26 communes périphériques passe de 181 000 à 362 000 habitants. Ces transformations urbaines vont briser l'équilibre maintenu pendant un demi-siècle par les quatre grands clubs bordelais. Deux exemples illustrent bien cette récente évolution. Dans les cités H.L.M. nouvelles, et notamment dans la cité *Claveau,* au nord de Bordeaux, les sections sportives sont rares et fonctionnent mal, un jeune instituteur de l'Ecole Labarde, ancien joueur du S.B.U.C., a l'idée d'organiser, à l'occasion d'une fête sportive de l'amicale de l'école, un match de rugby entre deux équipes de 7 joueurs.

Après des débuts assez lents dans le cadre de l'U.S.E.P. puis de l'U.F.O.L.E.P. se crée la section de rugby du *club athlétique municipal* (C.A.M.). Dès la première année, l'équipe première est championne de la Côte d'Argent. Pour la première fois, la majorité des licenciés d'un club a moins de 18 ans. Le rugby participe à la socialisation des jeunes des milieux populaires de *Bacalan* et *Claveau.*

A l'ouest de Bordeaux, la commune de Mérignac est en pleine expansion ; sa population passe de 23 000 à 52 000 habitants en l'espace de 20 ans ; la municipalité, attentive au développement des activités sportives, a programmé dans le cadre de la deuxième loi-programme la construction d'équipements municipaux importants. Il reste à mettre en place l'animation des sports. Des contacts sont établis avec la S.A.B. qui vient jouer au stade municipal de Mérignac dès 1968, et progressivement le club devient le *S.A.B. Mérignac* et fusionne enfin avec le S.A.M. en 1973. D'autres joueurs viendront des autres clubs bordelais pour renforcer encore la section du S.A.M. et parmi eux Deanjean, Cazaban et surtout Jean Trillo, champion de France avec le C.A.B. en 1969 et ancien capitaine de l'équipe de France. Ce transfert caractéristique s'accompagne d'une nouvelle organisation pédagogique par le développement d'écoles de sport le mercredi et le détachement de nombreux moniteurs sportifs dans toutes les écoles primaires.

Un nouvel appareil de socialisation est en place, le prestige du rugby avec d'autres sports est proposé à tous les enfants de la commune. Ce modèle, moins accentué, se développe aussi à Cenon, Lormont, Saint-Médard, Pessac, Villenave, etc... Les effectifs des licenciés de rugby doublent de 1964 à 1974 essentiellement au profit des communes périphériques alors que la proportion des licenciés de moins de 18 ans passe de 20 % en 1950 à plus de 50 % en 1970.

LES CLUBS DE RUGBY A LA PÉRIPHÉRIE DE BORDEAUX 1960-1980

1960-1980

TRANSFERT VERS LA PÉRIPHÉRIE

ET MONTÉE DES JEUNES

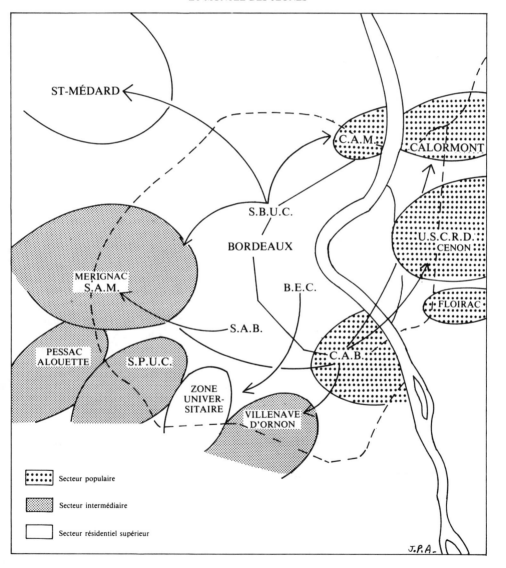

Les municipalités et le sport

Le développement des clubs bordelais au début du siècle va entraîner, comme dans d'autres villes, l'intervention des municipalités qui, surtout à partir de 1925, participent au développement des équipements. Cette prise en compte du sport se situe dans le contexte français de l'entre-deux-guerres mais n'est pas indépendant des campagnes municipales des années 30.

Le contexte français de l'entre-deux-guerres

Les années 1918-1920, au lendemain de la mobilisation nationale, marquent un renforcement des règles étatiques ; les élections municipales de 1919 voient la victoire de la gauche et le sport va apparaître comme un moyen d'hygiène et de contrôle collectif fort utile dans la prériode de crise d'après 1920 et dans les années agitées qui suivent l'effondrement économique de 1931. Tout cela permet de comprendre la production, dans de nombreuses villes, d'équipements parfois grandioses construits « aux marges » entre la ville centre et les banlieues.

Le modèle laïque aidant, les municipalités progressistes (Marseille, Lille, Toulouse, Bordeaux, Brest, Saint-Etienne, les banlieues parisiennes...) vont créer des équipements et participer à la pédagogie sportive. Celle-ci se développe sous l'impulsion de nombreux mouvements associatifs de jeunesse (12). Les uns sont liés aux organisations laïques qui sous l'impulsion de la Ligue de l'Enseignement ont fédéré les « amicales » sous le titre « Petites A ». En 1927, elles publient un rapport sur « *l'organisation de l'Education Physique et des Sports dans une démocratie* » et l'année suivante décident de la création de l'Union française des œuvres laïques d'éducation physique (U.F.O.L.E.P.). D'autres sont issus des organismes de loisirs catholiques qui sont importants à Bordeaux et se développent à partir des patronages et du scoutisme. Enfin, certains sont directement issus des organisations politiques (jeunesses communistes et socialistes — A.F.S.G.T.) et luttent contre l'influence catholique. Ces mouvements s'inscrivent d'ailleurs dans un ensemble plus général qui, des colonies scolaires à l'aide sociale diversifiée et au développement culturel, allait trouver un aboutissement national lors de l'arrivée au pouvoir du Front Populaire.

Les équipements bordelais et les élections municipales de 1925 et 1929

A partir de 1925, la municipalité socialiste bordelaise entreprit la réalisation de grands équipements : stade de la Bastide, stade municipal et aménagement du Parc des Sports, piscines municipales, colonies scolaires, maison communale d'éducation physique, etc.

---

(12) Copperman E., *Problèmes de la jeunesse*, Maspero, Paris, 1967, p. 87.

La demande d'équipement, dès les élections de 1925, avait été présentée comme un enjeu électoral ; les chroniques de Roger Ronjean dans le journal « *Athlétic-Tribune sportive* » sont sans équivoques. Ainsi après la victoire de la liste socialiste conduite par Adrien Marquet le chroniqueur écrit au nouveau maire :

« *Monsieur le Maire, j'irai droit au but : il faut nous soutenir, nous appuyer ! Une grande partie de vos administrés s'intéressent directement ou indirectement aux sports bienfaiteurs de notre milieu social ; ces citoyens représentent 60 % de la population bordelaise, ils font du sport pour fortifier leurs muscles, par distraction pure, saine, pour oublier parfois les petites misères de la vie...* ».

Le maire de Bordeaux entendit l'appel, et la réalisation des grands équipements fut complétée par une série de mesures en faveur des milieux sportifs : subventions, concours au sport régional, patronage des manifestations. Les élections municipales de 1929 furent à nouveau une occasion de polémiques à ce propos. Le journal « Athlétic - Tribune sportive » prit ouvertement la défense de la municipalité socialiste sortante alors que « *L'Athlète Moderne* » et les colonnes sportives du grand quotidien « *La Petite Gironde* » prirent fait et cause pour la liste adverse Genestet.

Les clubs béglais dans les années trente

Dans les banlieues, et en particulier à Bègles (C.A.B.), la politique va se mêler aux clubs sportifs dans les années trente.

En 1925, Alexis Capelle prend la municipalité avec le parti socialiste, ce qui fait dire à un chroniqueur local « *les partis dits " modérés " ont été remplacés par de nouvelles municipalités issues de la politique cartelliste de 1925 à 1926* ». Le C.A.B. va devenir un enjeu pour le parti socialiste qui va s'y infiltrer. Dans le « *Populaire* » du 7 novembre 1932, Marquet cite l'exemple de Bègles. « *Les socialistes y sont très forts à tous les points de vue, et, pourtant, ils ne pouvaient y créer un groupe sportif ouvrier. Alors, ils ont fait mieux : ils se sont emparés du club important qui existait* ». Marquet a le sentiment qu'il faut, avec le concours des municipalités, suivre l'exemple de Bègles. Ce qu'il faut, dit-il, en conclusion, c'est trouver une formule qui permette de créer des clubs ouvriers et, à ces clubs, de pénétrer les clubs neutres.

Mais ce projet n'est pas partagé par tous et, en particulier par l'Union Populaire Républicaine qui, avec l'abbé Bergey et Philippe Henriot, dénonce les projets socialistes. Le journal l'Union Sociale : « *Journal Républicain pour la Défense des Intérêts Béglais et le Progrès de la Démocratie* » dénonce dans son numéro du 11 décembre 1932 le projet socialiste. Il soutiendra la création d'un autre club, l'Union Sportive Béglaise, à **dominante football**. « *L'U.S.B., la société sportive à laquelle vous devez adhérer* » !

Ainsi, après la création des clubs et le développement du sport, les appareils sportifs sont progressivement devenus un enjeu dans les affrontements idéologiques et les batailles électorales. Quelques décennies plus tard, l'exemple du Club Athlétique Béglais permet d'actualiser cette tendance.

L'exemple du Club Athlétique Béglais

Bien que situé dans une banlieue sud de Bordeaux, le C.A.B. est progressivement devenu un des grands clubs omnisports de l'agglomération. Créé aux marges de la ville, dans une banlieue industrielle et ouvrière qui s'est peu transformée et dont la population n'a pas progressé depuis 20 ans, il représente un modèle classique de club de **première génération** en comparaison des nouveaux clubs omnisports municipaux qui se développent à la périphérie de l'agglomération.

Il a été l'enjeu de divers courants politiques. Des clubs ont été créés pour tenter de diminuer sa suprématie, l'Union Sportive Béglaise était dans les années 30 soutenue par le courant confessionnel, et l'Association Sportive Béglaise a été suscitée par le parti communiste. Malgré cela le C.A.B. s'est maintenu. Il se refuse à représenter une famille politique mais après sa création par Delphin Loche, il a été investi par le courant socialiste S.F.I.O., au cours des années 30, et s'inscrit dans la tradition de Léo Lagrange. Après l'occupation et la résistance, ces appartenances évolueront. Avec Chaban-Delmas, des dirigeants, après quelques tensions, s'écarteront du courant socialiste. Le C.A.B. comme les autres clubs reste toujours aujourd'hui un enjeu. La présentation qui suit ne souligne que quelques aspects du club et prend surtout en compte la section rugby qui reste et veut farouchement rester la section « fanion ».

Les résistants gaullistes et Chaban-Delmas

Le C.A.B. est le club où le jeune maire de Bordeaux, après avoir été international en 1945, décide de jouer. Ce choix n'est sans doute pas un hasard car le C.A.B. fut un lieu de rencontre des résistants gaullistes de la Gironde qui sont pour la plupart des inconditionnels du rugby. Certains, anciens joueurs de renom, servirent de garde du corps au député-maire, en particulier lors de la campagne électorale « musclée » de 1953 où ce dernier dût affronter les « *calomnies et les truandages marquetistes* » (13). Parmi eux, on retrouve les trois frères Moga qui ont participé à la victoire de la coupe de France en 1949 et apparaissent encore, en 1980, comme le symbole des « anciens de Chaban ». André Moga est président de la Commission du Rugby du C.A.B., vice-président de la Fédération Française de Rugby et conseiller municipal de Bordeaux depuis 1971. J. Chaban-Delmas explique avec fierté dans « L'Ardeur » sa découverte du rugby et sa détermination de jouer, bien que maire de Bordeaux, avec l'équipe de Bègles.

« *Je jouais au rugby pendant trois saisons dans l'équipe de Bègles. Le public bordelais n'appréciait pas tellement de voir le premier magistrat de la ville s'étaler dans la boue du stade municipal. On ne l'y avait pas habitué ! Je persévérai, estimant qu'il n'y avait pas à s'incliner devant les " préjugés " »* (14).

(13) Histoire de Bordeaux au XXe siècle, tome 7.
(14) Chaban-Delmas J., *L'ardeur*, Livre de poche, Paris, 1977.

Aujourd'hui encore, 30 ans après avoir joué au C.A.B., l'ancien Premier Ministre est le plus prestigieux des présidents d'honneur, celui dont on retrouve la photo dans les premières pages du catalogue du club année après année. Dans le livre d'or du 70ᵉ anniversaire (1977) le député-maire de Bordeaux n'hésite pas à montrer son attachement sentimental pour le club.

Il semble donc que le C.A.B. ait été un des éléments important de la naissance et de la diffusion de cette image de « dynamisme sportif » attachée au député-maire de Bordeaux. Celui-ci en convient : « *Mon succès ? Je le dois aussi au rugby... 100 000 personnes au sud de la Loire me tutoient et m'appellent Jacques à cause de lui...* » (15).

Cette fonction idéologique a été d'autant plus importante qu'elle renforça, sur une longue durée, le mythe de la personnalisation du pouvoir local. Au mythe du *sportif* se superposa, dans ce cas précis, l'imagerie du « *Résistant* » qui complétait fort bien la panoplie idéologique multiforme du « Chabanisme ».

Le club des amis

Bien qu'implanté dans une municipalité communiste, le C.A.B. va s'élargir progressivement à un cercle de notables et de notabilités de Bordeaux (16). Le Directeur Général du quotidien local « Sud-Ouest » ; Daniel Doustin, ancien joueur, ancien préfet d'Aquitaine et ancien directeur du cabinet du Premier Ministre ; le général Bigeard, le préfet Delaunay, puis Verger E. Biasini, président de la Mission de l'Aménagement de la Côte Aquitaine ; les présidents successifs du Conseil Général peuvent encore être nommés (parmi d'autres, et en particulier les maires successifs de Bègles) comme présidents d'honneur.

Le phénomène est identique pour la commission de rugby où l'on retrouve par exemple J. Lavigne, ancien député U.N.R. de la 3ᵉ circonscription, M. Ducos-Ader, les généraux Mauric, Blanc, Katz, Gauthier, Bonjeu, Siffre, Lavergne ; G. Leroi, secrétaire général de la ville de Bordeaux et R. Manciet, secrétaire général de la communauté urbaine.

A côté des pouvoirs politiques, administratifs ou militaires se trouvent aussi des responsables du pouvoir économique, dont Hubert Touya est le plus représentatif. Ce dernier, un temps trésorier régional de l'U.D.R. est actionnaire majoritaire d'une douzaine de sociétés dont les Chantiers modernes et l'Union Française d'Impression. L'U.F.I. inaugurée le 30 juin 1978 par le maire de Bordeaux, publie le Journal Municipal de Bordeaux, *la France Indépendante du Sud-Ouest* et l'édition bordelaise du journal *Le Meilleur*. H. Touya, comme d'autres industriels, permet à de nombreux joueurs d'obtenir un travail et, parfois une promotion sociale (Sallenave, Swieczynski, Dubois, Dangean, Boucherie par exemple ont été employés aux Chantiers Modernes).

Les autres représentants du monde des affaires au Comité Directeur sont surtout des cadres des P.M.E. et des commerces, mais aussi des membres des professions libérales, des cadres administratifs que côtoient quelques employés et

(15) Lagroye J., *Chaban-Delmas à Bordeaux*, Pedone, Paris, 1973, p. 57, note 15.
(16) Voir les différentes plaquettes anniversaires du C.A.B. et en particulier celle de 1977 (70ᵉ anniversaire) ainsi que la revue bimestrielle du C.A.B. « Allez Bègles ».

ouvriers. C'est parmi ces derniers que l'on trouve surtout les anciens joueurs, ceux en particulier des périodes glorieuses dont la plupart ont d'ailleurs assuré, de pères en fils, la continuité du club, contribuant à renforcer l'imagerie « familiale » qui lui est attachée.

Le nombre des personnalités étrangères à la commune de Bègles parmi les membres d'honneur de la section de rugby (et n'ayant jamais pratiqué le rugby) pose la question de la fonction sociale du club.

Les tribunes du stade...

Les tribunes du stade :
les relations entre le club et la municipalité

Les relations du C.A.B. et de la municipalité de Bègles n'ont pas toujours été sereines. Les élections municipales, en particulier, ont été souvent l'occasion de manifester ces oppositions. En 1965, le Président et deux Vice-Présidents du club, se présentent contre la liste communiste menée par René Duhourquet, obtenant 4 207 voix contre 6 531 à ce dernier. En 1971, le président Saldou obtient 3 610 voix contre 6 186 à Duhourquet, maire sortant qui se présente sur la liste d'union républicaine.

En dehors des périodes électorales les relations sont variables, c'est tantôt « la bonne entente » comme l'indique le rapport moral du club de 1977-78 :
« *Les relations avec les instances municipales, il faut bien en parler aussi, ont été on ne peut plus agréables et courtoises, la municipalité a doublé la subvention annuelle (...). Dans cet esprit de loyauté réciproque, je crois pouvoir dire que même s'il y a parfois des points divergents, la bonne volonté évidente de chacun permettra d'aboutir à des résultats rapides et concrets* ».

Cependant, on peut relever bien des fluctuations dans cette collaboration ; le rapporteur relevant parfois que les contacts avec la municipalité « *posent un sérieux problème* ».
C'est aussi le cas depuis le mois d'avril 1979 — avec le conflit focalisé sur les tribunes métalliques du stade : le conseil municipal, à l'unanimité, a décidé de leur démolition à cause de leur vétusté, et leur remplacement. Mais diverses raisons administratives rendent, semble-t-il, impossible, dans l'immédiat, leur remplacement et en novembre 79, l'éventualité de l'aggravation du conflit reste une préoccupation permanente.
En fait, au travers des tensions, deux modèles d'organisations s'opposent. Le C.A.B. souhaite représenter le sport à Bègles et maintenir le maximum de sections dans son club tout en laissant au rugby son hégémonie. La municipalité se voit gênée dans son projet de développer une politique sportive municipale comme la commune de Mérignac (à partir du S.A.M.). Elle reproche au club de ne pas s'engager avec elle sur le terrain de la lutte politique pour obtenir des subventions étatiques. La place de l'adjoint au maire chargé des sports est décisive dans ce domaine et l'équilibre entre les deux modèles dépend du type de relation qu'il peut nouer avec le club. Si le C.A.B. semble maintenir sa position, la municipalité construit des équipements périphériques. Ainsi l'installation au sud-est de Bègles, de la Plaine des Sports doit être perçue comme un glissement révélateur vers des équipements périphériques.

« A six heures du matin des milliers de supporters attendent les " idoles ",
champion de France à Lyon depuis la veille » (1969).

Identité collective et contrôle idéologique

Si le C.A.B. a pu être considéré par certains comme l'exemple parfait d'un
« *appareil hégémonique* » (17), il suscite dans le même temps comme d'autres
clubs, un effet considérable d'incitation à la pratique du sport dans les milieux
populaires où il est implanté. La croissance récente d'écoles de sport, le
développement de certaines sections (gymnastique, handball, basket-ball,
football, tennis, etc.) témoigne de la vitalité du club et du désintéressement de
nombreux responsables qui sont pratiquement tous des bénévoles.

A certain moment, et ce fut en particulier le cas lors de la finale de rugby de
1969, toute la ville s'identifie, non « au rugby » ou au « club », mais à « *son* »
équipe victorieuse. Pourtant les débordements sans mesures des lendemains de
finale, la « troisième mi-temps » collective, se situaient dans un contexte bien
particulier.

Dans l'histoire de l'agglomération bordelaise, Bègles, comme d'ailleurs les autres
pôles ouvriers autour de la métropole régionale fut, au niveau des représentations collectives, souvent considérée comme une zone d'usines polluantes aux

(17) Fossaert R., *La société : tome 3, les appareils*, Le Seuil, Paris, 1978.

manières sociales fortement marquées (volubilité des habitants, argot populaire, le béret, l'accent...) Tous ces indices d'une banlieue ouvrière, en déclin économique et démographique de surcroît, restaient ancrés dans l'imagerie bordelaise.

La finale fut incontestablement une sorte de **revanche symbolique** sur tout cela. Un univers de socialisation béglaise se terminait avec les générations nées de 1880 à 1940. Ceux qui avaient vécu la vie communautaire du petit monde des rues et des quartiers, les nombreux conflits ouvriers et la solidarité élargie, ceux qui connurent l'ambiance des fêtes locales, des artères commerçantes, d'une vie quotidienne où les relations de voisinage, étaient en continuité avec l'espace familial proprement dit, retrouvèrent quelque chose de leur passé dans l'ambiance de la finale. Dans ce contexte de transformation des relations sociales, économiques ou familiales d'une banlieue, le succès du Quinze béglais, impensable en début de saison, véritable **victoire d'équipe,** fut vécu par beaucoup comme un événement communautaire.

Il paraît alors maladroit d'assimiler la majorité du public, des supporters et de l'équipe, au club lui-même, à sa structure, à sa direction et aux relations affinitaires qu'elle entretient avec les pouvoirs. Le sport, et plus particulièrement le rugby, constitue un pôle privilégié d'identification communautaire ou pour employer un qualificatif similaire, consensuelle.

Il serait tout aussi imprudent de confondre dans le contexte précis l'identification collective et le contrôle idéologique (18) qui s'imposent et fonctionnent à des niveaux différents de la réalité sociale. C'est aussi montrer l'ambivalence et quelquefois les contradictions que mettent en œuvre, parfois à leur insu, les appareils sportifs.

(18) Lecuyer, Régulation sociale, contrainte sociale et social control, *Revue française de sociologie,* 1967, VIII.

Le spectacle sportif 2
Les paradoxes du spectacle sportif ou les ambiguïtés de la compétition théâtralisée

Michel Bernard

Beaucoup plus que l'exercice effectif d'une activité ou pratique corporelle appréciée et recherchée pour la jouissance et les bienfaits qu'il procure, le sport est devenu avant tout de nos jours, semble-t-il, un spectacle privilégié. Transfiguré et sublimé par le prodige et la virtuosité de la performance de la haute compétition, orchestré par la redondance emphatique et cocardière des mass media, il tend à s'offrir seulement comme l'objet de l'admiration naïve et médusée du profane et l'occasion de la satisfaction complice du connaisseur. Qu'il soit ou non pratiquant, tout amateur (au sens large) de sport ne peut échapper aujourd'hui à la tentation d'être le spectateur sinon ébloui, du moins curieux, des exploits des champions et plus généralement des compétitions jugées les plus prestigieuses. Bien plus, les compétitions de masse, si prisées depuis quelques années, où la foule des sportifs obscurs ou anonymes, vieux et jeunes, hommes et femmes, bourgeois, intellectuels et prolétaires, se livre aux joies de la course « marathon » (à pied, en ski de fond, etc.) ne sont-elles pas autant de manifestations impressionnantes où le peuple se donne le spectacle, d'une part, d'une apparente et trompeuse solidarité collective ; d'autre part, de ses capacités physiques et de sa bonne volonté hygiénique et sportive (spectacle concrétisé, mieux réifié et par là redoublé par l'enregistrement télévisuel) ?
Sans doute une spectacularisation croissante du sport n'est-elle qu'une facette (ou un cas particulier) de la spectacularisation généralisée du fonctionnement institutionnel dans notre système capitaliste : il est banal de rappeler, après G. Debord que notre société industrielle occidentale est une *« société de spectacle »* dans la mesure où instaurant le primat de l'économie, elle soumet tous les rapports sociaux à la loi de l'échange et plus précisément de l'indifférence et de l'équivalence, que permet et simultanément commande l'argent comme représentant universel. L'univers de l'argent substitue l'ordre de la **représentation** à celui de l'expérience immédiate ou de la jouissance des choses : il dégrade l'être en avoir et l'avoir en paraître. L'homme n'est plus alors engagé dans ce qu'il fait, il ne peut plus agir sans se regarder agir : il est distancié, dédoublé, coupé de lui-même. En ce sens, le règne de l'économie institue, par la souveraineté de son instrument monétaire, la séparation interne potentielle de tout être, sa représentativité virtuelle indéfinie et du même coup sa spectacularité permanente : *« la séparation,* dit Debord, *est l'alpha et l'omega du*

spectacle » (1). Sans doute, comme nous aurons l'occasion de le montrer plus loin, une telle approche du spectacle appelle des retouches et un certain affinement. Elle n'en permet pas moins cependant, dans un premier temps, de comprendre pourquoi et comment l'ensemble de notre système institutionnel non seulement fonctionne implicitement comme une scène de théâtre, mais aussi et surtout exige des représentations de plus en plus fréquentes et de plus en plus sophistiquées. Tout se passe comme si notre société, dans son délire économique, affolée par son besoin insatiable d'équivalence, était condamnée à exacerber et étendre indéfiniment la fonction spectaculaire au-delà de son champ artistique traditionnel d'élection. Ainsi s'établit, en quelque sorte, une transversalité permanente et renforcée de la fonction spectaculaire qui désormais affecte tous les lieux et toutes les pratiques institutionnelles (2), a fortiori ceux et celles qui, comme dans le cas du sport, relèvent des activités de loisir.

Toutefois, à l'image du rayon lumineux qui, en traversant des milieux de nature et de densité différentes, subit des réfractions variables, cette fonction n'investit l'institution sportive qu'en infléchissant et dénaturant sa finalité artistique originelle et du même coup en dévoilant ou « révélant » (au sens photographique du mot) l'ambiguïté fondamentale de cette institution ainsi spectacularisée. Loin de prolonger et reproduire le statut artistique et plus particulièrement théâtral du spectacle, le sport semble, en effet, le dévier, le transmuter et dans une certaine mesure l'inverser. N'est-il pas déjà symptomatique que le sport ne cesse de se spectaculariser davantage alors que précisément le théâtre contemporain, au moins dans ses formes les plus avancées, instruit « *le procès du spectacle* » (3) et en tout cas tend généralement à s'en défier et lui substituer d'autres modes de relation avec le public ? Autrement dit, le sport paraît réhabiliter le spectacle mis paradoxalement en accusation par le théâtre. Sans doute est-il fréquent de railler les « sportifs en pantoufle », confortablement assis devant leur téléviseur, bien que faisant vibrer la pièce de leurs cris de joie ou de colère, abreuvant à l'occasion et bien vainement les joueurs ou l'arbitre de leurs conseils ou de leurs insultes. De même, entend-on souvent déplorer par les éducateurs physiques, d'une part, que le spectacle tende à supplanter complètement la pratique et, d'autre part, que ce spectacle soit davantage l'occasion d'un défoulement passionnel et agressif que d'une appréciation pertinente et sereine.

Mais précisément de tels griefs, comme on peut le constater, ne remettent pas en question le statut du spectacle sportif en tant que tel, mais seulement son mode d'utilisation : ils ne dénoncent pas la séparation, la coupure ou la barre (entre acteurs-public) qui l'institue, ni l'attitude passive et aliénante de **consommateur** qu'elle provoque chez le spectateur. Ils stigmatisent, par contre, la place occupée par le spectacle dans le temps de loisir et l'absence d'une éducation du public. Plutôt que sa passivité ou son immobilité, c'est bien au contraire l'interventio-

(1)   Cf. G. Debord : La société du spectacle, éd. Champ libre, 1971, p. 17.
(2)   Récemment R.G. Schwarzenberg a montré comment elle s'était implantée dans le monde politique.
(3)   C'est le titre d'un livre de Christian Zimmer paru aux P.U.F., coll. Perspectives critiques, 1977.

nisme incompétent, anarchique, intempestif et violent de son fanatisme chauvin qui est proscrit. Il semble donc que l'usage sportif de la fonction spectaculaire véhicule d'autres finalités et d'autres normes que celles de son « *intentionalité* » artistique primitive : plus exactement le sport, de par les implications socioéconomiques et politiques et les effets idéologiques de son aspect compétitif, paraît faire interférer cette fonction avec deux autres que le théâtre, surtout depuis le XIXe siècle, avait négligées ou occultées et qu'il tente actuellement avec plus ou moins de bonheur de réhabiliter au détriment même de l'impératif du spectacle comme tel, à savoir : le *fête* et le *rite*.

Le spectacle sportif n'est pas, et ne se veut pas, en effet, la *représentation* pour un public d'une histoire singulière d'événements fictifs ou vrais, en quelque sorte le simulacre d'un conflit contingent passé ou imaginaire ; simulacre préparé et élaboré pour satisfaire la curiosité et, si possible, provoquer des émotions. C'est bien, au contraire, la **réalité présente,** effective qui y est exhibée : celle d'une confrontation inter-individuelle ou intergroupale universellement et rigoureusement codée, contrôlée et jugée. En fait, toute compétition sportive s'offre au regard comme une pratique **rituelle** et **actuelle** à l'occasion de laquelle un groupe social (joueurs-public) donné se réunit, mais aussi par laquelle il *se* contemple, *se* reconnaît et *se* célèbre dans son unité malgré ses divisions ou oppositions, dans son identité par-delà et au travers de son altérité. Bref, par le sport, la société **se fête** en se donnant à **elle-même** le spectacle de son être duel : comme dans toutes les fêtes où, selon l'heureuse observation d'Alain (4), la foule se contente de jouir de sa propre présence, d'échanger des signes pour le seul plaisir de l'échange, la société veut, dans le sport, attester sa réalité, se convaincre de son existence une, quoique conflictuelle, de son pouvoir de soumission et de transgression, d'ordre et de désordre, de son besoin de sécurité et de risque. Avant d'être des lieux de spectacle d'une performance sportive, le stade, le gymnase, la piscine, le court, la piste, le circuit sont des espaces de commémoration sociale. Le jeu compétitif y est en même temps l'occasion, le prétexte et le moteur d'un autre jeu, celui de la **croyance** en la réalité d'une société où chacun s'affirmerait à la fois dans l'identité et l'universalité de sa structure humaine et la différence et la singularité de sa forme corporelle, dans l'égalité de son pouvoir organique et l'inégalité effective de son exercice physique et serait à la fois **acteur** et **spectateur**. Plutôt que l'objet fascinant, intéressant ou décevant d'un spectacle au sens strict, le match n'est donc que le truchement codifié et la médiation rituelle d'une fête par laquelle le groupe social tente de se rendre présent à lui-même dans l'unité sublimée et souhaitée de ses contradictions, dans la résolution idéale de ses conflits, dans l'harmonie désirée de sa diversité, de son activité et de sa passivité. Bref, le sport se donne fondamentalement comme la fête de la guerre civile domestiquée et, comme telle, salutaire.

Ainsi dire, comme on le fait souvent, que le « *tournoi des Cinq-Nations* » *est la grande fête du rugby,* c'est signifier non qu'il célèbre les vertus de la balle ovale

---

(4) Cf. Alain : *Vingt leçons sur les Beaux-Arts.* 8e leçon, in « Les Arts et les Dieux », La Pléiade, Gallimard, 1958, pp. 523-526.

et des règles du jeu qui en use, mais qu'il permet, plus que tout autre manifestation sportive, d'une part, à une culture (d'essence anglo-saxonne puis **régionale**) de se reconnaître dans la singularité et l'originalité de ses valeurs et plus exactement de saluer et promouvoir le privilège d'un mode de relations humaines : celui de la solidarité et du courage offensif et défensif d'une équipe (là où ils s'expriment le mieux, dans le « *pack* ») ; d'autre part, à un public de croire pouvoir se fondre plus aisément dans cette *praxis* collective et y participer activement. Le rugby donne l'illusion d'annuler la ligne de démarcation (pourtant rigoureusement surveillée par des gendarmes en survêtement) entre la pelouse et les tribunes et d'offrir la possibilité imaginaire d'une réversibilité totale *acteur ↔ spectateur,* comme dans les manifestations imprévisibles et exubérantes de la foule des fêtes populaires traditionnelles. Illusion d'autant plus tenace que cette apparente sympathie suscite, dans sa ferveur, l'idée ou mieux le sentiment d'une communion plus profonde et d'un autre ordre, celle donnée par le **rite** religieux qui, comme l'indique l'étymologie, a pour fonction de relier *(religare)* ou de rassembler *(relegere)* en répétant et par là en sécurisant (chants religieux gallois, hymnes nationaux repris en chœur) : d'où les discours galvaudés des mass média sur « la grande messe » païenne du rugby.

Mais ce n'est là qu'une illusion : le terrain, comme une scène, est bel et bien **séparé** et **coupé** des gradins, même si ceux-ci par leur enveloppement circulaire, elliptique, rectangulaire ou plus généralement polygonal, peut a priori rompre les effets magiques du vis-à-vis ou de la frontalité du théâtre à l'italienne et accréditer l'impression d'un échange total des regards et des actions, d'une fusion complète acteurs-spectateurs (5). Bien plus, la technicité et la virtuosité sans cesse croissantes de la pratique de la haute compétition la distancient toujours davantage du public *profane* ou même *amateur* et par là l'objectivent comme le tableau vivant ou le drame d'un spectacle artistique. C'est si vrai que les champions s'identifient eux-mêmes à des vedettes du spectacle et théâtralisent de plus en plus leur prestation athlétique (et parfois leur comportement quotidien, comme Cassius Clay, par exemple) de manière à mieux attirer, captiver et séduire le regard du spectateur.

Emportés par leur zèle, ils ont, d'ailleurs, souvent tendance à exagérer en ce sens, à « *en faire trop* », comme le déplorent avec amertume ou colère les « connaisseurs » qui ne manquent pas alors de dénoncer, selon un terme galvaudé, « *leur cinéma* ». Expression significative par son impropriété même dans la mesure où, pour le public populaire, le cinéma est l'emblème, le symbole même du spectaculaire, le théâtre étant à leurs yeux, un lieu et un type bien particulier de spectacle réservé à des privilégiés de l'argent et la culture.

Bien qu'étant sensible à un certain « *panache* », c'est-à-dire à certains « *effets* » ou certaines manifestations quelque peu appuyées et emphatiques de l'audace et du courage sportif, il semble donc que le public populaire répugne aux mouvements qu'il perçoit comme redondants et gratuits (par exemple, le

(5) Il convient à ce propos, de signaler que l'expérience du *théâtre en rond* visait à déconstruire la coupure et la ségrégation constitutive de la structure spectaculaire avec le mystère de son arrière-plan et à favoriser, faciliter la croyance du public à sa participation effective.

soufflement dans les mains et le balancement latéral alterné et rythmé des genoux fléchis dans la position de l'attente concentrée de la balle, chez un joueur de tennis), aux fioritures inutiles (les feintes ou les passes inopportunes en football) et davantage encore aux comportements simulés (celui, par exemple, de la douleur extrême après un choc avec un adversaire en football). Assez paradoxalement, le spectacle sportif n'est accepté et goûté par les spectateurs que s'il se met entièrement (ou presque) au service de l'efficacité de l'action compétitive et, par conséquent, s'il neutralise sa visée purement représentative et son jeu mimétique au profit de l'immédiateté de la fonction pragmatique de l'affrontement ; bref que s'il se « *déspectacularise* » et, à la limite, se déplace et inscrit sa *réalité* conflictuelle au sein même du public qui devient ainsi lui-même un spectacle pour d'autres spectateurs potentiels ou éventuels : les téléspectateurs. C'est ce triple processus simultané, contradictoire et, comme tel, paradoxal de théâtralisation, de déplacement de la compétition sportive que nous voudrions tenter d'analyser maintenant.

Mais tout d'abord une première remarque s'impose : le sport, en tant que concept générique, est une *catégorie discursive* à fonction purement rhétorique et par là idéologique. Sociologiquement et concrètement parlant, il n'y a qu'une **multiplicité de pratiques** corporelles distinctes non seulement par le matériel, le nombre et la nature des participants (sexe, classe sociale, race, etc.) mais aussi par le lieu d'effectuation, la nature de cette effectuation, les règles qui la régissent, le mode d'évaluation, de contrôle et de sanction : les distinctions entre sports individuels et sports collectifs, sports de plein air et sports de salle, sports athlétiques et sports mécaniques, sports de mesure objective et sports à cotation collective (jury), sports de masse et sports de haute compétition, etc., ne suffisent pas à réduire la diversité réelle des pratiques (6). Elles facilitent seulement l'approche. Bien plus, lorsqu'on envisage ces pratiques comme objets et occasions de spectacle, la relation spectaculaire n'est pas la même dans le cas d'un championnat de patinage ou de gymnastique artistique qui, comme l'indique cette désignation, relèvent directement de l'art et plus spécialement de la danse et celui, par exemple, de la natation ou de l'haltérophilie apparemment soumis au seul impératif métrique du chrono ou de la balance. A fortiori qu'y a-t-il de commun entre le spectacle d'un parcours de golf ou d'un slalom de ski, celui d'un match de boxe ou d'un combat de judo ? Entre celui d'une course automobile et celui du vol libre ? Parler, comme nous l'avons fait jusqu'ici de spectacle sportif *en général* semble donc le produit arbitraire et contestable d'un amalgame réducteur, commandé par une secrète stratégie idéologique, celle-là même qui gouverne toutes généralisations dans les désignations, les jugements et les raisonnements quotidiens : stratégie de conservation et de renforcement du pouvoir, bref de sécurisation et de domination.

Et pourtant dans le cas présent de la spectacularisation des activités sportives les plus diverses, il y a, croyons-nous, une structure sous-jacente qui autorise d'envisager le phénomène et de poser le problème dans toute son extension :

---

(6) Voir la contribution de Christian Pociello : « La force, l'énergie, la grâce et les réflexes... ».

celle de la **théâtralité constitutive de notre corps.** Quelle que soit la pratique sportive considérée, il y a la mise en jeu d'un corps dans une action dont la finalité ou le terme apparent ne suffit jamais à la définir : tout mouvement, même le plus utilitaire et le plus habituel, contient plus que ne nécessite sa stricte effectuation. Il est surdéterminé et par là clivé par la manière dont tel ou tel individu l'accomplit, indépendamment même des *styles* techniques à la mode, et qui résulte d'un mode personnel de gestion énergétique et perceptive : je ne me contente pas de courir ou de lancer, je cours ou je lance en *laissant voir* ce qu'est la course ou le lancer pour moi et plus exactement *pour et dans chacun* de mes membres selon leur mode particulier d'utilisation ainsi que dans la configuration spécifique totale de mon action. En somme, *faire* est surchargé d'une double expressivité : d'une part, celle de mon rapport singulier à mon corps, c'est-à-dire de l'économie de mon plaisir pulsionnel plus ou moins bien distribué dans mon organisme et sur sa surface et conjointement des structures perceptives mises en jeu ; d'autre part, celle de la forme contingente de mon action comme narration. Double expressivité qui s'articule d'une façon variable avec la nécessité pragmatique de cette action : il y a ainsi entre elle et ses expressions un « jeu » au sens mécanique du terme (celui d'un espace ménagé pour permettre un mouvement aisé) qui fait précisément que nous pouvons « jouer », c'est-à-dire user de nos actes d'une façon fictive **pour donner ou faire voir certains effets** à des regards étrangers dont on sollicite l'intérêt. Toutes nos actions et a *fortiori* la seule apparence ou manifestation de notre corps impliquent donc en quelque sorte la dynamique d'une dualité immanente semblable à celle que crée notre reflet dans un miroir, notre image spéculaire et c'est cette dualité qui rend possible le jeu théâtral proprement dit : telle est la théâtralité qui, selon nous, gouverne notre condition de corps parlant (7).

Or dans le sport, l'action concernée est très spécifique et en ce sens relativement coercitive puisqu'il s'agit très généralement du combat ou de l'affrontement compétitif. Celui-ci impose, en effet, une séquence d'actes techniques codés a priori selon des normes strictes d'exécution et les règles de l'affrontement : ainsi, par exemple, en football, s'approcher des buts adverses par une course balle au pied et par des passes opportunes aux partenaires, éviter les oppositions (« les contres ») de l'équipe adverse pour « shooter » et marquer le but. Un tel schéma ou tel scénario-standard limite et prédétermine donc nécessairement l'expressivité du joueur et, conjointement, le champ de l'imaginaire et, par là, l'intérêt du spectateur. Le foobaleur, par exemple, en est réduit à imprimer sa marque propre, d'une part, dans le choix des combinaisons tactiques, c'est-à-dire de son évolution sur le terrain en fonction des situations, de sa maîtrise technique et de son expérience ; d'autre part, dans son mode de réalisation ou d'exécution des gestes techniques de base et bien évidemment dans ses réactions émotionnelles (posturales, mimiques ou physiognomoniques). De son côté, et parallèlement, le

---

(7) Pour une analyse plus précise et plus complète de cette notion de théâtralité, du rapport corps et langage et plus généralement du concept d'expressivité corporelle, je renvoie à ma thèse : « *L'expressivité du corps* », éd. J.-P. Delarge, 1976, chap. 5 et 6 en particulier.

spectateur, lui aussi pleinement informé du scénario type et de son issue possible et immuable (match nul ou victoire de l'un ou l'autre), doit se contenter de stimuler son imaginaire par la seule incertitude du résultat effectif en concentrant son attention sur les péripéties qui le produisent et qu'il peut, d'ailleurs, anticiper en fonction de l'éventail événementiel des matchs déjà vus ou connus.

Ainsi paradoxalement le sport ne peut, semble-t-il, devenir spectacle qu'en gommant ou occultant la rationalité universelle, éthique et par là, éducative de son code qui, précisément, assure la sublimation des pulsions agressives mises en jeu et qu'en **dramatisant,** par contre, le processus d'affrontement inhérent à la compétition et en **théâtralisant** simultanément ses effets sur les comportements individuels. La dramatisation s'effectuera, par exemple, par l'accentuation et le durcissement des heurts physiques entre joueurs (qui permettent à un match d'être — expression significative — « viril ! ») ou bien encore par la recherche et le grossissement des incidents relationnels entre joueurs eux-mêmes ou entre joueurs et arbitres (arbitre du match et arbitres de touches) qui jouent des scènes de défi, de provocation, de réprobation ou de sanction, bref en termes éthologiques, des « parades » verbales et non verbales qui souvent débouchent sur la violence réelle et débridée du passage à l'acte. D'autre part, la théâtralisation qui est, en quelque sorte, l'exploitation plus ou moins excessive et emphatique de la théâtralité du corps, se repère chez le joueur au niveau de l'amplification et de la ritualisation de ses mimiques émotionnelles : la joie qui pousse le joueur soit à se mettre à genoux, à tourner la tête vers le ciel en levant les mains jointes pour rendre grâce à une divinité bienfaisante ; soit, d'abord, à une course, le visage radieux, le bras dressé et le point brandi, vers les tribunes, puis à ces embrassades collectives et frénétiques avec les partenaires qui se roulent au sol dans un coït simulé. De même, dans le cas inverse de la déception, est-il fréquent de voir un joueur se prendre la tête entre les mains, la secouer et crier son désespoir vers le ciel ou vers la terre. Il faut également signaler la théâtralisation produite par le rituel fétichiste qui précède, accompagne ou suit certaines actions décisives pour exorciser et célébrer le sort : les signes de croix avant les coups de pied arrêtés, les courses, les plongeons ou les descentes de ski. Ou bien encore la répétition immédiate du shoot victorieux dans la cage de but du football ou par un dégagement « aérien » vers le centre du terrain. Dans un autre registre, nous connaissons tous les multiples habitus ostentatoires du champion, c'est-à-dire ces mouvements plus ou moins automatiques et spectaculaires par lesquels il souligne avec complaisance son habileté, sa souplesse, son courage (les plongeons aériens ou acrobatiques du gardien de but) et sa virutosité (les jongleries du ballon de football avec la tête et les pieds ou les renvois de la balle par le tennisman, le dos tourné au filet et entre les jambes).

Bien entendu, la théâtralisation est encore plus visible et plus efficiente dans le cas des sports à dimension explicitement artistique (comme la gymnastique ou le patinage) où le geste peut être exhibé dans sa forme la plus esthétique et même jusqu'à la préciosité ou au maniérisme, soit par une certaine lenteur, un certain arrondi, une délicatesse et une finesse propres à suggérer une impression de grâce juvénile voire de lascivité érotique ; soit, au contraire par une rapidité excessive, une relative discontinuité et parfois une convulsivité évoquant inévitablement la fièvre de la passion. Double esthétisation théâtrale favorisée, certes, par la théâtralisation de l'accompagnement musical lui-même et les jeux de lumière opportuns des projecteurs, la beauté scintillant des costumes (en patinage artistique surtout), mais qui tend bien évidemment à séduire le public et le jury.

Ainsi tout comme la dramatisation déconstruit le code réglant le processus d'affrontement au profit de sa violence immanente, la théâtralisation pervertit ce processus même en le travestissant sous les figures spectaculaires d'une virtuosité individuelle, affectée et fétichiste. En ce sens, la théâtralisation sportive apparaît comme la forme déplacée, résiduelle et anachronique de la théâtralisation du *théâtre bourgeois* dont elle ne serait, en quelque sorte, que la mutation tératologique : le champion supervedette est l'héritier inconscient du « monstre sacré », espèce d'acteur monumental, en voie d'extinction, que le nouveau théâtre a définitivement condamnée. On pourrait dire, au fond, que, dans sa volonté de séduction du public, la *démonstration* sportive réclame une théâtralisation toujours plus « monstrueuse », au sens spectaculaire du terme. Mais en fait, loin de focaliser le regard des spectateurs, cette théâtralisation renforce *a contrario* la demande de **dramatisation**, c'est-à-dire leur besoin de participer plus activement à l'intensification de la compétition comme *conflit réel*. Dès lors, ils deviennent eux-mêmes acteurs ou actants d'un autre spectacle potentiel pour le regard tiers qui peut être, dans le cas d'un reportage télévisé, celui du téléspectateur. Acteurs d'un affrontement sauvage, violent, imprévu, incontrôlé, hors de toutes règles dont l'issue est souvent tragique (voir les récents événements du stade de Naples en Italie), les spectateurs sportifs, au sein de la nouvelle arène improvisée des tribunes, sont du même coup les participants plus ou moins fanatisés d'une fête primitive, les protagonistes inconscients d'une catharsis collective et les figurants involontaires d'un spectacle plus distancié, domestique et, comme tel, sécurisant : celui du *petit écran*.

Ainsi peut-on maintenant réaliser toute l'ambiguïté du processus de spectacularisation de la compétition dont la théâtralisation et la dramatisation provoquent la transgression de ses propres règles dans l'exaltation ou l'effervescence collective, violente, anarchique d'un public devenu, malgré lui, le personnage, l'occasion et le prétexte d'une seconde « récupération » spectaculaire. Par là même, le sport nous paraît paradoxalement de la fonction spectaculaire : il est à la fois le dernier avatar du théâtre bourgeois, le succédané plus ou moins standardisé de la fête populaire, le psychodrame de la guerre civile, et, par la médiation de l'image télévisée, le simulacre rassurant de distanciation et de neutralisation de la violence collective.

Le sport au pluriel ou les singularités du rugby

Paul Irlinger

Mettre le sport au pluriel c'est commettre une faute d'accord avec l'idéologie ambiante.

Le discours social utilise en effet le terme « sport » au singulier, que ce soit en formules naïves et populaires, comme : « le sport c'est la santé », ou plus élaborées, telles que : « le sport doit devenir un élément essentiel dans l'épanouissement de chacun » (1).

« Le sport » se présente ainsi à l'évidence du bon sens comme entité achevée, indissociable et démocratique. Lorsque le pluriel apparaît malgré tout, les sports sont donnés comme éléments interchangeables d'une série paradigmatique.

L'entité idéologique « sport » charriée par le discours social voile ainsi du même coup les inégalités sociales de la pratique sportive et la profonde diversité des disciplines qu'elle recouvre. Les essais d'élaboration d'une définition commune ou d'une classification des sports trouvent là un obstacle difficile à surmonter, la résistance idéologique se conjuguant avec la complexité objective de l'entreprise.

Il arrive cependant que l'actualité nous contraigne à une réflexion distinctive minimale entre disciplines sportives et nous oblige à remettre en question l'une des certitudes «allant de soi» qui forment la trame idéologique, à savoir, en l'occurence, qu'un sport en vaut un autre. « L'affaire des Springboks » (2) a joué ce rôle.

« Pourquoi le rugby ? »

La contestation de la tournée des Springboks prévue en France pour l'automne 1979, a fait surgir cette question dès le mois de janvier 1979 dans les milieux sportifs concernés puis l'a amplifiée et répercutée à travers les media et les

---

(1) Ernault G., Le sport en France, bilan et perspectives, par G. Ernault, G. Vanderschmitt, A. Lorin et J.-L. Enguehard, Berger-Levrault, Paris, 1979, p. 12.
(2) « *Springboks* » : nom quasi totémique de l'équipe nationale sud-africaine de Rugby. On relève de la même façon : « *Jaguars* » (sélection sud-américaine), « *Kangoroos* » (Australiens), « *pumas* » (Argentins)...

discussions de Café du Commerce jusqu'à l'Assemblée nationale et au Sénat où elle fut explicitement et officiellement posée.

« L'affaire des Springboks » a occupé une place importante dans les media, notamment durant les périodes de mars-avril-mai et d'août-septembre 1979 (3). Malgré cette importante percée dans la presse nous avons choisi de présenter pour mémoire une brève récapitulation des faits saillants de l'affaire et de leur enchaînement.

L'AFFAIRE DES SPRINGBOKS

- En 1975, M. Albert Ferrasse, président de la F.F.R. (Fédération Française de rubgy) invite les Springboks à effectuer une tournée en France en 1979.
- Sur l'incitation de ses membres africains l'O.N.U. prend (à partir de 1976) plusieurs résolutions visant à isoler au plan sportif l'Afrique du Sud, en protestation contre l'*Apartheid*.
- Dès janvier 1979 l'annulation de la tournée est demandée par des associations antiracistes, bientôt suivies par différentes organisations sportives et/ou politiques, dont le C.I.O. et le Comité d'organisation des J.O. de Moscou qui menacent la France d'exclusion.
- En France les opinions sont partagées : la gauche réclame l'annulation de la tournée, la F.F.R. maintient son invitation, quant au ministre des Sports, il estime que « la décision appartient au mouvement sportif ».
- Les protestations s'amplifiant de toutes parts, le gouvernement modifie sa position, début mars, en déclarant la tournée « inopportune ».
- Convoqué, fin mars, en réunion extraordinaire le Conseil d'Administration du Comité National Olympique et Sportif Français laisse la F.F.R. libre de ses actes, l'approuvant implicitement.
- En août, le ministre des Affaires étrangères rétablit les visas pour les Sud-Africains, puis annonce qu'ils seront refusés aux Springboks. Début octobre, le « South African Rugby Board » fait savoir qu'il n'en fera même pas la demande.

Telle est, en bref, la chronologie des événements. Les rebondissements successifs de cette affaire ont donné lieu durant l'année 1979 à une suite de déclarations, de commentaires et d'articles de fond sur les rapports du **sportif** et du **politique**, qui constituent un corpus d'un intérêt exceptionnel.

---

(3) Concernant notamment le déroulement de l'affaire et sa percée dans les media on trouvera des données plus détaillées dans un article à paraître dans *Travaux et recherches en E.P.S.*, n° 7, 2ᵉ semestre 1981, sous le titre « Exploration de quelques dimensions de l'espace social des pratiques sportives » qui traite de manière plus développée et plus étayée la problématique présentée dans cette contribution.

Nous n'utiliserons ici que certains éléments de ce vaste dossier : ceux précisément qui permettent de nourrir une réflexion sur la question « *pourquoi le rugby ?* », autour de laquelle nous organiserons notre propos.

Lorsque cette question fut posée, notamment par le Président de la F.F.R. et par les journalistes sportifs, ou lorsqu'elle fut déposée au Sénat sous forme de question orale avec débat par le sénateur Jean Francou, elle exprimait l'indignation. « *Je ne vois pas pourquoi on refuserait au rugby ce que l'on admet dans d'autres disciplines* » tonnait M. Ferrasse dans les colonnes de « L'Equipe » (4). Il est vrai que dans d'autres sports des athlètes français rencontraient alors, et continuent à rencontrer aujourd'hui, en compétition de haut niveau, des champions sud-africains, en tiers-lieu souvent, mais aussi en Afrique du Sud et même en France (5). On reviendra sur ces faits et les distinctions qu'ils permettent d'introduire entre sports ; retenons pour l'instant le traitement **discriminatoire** qu'ils constituent, qui justifie l'indignation et donne son sens premier à la question posée : « pourquoi le rugby ? ».

Cette question nous la reprenons à notre compte en la détournant quelque peu de son sens initial, écartant, après en avoir reconnu la légitimité, son contenu de juste indignation. Il ne s'agira donc pas ici de déterminer qui a raison, mais plutôt d'essayer de comprendre ce qui dans la nature même des disciplines sportives — dans leur essence sociale particulièrement — peut conduire à de tels traitements discriminatoires de la part des groupes de pression et des pouvoirs publics eux-mêmes.

Cela reviendra en l'occurrence à se demander si le rugby représente un terrain particulièrement favorable à la naissance, au développement et à l'aboutissement de telles « affaires », et le cas échéant, pourquoi.

En dernier ressort la question posée aboutira ici à formuler l'hypothèse que tous les sports ne possèdent pas les mêmes potentialités d'activation de l'identité nationale ou régionale. *Les disciplines sportives différeraient dans leur capacité à servir de lieu de projection, de support d'investissement, à la conscience régionale ou nationale.*

Montrer que le rugby possède cette capacité à un degré élevé, reviendrait à apporter une contribution sociologique en vue de répondre à la question posée.

Nous prendrons successivement en considération un certain nombre de *dimensions* selon lesquelles les différentes disciplines sportives peuvent être distinguées entre-elles, dimensions sur lesquelles l'attention fut attirée par certains éléments du dossier de l'affaire des Springboks.

Avant d'aborder cette série d'analyses une remarque préalable s'impose. Que la tournée des Springboks devienne un sujet d'affrontement politique privilégié, (dans l'ensemble des événements sportifs comportant une participation sud-africaine), s'explique à notre avis par deux ordres de déterminations :

• d'une part celles qui relèvent des *spécificités socioculturelles du rugby ;* elles sont au centre de notre problématique ;

(4) Numéro de « l'Equipe » du 24 avril 1979.
(5) Ces contacts sportifs avec des Sud-Africains rencontrent aujourd'hui de moins en moins d'objections et d'oppositions, il est vrai qu'entre temps le boycottage des Jeux Olympiques de Moscou a déplacé et transformé les sensibilités en ce domaine.

● d'autre part celles qui ressortent de la *forme et du statut de la* **rencontre** plus que de la discipline sportive elle-même.

Afin de mettre en lumière le jeu des premières déterminations, il nous faut auparavant identifier les secondes. Nous en mentionnerons trois, et prendre acte de leur influence.

La campagne d'isolement sportif de l'Afrique du Sud ne peut s'avérer efficace qu'en visant des disciplines sportives pratiquées par les Sud-Africains au plus haut niveau et dans lesquelles ce pays *soit effectivement engagé dans le système des compétitions internationales.*

Ce premier préalable écarte bon nombre de disciplines et notamment la plupart des sports collectifs. Il laisse cependant « en jeu » suffisamment de sports répondant à ces critères, pour que la question « pourquoi le rugby ? » garde sa pertinence.

La recherche d'un bon rendement politique suppose par ailleurs que les sports visés soient suffisamment populaires dans le pays où l'on veut lancer la campagne, afin d'assurer l'impact dans la presse et dans l'opinion publique.

Le souci de la meilleure efficacité politique devrait se traduire d'autre part par la sélection, en tant qu'objectifs, de rencontres dans lesquelles *les protagonistes représentent leur pays,* et non pas une région, une ville ou leur club. La tournée des Springboks satisfait à cette condition. Seuls de tels événements sportifs devraient théoriquement pouvoir interpeler *la conscience d'appartenance nationale.* Cette représentativité, que l'on peut qualifier de théorique, n'est, du reste, pas celle qui soit sociologiquement la plus pertinente ni la plus déterminante.

La forme de la compétition, enfin, doit être retenue parmi les ꞌéléments explicatifs. Un communiqué du ministère des Affaires étrangères ouvre ici la voie à la réflexion : *« il faut faire un distinguo »* précise-t-il *« entre les compétitions internationales et les confrontations purement franco-sud-africaines ».* (6). Parmi ces dernières, la tournée semble impliquer, plus que d'autres formes de rencontres sportives, des relations extra-sportives à l'adversaire et à son pays. On comprend mieux, dès lors, pourquoi cette cible a été choisie.

Mais le *rugby* n'est pas le seul sport qui pratique la tournée, le *golf,* par exemple, l'utilise volontiers. Nous reviendrons au golf pour souligner ce qui le distingue radicalement du rugby et explique, à notre sens, pourquoi les visas sont accordés aux golfeurs et refusés aux rugbymen. Pour l'instant nous examinerons une autre caractéristique, commune à ces deux disciplines : leur statut de sport non olympique. Avec l'examen de cette dimension nous quittons les caractéristiques de la rencontre pour aborder celles de la discipline sportive elle-même.

---

(6)   Ce communiqué est rapporté par Jacques Carducci dans un article de l'Equipe du 7 septembre 1979 (page 8) sous le titre : « *Les distinguos subtils du Quai d'Orsay* ». Ce document, tant par les « distinguos » officiels que par la prise de position du journaliste, mérite la publication in-extenso, aussi avons-nous décidé de l'insérer dans ce texte.

Les distinguos subtils du Quai d'Orsay

Aux Affaires étrangères on regrette que les raisons de la condamnation par M. François-Poncet de la tournée des Springboks en France aient été mal comprises par l'opinion publique. « On nous accuse, dit-on, quai d'Orsay, de mêler sport et politique, mais c'est l'Afrique du Sud qui a fait le mélange, l'apartheid étant appliqué à tous les domaines de la vie, y compris le sport. De plus, étant donné l'impact du rugby dans ce pays, la tournée des Springboks n'était rien d'autre qu'une manifestation publicitaire.

On nous reproche encore de faire deux poids, deux mesures. Mais il nous faut bien établir une distinction, l'apartheid faisant l'objet d'un constat permanent de violation des droits de l'homme. Il est ressenti comme une humiliation, comme une blessure profonde par la majorité de la race noir. Il n'a pas le même caractère que d'autres atteintes, résultat d'un système politique. Il faut faire une différence entre ceux qui prêchent urbi et orbi le vice et ceux qui l'appliquent en s'en défendant. »

D'autre part, selon des sources bien informées, il n'est nullement question Quai d'Orsay d'étendre à d'autres sports le refus de visas qui serait fait aux Springboks.

« Il faut faire, dit-on, un distinguo entre les sports d'équipe et les sports individuels. Entre les compétitions internationales et les confrontations purement franco-sud-africaines.

De toute façon s'il y avait une évolution on pourrait toujours reconsidérer notre position. Si l'on juge que la « déségrégation » a été suffisante il n'est pas interdit de penser que les joueurs de rubgy sud-africains seront admis en France dans trois ou quatre ans. Mais faudrait-il que cette évolution, même si elle n'engendre pas une suppression pure et simple de l'apartheid, soit considérée dans le monde international comme crédible ».

D'autre part, il n'est pas question que les échanges commerciaux, eux, soient rompus, à moins de boycott déclaré par les Nations Unies. « Dans la mesure où il existe un code de conduite qui empêche l'apartheid de trouver sa place à n'importe quel stade de l'échelle commerciale ».

Enfin, si M. Ferrasse décidait une minitournée en Afrique du Sud, le gouvernement n'aurait aucun recours pour l'interdire et devrait se contenter de prendre position en la déclarant inopportune. « Mais il est bien entendu qu'au plan moral et psychologique cela engagerait grandement la responsabilité de M. Ferrasse, lequel devrait réfléchir sur la dégradation de l'image de marque de la France que cette tournée entraînerait dans les Etats noirs ».

N.D.L.R. — Il semble donc que seul le rugby soit visé. Et à travers ce sport, l'équipe Springbok qui est la fierté de tout un peuple. En somme, à l'approche des Jeux de Moscou, il apparaît que malgré ses dénégations, le gouvernement ait adopté une attitude ponctuelle et surtout opportuniste, même si celle-ci est maintenue sous le couvert de l'idéologie. Limiter la guerre à l'apartheid (au demeurant bien tardive) au mince secteur du rugby est réduire celle-ci à une escarmouche. Et comment faire admettre par exemple que le surlendemain du jour où M. François-Poncet rendait publique la décision de refuser les visas aux Springboks l'hymne sud-africain ait retenti dans l'enceinte du circuit Bugatti au Mans pour saluer la victoire en 250 cm^3 du pilote Kork Ballington... — J.C.

« L'Equipe » du vendredi 7 septembre 1979, p. 8.

Sport olympique / sport non olympique

La valorisation très positive dont bénéficie la pratique sportive dans l'idéologie dominante et dans le discours social qui l'exprime, semble toucher surtout les sports qui ont reçu la consécration suprême d'être admis aux Jeux Olympiques (7). C'est dans le champ institutionnel de ces disciplines, dont la représentation est plus fortement saturée en valeurs humanistes, que l'on peut s'attendre logiquement aux plus fortes exigences morales et au rejet le plus vif, le plus radical, le plus indifférencié aussi, de tout ce qui touche à la ségrégation raciale.

La majorité des faits relevés dans la presse confirme cette supposition. La participation sud-africaine se déroule généralement sans encombres dans les sports non olympiques, à l'exception toutefois du rugby, exception sur laquelle nous reviendrons.

Ainsi le *golf,* par exemple, n'est guère entravé. Les Sud-Africains entrent en France sans difficulté et l'équipe de France masculine de golf a effectué une tournée sud-africaine en février-mars 1979.

Il en va de même pour le *tennis.* Huit Sud-Africains ont participé aux Internationaux de France (8). Noah et Portes ont joué à Johannesbourg (9). Johan Kriek, le numéro un du tennis sud-africain a même été engagé par Peugeot et Rossignol dans la première équipe de marque qui ait été constituée dans ce sport (10).

Certaines grandes compétitions de ces deux disciplines ont cependant été prises pour cible par des mouvements antiracistes. Ce fut le cas, par exemple, en tennis pour les Internationaux de France 1979, et en golf pour le 63ᵉ Open de France (mai 1979 à Villette-d'Anthon). Mais ces actions visant des sports non olympiques font « long-feu », elles ne trouvent qu'un faible écho dans la presse et semblent laisser le public indifférent. Ni les pouvoirs publics, ni les autorités sportives internationales, ne prennent la peine de déclarer, en golf ou en tennis, la participation sud-africaine inopportune.

Dans d'autres disciplines non olympiques les mouvements antiapartheid eux-mêmes renoncent à entreprendre quoi que ce soit. C'est le cas du *motocyclisme :* la fin de l'article sur « les distinguos subtils du Quai d'Orsay » en fournit un exemple fort démonstratif. On sait, par ailleurs, que le sportif sud-africain sans doute le plus célèbre : Jody Scheckter, champion du monde 1979 de *formule 1,* a pris part, sans être contesté, à l'ensemble des grands prix. De même, il n'est venu à l'esprit de personne, semble-t-il, de tenter d'empêcher les pilotes français de courir le grand prix automobile d'Afrique du Sud.

---

(7) L'admission par le Comité International Olympique d'une discipline dans le programme olympique représente effectivement une consécration, car elle est précédée d'une enquête portant particulièrement sur le caractère d'universalité de ce sport et sur l'amateurisme de ses pratiquants. L'image de marque qui autorise l'admission se trouve magnifiée par la présence de la discipline dans le spectacle olympique, en une causalité circulaire de renforcement.
(8) « Le Monde » du 5 juin 1979, page 10.
(9) « L'Equipe » du 21/3/79, page 2 et du 30/11/79, page 9.
(10) « L'Equipe » du 12-13/1/1980, page 8.

LES DÉPUTÉS NÉERLANDAIS S'OPPOSENT A LA PARTICIPATION DE SUD-AFRICAINS AUX JEUX POUR HANDICAPÉS DE ARNHEM

La Haye *(A.F.P.)*. — La Chambre des députés néerlandaise a voté récemment contre la participation de sportifs sud-africains aux Jeux Olympiques pour handicapés, qui seront organisés à Arnhem (Pays-Bas) l'an prochain.

La plupart des députés du parti chrétien démocrate (gouvernemental) se sont associés à l'opposition de gauche pour inviter le gouvernement à refuser son soutien matériel à la participation sud-africaine à ces jeux.

Il y a deux semaines, dans un message à la Chambre, le ministre des Affaires étrangères, M. Chris Van der Klaauw, avait déclaré, avec l'assentiment de tout le gouvernement, qu'il n'y avait pas lieu de s'opposer à cette participation, parce que l'équipe sud-africaine serait *« multiraciale »*. La Chambre des députés ne s'est pas satisfaite de cette explication.

« Le Monde » du 25.10.1979, p. 21.

Lorsqu'en 1976 Scheckter courut le grand prix d'Autriche, il ne pouvait ignorer que quelques jours auparavant, son compatriote Jonty Skinner nouveau recordman du monde du 100 m nage libre, s'était vu exclure d'une réunion de natation pourtant organisée en son honneur, et avait été pratiquement expulsé d'Autriche (11). La *natation* il est vrai, représente l'une des disciplines majeures du programme olympique.

L'*athlétisme*, quant à lui, a fourni jadis les premières épreuves des Jeux Olympiques de la Grèce antique. Il fait figure encore aujourd'hui de prototype, de modèle des sports olympiques. On y rencontre de ce fait la plus intransigeante vigilance et aussi, par voie de conséquence, ceux que Robert Pariente appelle *« les damnés du stade »*, c'est-à-dire des Noirs sud-africains qui à l'intérieur de

(11) « Le Monde » des 6 et 7 mai 1979, page 12.

« leur » pays sont rejetés comme non-blancs et à l'extérieur comme Sud-Africains (12).

Ainsi de l'*athlétisme* à l'*automobilisme,* figures extrêmes et opposées sur la dimension « olympique/non olympique », on passe d'une grande rigueur à un libéralisme total. Incapacité à dissocier l'athlète de sa nationalité d'une part, multinationalité et cosmopolitisme du pilote de l'autre ; il s'agit de deux mondes qui s'opposent radicalement.

Comment expliquer dès lors que le *rugby*, **sport non olympique,** soit devenu l'enjeu d'un combat d'une telle ampleur contre l'apartheid ?

Il faut rappeler d'abord que le rugby figura aux Jeux Olympiques en 1900, 1908, 1920 et 1924 (13). Ces apparitions intermittentes suivies d'une absence qui dure depuis 1928, témoignent de ce que le rugby ne s'est jamais installé, ni épanoui dans l'olympisme.

M. Ferrasse n'a pas hésité à affirmer que la F.F.R. « *était contre les Jeux Olympiques* » (14) dans leur état actuel, car « *cela n'a vraiment rien à voir avec le sport* » (15). « Et si le rugby était admis aux Jeux ? », « vous rigolez ? » répond M. Ferrasse au journaliste qui lui lance cette hypothèse, « *nous n'irons jamais. Allez d'ailleurs demander aux Britanniques leur avis ! Nous sommes à cent lieues de tout ça* » (16). A-olympique plutôt que non olympique, le rugby se situe hors de cette dimension.

Sports collectifs / sports individuels

La deuxième dimension envisagée représente l'autre « *distinguo du Quai d'Orsay* » : la ligne de conduite suggérée par le communiqué des Affaires étrangères serait d'éviter seulement les rencontres **par équipes.** Cette directive paraît assez réaliste si l'on s'en remet aux faits.

• La coupe du monde de football en Argentine et l'affaire des Springboks ont donné lieu aux deux campagnes les plus spectaculaires et les plus amples qui aient été menées pour tenter d'isoler au plan sportif un pays dont on combat le régime (17). Or il s'est agi dans les deux cas de sports collectifs. Que la campagne ait abouti dans un cas et non dans l'autre n'est pas pour notre problématique un facteur décisif. Les causes de cette différence de réussite sont

---

(12) Le triple rejet est atteint grâce aux députés néerlandais qui ont voté contre la participation d'une équipe multiraciale sud-africaine aux Jeux pour Handicapés, organisés en 1979 à Arnhem, (« Le Monde » du 25/10/79, page 21).

(13) Fleuridas C., *Panorama sur quelques aspects du sport international,* (Des chiffres et des dates sur le sport moderne, chapitre III).

(14) et (15) Déclaration rapportée par « Le Monde » du 21/3/79, p. 38.

(16) « L'Equipe » du 30/3/79, page 2.

(17) A l'exception de la campagne pour le boycottage des Jeux de Moscou qui se situe hors du propos de cette étude, les Jeux servant comme moyen de pression dans leur globalité, sans qu'aucune discipline sportive ne soit utilisée particulièrement.

multiples, citons seulement la forme de la compétition, dont l'analyse a été esquissée plus haut, et l'importance des intérêts financiers mis en jeu qui sera abordée ultérieurement.

• Lors des Jeux méditerranéens à Split, les handballeurs algériens ont refusé de jouer contre ceux de l'Egypte, alors qu'Algériens et Egyptiens s'étaient rencontrés durant ces Jeux dans d'autres disciplines sportives (18).

• La position de la Fédération Internationale de Tennis est sur ce point particulièrement révélatrice, elle demande à l'Afrique du Sud de ne pas s'inscrire aux épreuves officielles par équipes, « *ce qui n'empêche pas* », précise le Président de la F.I.T., « *la participation des joueurs et joueuses de ce pays aux tournois individuels* » (19).

Pourquoi une équipe serait-elle perçue comme étant plus représentative d'un pays qu'un ou plusieurs joueurs individuels ? Nous suggérons ici deux directions explicatives.
Les valeurs idéologiques attachées à l'équipe s'ajoutant à celle attribuées au sport, entraîneraient parallèlement un niveau de vigilance et une particulière sensibilité, dans ce champ, à tout ce que notre contexte socioculturel condamne, à savoir notamment, la ségrégation raciale.
Il est vraisemblable aussi que les comportements **d'aide, de solidarité** et de **collaboration** qui constituent l'essentiel de l'activité au sein de l'équipe de sports collectifs, évoquent une image des rapports sociaux. L'équipe donne la représentation symbolique du social. Le rugby fera d'autant mieux figure de société en réduction, qu'il recrute, contrairement à la plupart des autres disciplines sportives, et particulièrement des autres sports collectifs, dans un éventail socioprofessionnel ouvert.
Cette particularité du rugby a été scientifiquement établie par Christian Pociello (20) sur la base d'un relevé systématique des professions des joueurs de 1re division nationale. Il met cette caractéristique sociologique du rugby en relation avec la très grande diversité des rôles et des tâches qui composent l'extrême complexité de ce jeu.
Soulignons enfin que les sports d'équipe utilisant un ballon sont perçus et désignés comme *jeux*. Leur signification porte ainsi, plus généralement que celle des autres sports, d'importantes connotations affectives. Evoquant en chacun le vécu ludique de son enfance, il n'est pas exclu qu'ils réactivent aussi plus facilement le « *je ne joue plus avec toi* », prototype de tout boycottage.

---

(18) « Le Monde » du 29/9/79, p. 17.
(19) « L'Equipe » du 25/10/79, p. 8.
(20) Pociello Ch., Pratique sportive et demandes sociales, dans *Travaux et recherches en E.P.S.*, n° 5, I.N.S.E.P. ; Paris, 1979, et sa contribution : « La force, l'énergie, la grâce et les réflexes » (p. 220 et suivantes).

Sport populaire / sport élitiste

Certains sports tels que le *cyclisme* ou le *football* recrutent leurs pratiquants essentiellement dans les couches sociales populaires, d'autres à l'opposé, ne sont guère pratiqués que par les membres des classes moyennes et supérieures. Le *tennis*, et a fortiori le *golf*, fournissent de bons exemples de ce deuxième groupe. Il semblerait que les sports qui recrutent leurs pratiquants et leur public, partiellement ou essentiellement, dans les groupes populaires constituent un terrain plus propice à l'investissement d'appartenances régionales ou nationales, et selon notre hypothèse, au développement de campagnes politiques.

Il en va tout autrement pour un sport tel que le *golf* dont le recrutement passe par des filtres financiers, sociaux et culturels très exigeants. Classes socio-économiques et appartenances raciales se superposant assez fidèlement en Afrique du Sud, le golf n'a guère eu à y séparer la pratique des Blancs de celle des non-blancs. Hors d'Afrique du Sud aussi ce sport, qui se constitue socialement de l'exclusion, n'est pas un lieu où puisse se développer un mouvement contre d'autres exclusions.

Sports spectacularisés / sports peu spectacularisés

La manifestation publique constitue la dernière étape, l'ultime recours, d'une campagne politique s'opposant à la réalisation d'une rencontre sportive. C'est l'épreuve de vérité, elle témoigne du degré de mobilisation de l'opinion publique. Rarement réalisée, cette dernière étape est cependant toujours présente, en tant que possibilité, dans le champ de force du conflit. Les groupes de pression brandissent cette virtualité comme menace, les pouvoirs publics l'invoquent comme risque pour justifier la mise en place d'un service d'ordre renforcé ou l'annulation de l'événement sportif.

Selon sa probabilité et son ampleur potentielle, la manifestation pèse d'un poids très différent dans le rapport des forces en présence. Or le *niveau* de cette variable est fonction du **degré et du mode de spectacularisation de la discipline sportive** concernée. Ces caractéristiques sont elles-mêmes en relation étroite avec la popularité de la discipline : elles en résultent tout en la déterminant en retour.

On sent intuitivement que l'éventualité d'une manifestation dont le but serait de perturber ou d'empêcher un match international de rugby ou de football aura plus de chances d'être prise en considération que celle qui viserait une rencontre internationale de golf. La différence de *popularité* fournit ici l'explication la plus évidente : spectateurs, téléspectateurs, auditeurs et lecteurs de l'information sportive offrent à la manifestation un champ de résonnance et de propagation très variable selon la discipline sportive visée. Jouent ici l'extension du public, mais aussi sa nature. Lorsque les journalistes sportifs opposent « *les snobs de*

photo Ch. Pociello.

La participation d'un public de connaisseurs.

Roland-Garros » (21) au « *les braillards du Parc des Princes* » et au « *merveilleux public des tatamis* » (22), ils relèvent, à leur manière, des différences qualitatives entre publics. Les différents publics n'ont pas le même niveau de compétence, ni la même attitude vis-à-vis du déroulement de l'événement sportif, ni non plus la même disponibilité pour des mouvements de foule qui y sont liés (ou à des incidents extérieurs à celui-ci). Cette disponibilité semble très élevée chez les spectateurs des sports collectifs, et particulièrement dans les sports collectifs de grand terrain.

A l'opposé, le public du golf, par exemple, n'offrirait qu'un rendement très inférieur à l'investissement contestataire et ne présenterait, de ce point de vue, qu'un risque faible pour les organisateurs et les pouvoirs publics. Le golf par ailleurs se prête mal à la transmission télévisée : le moindre parcours s'y mesure en kilomètres, ce qui pose des problèmes techniques et financiers dissuasifs. Les adversaires se **succèdent** sur le parcours, la confrontation passe, de ce fait, par la mémorisation de scores complexes et ne tombe pas directement et concrètement sous le sens. La télévision peut certes créer des séquences en juxtaposant les phases décisives, porter le score en surimpression et transformer ainsi l'événement en contractant son temps et son espace pour le spectaculariser (23). Le golf continuera cependant à requérir de son spectateur direct une attention, une compétence, une activité physique et intellectuelle qui le particularisent et le placent hors de portée d'éventuelles tentatives de mobilisation. Tout essai de manifestation serait condamné d'avance à rester étranger et **extérieur** à l'événement sportif et à son public.

(21) Jean-François Renault dans « l'Equipe » du 6/12/79, page 7.
(22) Jean-François Agogue dans « l'Equipe » des 8 et 9/12/79, page 6.
(23) La concentration dans le temps et dans l'espace, l'action simultanée ou presque simultanée des adversaires (affrontement) et la perceptibilité aisée ou à défaut la visualisation du score ou du rapport de force, sont à notre sens des conditions nécessaires au caractère spectaculaire de l'événement sportif.

« Ce cadre est fait avec les dents cassées de nos adversaires restées sur la pelouse après les matchs. »

Portrait au cadre original exposé au « Club-house » du Club Athlétique Béglais (stade Musard).

photo Ch. Pociello.

Encore qu'elles ne relèvent qu'indirectement de notre propos, il paraît difficile de passer entièrement sous silence les réactions collectives du public aux péripéties de l'événement sportif lui-même. Elles représentent l'un des éléments qui déterminent l'avantage considérable des compétitions disputées « à domicile ». Réactions affectives d'abord, concentrées et amplifiées par la disposition périphérique des spectateurs et la clôture partielle ou totale de l'enceinte. Elles deviennent action du public sur lui-même, sur les acteurs sportifs, mais aussi sur les juges et arbitres, dans tous les sports où la détermination des résultats fait appel, serait-ce très accessoirement, à une appréciation. Le *« merveilleux public des tatamis »* lui-même devient alors une

photo Ch. Pociello.

Le rugby est un sport viril de contact...

« *foule de pinailleurs spécialistes* » (24), se livrant à de « *formidables broncas* » (24) chaque fois qu'est appelé à officier le malheureux arbitre qui lui a déplu et dont le journaliste de « l'équipe » dira : « *le public de Coubertin l'avait disqualifié* » (25).

Lorsque P. Martel demande : « *la vox populi sera-t-elle un jour la vox F.I.J. ?* »

(24) « L'Equipe » du 10/12/79, page 12.
(25) « L'Equipe » du 10/12/79, page 8.

(26), on serait tenté de lui répondre que c'est en bonne voie. L'action du public sur les juges et arbitres croît avec le processus de spectacularisation inhérent aux formes actuelles d'organisation des grandes manifestations sportives. Les championnats du monde de gymnastique organisés à Strasbourg (1978) et à Dallas (1979) en sont d'explicites illustrations. Ce fut le cas aussi des derniers championnats du monde de judo qui se sont déroulés à Paris en décembre 1979. Lors de cette compétition, il nous a semblé que les athlètes, merveilleuses machines à intégrer et à exploiter l'information en temps réel, **jouent de leur public** pour faire pression indirectement sur les instances de décision. Il est évident que si le barrage olympique devait céder, ce qui est une hypothèse légitime dans la conjoncture actuelle, la formidable pression du public précipiterait cette évolution dans le cadre d'une spectacularisation et d'une commercialisation croissantes.

Sports de proximité / sports de distance

Certains sports supposent la proximité, voire le *contact corporel* entre adversaires, d'autres au contraire *séparent* les protagonistes et leurs actions : dans l'espace, dans le temps ou par l'interposition d'instruments plus ou moins complexes. (27)

Le contact et les modalités des rapports entre adversaires s'avèrent ainsi très variables selon la discipline sportive envisagée : du contact corporel total et permanent de la lutte, ou intermittent du rugby, en passant par l'opposition relativement directe mais sans contact physique du volley-ball, jusqu'à une opposition médiée par appareils interposés. La signification sociale de la rencontre sportive sera fonction de la nature des rapports d'opposition et du degré de contact institués entre adversaires par le règlement de chaque discipline. La rencontre sera ainsi vécue et perçue comme plus ou moins dangereuse ou compromettante, dans le cadre des campagnes anti-apartheid, selon la discipline sportive dans laquelle elle se déroule.

On trouve là une explication supplémentaire à la discrimination établie entre disciplines sportives par le combat contre l'apartheid et les stratégies d'opportunité.

Cette dimension sera d'autant plus déterminante si l'on admet que le boycottage sportif actualise le réflexe social archaïque de l'exclusion/enfermement du mal contagieux, réflexe sous-tendu par le modèle de la mise à l'écart des pestiférés ou des lépreux.

---

(26) F.I.J. : Fédération Internationale de Judo. Cette question fut posée par P. Martel dans le n° 12 de la revue « *Judo* », éditée par la Fédération française de cette discipline (page 17).

(27) Pour une présentation plus explicite de cette dimension on pourra se reporter à la contribution de Ch. Pociello à cet ouvrage et à l'article signalé au renvoi (3).

Remarquons que l'on évite non seulement les porteurs du mal, mais aussi ceux qui ont été en contact avec eux. Le boycottage des Jeux de Montréal par la quasi-totalité des délégations africaines à cause de la participation des Néo-Zélandais, qui avaient eu des rapports sportifs, notamment en rugby, avec les Sud-Africains, illustre cette règle prophylactique. La menace adressée à la France de demander l'exclusion de ses représentants des Jeux de Moscou, si la tournée des Springboks devait se réaliser, relève du même modèle.

Sport amateur / sport professionnel

Le championnat du monde 1979 de « *formule 1* » a d'abord consacré la victoire de Ferrari et celle de Michelin. Le nom du pilote, Jody Scheckter, n'est apparu qu'au deuxième plan. Quant à sa nationalité, elle a eu le temps de s'estomper au fur et à mesure que, de contrat en contrat, Scheckter changeait de constructeur et de pays de résidence.

Le doute saisit le supporter impatient de savoir « s'il a gagné ». Doit-il se fier à la **nationalité du pilote,** à celle du **constructeur** ou à celle du fabricant (multinational) de pneumatiques ? La multitude des inscriptions portées par la carrosserie du bolide et la combinaison du pilote achèvent de brouiller les repères de référence traditionnels de la dramaturgie sportive. La nationalité du champion devient une donnée secondaire. On peut, dans un sport professionnel tel que le tennis, passionner le public des grands tournois en étant, comme Martina Navratilova, joueuse apatride.

De manière générale le sportif professionnel s'engage au nom de ses propres intérêts financiers et représente l'image de marque des sponsors et des fabricants d'équipements sportifs.

Empêcher un sportif, fut-il Sud-Africain, d'exercer son métier pose par ailleurs un problème d'une toute autre nature : celle d'une atteinte au droit du travail. Il y a là de quoi hésiter, si, au-delà des problèmes strictement juridiques, se profile derrière le sportif, la silhouette d'une puissante firme multinationale.

Cette hésitation serait d'autant plus justifiée qu'à notre avis, les sports professionnels constituent, en règle générale, un secteur peu rentable pour l'investissement contestataire d'une campagne politique orientée contre un pays. Pour que la conscience d'appartenance nationale puisse se réaliser à travers une représentation sportive, **il est indispensable que la discipline sportive concernée ait préservé l'essentiel de l'aura de valeurs traditionnellement attachées au sport.** S'il n'y a pas, au moins en apparence, gratuité de l'effort, les sportifs confrontés, devenus mercenaires, ne peuvent être perçus comme pleinement représentatifs de leur pays. Le rugby fait partie des sports qui continuent, de ce point de vue, « à sauver la face » et gardent la capacité de servir de médium d'activation et de lieu d'investissement des identités d'appartenance géo-politique.

A l'issue de cette exploration indicative des déterminants de la signification sociale des pratiques sportives, une remise en perspective s'impose. Chacune des six caractéristiques étudiées comporte une multitude de modalités ou de valeurs, formant une série graduée, que nous avons nommée *dimension*, dans laquelle on peut situer les différentes disciplines sportives. Ceci est d'emblée évident pour le niveau socioprofessionnel du recrutement et pour le caractère spectaculaire des rencontres. On imagine aussi, sans grande difficulté, les multiples situations intermédiaires, comprenant « *l'amateurisme marron* » et le professionnalisme à temps partiel, qui séparent l'amateur du professionnel. Pour le *degré de contact* nous avons esquissé la grande variabilité qui se déploie entre les positions extrêmes occupées par des sports tels que la *lutte* et *l'automobilisme*. L'évidence est moindre pour les dimensions : individuel/ collectif et olympique/non olympique, qui à première vue ne comportent chacune que deux niveaux. Un examen plus attentif révèle de nombreux états intermédiaires.

Une discipline admise aux Jeux peut être *plus ou moins olympique*. Ainsi à notre avis, le *football* l'est-il moins que la *gymnastique* et a fortiori que *l'athlétisme*. L'histoire de la discipline et en particulier son « *ancienneté olympique* » seraient dans cette perspective, porteuses de sens, mais aussi l'existence éventuelle d'une pratique professionnelle extra-olympique, sans oublier le rang occupé par la victoire olympique dans l'échelle de prestige des différents succès possibles dans la spécialité sportive concernée. Ce rang n'est pas toujours le premier. Du côté des sports non olympiques, certaines fédérations internationales déploient de savantes stratégies pour tenter de faire admettre, ou réadmettre, leur discipline aux Jeux. Ailleurs on s'estime « à cent lieues de tout ça » et on n'envisage même pas l'éventualité d'une telle démarche.

Du pratiquant strictement individuel à l'équipe de sport collectif se déploie de même une gamme de modalités d'association et de collaboration sportive, plus riches et plus diverses qu'il ne pourrait sembler à première vue. Comment ordonner sur cette dimension l'équipage *d'aviron* ou de *voile*, l'équipe *d'athlétisme*, celle d'une *course de relais*, l'équipe de double en coupe Davis de *tennis*, la *cordée d'alpinisme*, l'équipe de *judo* ou celles enfin des différents sports collectifs ? Tâche délicate, nécessitant une analyse fine des modalités de collaboration sportive.

La signification sociale de la pratique sportive, telle qu'elle est vécue et perçue par le pratiquant, le spectateur et le consommateur même involontaire d'information sportive, sera fonction de la position occupée par la discipline sportive impliquée sur des dimensions de cet ordre. Celles que nous venons d'explorer ne sont certainement pas les seules à déterminer la signification sociale des pratiques sportives et leur emprise sur l'imaginaire social. Nous pensons cependant qu'elles sont les plus pertinentes pour rendre intelligible la ségrégation opérée entre disciplines sportives dans des conflits du type de celui qui a entouré le projet de tournée des Springboks en France.

L'affaire des Springboks aura servi ici d'*analyseur*, de prisme en quelque sorte, révélant une variété et une richesse occultées par le travail idéologique. Le traitement social de la pratique sportive dans une situation de crise, tant par les groupes de pression que par les diverses instances des pouvoirs publics, s'avère infiniment plus informatif que le discours social, indéfiniment ressassé, sur « *le sport* ».

Une telle démarche pourrait inciter à penser que nous avons été plus sensible au traitement inégal des disciplines sportives qu'à la ségrégation raciale qui sévit en Afrique du Sud. Ce serait se méprendre : nous sommes au contraire profondément convaincu du caractère odieux de la théorie et de la pratique du « *développement séparé* ». Nous comprenons aussi comment la référence au vécu colonisé, dont le souvenir et les traces sont encore vifs pour beaucoup d'Africains, peut rendre l'existence de l'apartheid encore plus intolérable.

Tout aussi insupportable nous apparaît l'utilisation politique qui est faite de ce consensus africain de refus de l'apartheid dans les luttes d'influence dont ce continent est l'enjeu.

Chez le même éditeur :

Collection Sport + Enseignement sous la Direction de R. Thomas

94. G. François — *Brevet d'Etat d'éducateur sportif 1er et 2e degré : 2. Sciences juridiques*
95. B. Bruggmann — *1 000 exercices et jeux de football*
96. C. Rieu/J.C. Marchon — *Mini-tennis — Tennis — Maxi-tennis*
97. A. Mourey — *Tennis et pédagogie*
98. C. Got/J.C. Alazard — *Le sport sans risque*
99. J. Caja/M. Mouraret — *Guide de préparation au brevet d'Etat d'éducateur sportif 1er degré*

Collection Sport + Initiation sous la direction de R. Thomas

G. Bosc/B. Grosgeorge — *Guide pratique du basket-ball*
G. Bosc — *Le basket-ball. Jeu et sport simple*
G. Carbasse/P. Taberna — *La lutte Sambo*
Fédération Française de Boxe
    1. *Préparation physique du boxeur — Secourisme — Hygiène sportive — Rôle de l'homme de coin*
    2. *Guide de techniques*
P. Hostal — *Gymnastique aux agrès. Enseignement primaire (espalier, banc, plinth, corde)*
P. Hostal — *Tiers-temps pédagogique et gymnastique*
C. Kouyos/P. Taberna — *Enseignement de la lutte. Lutte libre et gréco-romaine*
Y. Piégelin — *Enseignement de la voile*
P. Soler — *Gymnastique au sol*
T. Starzynski — *Le triple saut*

Collection Sports et Sciences sous la direction de R. Thomas

- Sports et Sciences 1979
- Sports et Sciences 1980
- Sports et Sciences 1981
- Sports et Sciences 1982

Ouvrages généraux

R. Carrasco — *Essai de systématique d'enseignement de la gymnastique aux agrès*
R. Carrasco — *Gymnastique aux agrès. Cahiers techniques de l'entraîneur — Les rotations en avant*
R. Carrasco — *Gymnastique aux agrès. L'activité du débutant*
R. Carrasco — *Gymnastique aux agrès. Préparation physique*
R. Carrasco — *Pédagogie des agrès*
R. Catteau/G. Garoff — *L'enseignement de la natation*
P. Conquet — *Contribution à l'étude technique du rugby*
C. Craplet — *Nutrition, alimentation et sport*
C. Craplet — *Physiologie et activité sportive*
C. Fleuridas/R. Thomas — *Les jeux olympiques*

E. L. Fox/D. K. Mathews — *Bases physiologiques de l'activité sportive*
A.V. Ivoilov — *Volley-ball*
F. Katch/W.D. Mc Ardle — *Nutrition, masse corporelle et activité physique*
Kerr — *Apprentissage psychomoteur*
F. Maccorigh/E. Battista — *Hygiène et prophylaxie par les exercices physiques*
C. Mandel — *Le médecin, l'enfant et le sport*
P. Masino/G. Chautemps — *La barre fixe*
M. Nadeau/F. Peronnet — *Physiologie appliquée à l'activité physique*
F. Peronnet — *Le marathon : équilibre énergétique, endurance et alimentation du coureur sur route*
L. Peterson/P. Renstrom — *Manuel du sportif blessé*
J. Teissie — *Le football*
R. Whirhed — *Anatomie et science du geste sportif*
H.T.A. Whiting — *Sports de balle et apprentissage*

ACHEVÉ D'IMPRIMER
SUR LES PRESSES DE
L'IMPRIMERIE CHIRAT
42540 ST-JUST-LA-PENDUE
EN JANVIER 1987
DÉPÔT LÉGAL 1987 N° 3146

IMPRIMÉ EN FRANCE